John Reed

Robert Rosenstone

# John Reed

TRADUIT DE L'AMÉRICAIN
PAR BERNARD MOCQUOT

Maspero

Titre original : *Romantic Revolutionary. A Biography
of John Reed.*
© 1975, Robert A. Rosenstone.

© 1976, Librairie François Maspero, pour l'édition
française, avec l'accord de Alfred A. Knopf Inc., New York.

ISBN 2-02-006164-3.
(ISBN 1ʳᵉ publication : 2-7071-0895-2).

## Préface

Un livre parle de lui-même. Je ne donnerai donc pas de longues explications concernant ce qui suit ; je préciserai quelques points pour aider le lecteur.

Ecrivain prolixe, John Reed avait des idées bien arrêtées sur l'art, sur la société, sur la politique, et ce livre se fait très largement l'écho de ses prises de position. Sans partager nécessairement toutes ses idées, je me suis efforcé d'expliquer comment — au gré de son évolution — elles avaient pu le séduire. Pour éviter d'interrompre le récit, j'ai fait apparaître ces opinions au fil des commentaires sur son œuvre et sur ses entreprises ; le lecteur attentif n'aura aucun mal à distinguer les opinions de Reed de mes éventuelles remarques.

Une biographie ne doit pas, selon moi, se borner à énumérer les événements de la vie d'un homme ; elle doit aussi éclairer son caractère et ses sentiments. J'ai donc essayé de décrire les sentiments de Reed, sans pour autant plaquer une interprétation psychologique préfabriquée sur ce qu'il a pu dire. C'est donc ma propre interprétation des motifs qui font agir les hommes qui est en jeu ici ; elle-même n'est à son tour que le produit de mon expérience, de mes lectures et des réflexions que la condition humaine m'a inspirées. Je ne crois pas m'être livré à des suppositions incongrues, ni à des élucubrations hors de propos. C'est à partir des notes, de la correspondance, des articles, des récits ou des poèmes d'une période donnée que j'ai essayé de déduire logiquement quel pouvait être l'état d'esprit de leur auteur.

Certains lecteurs seront peut-être surpris par l'emploi que je fais des prénoms ou des surnoms de quelques personnages historiques. Il m'est apparu difficile de faire autrement dans un livre qui traite d'une époque où les gens ne se souciaient guère de protocole. Après avoir lu leurs lettres et leurs mémoires, je suis persuadé que de les appeler par leurs seuls noms aurait été trahir leur esprit ; j'incline à croire qu'ils ne s'en seraient pas formalisés. Tout porte à penser que le héros de ce livre aurait préféré qu'on se souvienne de lui comme de « John » ou de « Jack » plutôt que comme de « Reed ».

Je voudrais encore préciser ceci : ceux qui s'attendent à trouver ici la « signification » de la vie de John Reed ou encore ce que son existence révèle sur l'état de la société américaine devront réfléchir et tirer eux-mêmes les conclusions après avoir lu le livre. Dans le dernier chapitre, je suggère bien quelques idées qui me sont venues, mais cela ne peut en aucune façon expliquer trente-trois années d'existence. Les recherches que j'ai dû faire, puis la rédaction de cet ouvrage m'ont conduit à penser que la vie d'un homme « existe » plutôt qu'elle ne « signifie ». Certes, nous ne pouvons faire autrement que de donner un sens à la vie des autres ; de là, d'ailleurs, l'intérêt des biographies, de l'histoire et des romans. Le romancier crée un monde et des personnages — j'ai essayé de recréer le monde de John Reed ; le romancier règle son monde d'après son propre système de valeurs — comme lui, j'ai mis le mien dans celui-ci. Il apparaît dans le choix du sujet, dans nombre d'attitudes critiques que je partage évidemment avec Reed et ses amis, dans mon approbation pour ces hommes qui souhaitaient changer la vie, dans l'admiration que j'éprouve pour ce que Reed a pu faire, dans mon regret de ce qu'il n'ait pas davantage songé à lui. Mais, comme le romancier qui sait que chacun donnera de son univers une interprétation personnelle, je suppose que le lecteur verra Reed et son époque à travers son opinion et son optique propres. Si le fait d'écrire l'histoire constitue une sorte de dialogue entre un individu et le passé, le fait de la lire devrait produire le même résultat.


Bien que mon nom seul figure en tant qu'auteur de ce livre, et malgré le fait que je sois le seul responsable du contenu de cet ouvrage, celui-ci est le fruit d'une coopération, le résultat des rencontres importantes que j'ai faites ma vie durant. Si je devais nommer tous ceux qui m'ont aidé, il me faudrait alors entreprendre une véritable autobiographie : aussi, après avoir remercié les personnes qui m'ont encouragé, je voudrais citer le nom de celles qui ont particulièrement contribué à l'élaboration de cet ouvrage.

Les bibliothécaires sont pour le chercheur des auxiliaires bien précieux : parmi ceux qui se sont révélés indispensables à la réalisation de mon projet, je voudrais nommer : Elizabeth Dilworth, Sophia Yen, Don MacNamee, Erma Wheatley, Ruth Bowen, de la Milikan Library du « California Institute of Technology » ; Carolyn Jakeman et Joseph Mac Carthy, de la Houghton Library (Université d'Harvard) ; Sarah MacCain, de la George Arents Research Library (Université de Syracuse), et Arthur Spencer, de l'Oregon Historical Society, ont bien voulu interrompre leurs activités pour m'apporter leur aide, me faire part de leurs suggestions, m'offrir l'hospitalité. Chuck Slosser, Roger Chretien, William Crawley, Jeffrey Blair m'ont apporté leurs connaissances et leurs lumières au cours de mes recherches dans les bibliothèques et les différentes collections de manuscrits.

Je remercie le Comité de recherches de la section des sciences humaines et sociales du California Institute of Technology pour son aide financière ; il m'a permis d'obtenir une bourse sans laquelle je n'aurais pu consacrer une année entière à mes travaux, rémunérer mes collaborateurs, effectuer plusieurs voyages à Portland, Oregon, et me rendre en Union soviétique. Le don que m'a accordé l'American Philosophical Society m'a permis de séjourner à Harvard, à New York et à Washington, D. C.

Un certain nombre de personnes qui travaillaient sur des sujets voisins m'ont également apporté des informations et des suggestions utiles ; parmi elles : Justin Kaplan, Julia O. Bibbins, William Greene, Virginia Marberry, Lee Lowenfish, Herbert Shapiro, Ronald Steel, Edwin Bingham. Parmi les gens qui ont connu Reed personnellement et ont aimablement consenti à s'entretenir avec moi directement ou par correspondance, il me faut nommer : Carl Binger, Andrew Dasburg, Lesley Miller, Frances Nelson Carroll. Granville Hicks ne m'a pas seulement accordé toute une soirée, mais m'a vivement encouragé, alors que mon projet visait clairement un sujet qu'il avait déjà traité. Grâce à la générosité qu'elle m'a manifestée, la famille Reed a considérablement aidé à l'élaboration de ce livre : je voudrais remercier Madame Pauline Reed pour les entretiens qu'elle m'a accordés, Helen et John Reed pour m'avoir donné accès à leurs dossiers et à leur maison, pour l'intérêt continu qu'ils ont bien voulu me témoigner et pour la façon dont ils m'ont laissé absolument libre d'interpréter les

9

événements familiaux. Au cours de mes travaux, j'ai eu le grand plaisir de pouvoir rencontrer des citoyens d'Union soviétique. Les historiens Victor Malkov et Abel Startsev, de la section d'histoire américaine de l'Académie des sciences d'U.R.S.S., ont bien voulu me donner des renseignements, tandis que Boris Gilenson a accepté de prendre sur son temps pour me faire parvenir des documents parus dans certaines publications soviétiques et m'a aidé à obtenir des copies de documents auprès du professeur Alexandre A. Soloviev, chef des archives à l'Institut de marxisme-léninisme de Moscou [1]. Bertram Aranovitch, mon lointain parent, a bien voulu me servir de guide à Moscou, mais il m'a surtout apporté toute son aide dans les recherches que j'avais à faire à la Bibliothèque Lénine. Quant à Galina Moller, de Kaltech, elle a montré beaucoup plus que l'obligeance habituelle qu'on manifeste pour un collègue dans les analyses détaillées et les traductions des documents écrits en langue russe qu'elle m'a procurées.

De nombreux amis et collègues ont supporté patiemment mes continuelles questions et mes hypothèses sur le mouvement radical, l'histoire, les bouleversements sociaux, l'art, la bohème, la littérature et la psychologie au cours des quatre dernières années ; plusieurs ont accepté la tâche ingrate de lire le manuscrit et d'en faire une critique détaillée. Pour le soutien et l'amitié qu'ils m'ont manifestés, je dois beaucoup à Robert A. Huttenback, Daniel J. Kevles, Richard A. Hertz et Louis Breger. Ils ne sont pour rien dans les erreurs éventuelles que ce livre peut contenir ; bien au contraire, leurs commentaires m'ont à coup sûr épargné bien des inexactitudes historiques et des maladresses de style.

Lorsque le texte fut établi, d'autres s'en sont occupés, et je dois beaucoup aux secrétaires qui m'ont aidé à l'achever : Margy Robinson s'est entièrement consacrée à ce travail ; Joy Hansen et Rita Pierson m'ont également aidé de nombreuses façons. Enfin, si ce livre a pu être achevé, c'est grâce aux soins, à l'adresse et à la célérité dont Edith Taylor a fait preuve, et grâce à l'attention qu'elle a su porter à de nombreux détails qui m'échappaient. Il me faut également remercier sincèrement Harold Strauss et Ashbel Green, de la maison Alfred Knopf, pour les égards qu'ils m'ont témoignés.

Enfin, il y a un domaine immense et inexprimable sans

---

1. Pour les documents russes dont on n'avait pas fait usage jusque-là, cf. bibliographie, ci-dessous p. 595 et s.

lequel ce travail n'eût pas été possible : de bien des façons, Joseph Boskin a contribué à l'élaboration de ce livre et j'ai reçu assez d'affection et d'encouragements de mes parents, qui espéraient tant avoir un fils capable d'écrire et d'exprimer les rêves qu'ils portaient en eux, pour me soutenir pendant ma vie entière.

R. A. ROSENSTONE
*Hollywood, Californie*
*Février 1974*

# Portland

*gouvernement Roosevelt*

Il était une fois un petit garçon qui s'appelait Will et qui vivait dans un lointain pays, quelque part sur le rivage de l'océan Pacifique. Par une nuit où la tempête faisait rage, il surgit de la mer, accroché à une épave et fut projeté sur la grève juste au-dessous de la chaumière du vieux Hebe Twiller. Hebe était un homme aigri et silencieux, qui vivait en solitaire depuis la mort de sa femme. Aussi, les commères du village furent-elles bien étonnées quand il décida soudain d'adopter ce petit vagabond sans famille...

Le village était niché entre deux très hauts caps escarpés qui surplombaient la baie où les bateaux des pêcheurs se balançaient paresseusement sur la longue houle de l'océan. Vers l'intérieur, une forêt très dense s'étendait jusqu'aux montagnes où le soleil apparaissait chaque matin ; depuis l'étroite rue du village, on distinguait le bleu infini de l'océan où chaque soir le soleil se couchait.

Will, lorsqu'il eut grandi, commença à s'aventurer dans les bois. Il y percevait des bruits étranges que personne d'autre ne semblait entendre. Il prit l'habitude de se lever avant l'aube et de grimper pieds nus dans la fraîcheur jusqu'à la route brune qui reliait sa maison au vaste monde. Il écoutait avec ravissement le chant que les bois, la terre, et la mer adressaient au ciel ; alors, il rêvait de cités et de palais, de chevaliers étincelants pareils à ceux qui autrefois avaient galopé devant sa porte, partant pour la guerre...

Une fois par semaine, dans un grand bruit de sabots, le postier monté sur un magnifique alezan faisait son entrée en ville ; négligemment, il jetait au commis les sacs contenant le courrier. Will admirait beaucoup l'élégance avec laquelle, chez l'aubergiste, il vidait sa chope de bière mousseuse, parsemant de petites gouttes étincelantes sa grande barbe brune. Un jour, il appela Will « mon petit poulet » ; alors, Will s'empressa de l'interroger avec avidité. Le monde était-il grand et magnifique ? Y avait-il beaucoup d'hommes beaux et forts comme lui, là-bas ? (Il faisait de la main un geste vague vers l'est.) Le postier riait, évidemment flatté. « Viens-y voir, dit-il ; un jour nous aurons besoin de toi, mon petit poulet. » Il éperonna son cheval et cria par-dessus son épaule : « Viens un jour, et tu verras ! » Puis, il disparut derrière les arbres. Will resta un long moment au milieu de la route, pensif.

Le printemps vint et s'en alla, et soudain ce fut l'été qui transforma le petit monde des pêcheurs. Will était maintenant grand et fort. Toute la journée, il travaillait sur les filets à saumons de son père... Le soir, épuisé, il retournait à la maison et s'écroulait d'un seul coup sur son lit ; mais, quelquefois, il restait éveillé et songeait ; plus il réfléchissait, plus il était troublé, et plus cette vie le dégoûtait. Les gens ne le comprenaient pas. Les autres garçons travaillaient, mangeaient, et dormaient comme de jeunes animaux, mais lui, Will, était silencieux et solitaire. Ses camarades se méfiaient de lui et le craignaient. Les vieilles gens chuchotaient qu'il avait conclu un pacte avec le diable ; n'était-ce pas en effet la bonne Madame Muller qui l'avait vu se promener tout seul dans un sentier dans la montagne, parlant tout haut avec le vent ?

Le vieux Hebe lui-même essaya de raisonner son fils adoptif, mais dut battre en retraite, écœuré par les sornettes de Will. Des voix et des chants dans la forêt, des demoiselles qui riaient dans les vagues... Tout cela était absurde !...

Finalement le garçon décida de ne pas supporter cette vie plus longtemps. Là-bas, dans les grandes cités lumineuses, ils le comprendraient. Il résolut de quitter la maison pendant la nuit ; peu avant l'aube, il s'échappa de la chaumière et suivit la route brune qui s'enfonçait dans les pins. La musique familière était là, qui faisait battre son sang ; il entendait déjà le glorieux chant des victoires, celles qui l'attendaient là-bas, vers l'est. Lorsqu'il dépassa la dernière maison du village, Will se retourna et fit de la main un signe d'adieu au vieil océan, puis l'obscurité des pins l'engloutit...

John REED, « La pierre magique », Harvard Monthly, n° XLVII, avril 1909.

C'est un proscrit, un orphelin, un étranger venu d'ailleurs et d'un autre temps, dont il s'agit — les sentiments que John Reed nourrissait à l'égard de sa ville natale et de son enfance étaient si profondément ancrés en lui, que dans une carrière d'écrivain pourtant bien remplie, ces lignes furent les seules concernant sa jeunesse qu'il ait jamais publiées. Elles suffisent à expliquer pourquoi il n'y en eut pas davantage. Rêveur, enfant plein de fantasmes étranges, il s'était toujours senti différent des autres. Pendant des années cette tendance demeura à moitié consciente. Elle se manifestait par une insatisfaction vague, une sensation de solitude et de séparation et par le désir de s'enfuir vers d'autres mondes. C'est seulement à l'âge de vingt et un ans, alors qu'il était à l'université, loin de chez lui, et qu'il suivait déjà son propre chemin, qu'il put faire le point et exprimer par le biais de l'écriture la solitude qui l'avait façonné. Un bref regard en arrière suffisait. La jeunesse était une période qu'il n'avait guère envie de revivre. Comme elle ravivait des souvenirs à demi oubliés et des émotions douloureuses, seul le genre de la nouvelle convenait pour rendre compte de cette aliénation précoce.

Comme Will, Reed fut élevé au sein d'une communauté qui n'était pas faite pour comprendre ses rêves. Portland (Oregon), où il naquit en 1887 sortait tout juste de l'état d'avant-poste du monde civilisé, bien que ses dirigeants en fussent déjà à proclamer qu'ils avaient atteint leur idéal, une ville où régnaient la sobriété et les vertus civiques. Dans la vie publique, les hommes d'affaires qui avaient barre sur la population, prônaient les vertus rigides et austères, celles de leurs ancêtres de la Nouvelle Angleterre. Pour eux, travailler c'était vivre, et vivre c'était travailler. Tout ce qu'ils connaissaient de la poésie se limitait à la Bible, la musique se bornait aux hymnes simples et dépouillés des églises protestantes ; quant à l'imagination, elle était réduite aux seules possibilités de développement économique qu'offrait la richesse du Nord-Ouest. Politiquement conservateurs, méfiants à l'égard de tout ce qui était gai ou voyant, ils étaient hostiles, aussi bien en pratique qu'en théorie, à tout ce qui s'écartait de la norme. L'image qu'ils avaient d'eux-mêmes s'inscrivait dans une histoire officielle qui chantait les vertus des fondateurs de la cité, « citoyens respectables, [...] d'une moralité, d'une conviction religieuse et d'une force de caractère qu'aucune classe sociale ne surpassa jamais en Amérique [1] ».

En dépit de telles proclamations, la vie à Portland offrait un autre aspect. Le port était encombré de grands voiliers qui transportaient le blé, la farine, les fruits, le saumon, le bois de charpente orégonais vers les ports de Chine, d'Angleterre, d'Australie et des Indes. Il y avait près des docks une zone de bars et d'hôtels misérables où des marins étrangers se mêlaient à une rude et diverse population de l'Ouest : cow-boys à la peau tannée fraîchement débarqués de leurs montagnes, mineurs couverts de poussière à la recherche d'un filon, bûcherons nantis d'une poignée de monnaie, prostituées, tricheurs de profession, truands. On buvait beaucoup, on jouait dans la fièvre, on se bagarrait, on se rendait dans des fumeries d'opium. Bien que de telles activités fussent inévitables étant donné l'économie de la ville, elles étaient officiellement déplorées : « elles n'étaient guidées par aucun principe, elles constituaient un gâchis d'argent et de forces et allaient jusqu'à mettre la vie en danger », aussi les dirigeants de la ville formulaient-ils le vœu pieux que la construction de maisons et d'églises mettrait un frein à ce genre d' « appétits [2] ».

Abritée dans la vallée luxuriante de la large Willamette, entourée par les pics du mont Hood, du mont Sainte-Hélène et du mont Adam qu'on aperçoit au loin, Portland s'étale de

---

1. H. W. Scott, ed., *Histoire de Portland, Oregon*, Syracuse, D. Mason, New York, 1890, p. 451.
2. *Ibid.*, p. 453.

*ses grands-parents maternels*

part et d'autre de la rivière. Avant que le premier pont fût construit, à la fin des années 1880, des bacs reliaient ses deux parties : l'Est, peu développé, où l'on ne trouvait que cabanes et routes boueuses, et l'Ouest, plus étendu, aux rues déjà organisées en un quadrillage qui ne laissait place à aucune fantaisie. Près des quais Ouest s'entassaient, regroupés sur Front Street, les magasins et les bureaux. Au sud de la ville basse, des filatures et des scieries bloquaient l'accès au fleuve, tandis qu'au nord, en direction du confluent avec la Columbia, des silos à grains et des entrepôts dominaient l'horizon. A l'ouest du quartier des affaires le sol s'élevait en pente douce. Les établissements commerciaux s'espaçaient pour laisser place à un ensemble de maisons, d'abord modestes puis plus considérables, installées dans une nature exubérante. Aux environs de la seizième rue commençaient les demeures en bois ouvragé, celles des fondateurs de la cité, que des plantations savamment disposées dérobaient au regard. Au-delà, c'étaient des prairies et des petites maisons de maraîchers irriguées par des ruisseaux. Puis la terre montait en pente raide jusqu'aux collines couvertes d'arbres. Au sommet de B. Street, dominant des bosquets de saules et de frênes, sur le point le plus élevé de la ville, un domaine de cinq acres entourait une grande demeure connue sous le nom de Cedar Hill (la colline aux cèdres) que Henry D. Green, le grand-père de John Reed, avait fait construire. Green, le type même du capitaliste arrivé, était un homme élégant et distingué, une figure imposante dont l'existence empreinte d'une touche de romanesque devait encore frapper l'imagination de son petit-fils alors même que celui-ci était déjà un radical convaincu. A trente ans, Reed écrirait : « Tout ce que je me rappelle de mon grand-père, c'est sa taille majestueuse, ses longs doigts fins, et la politesse raffinée de ses manières. » Pourtant Green était mort deux ans avant la naissance de John ; c'est dire l'impression persistante qu'avait su laisser cette forte personnalité, cet homme qui semblait avoir vécu dans le goût, le raffinement et l'enthousiasme. Reed aimait à raconter qu' « il était venu par le Cap Horn dans un voilier, à une époque où la côte Ouest était encore la limite des terres conquises ; il y fit sa fortune et vécut avec une prodigalité digne d'un prince russe. Portland avait alors moins de trente ans d'existence, c'était une petite ville taillée dans les forêts de l'Oregon, aux routes envahies par la boue, cernée par une nature âpre et sauvage. C'est dans ce décor que mon grand-père attelait des chevaux de race à d'élégantes voitures qu'il faisait venir de l'Est — et même d'Europe — avec des cochers en livrée et des valets de pied juchés à l'arrière [3]. »

Cette image de l'existence de Green n'était pas tellement éloignée de la vérité. En 1853, âgé de vingt-huit ans, quittant une communauté des quartiers Ouest de New York, il alla chercher fortune. Embarqué sur un voilier à destination de l'Oregon, il s'associa avec son frère aîné John et un autre partenaire pour fonder à Astoria, ville située à l'embouchure de la rivière Columbia, une société qui entra en concurrence avec la Hudson Bay Cie pour le commerce des fourrures indiennes. Bientôt les frères eurent un capital suffisant pour transférer le théâtre de leurs opérations à Portland, qui n'existait que depuis dix ans. Assez malins pour saisir les occasions et pour les créer, les Green prospérèrent, ayant largement fondé leur fortune sur les besoins créés par le développement urbain. Henry se maria en 1862, eut quatre enfants, et supervisa en personne le plan, la construction et le dessin du parc de Cedar Hill : « l'orgueil de la ville [4] ». Pourtant, le goût de l'aventure qui l'avait conduit vers l'Ouest, restait encore inassouvi. La société, de plus en plus structurée, sûre et consciente de son bon ordre, le mettait mal à son aise. Passer son temps à recevoir dans son élégante demeure, à s'occuper des plantes exotiques dans leurs serres, ou à monter des chevaux sauvages, tout cela ne parvenait pas à combler un vide. Extérieurement il continuait à prôner la bienséance et le respect de la propriété, mais chez lui, Green se mit à boire de plus en plus. Il avait vécu le rêve américain, celui qui consistait à partir vers l'Ouest, à faire fortune, à s'agrandir en même temps que le pays, à participer au développement de la civilisation. Le résultat, c'était une société où le conformisme était plus prisé que la jeunesse aventureuse. Cette ironique leçon allait s'appliquer quelque peu d'abord à ses fils, puis à son petit-fils John. Les trois descendants devaient connaître une vie éparpillée, déracinée, comme s'ils avaient compris instinctivement que les exi-

---

3. *Trente ans, déjà,* inédit (manuscrits J. R.). Une version partielle de ce texte parut dans le numéro LXXXVI de la *New Republic* du 15 avril 1936 (p. 267-270). La plupart des souvenirs d'enfance de Reed utilisés dans ce chapitre sont tirés de cet ouvrage, sa seule tentative autobiographique. Toutes les citations qui suivent et qui ne font pas l'objet d'une note particulière dans ce chapitre sont tirées de cet essai.
4. T. B. MERRY, « H. D. Green », paru dans l'*Oregonian,* 12 avril 1885, p. 3.

gences d'une communauté établie pouvaient piéger un homme par des moyens de pression subtils, mais efficaces.

Lorsque Henry Green mourut prématurément d'une congestion pulmonaire au cours d'un voyage d'affaires à New York en 1885, on lui fit, dans un long éditorial de l'*Oregonian*, un éloge assez considérable où il était dépeint comme « l'un des hommes de tout premier plan dans les affaires publiques » ; les louanges s'adressaient moins à sa réussite qu'à son goût, son équilibre, sa cordialité, sa générosité ; c'était « un homme qui avait su faire fortune sans recourir à la violence et dont le courage n'avait d'égal que la modestie [5] ». Il laissait une fortune évaluée à 330 000 dollars, une solide réputation d'homme honnête et équilibré, des enfants, une somptueuse demeure et une veuve qui allait considérer John Reed comme « le favori de tous ses petits-enfants ». Elle aussi originaire de New York, Charlotte Jones Green était venue en Oregon avec son frère en passant par l'isthme de Panama, en 1859, à l'âge de vingt et un ans. Du vivant d'Henry, tandis qu'elle élevait ses deux garçons et ses deux filles, elle avait manifesté jusque dans sa vie mondaine un penchant pour les choses de l'esprit. Pour ne pas être en reste avec la bonne société de l'Est, Mrs Green envoya ses filles dans une école d'arts d'agrément de New York, à une époque où les filles de bonne famille de Portland restaient à la maison pour y apprendre la couture et la pâtisserie. Elle adorait les réceptions fastueuses à Cedar Hill et tirait une grande fierté de ses attelages et de ses cochers en livrée ; c'était le premier équipage de ce type qu'on ait jamais vu dans les rues boueuses de Portland.

Après la mort de son mari, Charlotte s'émancipa quelque peu. A une époque où l'on considérait que les femmes étaient faibles, fragiles et incapables de se débrouiller toutes seules, elle entreprit des voyages dans des pays lointains tels que le Japon et la Chine et se rendit jusqu'au Moyen-Orient pour visiter les Lieux Saints. Chez elle, refusant le rôle maussade de la veuve éplorée, elle accéléra le rythme des réceptions à Cedar Hill et devint « la reine incontestée de la ville » [6]. Des années plus tard, son petit-fils se rappelait bien ces bruyantes soirées : « La pelouse de la terrasse, devant la maison, était entourée sur trois côtés par de grands sapins sur le tronc desquels on avait fait grimper des tuyaux de gaz

---

5. *Ibid.*
6. *Oregonian*, 31 octobre 1926, p. 20.

dissimulés par l'écorce ; les soirs d'été, on étendait une immense bâche sur le gazon, et les gens dansaient éclairés par les flammes du gaz dont on eût dit qu'elles jaillissaient des arbres. Il y avait quelque chose de fantastique dans tout cela... » Quand il faisait trop froid ou trop humide pour danser dehors, la salle de bal du troisième étage était envahie de gens qui mangeaient, buvaient et riaient jusqu'à une heure avancée de la nuit. De telles réceptions choquaient les gens bien-pensants de Portland, les scandalisaient même, d'autant plus que les nombreux invités de l'exubérante Mrs Green venaient d'horizons très divers. Chez elle, les banquiers et les industriels côtoyaient les commerçants et les professeurs. Pourtant, bien que de tels mélanges fussent contraires à la bienséance et au quant-à-soi, on ne connut jamais personne qui eût refusé une invitation à Cedar Hill. Peu après la mort d'Henry Green, ses deux filles se marièrent : Katherine, avec un officier qui fut rapidement muté dans l'Est, et Margaret, alors âgée de vingt-deux ans, qui épousa un homme d'affaires, C. J. Reed. Margaret, jeune fille remarquable par son intelligence et sa bonne éducation, avait hérité certains des charmes de ses parents, mais manifestait fort peu leur originalité. Elle avait gardé de l'enseignement reçu un intérêt de dilettante pour la musique, les livres et les « choses raffinées », mais aussi le sentiment très affirmé d'appartenir à une classe ; John était depuis des années un extrémiste, politiquement et socialement, qu'elle l'exhortait encore à se faire des relations parmi les gens « comme il faut » ; elle lui reprochait ses amis turbulents à cause de leurs mauvaises manières, de leur origine étrangère, de leur manque d'éducation, plutôt que de leurs opinions révolutionnaires. A l'occasion elle se présentait elle-même comme « une révoltée », mais ses tentatives anti-conformistes étaient bien superficielles. Plus tard, elle fut l'une des premières femmes de Portland à fumer en public.

C. J. Reed — qu'on connut toujours sous le nom de C. J. — était à Portland un nouveau venu dans le monde des affaires. Son départ pour la côte ouest était caractéristique des générations postérieures à celle de Henry Green ; il s'agissait moins d'une quête aventureuse de la fortune que d'un simple déplacement pour affaires. Né en 1855, Reed, qui avait fait ses études à Auburn (Etat de New York), fut envoyé dans l'Ouest par D.M. Osborne et Cie pour superviser la vente du matériel agricole dans toute la région du Nord-Ouest. C'était un homme aimable et avenant, à l'esprit vif et à la répartie prompte ;

*son père*

il fut rapidement absorbé par le monde des affaires. Quelques années après le beau mariage qu'il fit en épousant Margaret Green, on lui demanda de faire partie du club d'Arlington qui, d'après le Bottin mondain de Portland, était « le plus aristocratique » de toute la ville. Elu deux fois au comité directeur du club et une fois au poste de premier vice-président, C. J. acheva de se distinguer davantage par sa personnalité que par sa situation. Spécialiste des mots d'esprit brocardant la gravité des autres membres du club, il devint, lors des déjeuners quotidiens, le point de mire de toute la table. Sa renommée s'étendit jusqu'au *Spectator,* le journal local de la bonne société, qui vantait ainsi ses talents : « C'est un homme qui déborde d'humour. Les acteurs comiques copient sa démarche... Les chanteurs ont essayé d'imiter son sourire. Mais ils ont échoué. Son sourire est inimitable. Quand M. Reed est en train d'embobiner une de ses victimes, son visage prend une expression que Bret Harte [7] lui a empruntée pour la donner aux traits innocents de son immortel Ah Sin... L'âge, le rang, la dignité ne font rien à l'affaire ; aucun des amis de M. Reed n'est à l'abri de son esprit [8]. » Cet esprit qui le rendit célèbre lui valait aussi d'être redouté. Assez considéré pour qu'on l'emmenât au « Bohemian Club » de San Francisco, Reed était célèbre d'une côte à l'autre pour ses plaisanteries et ses audaces ; il était détesté par ces mêmes compatriotes qui vantaient ses exploits. Peut-être sentaient-ils que sous cet humour se cachait en fait beaucoup de mépris. Reed regrettait le raffinement et les préoccupations plus élevées d'une autre civilisation, plus conservatrice. Il devait écrire un jour : « Les vingt-cinq années que j'ai passées sur la côte Pacifique ne m'ont pas rendu plus tolérant vis-à-vis de la maladresse et de la balourdise de l'Ouest [9]. » Comme il ne se sentait jamais tout à fait chez lui, l'ironie était son seul moyen d'exprimer le mépris qu'il ressentait pour les prétentieux milieux d'affaires de Portland. C'était bien le dégoût de l'homme cultivé à l'égard d'une société sans autre idéal que d'accroître sa richesse.

Quand John naquit le 22 octobre 1887, moins d'un an

7. Ecrivain américain (1836-1902). *Ah Sin,* pièce écrite en collaboration avec Mark Twain. (N.d.T.)
8. Cité par Louise Bryant, dans un essai autobiographique inédit (manuscrit G. Hicks).
9. Lettre de C. J. Reed à Francis Woodman, mars 1906 (archives de Morristown).

après le mariage de ses parents, les Reed vivaient chez Mrs Green. La première chose qu'il connut fut le domaine attenant à l'imposante demeure grise, avec son immense parc, ses jardins bien dessinés, ses gazons, ses écuries, ses vignes abritées par des serres. De là, il pouvait contempler au-dessous de lui tout un panorama de toits, de pelouses vertes et de clochers, avec, plus loin, la rivière qui faisait un coude, et plus loin encore, comme suspendus, les sommets des montagnes environnantes. Le fait d'être élevé à Cedar Hill impliquait une forme d'existence particulière. Ce furent des nurses qui s'occupèrent de lui et le dorlotèrent depuis les tout premiers jours de sa vie, veillant à ce qu'il soit toujours impeccablement propre et ne manquât de rien. Il eut pour compagnons de jeux son frère, de deux ans son cadet, ou bien les jeunes garçons qui habitaient le quartier Ouest, exclusivement réservé aux familles aisées. Ce qui veut dire que pendant des années il ignora les éléments moins raffinés de la ville, les garçons brutaux et effrontés des familles d'ouvriers qui devaient plus tard le fasciner et le terrifier à la fois. Chose plus importante, une atmosphère enchanteresse planait sur le domaine, héritage des réalisations du grand-père, considérablement embellies : les attelages de chevaux, les voitures luxueuses, les valets de pied en livrée, les danses fantomatiques sous les arbres illuminés, tout cela excita l'imagination de l'enfant et fit qu'il se délecta de songes.

Le frère de Margaret Green, Horatio, de dix-sept ans plus âgé que John, était également un sujet d'émerveillement. « C'était un romanesque personnage qui jouait les planteurs de café en Amérique Centrale et s'y trouvait mêlé aux révolutions » ; l'oncle Ray était toujours parti aux quatre coins du monde. Des cartes postales illustrées jalonnaient ses voyages, puis d'un seul coup, il débarquait à Portland « hâlé et barbu » ; le clan des Green se réunissait alors à Cedar Hill pour écouter ses derniers exploits. Quelle en était la part de vérité et d'imaginaire, personne ne le sut jamais ; mais pour John cela n'avait pas beaucoup d'importance : « Une fois, le bruit courut qu'il avait participé en tant que chef à un mouvement révolutionnaire qui s'était emparé du Guatemala pendant quelques jours ; il avait été nommé secrétaire d'Etat. La première chose qu'il avait faite avait été d'employer les fonds du Trésor Public pour donner un magnifique bal populaire ; ensuite il avait déclaré la guerre à l'empire germanique, pour la seule et unique raison qu'il avait raté son examen d'allemand à l'université ! »

Oncle Ray (côté maternel)

L'oncle Ray était un visiteur épisodique, mais il y avait une autre source de romanesque et de mystère qui était toujours présente : les Chinois. La plupart des domestiques à Portland l'étaient, et certains demeurèrent assez longtemps chez les Green pour devenir en quelque sorte des membres de la famille. Impressionné par leur étrangeté, John se rappela toujours la façon dont « ils introduisirent à la maison des fantômes, des superstitions, l'écho de leurs querelles familiales, d'étranges idoles, des aliments et des boissons bizarres, des coutumes et des cérémonies surprenantes. [...] Ils m'ont laissé le souvenir de nattes, de gongs, et de papiers rouges qui flottaient au vent. » Son préféré était Lee Sing, et son tout premier souvenir était celui de ce cuisinier « recevant depuis la cuisine les ordres de sa grand-mère ». En véritable artiste, Lee dédaignait les recettes, pourtant « il semblait préparer les plats et cuisiner avec une sorte d'intuition divine ». Des années plus tard John avait encore l'eau à la bouche au souvenir des festins de Lee : « Quels délicieux rôtis ! Quelles sauces délicates et crémeuses ! Les salades étaient si fraîches, si croquantes ! Quant aux gâteaux feuilletés, ils faisaient rougir de plaisir la tante Jemimah. » Malgré ses talents culinaires, Lee ne touchait jamais à la nourriture américaine — « un peu de beurre légèrement rance, quelques légumes séchés qui avaient un goût d'huile, des intestins de volaille sûris, fumés et assaisonnés, du thé, voilà ce dont il faisait ses délices [10] ».

Ainsi, vues de l'extérieur, les premières années de Reed pourraient sembler enviables et même idéales. Pourtant l'enfant ne fut pas toujours heureux, et à y regarder plus attentivement, les bons et les mauvais côtés de sa vie étaient étroitement liés : « Les premiers souvenirs de mon existence sont faits d'images confuses — une perception vague de la beauté... des sensations de crainte, de tendresse, de chagrin. » La tendresse vint des proches qui l'aimaient : Charlotte qui adulait son premier petit-fils, C. J. qui était fier de son fils aîné, Margaret qui raffolait de son bébé dont elle devait dire plus tard : « Je l'ai toujours adoré [11]. » La beauté et la crainte venaient d'émotions profondes à la fois plus intimes et plus fugitives qui l'éloignaient des autres et semblaient parfois

---

10. Texte sans titre, inédit, sur les Chinois de Portland (manuscrits J. R.).
11. Lettre de Charlotte Green à Louise Bryant, datée du 31 décembre 1920 (manuscrits J. R.).

l'envahir tout entier. Pendant des années, il allait essayer de leur arracher leur secret, tenter de se battre pour vaincre une terreur qui n'avait pas de nom et qui pouvait surgir de n'importe où ; il allait essayer désespérément de saisir la beauté et de l'exprimer par les mots.

Il connut la vraie douleur lorsqu'il avait environ six ans ; Reed souffrit d'une sévère attaque au rein gauche qui l'obligea à garder le lit pendant des jours. La maladie disparut d'elle-même, mais elle était chronique ; et puisque les médecins ne pouvaient trouver de traitement approprié, Margaret décida que John était un enfant délicat et commença à le traiter comme s'il était en sucre, l'expédiant au lit à la moindre alerte. L'un des résultats de cette attitude fut qu'il se considéra lui-même comme un malade : « La maladie et ma mauvaise constitution occupèrent une grande place dans mon enfance et je ne me suis jamais réellement bien porté avant l'âge de seize ans. » A coup sûr, cette faiblesse chronique alimenta sa propension à l'angoisse et rendit plus précieuses les sensations esthétiques. La douleur aiguë qu'il éprouvait dans les reins, et qui lui laissait peu de répit, allait être pour Reed une compagne familière durant une bonne partie de son existence. C'était un fardeau qu'il apprit à porter en silence.

L'enfant, protégé du monde et dorloté à cause de sa maladie, fit ce qu'on peut attendre d'un garçon doué d'une fertile imagination : il se plongea dans l'univers des romans. Dès que Margaret lui eut appris à lire, John passa des jours entiers dans ses livres. L'histoire fut pour lui une passion précoce, et ses préférences allaient à l'époque pittoresque de la chevalerie. Il se délectait des contes où l'on voyait « des rois se pavaner fièrement devant des soldats armés de pied en cap, avançant en rangs serrés dans un cliquetis d'armures ». Il aimait aussi les splendeurs des *Mille et Une Nuits* et dévora les contes amusants de Bill Nye et de Mark Twain. Cela le stimula pour créer sa propre fiction ; il se mit bientôt à raconter « des contes de fées et des histoires de géants, de sorcières et de dragons » aux garçons et aux filles du voisinage. Un jour il inventa un monstre qu'il appela le « Hormuz [12] », une créature redoutable qui vivait dans les bois autour de Portland et qui

---

12. Il y aurait beaucoup à dire sur les implications de ce monstre : le surnom affectueux que Reed donnait à sa mère était « Muz ». L'association de Muz avec le son « Hor » et le fait de dévorer les petits enfants peut être psychologiquement assez significatif.

dévorait les petits enfants. Cette histoire ne terrifiait pas seulement ses amis, elle devint bientôt tellement réelle pour lui que, sous l'effet de la peur, son propre cœur se mettait à battre la chamade. Toutes ces lectures et ces inventions eurent une conséquence importante : il apprit qu'il était merveilleux de pouvoir ainsi charmer les autres et soi-même, et Reed à l'âge de neuf ans sut ce qu'il voulait faire plus tard — il décida d'être écrivain.

Bien avant que cette décision ne fût prise, son univers commença à s'élargir. Alors que Charlotte Green préparait son premier grand voyage, les Reed achetèrent ce que John se rappelait comme « une petite maison » ; en réalité c'était une demeure assez considérable, bâtie sur trois niveaux, située dans le Quartier Ouest, petite uniquement si on la comparait à Cedar Hill. La crise atteignit Portland à la suite de la débâcle de 1893, et pendant un moment l'argent vint à manquer. Quand D.M. Osborne fut racheté par « International Harvester », C. J. resta pour une courte période sans emploi. Il devint ensuite directeur commercial d'une autre firme de machines agricoles, appartenant à des Orégoniens, la « Columbia Implement Cie ». Pendant deux ans on se serra un peu la ceinture, mais les enfants n'eurent pas à souffrir d'un revenu un peu diminué. Se rendant vaguement compte qu' « ils étaient pauvres », John n'en fut pas affecté outre mesure, même lorsque C. J. fut obligé de vendre la maison et d'aller s'installer avec sa famille au « Hill », une sorte de pension de famille où la vie semblait couler agréablement au milieu d' « une foule de jeunes gens gais entourant ma mère et mon père qui n'étaient pas moins joyeux. »

Dans cette maison, un curieux mélange de farce et de tragédie fit son apparition en la personne d'Henry Green, aimable et jouisseur, frère de Margaret, alors âgé de vingt-trois ans. Comme l'oncle Ray, Henry avait hérité de son père le goût du plaisir, mais que ne tempérait chez lui aucune attirance pour le travail. Deux ans après sa majorité, l'extravagant jeune homme avait dissipé l'essentiel de son héritage et tâchait maintenant de s'assagir en vivant avec les Reed et en travaillant sous la direction de C. J. Durant ses études, dans l'Est puis en Europe, l'alcool et l'amour avaient été les plaisirs préférés d'Henry. Ces goûts se traduisaient par une quantité d'histoires épicées de beuveries et de femmes, fascinantes pour son neveu John, alors âgé de huit ans, qui n'en perdait pas une miette. Puis ils eurent des conséquences beaucoup plus

*oncle Henry (côté maternel)*

graves : mécontent de son emploi, découragé lorsqu'une femme qu'il aimait en épousait un autre, Henry commença à négliger son travail et se mit à boire énormément. Le 15 novembre 1895, au cours d'une beuverie, il pénétra dans le bar de l'hôtel Portland, versa un sachet de cyanure de potassium dans un verre d'eau, annonça calmement son intention et avala le contenu d'un seul trait. Sa mort laissa la famille dans une consternation et un désarroi complets et fut l'occasion d'un commentaire sévère dans l'*Oregonian,* qui stigmatisait ceux qui « d'une façon évidente n'avaient pas su lui inculquer les principes d'humanité, les sérieuses habitudes de travail et le bon usage du temps et de l'argent [13] ».

Durant l'été de 1898, Margaret emmena ses deux jeunes fils dans l'Est pour rendre visite à la famille. Après avoir passé un mois au bord de la mer à Plymouth (Massachusetts), les Reed en route pour la capitale traversèrent Manhattan. La métropole laissa à John un ensemble d'impressions défavorables, où se mêlaient « l'insupportable chaleur de l'été, [...] la vermine dans la pension où ils étaient logés, [...] les machines à vapeur du métro aérien ». On préféra de beaucoup Washington, moins populeuse et moins sale, la ville blanche, qui frémissait encore d'orgueil au souvenir des assauts de la cavalerie sur les collines cubaines et des victoires navales en Extrême-Orient. Pendant que les Reed faisaient le tour des sites historiques, on apprit que l'Espagne vaincue avait accepté de signer un protocole de paix, confirmant une éclatante victoire américaine, dans une guerre brève et glorieuse. Influencé par cette atmosphère de victoires nationales, John envoya à son père un dessin enfantin du vaisseau de guerre « Maine », dont le naufrage avait déclenché le conflit. Un court moment, il se grisa de l'esprit militariste qui soufflait alors sur l'Amérique, provoquant le départ de l'oncle Ray aux Philippines avec le deuxième régiment de l'Oregon. On le vit revenir plus tard avec une nouvelle et merveilleuse histoire qui racontait comment il avait été fait roi de l'île de Guam.

Sa santé étant assez bonne pour voyager, sa mère si protectrice l'autorisa finalement à aller à l'école. Les temps étaient durs, mais les Reed avaient trop conscience d'appartenir à une classe, pour mettre leur enfant à l'école publique ; on l'inscrivit à l'Académie de Portland, institution fondée depuis six

---

13. *Oregonian,* 17 novembre 1895, p. 2.

ans, qui avait déjà envoyé certains de ses bacheliers dans des universités de l'Est. Au début Jack — c'est ainsi que ses camarades de classe l'appelaient — fut un élève passionné. Il savait déjà lire couramment, et saisit cette occasion pour élargir ses connaissances et suivre les cours avec un appétit féroce. Mais bientôt il se heurta au problème que beaucoup d'esprits brillants et sensibles rencontrent dans l'éducation traditionnelle : un programme d'études fait non pas pour stimuler l'imagination, mais pour la confiner, la canaliser, et donner aux enfants un vernis de connaissances destiné à faire d'eux de « bons citoyens ».

Théoriquement l'Académie était fidèle aux « principes d'une éducation scientifique, classique et littéraire, inspirés par la religion chrétienne [14] ». Reed trouva le résultat mortel : « Pourquoi aurais-je dû m'intéresser aux stupides programmes de notre époque ? On prend des jeunes à l'imagination vive, dévorés de curiosité pour tout ce qu'ils voient de la vie autour d'eux, et on les abreuve de technique morte : la pureté immaculée de Washington, l'ennuyeuse courtoisie de Lincoln, notre morne et vertueuse histoire, la gloire sans éclat de l'Angleterre ; le style gracieux des essais d'Addison, Goldsmith glorifiant le clergé rural du XVIII° siècle, le Dr Johnson dans ce qu'il a de plus plat, *Silas Marner* de George Elliott (*sic*) ; Macaulay et les discours creux d'Ed. Burke ; enfin, en latin, César et son guide touristique de la Gaule, et les emphases de Cicéron sur la politique romaine. »

En réalité, ce n'était pas tant l'intérêt des matières elles-mêmes qui était en cause que la façon dont elles étaient enseignées ; indiscutablement les mathématiques, les sciences naturelles, le latin, le grec, le français, l'allemand, l'anglais et par-dessus tout l'histoire, les œuvres de Washington, de Lincoln, de César et de Cicéron, auraient pu devenir vivantes si les professeurs, hommes ou femmes, n'avaient pas été desséchés, eux qui ne montraient pas la moindre lueur d'enthousiasme, qui n'éprouvaient aucun plaisir à enseigner et ne faisaient aucun effort pour donner, sur quelque sujet que ce fût, une explication vivante et actuelle. A quelques exceptions près, il en vint à mépriser de telles gens « dont le mérite essentiel consiste à savoir compiler une masse de dates, de faits, de demi-vérités et de règles de style, sans les mettre en question, sans les inter-

---

14. Circulaire annuelle de l'Académie de Portland, 1895.

préter, et sans se douter que leur enseignement est infiniment éloigné de la réalité ».

Un tel enseignement était pire qu'une perte de temps. Des années plus tard, Reed se rappelait avec amertume qu' « il avait dû se forcer pour se remettre à étudier la plupart des choses intéressantes, parce que l'école les lui avait gâtées ». L'enseignement traditionnel était tellement ennuyeux que John ne fit guère d'efforts pour réussir. Personne ne douta jamais qu'il fût intelligent — certains professeurs le disaient même brillant — mais durant toutes ces années d'école, il resta un élève indifférent. A l'Académie le mélange d'ennui et d'irritation latente — l'école limitait à la fois son corps et son esprit — eut un résultat caractéristique : John devint un élève indiscipliné. Sa colère éclata, prenant pour cible Miss Addison Jewell qui exerçait la double fonction de professeur d'éducation civique et de principal. Redoutée pour sa discipline stricte, elle était parfaitement représentative du système. Comme s'il la mettait au défi, Reed se mit à la tourmenter. Quand elle donnait du travail, il s'abstenait d'étudier ; quand elle posait des questions, il refusait d'y répondre ; quand elle faisait son cours, il se montrait bruyant et chahuteur ; quand elle lui donnait de mauvaises notes, il affectait de ne pas s'en soucier. Pourtant, lorsqu'un psychologue venu de l'extérieur arrivait en classe pour appliquer une nouvelle sorte de test d'intelligence, John profitait de l'occasion pour briller, terminant l'épreuve rapidement et avec succès. Il s'agissait en quelque sorte d'une bataille à gagner, et la victoire renforçait chez lui une tendance croissante à l'entêtement et à l'indépendance.

Il ne manifestait pas ouvertement son hostilité. Le plus souvent, John refusait l'école affectivement et physiquement : feignant une maladie et jouant de la peur de Margaret, il s'arrangeait souvent pour rester quelques jours chez lui. Quelquefois, quand les cours étaient bien faits, ceux de chimie par exemple, il devenait un élève attentif. La poésie et la narration furent les seules matières pour lesquelles il manifesta un intérêt continu, et elles devinrent une véritable passion lorsque Reed, qui n'avait que six ans, rencontra un professeur capable de l'intéresser. Le premier fut Hugh Hardman, diplômé de l'Université de Columbia ; il reconnut chez John un véritable talent d'écrivain. Sensible à la personnalité du garçon, il permit à Reed de choisir les sujets et le style qui lui convenaient ; il accueillit avec plaisir « un excellent travail » d'un élève qui fut jugé « original, indépendant, attaché à ses opinions, rigoureux dans la façon de les présenter, et qui n'avait pas peur de déplaire [15] ».

Les cours ne représentaient pas la part la plus importante de la vie à l'école. John avait compris que l'Académie était un monde en miniature ; il voulait y être reconnu, mais se trouvait bien mal loti pour y briller. Son corps frêle et mince, son esprit vif, son amour des plaisirs solitaires tels que la lecture ou l'écriture, son entêtement — aucun de ces traits n'était fait pour le rendre populaire auprès des autres garçons. Dès le premier jour il se sentit à l'écart : « Je revois encore la cour de l'école pleine de garçons qui couraient, criaient, vociféraient, et je ressens encore ce que je ressentis alors, lorsqu'ils s'arrêtèrent l'un après l'autre pour m'observer, moi, un nouveau, de leurs yeux curieux et insolents. [...] Au début je m'intégrai très peu. » Cette situation continua pendant l'adolescence de Reed, déchiré qu'il était entre deux désirs contradictoires. Voulant à toute force être accepté, il se tint lui-même à distance. Sa constitution physique le condamnait à une solitude qu'il réprouvait par ailleurs : sa maladie chronique l'obligeait souvent à garder le lit, « il n'avait ni la force, ni la combativité nécessaires pour être bon en gymnastique ». Il ne se souciait guère des codes compliqués de l'honneur et du courage qui régissent l'univers des enfants, aussi lui arrivait-il de transgresser ces règles qui, pour être tacites, n'en sont pas moins sacrées. Au beau milieu d'un jeu, il pouvait manifester ouvertement son ennui, ou bien il plantait tout là, et rentrait à la maison, laissant à son frère Harry le soin de faire des excuses. Décontenancés par une telle attitude, certains enfants devinrent hostiles ; Reed pensait que leur colère était en réalité du mépris.

Le mépris des autres le blessait moins que la piètre estime dans laquelle il se tenait lui-même. Ce pénible sentiment était alimenté par une terreur sans nom, qui exista longtemps avant de pouvoir se fonder sur une expérience vécue. Au début, quand la famille habitait en ville, il fit un moment partie de la bande de la Quatorzième Rue, se joignant à d'autres garçons « qui labouraient les gazons, s'amusaient à fabriquer des projectiles avec de la boue... et passaient leur temps à crier et à courir le long des collines, livrant bataille à la bande rivale

---

15. Lettre de Hugh Hardman à Granville Hicks, 17 février 1935 (manuscrit Hicks).

de la rue Montgomery ». Cette période de bravoure prit fin rapidement. Après la puberté, il devint horriblement timide et peureux. Pour la plus grande joie de ses camarades, il refusait de se déshabiller dans les vestiaires, quand il fallait prendre une douche. Son trajet quotidien pour se rendre à l'Académie passait par Goose Hollow, un quartier d'ouvriers, « peuplé de jeunes brutes irlandaises » ; ce trajet devint une épreuve terrifiante. Redoutant que des garçons puissent le guetter pour le battre, Reed se faufilait par la porte de derrière et faisait des détours considérables pour se rendre à l'école, même si cela lui valait d'être puni pour son retard. Il évitait les bagarres et préférait qu'on le traite de lâche : « J'imaginais que ce serait abominable si quelqu'un me frappait, aussi je prenais le parti de m'enfuir. » Un jour, un garçon interdit à John de publier dans le journal de l'école un article moqueur qui le visait. John se soumit lâchement. Quand un garçon de Goose Hollow exigeait une rançon pour ne pas le frapper, Reed blêmissait de rage, profondément humilié, mais allait chez lui chercher l'argent. Curieusement, John lui-même se rendait compte de la nature essentiellement imaginaire de son angoisse : « Ce qui est bizarre, c'est que lorsque j'étais coincé et vaincu, une bonne correction m'était cent fois moins pénible que je ne l'aurais cru. Pourtant cela ne changeait rien à l'affaire : la fois suivante, je m'enfuyais de la même façon, malade de peur et d'angoisse. » Ces blessures d'amour-propre furent si cuisantes, que bien des années après, alors qu'il avait eu à maintes reprises l'occasion de montrer son courage, Reed devait dans un court texte autobiographique parler de lui comme « d'un adolescent affreusement lâche ». Ces mots lui coûtaient tellement qu'il dut les raturer par deux fois.

Cette humiliation s'augmentait encore du fait que John était persuadé de ne pas correspondre, et de loin, à l'image idéale que C. J. pouvait se faire de son fils. Il lui fut reconnaissant de « ne lui en avoir jamais soufflé mot », pourtant il restait convaincu que son état maladif, sa lâcheté et son peu de goût pour les sports étaient pour son père un sujet de grande déception. Il se trompait complètement. C. J. Reed manifestait déjà quelque opposition aux idées reçues, approuvant fort les attaques de Théodore Roosevelt contre les monopoles ; il attendait avec impatience le jour où son fils serait plus cultivé, plus raffiné et plus ouvert que les hommes d'affaires de Portland. Il croyait aux talents d'écrivain de John et ne désapprouvait pas une carrière littéraire pourvu que l'on pût vivre de sa plume. C'est John qui, rongé par la honte, projetait ses propres visions sur C. J. C'est lui, beaucoup plus que son père, qui avait pris pour modèle les « gros costauds » qu'il voyait à Portland.

L'ennui qu'il éprouvait à l'école, son manque de popularité, et son « immonde lâcheté » furent les trois éléments qui laissèrent à John « l'impression que son enfance avait été malheureuse ». Disons que cela paraît quelque peu exagéré : il connut aussi l'amour, la joie et une certaine plénitude. La plupart de ses plaisirs étaient solitaires : il jouait seul, dévorait ses livres, écrivait des textes et des poèmes. Trait caractéristique, le sport où il se débrouillait le mieux — la natation — n'était pas un sport d'équipe. L'été, il passait des journées entières à la piscine « Captain Bundy » située sur la Willamette ; il y nageait pendant des heures et s'y exerçait à plonger du plus haut tremplin en exécutant d'acrobatiques sauts périlleux. Harry et lui avaient un poney et ils partaient souvent en forêt tous les deux ; ils construisaient des cabanes, jouaient à Robin des Bois ou s'amusaient à traquer des ours, des Indiens et des bandits imaginaires. Pendant les beaux jours, C. J. emmenait ses fils en promenade : ils poussaient jusqu'à l'océan où dans les brumes de l'aube les pêcheurs d'Astoria s'embarquaient sur leurs petits bateaux ; ou bien ils se rendaient jusqu'aux monts de la Cascade ; là, les garçons se serraient autour d'un feu de camp, écoutant sous les étoiles le cri des cougars et des coyotes : ils se croyaient alors revenus à l'époque des pionniers, celle d'Henry Green. Ces excursions leur faisaient découvrir les frontières de l'Oregon : ils croisaient des cow-boys qui, venant de Burns, chevauchaient paisiblement vers le sud ; ils voyaient les Indiens de Siuslaw accroupis devant leurs huttes légères, les gardes forestiers qui, seuls au sommet de pics dénudés, guettaient d'éventuels incendies ; ils pouvaient contempler les déserts blancs que la chaleur faisait miroiter ; ils écoutaient le silence lourd et inquiétant du lac Crater. Tous ces spectacles le marquèrent profondément, ils alimentèrent ses plaisirs esthétiques, ceux qu'il désirait tant traduire par des mots.

A l'époque où les Reed emménagèrent dans une coquette maison bien située de Stout Street (peu avant la fin du siècle dernier), John commença à sortir un peu de sa coquille. A l'école, ce n'était pas encore le succès, mais il se fit remarquer par un petit groupe de garçons qui, eux, ne lui inspiraient ni crainte, ni jalousie. Influencé par l'histoire romaine, il eut l'idée d'organiser un banquet, en disposant autour d'une table des lits sur lesquels il invita ses amis à s'étendre. Puis de son air le plus impérial, il frappa dans ses mains en ordonnant : « Esclave ! Qu'on m'apporte le repas[16] ! » L'esclave en question était une cuisinière noire qui, outragée par cet affront, quitta la maison des Reed après avoir fait un scandale. John monta également un théâtre, qu'il avait installé dans le grenier ; il écrivait et mettait en scène des pièces qu'il faisait jouer par ses parents et ses amis. Un jour par hasard, un professionnel du spectacle assista à ces représentations ; il fut assez impressionné et affirma que la troupe récolterait de l'argent si elle consentait à se produire en public. Mais le refus de Margaret et de C. J. étouffa dans l'œuf tout espoir d'une carrière théâtrale.

A quinze ans, John se mit à apprécier les plaisirs des garçons de son âge. Durant l'été 1903, il s'embarqua avec quatre de ses amis sur un voilier pour faire du camping itinérant. Comme un journal régional offrait un prix pour « la meilleure histoire », il entreprit d'écrire le récit de leur expédition en lui donnant un tour des plus pittoresques : « Nous formions une rude équipe ; Cliff portait un sombrero de feutre mou, une chemise de coton bleu agrémentée d'un foulard à pois noué autour du cou, il avait glissé deux revolvers dans les poches arrière d'un vieux pantalon et, accroché à sa cartouchière, pendait un long poignard menaçant. [...] Pour ce qui est de l'équipement, nous transportions une grande bâche de chariot en guise de tente, cinq couvertures roulées, six valises pleines de vieilles nippes et assez de provisions pour tenir environ une journée... »

Après avoir remonté la Willamette à la voile sur une vingtaine de kilomètres, les garçons plantèrent leur camp sur une île étroite où ils passèrent plus d'une semaine à explorer, à chasser les lapins et les poules d'eau, à nager et à pêcher. En fait, ils auraient pu vivre coupés de la terre, mais Reed avoua que cela s'était avéré impossible et qu'ils avaient dû se rendre deux fois à Oregon City pour y faire des provisions. Quelquefois le temps leur apportait des surprises. Un matin « il se mit à tomber des cordes. Immédiatement nous sommes rentrés dans la tente pour nous mettre au lit. Nous y restâmes (sic) toute la journée, à jouer aux cartes, à lire, et, comble d'horreur, nous dûmes manger froid ». Quelques jours plus

---

16. Lettre d'Alice Strong à G. Hicks, 17 février 1935 (manuscrit Hicks).

tard, « un vent très violent se mit à souffler en rafales, presque une tempête », manquant de faire chavirer leur bateau. Projeté contre le montant du cockpit pendant le coup de vent, John se fit très mal au dos. Ses reins le firent souffrir cruellement, et le lendemain pour tout arranger il eut mal à l'estomac. Lorsque Margaret survint à l'improviste, il fut bien heureux de ce qu'elle insistât pour qu' « il rentre tout droit à la maison [17] ».

L'année suivante était la dernière que John Reed devait passer à l'Académie. Ses parents considéraient qu'il retirerait grand profit d'un séjour de deux ans dans un collège qui préparait l'entrée à l'université. La certitude de partir bientôt rendit plus agréable cette année à l'école, mais il y eut à cela une raison plus importante : les douleurs de reins commençaient à disparaître. Les crises devenaient moins fréquentes et moins pénibles ; un régime sévère et certains sédatifs prescrits par un nouveau médecin se montrèrent efficaces. La « furieuse énergie », qui devait toujours l'animer par la suite, commençait à battre dans ses veines et John se sentait physiquement et psychologiquement plus vif, plus alerte. Beaucoup moins timide, il se fit remarquer au cours de danse, participa à des soirées qui duraient jusqu'au petit matin et flirta avec quelques jeunes filles. Il acquit bientôt une réputation de plaisantin, de casse-cou ayant le diable au corps ; bref, un jeune homme qui se délectait des niches qu'il faisait aux gens « bien » de Portland. Comme tant d'autres jeunes garçons issus de la bourgeoisie, il était fasciné par les personnages rudes, grossiers, voire dépravés ; il organisait avec ses amis des randonnées au bord de l'eau en compagnie de marins, d'aventuriers et de cheminots ; ils déambulaient le long des rues où se trouvaient les bistrots, les salles de jeu et les fumeries d'opium, jetant des regards furtifs vers les femmes nonchalamment appuyées à l'entrée des bordels. Pour les autres garçons, c'était une échappée vers des rêves d'aventure, des rêves d'hommes, qui seraient bientôt oubliés et enfouis sous les responsabilités. Mais pour John, ces aperçus répétés de la vie sur les quais, c'était comme un voile qui se levait sur un monde qu'il désirait faire sien.

La littérature, domaine qui lui paraissait plus vrai que la vie, restait sa grande passion. Reed fit partie de la rédaction du journal de l'école ; c'était une source inépuisable d'articles,

---

17. J. R., *La Meilleure Façon de camper,* inédit (manuscrits J. R.).

de poèmes, de blagues pour le *Troubadour,* le journal de l'Académie. De plus en plus fasciné par le monde de la presse, il s'introduisit dans les rédactions de certains journaux locaux ; après avoir été pendant des années l'ami des enfants du colonel Charles Erskine Scott Wood, le révolté de Portland, écrivain libre-penseur, il se mit à fréquenter le vieil homme et à discuter littérature avec lui. Pourtant, malgré sa récente métamorphose, il demeurait le jeune homme sensible qui avait si longtemps souffert de ne pas ressembler au modèle de courage et de réussite sociale qu'il s'était forgé.

Il semble qu'à l'âge de seize ans, John Reed ait compris obscurément qu'il devait quitter Portland. Comme Will, le personnage qu'il créa plus tard, John sentait qu'il resterait toujours incompris dans sa ville natale. Portland n'était pas ville à adopter la tête brûlée, le poète, l'extrémiste que Reed allait devenir. Mais ses défauts de jeunesse n'avaient rien à voir avec cette réalité future. S'il était resté chez lui, ses souvenirs de défaites et d'humiliations — réelles ou imaginaires — auraient toujours hanté son esprit. Pour s'épanouir, John éprouvait le besoin d'aller quelque part où l'on ignorerait tout de son passé, où il pourrait commencer une nouvelle existence. Il ne savait pas qu'il ne pourrait jamais se débarrasser de ce passé, et que l'héritage de Portland et de sa famille allait se révéler décisif. Reed était incapable de voir, et encore moins de reconnaître les bons côtés de son éducation ; en 1904 il était avant tout désireux de partir de chez lui. Comme Will, il pensait que la vie, la vraie vie, celle où l'on accomplissait les choses importantes, où on les écrivait, ne commencerait que dans les brillantes cités de l'Est.

# Morristown

*Les bois étaient très calmes ; avant le lever du jour, la nature semblait retenir son souffle, attendant que le chant d'un oiseau vienne lui redonner vie ; Will songea que peut-être, il ne reverrait jamais ces bois ni ces montagnes.*

*Il y eut un bruissement de feuilles, et soudain un petit homme mince bondit devant lui sur la route. Il était habillé de brun et de vert sombre, pareil à une noisette et, lorsqu'il souriait, il semblait que les arbres se penchaient doucement pour sourire eux aussi...* « Oh ! Oh ! », *fit le petit homme joyeusement.* « On est en route pour le monde, sans doute ? Comment, tu n'es pas content de ton sort ? Dismoi, qu'est-ce que tu emportes avec toi ? Qu'as-tu à proposer ? Comment penses-tu réussir ? »

*— Que veux-tu dire ? répondit Will. J'ai des rêves et je suis fort...*

*— Parfait, dit l'autre, mais il arrive que les rêves et la force ne fassent pas bon ménage. Il leur arrive même de disparaître au cours du long combat qu'il faut mener...*

*— Qui es-tu ? demanda Will, stupéfait...*

*— Je suis la petite flamme chaude qui brûle au cœur de tous les rêveurs... Sans moi, personne ne peut réussir... Veux-tu m'écouter ?*

*— Oh oui ! s'écria Will de toutes ses forces ; dis-moi ce qu'il faut faire pour réussir. Dis-moi comment je pourrai enfin me faire comprendre. Je t'écoute.*

*— Oh ! oh ! répéta le vieil homme en exécutant une surprenante pirouette. Suis-moi ! dit-il, et il s'enfonça dans la forêt. Will le suivit... Ils parvinrent à une clairière au milieu des arbres, et le petit homme s'arrêta. Un magnifique rocher noir émergeait hors du sol ; une moitié était enfouie dans la terre, l'autre s'élevait à la hauteur de la tête de Will... Au pied du roc une fleur blanche avait poussé.*

*— Ecoute, dit le vieil homme... Il n'y a qu'un homme au monde qui puisse bouger ce rocher ou cueillir cette fleur. Si tu es celui-là, alors, tu peux choisir ton destin. Si tu cueilles la fleur et si tu la portes près de ton cœur, jamais l'envie ni la colère ne te troubleront. Si tu soulèves le rocher, tu auras*

un pouvoir et une richesse sans limites, tu conduiras le monde à la guerre, tu auras pour épouse la plus belle des femmes. Choisis !

Pendant que le vieil homme parlait, Will restait silencieux ; il essayait de se représenter ce que décrivait le vieillard à la voix fluette. Il hésitait. Trois fois, il se pencha vers la fleur, trois fois, il s'en éloigna lentement. Soudain, il releva la tête. La fortune, la gloire, la beauté, la victoire : n'étaient-ce pas les plus belles choses au monde ? « Je choisis le rocher ! » s'écria-t-il.

— Oh ! oh ! fit le vieil homme, non sans quelque tristesse. Tu as fait le choix le plus large et le plus étroit, le meilleur et le pire, le plus glorieux et le plus sordide.

Will ne le comprit pas...

John REED, « La pierre magique », p. 78-80.

Le jeune John Reed ne douta jamais que la richesse, la gloire, la beauté et le succès fussent bien ce qu'il y avait de plus important au monde. Mais l'Amérique, au tout début du vingtième siècle n'était ni un pays de rois et de chevaliers équipés de pied en cap, ni une terre où des lutins magiques se cachaient dans les bois. Ce n'était même plus un territoire où la fortune attendait l'audacieux dans des régions lointaines, comme cela avait été le cas pour Henry Green, moins d'un demi-siècle plus tôt. Dans un monde de plus en plus industrialisé et bureaucratique, le chemin vers le sommet ne passait pas par les sentiers enchantés, mais par les bancs de l'école, la plus traditionnelle qui fût. John était prêt à accepter ce chemin en échange des plaisirs et des émotions que le monde pouvait lui offrir.

L'élite de Portland, consciente de son côté provincial, envoyait ses fils dans les collèges de l'Est. Pour Margaret, étant donné l'éducation qu'elle avait reçue, il était évident qu'ainsi John et Harry pourraient fréquenter la meilleure société et atteindre le niveau social des membres les plus fortunés de sa famille. C. J. jugeait que la culture était plus importante que la situation ; il visait plus loin. Il voulait surtout qu'ils bénéficient de la formation universitaire qui lui avait manqué. Pour ses fils, il ne pouvait se contenter que du meilleur : il voulait Harvard. Pour faciliter la transition et assurer en douceur l'entrée à l'université, deux ans dans un collège préparatoire ne semblaient pas de trop.

Après avoir consulté toute une documentation et s'être renseignés auprès d'amis et de parents, les Reed optèrent pour Morristown (New Jersey), un collège ultra-chic dirigé par trois diplômés de Harvard, des gens qui connaissaient sûrement la meilleure manière de préparer les jeunes gens à entrer au sein de leur alma mater.

John arriva au collège à la mi-septembre 1904 ; c'était maintenant un jeune homme élancé aux cheveux bruns et indisciplinés, au front large, aux yeux marron, au nez retroussé, à la bouche irrégulière surmontant un menton un peu lourd. Les premiers jours, en se promenant le long des demeures blanches de style colonial et sur les terrains de sport, il rencontra une soixantaine d'élèves dont la plupart étaient originaires de l'Est. Morristown n'était pas le meilleur collège préparatoire, mais ses élèves n'en étaient pas moins prétentieux et suffisants. Tout de suite Reed sentit qu'il retrouvait une situation familière : une fois de plus il était un intrus.

Cette fois, c'était différent. « Etranger » parmi « d'étranges garçons », John découvrit vite qu' « ils avaient l'intention de le juger à sa juste valeur [1] ». Délivré de Portland, éclatant de santé, plein d'énergie, il se sentait prêt à faire des étincelles pour cela Morristown lui offrait un très grand choix d'activités. Par un après-midi d'automne, on l'entraîna dans une partie de football ; c'était la première fois qu'il participait à un sport d'équipe. Avec ses soixante-dix kilos, il était dans les poids moyens, mais par la taille (1 m 80), il dominait presque tous les autres joueurs. Maladroit et dégingandé, son enthousiasme lui permit d'acquérir l'expérience qui lui manquait. Reed lutta pour être bien placé dès le début et il dut batailler ferme pour garder cette position tout au long de la saison qui comportait sept matches ; il joua suffisamment bien pour mériter l'appréciation suivante dans le journal de l'école : « Bon plaqueur court bien avec le ballon [2]. »

Le football revêtait de l'importance. Beaucoup plus qu'un jeu c'était la gloire et l'héroïsme, l'occasion de pouvoir briller ainsi auprès de ses camarades, autrement que par l'esprit. John aimait les cris d'encouragement, le terrain qu'il sentait élastique sous ses pieds, la tension qui suivait le coup de sifflet et le lancement du ballon, le corps-à-corps lorsqu'il plaquait un joueur

---

1. *Trente ans, déjà.* Toutes les citations qui suivent et qui ne font pas l'objet d'une note particulière dans ce chapitre sont tirées de ce essai.
2. Coupure du *Morristonian*, sans date (papiers de la famille Reed

ou l'expédiait sur une ligne adverse, l'ivresse qu'il éprouvait à plonger sur la ligne après s'être frayé un chemin à travers la défense. Le 21 octobre, il plongea dans la zone limite pour marquer l'unique essai dans les buts que Morristown ait jamais enregistré au cours d'une victoire. Des instants comme ceux-là, la vie n'en offrait pas beaucoup. Reed ne fut jamais un véritable champion, mais il se fit une réputation qui suffit à le rehausser dans sa propre estime. D'autre part ses prouesses verbales le firent connaître comme un « original et un joyeux luron ». Lorsque les garçons se réunissaient la nuit dans le dortoir pour bavarder, c'était lui qu'on écoutait, particulièrement quand il était question de sexe, problème crucial. Débordant d'imagination, il tenait tous ses camarades en haleine en leur racontant de fabuleuses aventures : « Il nous racontait des histoires obscènes ou des contes à dormir debout à propos de ses promenades sur les quais de Portland et dans les endroits mal famés de la ville ; on ne savait jamais s'il disait vrai ou s'il inventait pour nous donner le frisson [3]. » La vérité n'avait pas grande importance. John était « un amuseur charmant ». Tout comme C. J. au club d'Arlington, il était le point de mire.

Abandonnant le rêve pour les actes, c'était lui qui organisait toutes les farces et les escapades. Lorsque les élèves, au lieu de se coucher, sortaient par les échelles d'incendie pour aller faire une virée au village voisin, il était toujours de la partie. Ayant convaincu ses amis de mettre un terme à leurs amours citadines pour aller danser avec les filles de la campagne, il les entraînait dans de longues promenades au clair de lune, et l'aube les trouvait se glissant subrepticement dans leurs lits. Rapidement il fit partie des « jolis cœurs » qui prenaient plaisir à flirter ouvertement avec certaines jeunes filles de Morristown. Toutes ces entreprises lui donnèrent de l'assurance : « J'étais actif, heureux ; j'avais de plus en plus confiance en moi. Ainsi, sans trop tâtonner, je découvris qui j'étais ; et depuis lors, les hommes ne m'ont jamais fait peur. »

L'ambiance était bien différente de celle de Portland : « L'organisation de la vie communautaire m'intéressait ; j'étais impressionné par les coutumes, les traditions, le cérémonial, l'esprit patriotique de l'école et par l'impression qui s'en dégageait : celle d'une civilisation raffinée, si différente de l'atmosphère de l'Ouest, pleine de rudesse et de prétention. » John

---

3. Lettre de Frank Damrosch à G. Hicks, 26 janvier 1935 (manuscrit Hicks).

se moquait de l'esprit conservateur et traditionnaliste du collège, mais s'en servait comme d'un faire-valoir à ses frasques. Etant donné que tous les élèves étaient issus du même milieu bourgeois, il s'amusait à imiter les jeunes de Goose Hollow qu'il admirait et craignait en même temps. L'internat, qui « eut plus d'importance que n'importe quelle autre époque de mon enfance », permettait à John d'afficher une expérience, sans rapport avec son âge. Ce rôle lui réussit. Comme il venait de l'Ouest, on s'attendait à ce qu'il fût différent des autres. Il joua de cette différence, quand elle pouvait le servir, et d'ordinaire il gardait assez de discernement pour éviter de dépasser les bornes, sans quoi il aurait risqué d'être mis à l'écart. Tel un équilibriste, il savait être à la fois audacieux et prudent.

Son audace, qui lui valait l'admiration et la jalousie de ses camarades, provoqua des réactions diverses de la part des professeurs. L'un d'eux se déclarait ravi par la vitalité de John : « Il semblait apporter à Morristown un peu de l'ouverture d'esprit propre à l'Ouest — en particulier l'ignorance des conventions ; il faisait preuve d'une mentalité originale et d'un grand enthousiasme pour tout ce qu'il entreprenait [4]. » Le Principal Francis Woodman, chargé de faire fonctionner le collège sans histoires, en était moins satisfait : « John exerçait une assez mauvaise influence sur le collège. [...] Il avait un peu trop tendance à garder ses forces pour le chahut et les bêtises. » Néanmoins, il reconnaissait que Reed « possédait d'autre part d'indéniables qualités » ; il éprouvait pour lui « de l'affection et un certain respect [5] »...

Pour garder la vedette, il lui fallait constamment railler les autorités, et cela lui valait de fréquents ennuis. Chaque bulletin qui parvenait chez lui mentionnait sa mauvaise conduite. C. J., qui s'en formalisait, écrivit plus d'une fois à Woodman pour le prier d'excuser la conduite de son fils et lui dire qu'il approuvait les sanctions du collège. Il lui était assez facile de mettre « les enfantillages » sur le compte de Portland. « Je l'ai envoyé chez vous pour qu'il apprenne à ne pas se conduire toujours en enfant insouciant, et pour qu'il sache que le laxisme de l'Ouest n'est pas acceptable. » Tout en espérant que de tels défauts « disparaîtraient en temps opportun », C. J. ne pouvait s'empê-

---

4. Lettre d'A. P. Butler à John Stewart, 17 octobre 1934 (manuscrit Hicks).
5. Lettre de F. Woodman à G. Hicks, 29 octobre 1934 (manuscrit Hicks).

cher d'être fier de l'énergie que montrait son fils. Sa propre jeunesse ayant été marquée « par bien des écarts de conduite », il pensait que pour un jeune, l'éducation ne devait pas être trop rigide. La vie était sûrement une affaire sérieuse, mais elle avait plus de sel, selon lui, pour ceux qui la vivaient passionnément. Quelque temps plus tard, C. J. devait expliquer à Woodman : « Harry est beaucoup plus sérieux et plus tranquille que John, par conséquent la vie ne lui apportera pas autant [6]... »

C. J., tolérant et plein d'indulgence, essayait de rendre le séjour de son fils à Morristown aussi agréable que possible. Lorsque John manifestait le désir de créer un journal ou d'aller faire un tour à New York ou à Washington, à l'occasion de vacances scolaires, son père écrivait au Principal pour lui demander de le laisser faire ce qui lui plaisait dans la mesure où lui, Woodman, jugeait que c'était utile et convenable. A une époque où ses affaires ne marchaient pas trop bien, C. J. continua d'envoyer des mandats pour payer les dépenses supplémentaires ; il expliquait : « Je ne veux pas que John manque jamais de quoi que ce soit. » Mais sa générosité avait des limites. Après avoir réglé quelques factures sévères dans des magasins de Manhattan, C. J. se vit contraint de demander au Principal de bien vouloir contrôler les dépenses, car son fils ne semblait pas avoir la moindre idée de la valeur de l'argent : « Je pourrais ouvrir un compte que John gérerait lui-même ; mais je craindrais que la dépense soit plus grande pour moi que l'expérience profitable pour John [7]. »

Reed finit par aller trop loin. La vieille société victorienne admettait les farces d'étudiant, mais il y avait des règles qu'on ne pouvait enfreindre. Cela n'empêcha pas John — qui pourtant le savait — de sortir en cachette de sa chambre, lors d'une réception, au printemps 1905, pour aller placer un pot de chambre sur la tête d'un mannequin en armes suspendu entre le premier et le deuxième étage du bâtiment principal, et cela au moment précis où des invitées arrivaient. Les ricanements de ses camarades s'évanouirent pour laisser place à l'horreur des jeunes filles que l'indignation rendait muettes. Les représailles furent rapides et sévères. Reed, consigné au collège, perdit ses prérogatives ; il fut privé de sa chambre située dans le bâti-

6. Lettre de C. J. Reed à F. Woodman, 18 septembre 1906 (archives de Morristown).
7. *Ibid.*, lettres du 16 décembre 1904 et du 25 février 1906 (archives de Morristown).

ment « Harvard », et envoyé dans le « Columbia Hall », beaucoup moins prestigieux. Anéanti par la punition, il se plaignit de ce qu'elle était trop sévère, expliquant qu'il avait agi sans penser à mal. C. J. ne goûta pas du tout la plaisanterie. Craignant que son fils ne soit mis à la porte du collège, il écrivit au principal qu'il l'avait fermement incité à « supporter la punition comme un homme et à essayer de regagner la bonne opinion de ses professeurs et de ses condisciples ». Avec quelque sévérité, C. J. ajoutait : « Je vous sais gré de ne pas admettre des farces aussi parfaitement déplacées et je pense comme vous que la punition de John se révélera profitable par la suite [8]. » En fin de compte, cet incident n'eut pas de conséquences ; Reed en sortit grandi, faisant plus que jamais figure de héros, aux yeux de ses camarades.

L'énergie créatrice de John n'était pas tarie et trouvait un exutoire dans l'écriture ; la revue mensuelle *Morristonian* publia au cours de l'année trois de ses nouvelles et un nombre égal de poèmes. Ce magazine littéraire ne consacrait aucune page à l'humour, aussi lança-t-il l'idée d'un journal satirique : il parvint à convaincre les professeurs plutôt sceptiques, et c'est lui qui assuma la responsabilité financière. Ainsi naquit le *Rooster* [9], une modeste publication bimensuelle écrite en grande partie par Reed. C'était un pot-pourri de mauvaises blagues et de plaisanteries de potache, mais les élèves l'apprécièrent ; ils le jugèrent « débordant d'esprit et sarcastique à souhait [10] ». Les professeurs directement visés dans certains articles s'inquiétèrent du fait que le *Rooster* avait un contenu surprenant pour un journal de collège, mais ils s'abstinrent de toute censure. Sans doute auraient-ils préféré que l'ardeur de John se soit satisfaite du plaisir d'imprimer un journal.

Toutes ces activités passaient avant les cours ; elles permirent à Reed d'oublier ses mauvaises notes en grec et en algèbre, ses lacunes en géométrie et en latin. On lui donna deux surnoms affectueux : *farmer* et *rooster*. Il chantait dans un chœur et fit partie des clubs de natation et de bowling. Lors d'un débat organisé par les élèves à propos de l'élection présidentielle, il prit parti pour le candidat démocrate, Alton B. Parker, et dans un discours qui reflétait davantage son enthousiasme

---

8. *Ibid.*, sans date (archives de Morristown).
9. Rooster = coq. (N.d.T.)
10. Lettre de George Allen à G. Hicks, 27 avril 1935 (manuscrit Hicks).

juvénile que sa clairvoyance politique « il compara le parti démocrate... à la démocratie athénienne [11] ». Le dernier jeudi de novembre, à l'occasion du *Thanksgiving Day,* il fut invité dans la famille de son camarade Frank Damrosch, et passa les vacances de Noël chez des cousins à Washington. Durant l'hiver, il découvrit des plaisirs nouveaux pour lui : les batailles de boules de neige, les parties de glissade, et le patin à glace. L'année s'acheva sur un triomphe : Reed remporta le prix offert par les professeurs pour récompenser le meilleur récit historique, et du même coup il se trouva élu à la fois vice-président du comité de l'association sportive, membre de la rédaction du *Morristonian,* et codirecteur de la publication annuelle des étudiants : *Le Salmigondis.*

Etant donné les plaisirs variés qu'offrait le collège, un été passé à la maison promettait d'être un peu morne, et pendant son voyage en train jusqu'à Portland, John se demandait comment il allait pouvoir occuper les trois mois à venir. Ces inquiétudes s'avérèrent vaines. Pendant son absence, C. J. s'était lancé dans une action, déclenchée par le gouvernement, qui allait bousculer les petites habitudes de Portland. Après avoir été l'amuseur de la ville, C. J. se changeait en farouche défenseur de la légalité ; il passait le plus clair de son temps en manœuvres politiques. Aussi le père et le fils se virent-ils beaucoup moins qu'ils ne l'auraient souhaité ; mais si John était parfois oublié, il n'en éprouvait aucune déception, car les activités de C. J. faisaient de ce père, toujours admiré, un grand, un véritable héros.

Evoquant cette période, John Reed parlait de C. J. avec vénération : « C'était un grand lutteur, l'un des tout premiers d'une petite équipe d'opposants politiques qui devaient plus tard, au sein du parti progressiste, donner une expression à la nouvelle conscience sociale de la petite bourgeoisie américaine. Son esprit cinglant, son mépris pour la bêtise, la lâcheté et la mesquinerie, lui valurent beaucoup d'ennemis qui, s'ils n'osèrent jamais l'attaquer de front, le combattirent dans l'ombre et furent bien soulagés quand il mourut. Ce fut lui qui, en tant que juge délégué par le gouvernement Roosevelt, avec l'aide de Francis J. Heney et de Lincoln Steffens, démantela le réseau de spéculateurs de terrains en Oregon ; ce qui était alors une courageuse entreprise. » A peu près exact dans ses grandes

---

11. *Morristonian,* sans date (papiers de la famille Reed).

lignes, ce témoignage exagère à la fois le rôle de Steffens qui vint à Portland en tant que reporter, et celui de C. J. qui fut plus un acolyte qu'un personnage de premier plan dans ces procès intentés par le gouvernement. Tel quel, cependant, il donne une juste idée de l'état d'esprit du père de Reed. En 1905, C. J. se trouvait engagé à fond dans la lutte contre la corruption, qui allait secouer toutes les structures politiques et financières de l'Oregon.

Au cours d'une enquête menée par les secrétaires d'Etat à l'Intérieur de Théodore Roosevelt, Ethan Hitchcock, on découvrit les preuves d'une gigantesque spéculation sur les terres du nord-ouest Pacifique, où des centaines de milliers d'hectares de forêt avaient été la proie d'hommes sans scrupules. La spéculation sur les terrains était presque une tradition en Amérique, puisque les gouvernements prodigues, dominés par les gens d'affaires s'étaient en un siècle proprement débarrassés de plusieurs millions d'hectares. A présent l'état d'esprit avait changé à Washington. Les réformateurs issus de la haute et de la moyenne bourgeoisie commençaient à se préoccuper du bien-être des citoyens, des terribles conditions du travail en usine, du développement vertigineux d'énormes trusts, de la dégradation des ressources naturelles et, d'une manière plus générale, de la moralité publique. En 1905, les procès contre les spéculateurs de l'Oregon apparaissaient aussi naturels pour l'administration réformatrice de Roosevelt que les lois contre les trusts et les monopoles.

Mais cela paraissait tout aussi difficile. Le problème majeur concernant la spéculation en Oregon et dans l'ensemble du pays, ainsi que Steffens s'en aperçut, était le suivant : loin d'être le seul fait d'obscurs escrocs, la fraude touchait par des ramifications inextricables les plus hautes personnalités de l'Etat. Certains bons chrétiens, parmi les citoyens les plus considérés, ainsi que des dirigeants politiques, se trouvaient impliqués dans ces trafics de terrains. La loi fédérale précisait que, pour acquérir une portion de terrain public, le postulant devait faire la preuve qu'il l'avait occupée et exploitée pendant cinq ans. En falsifiant systématiquement les registres du gouvernement et en installant des propriétaires fictifs, différents groupes d'hommes politiques, de fonctionnaires et d'hommes d'affaires s'étaient emparés d'énormes surfaces, ou bien, grâce à des rachats successifs en sous-main, ignoraient ces escroqueries commises par d'autres. A l'arrivée de Heney, homme énergique, ex-cow-boy de l'Arizona, procureur spécial délégué par Roosevelt, beaucoup de fonctionnaires locaux lui mirent des bâtons dans les roues, y compris le juge fédéral Jack Matthews, leader républicain de l'Oregon, qui refusa de l'aider, empêchant le fonctionnement des juridictions et corrompant les magistrats. A la suite d'un appel lancé à Théodore Roosevelt, Matthews fut limogé et Heney se mit à la recherche d'un homme capable de veiller à la liberté et à l'impartialité de la justice.

Il ne tarda pas à faire appel à C. J., dont il avait fait la connaissance au « Bohemian Club » de San Francisco. Resté à l'écart des partis politiques, Reed avait été pendant six mois rapporteur du Jury à la Cour d'Etat du District, situation qui lui avait permis de subodorer un certain nombre de filouteries officielles. C'était chez lui une habitude de railler les défauts de ses collègues, mais il hésitait maintenant à se lancer dans la politique, affaire beaucoup plus sérieuse. Deux ans auparavant, il avait quitté la Columbia Implement Cie pour devenir représentant de la Manhattan Life Insurance. Il devait faire face à deux obligations : d'une part, assurer la subsistance de sa famille, ce qui dépendait étroitement de sa bonne réputation ; d'autre part, répondre au courant progressiste qui se faisait jour en Amérique : il savait que des hommes payaient de leur personne pour défendre leur idéal de probité et de justice. C. J. ne pouvait se résoudre à s'abriter éternellement derrière sa famille et sa carrière ; finalement, le mépris qu'il avait toujours éprouvé pour les hommes d'affaires de Portland, et qui ne s'était jusqu'alors exprimé que par des sarcasmes, l'emporta ; il prit sa décision.

A la mi-mai, Reed se mit à l'œuvre. Lorsque John arriva à la maison quelques semaines plus tard, il trouva son père fermement décidé à aider le juge dans sa tâche ; le cynisme paternel avait fait place à une conviction enflammée. Le jeune homme y fut sensible et en ressentit une grande fierté. Il voulut lui aussi prendre part à cette glorieuse entreprise qui consistait à mettre aigrefins et voleurs sous les verrous. Il adorait se rendre au bureau du juge, situé dans le bâtiment des Postes, tout en pierres grises ; il écoutait C. J. et Heney élaborer des plans et se mêlait aux discussions politiques des Progressistes qui se réunissaient aussi dans ce bureau. Le monde de la politique était un monde étrange, mais fascinant ; cet été-là, John apprit beaucoup de choses. On passait tout en revue : les trusts, les moyens de s'en protéger, l'autoritarisme, la fraude électorale, les manœuvres des partis, et on l'analysait en détail. Jamais plus il ne serait tenté de comparer le système politique américain avec la démocratie grecque ; il avait cessé de croire que les institutions américaines fonctionnaient de façon automatique et simpliste, telles qu'elles sont expliquées dans les livres d'école.

A cette initiation politique, s'ajoutait une sorte d'éducation morale. Auprès de Heney et plus encore de C. J., John eut l'occasion d'apprécier ce qu'était le courage. Dans l'exercice de leurs fonctions, les deux hommes pouvaient craindre des représailles, mais ni les rumeurs, ni les menaces ne les arrêtèrent. En tant que citoyen de Portland, C. J. avait à braver une autre forme d'opposition : la pression sociale sans cesse grandissante qui s'exerçait contre lui ; ses plus vieux amis l'ignoraient et proclamaient qu'il trahissait la communauté. Indomptable, C. J. ne perdit pas même son sens de l'humour. Au plus fort de la mêlée, Heney et lui prenaient encore le temps de se moquer de William J. Burns, magistrat chargé de l'enquête, à cause « de ses airs pincés et de son attitude grotesque et mélodramatique ». Ces deux exemples de courage et de bonne humeur furent précieux. Dans les années à venir, lorsque John deviendrait la cible de ses adversaires à cause de ses convictions et de ses actes, il imiterait son père en contre-attaquant avec le même mélange d'humour et de détermination.

Chaque fraude découverte faisait apparaître de nouveaux exemples de corruption. Après avoir traîné pendant cinq ans, les procès contre la spéculation sur les terrains forestiers se terminèrent par la destitution d'un certain nombre de personnages officiels — notaires, maires, avoués, shérifs, juges, conseillers généraux, procureurs, inspecteurs du territoire, membres du Congrès, et jusqu'au sénateur des Etats-Unis John Mitchell, qui fut condamné à six mois de prison. Comme l'enquête se poursuivait, même ceux qui l'avaient bien accueillie au début devenaient hostiles ; ils étaient mécontents de la mauvaise réputation ainsi faite à l'Oregon. Bien qu'on lui ait dit que le but recherché était atteint depuis longtemps, cela ne changea en rien la conduite de Reed, qui devenait l'objet d'une haine mal dissimulée au club d'Arlington. Il ne s'y rendait plus que rarement pour déjeuner, mais prenait une sorte de plaisir amer à se rappeler sa gloire passée. Quelques années plus tard, alors qu'il recevait Lincoln Steffens au club, il désigna une table autour de laquelle s'entassaient « les gens qui après avoir eu les terrains avaient tenté de l'avoir, lui ». Il ajouta : « Et là-bas, au bout de cette table, c'est ma place. C'est là que je m'asseyais. C'est là que je les ai malmenés pendant des années pour m'amuser, et puis pendant des mois un peu plus sérieusement, mais toujours dans la bonne humeur. Je ne me suis pas assis à cette place depuis le jour où je me suis levé et où je suis parti, en disant que je ne reviendrais jamais plus. J'avais ajouté : je voudrais bien savoir lequel d'entre vous aurait l'audace de supposer qu'il pourrait occuper ma place et la garder... Je suis heureux de constater qu'elle est toujours vacante ; voici ma chaise vide [12] ! »

Malgré l'importance qu'elle prenait, la politique ne faisait pas à elle seule les délices de John. Plus robuste, mieux développé qu'avant, l'esprit vif et pétillant, il commençait à se faire remarquer dans la société de Portland. C'était maintenant un jeune homme qui avait fière allure, vêtu de son complet rayé, portant faux-col et large cravate, souvent coiffé d'un canotier ; le récit de ses exploits à Morristown faisait grande impression sur ses amis. Il passa de nombreuses journées à visiter les stands de l'Exposition du Pacifique et de la Foire orientale, contributions de l'Oregon au centenaire Lewis et Clark. Souvent Harry et lui allaient nager dans la Willamette ou bien chevauchaient dans les forêts tachetées de soleil.

L'excitation que lui procurait la politique, la vie active qu'il menait et la joie d'être en famille, tout cela n'empêcha pas John de trouver le temps long vers la fin des vacances. Le nom des gloires de Morristown revenait si souvent sur ses lèvres que C. J. se moquait de lui et lui disait qu'il préférait ses professeurs à ses parents. A plusieurs reprises, on en vint à parler de la médiocrité de ses résultats scolaires. John promit de faire de sérieux efforts pour étudier ; au milieu de l'été, il écrivit à Woodman pour lui expliquer qu'il viendrait à bout de son programme dans l'année qui venait. Le collège, qui se pliait aux exigences de Harvard, n'accordait de diplôme qu'avec un minimum de vingt-huit unités de valeur, et Reed, à la suite de deux échecs, n'en totalisait que huit. Lorsqu'il repartit vers l'Est, au début de septembre, une rude épreuve l'attendait à Morristown.

Au collège, ses bonnes résolutions s'évanouirent rapidement. La popularité et le prestige dont il jouissait ne firent rien pour les ranimer, non plus que la médiocrité des cours. En outre, ses activités se multipliaient de plaisante façon. En octobre le *Rooster* mourut, faute d'argent. C. J. espérait, tout en épongeant les dettes, que cela laisserait à son fils plus de temps pour

---

12. Cité par L. Steffens dans son ouvrage intitulé *John Reed*, p. 181.

étudier : il se trompait. John jouait moins au football, qui lui prenait trop de temps, mais il prit la direction de l'équipe, puis occupa la même fonction au printemps dans l'équipe de base-ball et gagna en même temps une épreuve de relais. Il garda ces deux postes au sein de l'association sportive jusqu'à la fin de l'année, et après janvier, fut élu tous les mois au comité directeur des élèves ; de plus, au mois de mai, il fut choisi pour faire partie du comité de danse. A cet emploi du temps déjà bien chargé venaient s'ajouter de courts voyages à Washington pour voir des parents, et à Philadelphie comme membre de l'équipe de relais à l'occasion des Jeux universitaires de Pennsylvanie. Il passa un week-end épique à New York avec un ami plus âgé et plus audacieux que lui ; celui-ci accosta une prostituée et fit plus ample connaissance avec elle dans leur chambre d'hôtel, mais Reed, jaloux, ne parvint pas à imiter son ami.

Cette année-là encore, il se heurta aux autorités du collège. Des escarmouches incessantes le menèrent inévitablement à un conflit plus grave, qui éclata au printemps. On en ignore les détails, mais le contenu du *Morristonian* était certainement en cause, puisque le conseil des professeurs suspendit Reed et le rédacteur en chef Frank Damrosch de leurs fonctions au sein du journal. Se sentant victimes d'une injustice, ils rédigèrent tous deux une pétition dans laquelle ils se justifiaient, et l'envoyèrent à Woodman. Leur réclamation fut entendue ; quelque temps après, ils reprirent leurs fonctions dans la rédaction. Ils avaient obtenu gain de cause, mais ils étaient tous les deux bien placés pour savoir que cette décision ne changeait pas grand-chose ; en effet, sans que le conseil l'ait su, ils avaient continué à publier le journal.

Parmi toutes les occupations de Reed, certaines de ses tentatives littéraires se révélèrent intéressantes. Sa fonction de rédacteur (il y en avait quatre au *Morristonian*) ne lui permettait pas seulement d'apprécier les œuvres des autres, elle lui fit découvrir aussi les aspects techniques du journalisme. Les éditoriaux déploraient le fait que les étudiants ne leur soumettaient pas assez de textes, ce qui ne dérangeait pas trop John, puisque cela signifiait que les pages du journal lui étaient grandes ouvertes. Maintenant qu'il était débarrassé du *Rooster,* John ne cessait de produire, et sur huit numéros parus, on ne comptait pas moins de trois nouvelles et de neuf poèmes de lui. L'un des poèmes obtint un prix qui récompensait la meilleure œuvre littéraire de l'année.

On pourrait voir tout le séjour de Reed à Morristown comme une explosion d'énergie : prouesses sportives et frasques en tous genres, activités variées dans des équipes, des comités, des journaux. Mais ce serait oublier un aspect des choses. Son monde intérieur, qui avait tant marqué son enfance, continuait d'exister ; il se manifestait même de plus en plus, à mesure que se développaient ses désirs et ses angoisses d'adolescent. Aux rêves romantiques de conquête et de victoire se mêlaient maintenant les visages et les corps de belles femmes, désirables et lointaines. Un jour, au cours d'un match de football, il eut la brusque vision de Galaad et du Saint Graal ; souvent son imagination transformait les femmes qu'il voyait en autant de Guenièvre et autres héroïnes éthérées. Torturé par des sentiments, des impulsions irrépressibles dépourvus d'objet, il s'efforça de les maîtriser en les écrivant. La poésie était une issue possible, mais Reed n'arrivait à suggérer que faiblement ce qu'il ressentait. Sa maladresse littéraire en était sans doute cause plutôt que la profondeur de ses sentiments ; mais à cela s'ajoutait le fait qu'il refusait de se dévoiler complètement ; il ne voulait pas laisser voir que sous la force et l'assurance qu'il affectait, se cachait une âme tourmentée par l'angoisse et le doute. Comme beaucoup d'œuvres d'adolescents, ses poèmes restaient d'une facture assez conventionnelle, souvent imités du dernier en date des auteurs qu'il avait lu. Ils étaient donc bien rarement personnels. John pouvait chanter la gloire et l'amour de Dieu — sans éprouver lui-même aucun sentiment religieux —, s'inspirer de l'Antiquité pour vanter le courage de Léonidas et des guerriers spartiates, aussi bien que de brosser un sombre tableau de la mort du roi Arthur. L'amour même pouvait être impersonnel :

« Enjambe l'immense gouffre obscur qui se creuse entre nous
   Mon âme ! Et murmure à la sienne avec de doux san-
                                                    [glots [13]... »

Féru de poésie anglaise, John aimait se référer aux maîtres du passé. En s'en excusant auprès de Milton, il écrivit une amusante parodie qui commençait ainsi :

---

13. « Une dédicace », *Morristonian*, n° VIII, juin 1906, p. 14.

> « O Daisy, comme je t'envie, je t'assure
> Toi qui n'as pas le moindre effort à faire [14]. »

Plus sérieuse est cette invocation à Tennyson, où il lui demande de l'aider à devenir un véritable poète :

> « Donne-moi ton inspiration,
> Que ton âme pénètre la mienne
> Et qu'après les plus douces rêveries
> Je puisse tirer de mon âme les chants les plus beaux [15]. »

Les vibrantes descriptions de l'Ouest constituaient l'élément le plus authentique des poèmes de Reed. Fasciné par la farouche puissance des tempêtes, il s'essaya plus d'une fois à les peindre :

> « Le vent a malmené les sapins majestueux
> Qui gémissent sur les pentes du mont Shasta.
> Il a lancé les flots du Pacifique énorme
> Contre les rocs de Tillamook ;
> Et, passant sur les pentes enneigées du mont Hood
> Il en a pris le froid mordant ; il rugit
> Au travers des prés, accumulant tout là-haut
> Les violentes rafales blanches de la neige qui tourbillonne,
> Il a chargé sur ses ailes puissantes
> Le blizzard aveuglant, sans trêve, jusqu'à la nuit
> Où les loups gris, que la faim rend féroces, hurlent
> Seuls, perdus dans la plaine déserte [16]. »

Une autre tempête lui permit d'exprimer une impression vraiment personnelle. Le narrateur se trouve à minuit « au sommet d'une falaise déserte », il est ballotté par un vent furieux. En contrebas, les vagues énormes se ruent sur les rochers, tandis qu'au loin, sur la mer, un vaisseau solitaire « lutte contre l'ouragan ». Au milieu des roulements du tonnerre

---

14. « Sonnet pour Daisy (en en demandant pardon à Milton) », *ibid.*, janvier 1906. Etant donné que l'école de Morristown ne possède pas la collection complète du *Morristonian,* certaines contributions de John Reed demeurent impossibles à dater. On peut en prendre connaissance dans les coupures conservées dans les papiers de la famille Reed.
15. « Invocation à Tennyson », *ibid.*, juin 1906, p. 9.
16. « Crépuscule », *ibid.*, décembre 1905, p. 9-10.

et des éclairs aveuglants, inspiré par le combat du bateau contre les flots déchaînés, le poète a une soudaine vision de la place qu'il occupe dans l'univers :

« Comme un atome au milieu du monde sombre et puissant
Seul, je demeure [17]. »

Ses récits étaient souvent moins originaux que ses poèmes. Abordant ce genre littéraire typique de l'Ouest qu'est la nouvelle brève, il fait preuve d'une outrance laborieuse pour arriver à un comique assez médiocre ; il raconte, par exemple, les aventures d'un Américain qui devient par hasard le sorcier-guérisseur d'une tribu d'Indiens d'Amérique du Sud. Plus intelligente et plus novatrice est la nouvelle où l'on voit un homme que la foule et le vacarme d'un grand magasin de Manhattan mènent peu à peu à la folie. Il était lui aussi fasciné, comme tant de jeunes auteurs, par les cataclysmes, et ses œuvres se terminaient souvent sur des destructions apocalyptiques. Sa puissance de description trouvait ainsi sa meilleure utilisation : sa *Fin du monde* n'est qu'un prétexte à brosser des tableaux saisissants de tremblements de terre, de raz-de-marée, d'éruptions volcaniques et d'incendies qui ravageaient le pays tout entier. *Atlantis,* un conte où il est question de ce mystérieux continent, fourmille de descriptions similaires ; des cités de marbre sombrent dans l'océan sous une lune courroucée et cramoisie. Un petit groupe de légionnaires romains, échoués là à la suite d'une grande tempête, prisonniers de ce monde qui périt, affrontent leur destin avec un calme stoïque. La dernière phrase du conte fait l'éloge de cette vertu que l'auteur considérait sans doute comme la plus importante : « Plus glorieuse encore que la légende d'Atlantis, est l'histoire de ces Romains qui moururent comme seuls ils savaient mourir en ces temps héroïques [18]. »

*La Métamorphose,* une des histoires les plus révélatrices de ce qu'était Reed à Morristown, fait le lien entre l'héroïsme antique et l'héroïsme moderne. Billy, arrière dans l'équipe de football du collège, a l'impression « d'avoir vécu autrefois une existence différente », il a « de vagues souvenirs de montagnes et de forêts profondes qui descendaient jusqu'à la mer,

---

17. « Tempête à minuit », *ibid.*, avril 1905, sans pagination.
18. « Atlantis », *ibid.*, mai 1905, sans pagination.

d'une nature où jamais l'homme blanc n'avait pénétré ». Pendant le grand match de la saison, en plongeant avec le ballon sur la ligne des buts, il reçoit un choc et s'évanouit. A son réveil, il se retrouve dans la peau d'un valeureux indien tillamook, engagé dans une guerre sans merci contre une tribu rivale. Lors du conseil du clan, il se propose pour aller tout seul trouver l'endroit où se cachent les ennemis des Tillamook. Au cours de son expédition il est fait prisonnier, mais il se débat et trouve le temps de tuer un ennemi avant qu'un tomahawk ne s'abatte sur son crâne. Une fois encore il se réveille, maintenant dans une salle du collège. En ouvrant les yeux, il aperçoit des visages inquiets ; on raconte alors à Billy que le but marqué par lui a donné la victoire au collège ; ses amis lui font une grande ovation. Billy sourit et dit : « Les gars, je suis bien content d'être de retour parmi vous [19]. »

Le nom de Billy n'est pas sans rappeler celui du jeune Will, qui avait quitté sa maison pour chercher gloire et fortune, et sa personnalité est assez proche de celle de Reed. En cet été 1906, Reed paraît bien différent de ce qu'il était au moment de son départ de Portland, deux ans auparavant. Il n'y a plus trace chez lui de timidité, de réserve, ni de goût pour la solitude ; il fait l'effet d'un garçon plutôt agressif, sûr de lui — parfois même jusqu'à l'excès — mais cette nouvelle attitude masque plutôt qu'elle ne remplace l'ancienne. Le goût de l'action, fortifié par ses succès de collège, s'ajoutait maintenant à son inclination pour le rêve. De la même façon que Billy pouvait se rappeler une vie antérieure et y effectuer de brefs séjours, Reed se plaisait en même temps à cultiver ses chimères et à plonger dans le monde réel. A Morristown, il découvrit que l'existence ouvrait bien des accès au bonheur et pouvait satisfaire son goût de l'aventure, mais il apprit surtout qu'il avait en lui le talent et la force nécessaires pour prendre ce qu'elle apportait de plus éclatant.

19. « La Métamorphose », *ibid.*, n° VIII, décembre 1905, p. 4-6.

Harvard

*Maintenant que j'y repense, je me rends compte combien j'étais aigri... Il est vrai que j'avais quelque raison de l'être ; en effet, je venais de me faire battre, dans la course au poste d'entraîneur de l'équipe sportive, par un type pistonné qui n'avait pas fait la moitié du travail que moi j'avais fait ; et pour tout arranger, voilà que j'avais reçu un avis m'informant qu'on m'avait à l'œil, car je négligeais mes études, paraît-il... Ce que j'ai pu haïr le Doyen et le reste du monde !*

*— Voilà où j'en suis, fis-je remarquer amèrement à Brodsky, qui loge de l'autre côté du couloir. Tout ce que j'ai pu récolter après six mois de travail en pure perte, c'est cet avertissement !*

*Brodsky hocha tranquillement sa tête hirsute : « Je le savais bien... Je t'avais dit que ce serait un gars de Mont Auburn Street qui décrocherait le poste d'entraîneur. »*

*J'étais jeune et ma déception fut cruelle ; pendant deux heures, je m'accablai de tous les torts... et puis je cessai, sans doute, car dans le silence, j'entendis sonner deux heures à la grande horloge. Sans un mot, Brodsky se leva furtivement et enfila son manteau... « Où vas-tu ? » demandai-je... « A une réunion de club... Tu veux venir avec moi ?... »*

*Nous sommes sortis par la Porte Johnston... Brodsky dépassa la coopérative et ouvrit brusquement la porte du curieux bâtiment voisin. Nous avons monté un escalier interminable. Au tout dernier étage, Brodsky frappa cinq coups ; il y eut un déclic, et une porte s'ouvrit brusquement ; nous pénétrâmes alors dans une pièce totalement obscure. Derrière nous, mystérieusement, la porte se referma avec un bruit horrible et la pièce se trouva soudain brillamment illuminée... Une rangée d'hommes assis à une table... ils buvaient abondamment une liqueur verdâtre. Ils étaient de races diverses — un Chinois, un Noir, deux ou trois qui avaient le type slave, et Merriman qui avait été renvoyé de l'université, je m'en souvins, alors que je venais juste d'y entrer. Tous avaient le même regard sauvage.*

*Le Noir se leva ; son visage avait une expression terrible. Il me tendit un verre plein de cette liqueur* et m'invita à la boire... En tremblant, je m'emparai du verre et le vidai d'un trait. C'était doux-amer, épais, mais le goût n'était pas déplaisant, et au fur et à mesure que les vapeurs me montaient à la tête, mon angoisse disparaissait ; je sentis une délicieuse chaleur envahir mon corps... Ces hommes étranges me paraissaient maintenant très proches et, bizarrement, liés à mon propre destin. Alors, comme en un rêve, j'entendis Brodsky me dire tout bas : « Raconte-leur ton histoire. » Aussitôt, je me mis à parler, je leur expliquai les erreurs que j'avais commises et je me mis à faire le procès impitoyable de l'association sportive, de l'université, et du Doyen. Jamais je n'avais parlé avec une telle éloquence, et lorsque je me tus, mon auditoire éclata en sauvages cris d'approbation.

Puis, l'un après l'autre, ils se levèrent ; chacun exposa ses griefs contre l'administration ; chaque fois que l'un de nous achevait, nous poussions des cris de vengeance de plus en plus frénétiques. Finalement, le Noir se leva et calma les hurlements d'un geste de son bras puissant. « Tu fais maintenant partie de la Main rouge, me dit-il ; nous luttons pour l'égalité des droits, contre le despotisme... Es-tu avec nous ? » Pris d'une rage folle, je criai : « Oui! »

John REED, « La Main rouge », *Harvard Monthly*, n° XLVI, avril 1908.

Le chemin qui menait au succès n'était pas toujours facile, et John Reed, lorsqu'il se heurtait à des obstacles, était capable de terribles accès de rage. Son œuvre étant révélatrice de ses tendances profondes, il est assez significatif que la seule histoire qu'il ait jamais écrite à propos de Harvard, *La Main rouge,* soit une histoire de vengeance. Inspirée davantage de sa propre expérience de l'injustice que de l'injustice sociale, l'œuvre atteint son paroxysme au moment où le narrateur fait exploser une bombe dans le bureau du doyen. Un tel acte de terrorisme, qui dépassait et de très loin les rêves de l'étudiant le plus révolté en ce début du XX$^e$ siècle, tout en fournissant à l'auteur un ressort dramatique, montrait clairement l'hostilité qu'il pouvait éprouver pour une institution à laquelle d'habitude il se disait très attaché. Harvard lui offrit de belles occasions de briller mais en même temps empêcha la réalisation de ses désirs les plus profonds ; ce mélange confus de satisfaction et de frustration fit que son attitude vis-à-vis de l'Université resta ambiguë pendant de nombreuses années.

Harvard était connue pour être sur le plan social et intellectuel la meilleure université du pays ; ses parents le pressaient de s'y inscrire, et elle lui parut bien plus indispensable lorsqu'il faillit ne pas pouvoir y entrer. En raison d'un certain nombre d'échecs à Morristown, il lui manqua huit points pour obtenir son diplôme ; aussi se mit-il à préparer, mais sans trop de zèle, l'examen d'entrée à Harvard. Il obtint une bonne note en anglais, une note honorable en français et en histoire, passable en chimie, mais il échoua en latin et en géométrie. Heureusement on considéra que ses mauvaises notes étaient malgré tout suffisantes pour qu'il pût se présenter à nouveau ; durant l'été 1906, à Portland, il travailla sérieusement avec un précepteur. Tandis qu'il voyageait dans l'Est avec Margaret et Harry, en septembre, Morristown revint sur sa décision et lui accorda son diplôme. En recevant cette bonne nouvelle, C. J. écrivit pour remercier Woodman et lui dire que John se préparait à sa nouvelle vie à l'Université « avec son enthousiasme et son optimisme habituels [1] ». Reed arriva à Harvard avec les mêmes espoirs de conquête qu'il avait eus lors de son arrivée à Morristown ; il espérait séduire par son humour, son audace, sa vivacité et son talent. Ses succès au collège avaient aiguisé un appétit déjà fort vif pour la puissance et la gloire. Quelques jours après son arrivée, il accosta un autre nouveau, Bob Hallowell, un artiste, et lui proposa d'écrire avec lui un livre sur l'Université. Frappé de stupeur, Hallowell lui demanda comment deux nouveaux qui ignoraient tout de l'histoire d'Harvard et de ses coutumes, pouvaient concevoir un tel projet. D'un geste de la main, John balaya ces objections: « Diable, en nous y mettant, nous y arriverons bien [2] ! »

Une telle candeur était typique du caractère de John. Restait le plus difficile : passer à l'exécution. En fait cette vantardise n'était qu'une tentative pour communiquer avec un être humain, à une époque où Reed se sentait à nouveau très isolé. L'université était bien différente du collège de Morristown ; elle était trop vaste et trop complexe pour qu'on puisse s'y faire remarquer rapidement. « Ma promotion comprenait plus de sept cents étudiants, et pendant les trois premiers mois, en me rendant aux cours et aux conférences, j'avais l'impression que chacun des sept cents avait des amis, excepté moi. J'étais impressionné par l'immensité de Harvard, les possibilités infinies qu'elle offrait, par ses augustes traditions, son histoire ; mais j'étais désespérément seul. Je ne savais de quel côté me tourner, comment rencontrer des gens. Les autres me croisaient dans la cour en s'interpellant joyeusement ; je les voyais s'organiser en groupes, partir le samedi soir à Boston, criant et chahutant sur la plate-forme des autobus ; au petit jour ils passaient en chan-

1. Lettre de C. J. Reed à F. Woodman, 18 septembre 1906 (archives de Morristown).
2. *John Reed* de R. Hallowell, p. 298-299.

tant sous mes fenêtres... Les clubs des étudiants de première année étaient en train de se former. Et moi je restais à l'écart [3]. »

Il y avait à cela de bonnes raisons, et John commença petit à petit à les comprendre. Au cours de ses promenades solitaires dans les sentiers ombragés du grand parc planté d'ormes, parmi les vieux bâtiments en briques couverts de lierre, en allant fouiner dans les librairies de Cambridge Street et de Massachusets Avenue, en descendant Mt. Auburn Street où il enviait les étudiants riches vivant dans les élégantes résidences privées de la « Gold Coast », lors de ses déambulations le long des eaux tranquilles de la rivière Charles, Reed finit par se rendre compte qu'étant originaire de l'Ouest, et ne sortant pas d'un prestigieux collège préparatoire tel que Groton, Exeter ou Andover, il n'existait tout simplement pas. Effectivement, Harvard était un monde parfaitement clos, dominé par les riches familles de l'Est, entrouvert aux autres. Le système n'était prêt à admettre que ceux qui entendaient se conformer strictement à ses codes, en attendant patiemment qu'on veuille bien leur faire signe. John était beaucoup trop impatient. Souhaitant à toutes forces être admis rapidement dans le petit univers fermé des clubs, voulant « être aimé, avoir des amis, être connu de tout le monde », il accumulait les gaffes, sans se soucier des règles de cette société. Lorsque des camarades négligeaient de l'inviter dans leurs chambres, ou le tenaient visiblement à l'écart en présence des membres des clubs les plus chics, Reed les affrontait ouvertement d'une manière qui choquait encore plus ceux qui attendaient de sa part réserve et discrétion. Le fait de se sentir rejeté le rendit si susceptible et agressif que les dirigeants des clubs s'éloignèrent encore davantage. Ces premières impressions persistèrent. Des années plus tard, les membres des clubs se souvenaient de Reed comme de quelqu'un qui n'avait jamais su faire la différence entre « ce qui se fait et ce qui ne se fait pas [4] ». Cette attitude était due à bien autre chose que ses origines, Reed s'en aperçut deux ans après, quand son frère Harry, un modèle de conformisme, fut adopté par les aristocrates de Harvard comme s'il était des leurs.

---

3. *Trente ans, déjà.* Toutes les citations qui suivent et qui ne font pas l'objet d'une note particulière dans ce chapitre sont tirées de cet essai.
4. Lettre de G. W. Martin à G. Hicks, 28 novembre 1934 (manuscrit Hicks).

Puisqu'on lui barrait la route de la réussite sociale, John dut trouver un autre exutoire à sa débordante énergie. Comme d'habitude, les études ne l'absorbaient guère. En plus des matières traditionnellement exigées, l'anglais et l'allemand, il avait opté pour le latin, le français, l'histoire médiévale et la philosophie grecque ; aucun de ces sujets ne s'avéra très excitant. Il comprit vite qu'il n'était pas trop difficile de se maintenir à un niveau passable ; cela lui laissa du temps libre pour explorer d'autres domaines. D'abord il s'efforça d'entrer dans l'équipe de football des étudiants de première année, mais à la mi-octobre il fut remplacé. Alors, pour obtenir une place dans l'équipe d'aviron, il passa ses soirées, ses week-ends et toute une période de vacances à s'entraîner sur une machine fixe. Cet effort fut vain, car en mars on ne l'admit que dans l'équipe de réserve.

Comme il sortait très peu, Reed se lança dans l'écriture. Le premier journal qui accueillit sa collaboration fut le *Lampoon*, magazine humoristique bimensuel qui défendait les valeurs aristocratiques de Harvard, en les plaisantant gentiment. A la fin d'octobre, on vit apparaître régulièrement des poèmes humoristiques et quelques histoires drôles écrits par John ; à la fin de l'année — comme il le fait fièrement remarquer dans une lettre à son père —, parmi les étudiants de sa promotion, son nom était de très loin le plus souvent cité dans le sommaire du journal. Le *Harvard Monthly* fut plus long à se rendre. C'était un journal qui avait publié des œuvres de Georges Santayana, Edwin Arlington Robinson et William Vaughan Moody. Les premiers envois de Reed furent refusés, mais on l'encouragea de façon fort sympathique à persévérer. Juste avant la fin de l'année, le *Monthly* publia deux de ses œuvres les plus achevées à l'époque, un poème en prose, *Bacchanale,* et un sonnet intitulé *Guenièvre.*

Ce succès littéraire était un encouragement, mais à mesure que l'année s'écoulait, il devenait cafardeux. Comme son père, Reed se sentait déraciné, séparé par cinq mille kilomètres de sa famille et privé de toute affection. Les amis qu'il avait tenté de se faire étaient « d'abord déconcertés, puis se réfugiaient dans une attitude supérieure et ne revenaient plus me voir ». Avec un seul d'entre eux il eut quelque intimité, un juif de New York, Carl Binger, « plutôt timide et mélancolique », qui était lui aussi tenu à l'écart à cause de sa religion. Inséparables, les deux garçons partageaient leurs expériences et se faisaient leurs confidences, mais cela rendait John encore plus amer : « Je devenais enragé et cela me donnait des idées morbides — il me semblait que tant qu'il serait avec moi, jamais je ne pourrais participer à la vie fastueuse de Harvard. » Pourtant comme il savait qu'il était bien agréable d'avoir quelqu'un à qui parler, il décida à contrecœur de partager une chambre avec Binger l'année suivante.

L'été 1907 ne fut pas très gai. Déprimé, John se traînait dans les rues de Portland ou passait de longues heures dans sa chambre, à lire et à écrire dans le calme. Le *Pacific Monthly* accepta de publier un court poème intitulé *Octobre* ; cela lui redonna un peu d'entrain, mais son vrai problème demeurait insoluble. Il hésitait entre deux positions : soit admettre de jouer ce qui lui paraissait un rôle de second ordre, soit se battre pour être accepté. John chercha chez son père un modèle de conduite.

A cette époque, C. J. écrivait à Steffens : « Les quelques amis qui me restaient [...] sont complètement écœurés par ma collaboration avec Heney, et je me trouve aujourd'hui pratiquement tout seul, à mon grand amusement [5]. » Cependant cela ne l'arrêtait pas, il continuait, en tant que magistrat, à participer aux poursuites judiciaires. Son courage déteignit sur John et renforça la combativité naturelle du fils. Leurs situations étaient évidemment différentes mais le principe de la lutte était le même. En rentrant à Harvard, Reed était une fois de plus bien décidé à s'y faire un nom.

Pour ceux qui cherchaient à se faire connaître, la seconde année à Harvard était décisive, car le système compliqué des clubs permettait à l'élite de se distinguer de la masse. Beaucoup d'étudiants ne comprirent jamais le fonctionnement de ces clubs, mais John en connaissait tous les détails ; il savait que l' « Institut de 1770 » devait sélectionner dans sa promotion cent étudiants « qui pourraient ensuite se considérer comme l'élite de la société ». Ces heureux élus devaient ensuite être admis dans les clubs des étudiants de seconde année, pour parvenir dans les clubs des deux années suivantes (« junior » et « senior »). Ces clubs représentaient le fin du fin et contrôlaient les activités les plus appréciées de l'université. Pour un jeune débutant, s'y faire admettre était « le comble de l'ambition [6] ».

---

5. Lettre de C. J. Reed à L. Steffens, 19 avril 1908 (papiers Steffens).
6. « La Renaissance de Harvard », inédit (p. 9-10). Reed écrivit cet essai de 73 pages durant le printemps 1912 pour l'*American Magazine*. Cf. chapitre « Europe » : les raisons pour lesquelles il fut refusé.

Bien décidé à ce que rien ne vienne compromettre ses chances, Reed avertit brutalement Carl Binger qu'il n'était plus question qu'ils habitent ensemble, et alla s'installer dans un autre appartement. Il refusait d'admettre ses faiblesses, même les plus évidentes — une ambition un peu trop visible, des façons rudes et une attitude souvent agressive ; lors des élections, on l'ignora complètement et il en ressentit une profonde humiliation. Il avait honte de sa conduite avec Carl et n'osait plus revoir celui qui avait été son ami ; son ressentiment s'accrut et le poussa à lancer de nouvelles attaques contre les règles établies. L'une d'entre elles visait le *Crimson*, le quotidien de Harvard, l'un des défenseurs les plus farouches de la tradition. Sachant qu'il était capable de bien écrire, Reed se lança dans le concours organisé pour faire partie du comité de rédaction, mais là aussi on l'ignora. L'exemple du concours organisé pour le poste de directeur-adjoint de l'équipe d'aviron est encore plus révélateur de la discrimination évidente qui régnait alors ; pour gagner, il s'agissait de vendre le plus grand nombre possible de billets d'entrée pour la saison. Après s'être affairé jour et nuit, ce fut John qui en vendit le plus, mais le directeur repoussa la date limite suffisamment pour laisser le temps à un autre étudiant de convaincre son père, qui avait une grosse fortune, d'acheter une énorme quantité de billets, ce qui lui permit d'obtenir le poste.

Heureusement, des succès dans d'autres domaines évitèrent à John de sombrer dans le désespoir. Peu après le nouvel an, les longues heures d'entraînement dans la Willamette se révélèrent payantes, puisqu'il fut sélectionné pour faire partie de l'équipe universitaire de natation et de water-polo. Regonflé par ses succès sportifs, même s'il s'agissait de disciplines considérées comme secondaires, John arriva enfin à se faire publier dans le *Monthly* et dans le *Lampoon*. Etant donné qu'on y jugeait les gens sur leurs talents plus que sur leurs manières, les deux journaux le choisirent pour faire partie de leur rédaction, et ils prirent une place essentielle dans sa vie d'étudiant. Très différents par le ton et les objectifs, ils accentuèrent l'ambivalence de son écriture. Tout ce qui était littéraire allait au *Monthly*, tandis que les œuvres pleines d'humour, même un peu forcé, paraissaient dans le *Lampoon*. Une seule fois cette distribution fut modifiée. A l'initiative du *Monthly*, on demanda aux rédacteurs qui le voulaient de publier un poème original. Edward Hunt écrivit une sorte de solennelle oraison funèbre, bien dans la note. Reed saisit l'occasion pour parodier sans vergogne la fin d'un poème sur la mer, dû au rédacteur John Hall Wheelock. Cette œuvre de John se terminait d'une façon lugubre :

> « O mer murmurante et sans voix
> Pleine d'eau salée et de grands crabes tristes [7] ! »

La demi-douzaine d'articles qu'il écrivit pour le *Monthly* et les quelques textes imprimés à l'occasion par le *Harvard Advocate* ne différaient guère de ses tentatives faites à Morristown que par une plus grande maîtrise de la langue. Quelques-uns des articles du *Lampoon* critiquaient indirectement le monde de Harvard. L'une de ses cibles était le *Crimson*, qui s'arrangeait toujours pour faire l'éloge, tout à fait hors de propos, de l'équipe de football. Cela inspira à Reed l'idée d'une parodie de reportage sportif :

« Il faut reconnaître que nos arrières sont très lents, mais ce petit défaut est contrebalancé par leur extrême légèreté. La ligne d'avants est un peu... maladroite, mais cela est largement rattrapé par l'acharnement qu'ils mettent à s'aplatir en dehors des buts [8]. »

Désirant viser plus haut, Reed multipliait les piques contre le gratin de Boston, principal soutien du système universitaire en place. C'est ainsi qu'il décrivit Bessie, une jeune fille de la haute société de Back Bay :

> « Je l'embrassai une fois, je l'embrassai deux fois
> C'était une charmante créature,
> Mais chaque fois que j'effleurais sa figure
> Chacun de ses traits devenait plus froid [9]. »

Une telle atteinte aux valeurs de la société puritaine, si elle n'avait pas été déguisée aurait paru fort inconvenante. Mais Reed savait maintenant que l'humour était un excellent moyen de faire passer la critique sociale.

Au printemps 1908, les choses allaient assez bien. John, qui collaborait maintenant à deux journaux et faisait partie de deux équipes sportives, s'aperçut qu'on se montrait plus amical à son

---

7. Cité par G. HICKS, *John Reed : la naissance d'un révolutionnaire,* Macmillan, New York, 1936, p. 30.
8. *Harvard Lampoon*, n° LIV, 28 octobre 1907, p. 72.
9. *Ibid.*, 22 janvier 1908, en frontispice.

égard. Dans le groupe des rédacteurs, il était très actif ; il y apprit ce qui devait se confirmer par la suite : « Quand je travaille dur sur quelque chose que j'aime, les amis arrivent et restent sans que je fasse rien pour cela ; et ma peur s'évanouit, de même que cette sensation d'isolement qui est si terrible. » En mars il publia une « lamentation printanière » où il se moquait de ce qui était à l'origine de sa réputation grandissante :

> « Le printemps arrive. Oh mon Dieu ! Devrons-nous subir
> Un nouveau flot de ces vers enflammés
> Que déverse le *Monthly* si compassé
> Ou l'*Advocate* qui est encore bien pire ?
> Nous faudra-t-il supporter les affronts du *Lampoon*
> Qui dit que nous ignorons les océans lointains ?
> Devrons-nous louper à nouveau ces maudits examens
> Et finement éviter les lettres à la famille ?
> (Le poète à bout de souffle est relevé de ses fonctions.) [10]. »

Tandis qu'à Harvard John commençait à se faire une place au soleil, une importante agitation se développait chez les étudiants. Deux ans après l'obtention de son diplôme, Reed devait la décrire comme étant « l'extension à la vie universitaire du mécontentement, des idées révolutionnaires, des critiques contre la société et de la révolte qui grondait [11] ». Le vent de réformes qui soufflait sur les Etats-Unis parvint finalement à remuer les campus. Depuis plus de dix ans, certains Américains étaient sensibles aux luttes des extrémistes et des réformateurs, de ceux qui dévoilaient les scandales, de ceux qui faisaient la critique de la société. Les fermiers en colère du Parti populiste avaient conspué Wall Street et, avec William Jennings Bryan à leur tête, avaient tenté de se rendre jusqu'à la Maison Blanche ; quant aux politiciens de la petite bourgeoisie, ils étaient décidés à faire pression sur le patronat, à exiger un ensemble de lois sociales, à contrôler la puissance des trusts, et à rendre les villes plus vivables. Au même moment le marxisme s'implantait, et semblait devoir se transformer en mouvement populaire sous la direction de Eugène V. Debs. Des idées nouvelles, de nouvelles entreprises, une nouvelle façon de penser, tout cela était

---

10. *Ibid.*, n° LV, 4 mars 1908, p. 41.
11. « La Renaissance de Harvard » p. 3-4.

*groupes des "révolutionnaires" de Harvard*

favorisé par la vague de réformes. Bien sûr, les jeunes bourgeois se sentaient plus concernés par ces changements que leurs aînés ; ils avaient moins de liens avec les vieilles institutions, ce qui leur permettait d'attaquer plus franchement le système.

Ce nouvel état d'esprit eut sur Harvard un impact remarquable. Cette université avait une longue tradition de liberté intellectuelle ; et la faculté de province qu'elle était, comptant un millier d'étudiants, s'était transformée en l'espace de quarante ans sous la direction de Charles W. Eliot en un établissement mondialement connu où étaient inscrits quatre mille étudiants, comprenant en outre des écoles supérieures et des instituts professionnels. Elle s'enorgueillissait de compter parmi ses enseignants William James, Josiah Royce, Barrett Wendell, George Lyman Kittredge, William Ellery Channing et F. W. Taussig ; Harvard offrait les programmes les plus nombreux et les plus variés du pays. Les professeurs avaient beau se plaindre de ce que les étudiants montraient peu d'enthousiasme pour participer à ce festin de connaissances qu'on leur offrait sur un plateau, il y en avait toujours un petit nombre pour montrer de l'appétit, des jeunes qui suivaient ce que William James appelait la tradition de Harvard, celle des « libres-penseurs indépendants ». C'est aux environs de 1908 que ceux-ci commencèrent à se sentir concernés par les problèmes sociaux. Aussitôt l'université se mit sur la défensive, face à ces novateurs qui paraissaient dédaigner le type d'enseignement qu'Harvard pouvait offrir.

Ce qui était avant tout mis en cause, c'était la nature de l'enseignement. Les révoltés — comme Reed les appelait — se plaignaient de ce que « l'enseignement était poussiéreux et académique », et regrettaient que le savoir inculqué « ne soit pas adapté à la vie moderne » ; ils se livrèrent à une attaque en règle : dans l'*Advocate* de janvier 1908, l'étudiant de troisième année Lee Simonson s'en prenait à la fois aux étudiants et à la Faculté, leur reprochant leur indifférence vis-à-vis des problèmes qui secouaient le monde moderne, et des hommes qui s'efforçaient de le changer. Jugeant que les étudiants se contentaient facilement « de principes timides dignes du Moyen-Age », Simonson reprochait aux professeurs de ne pas mettre leur enseignement en relation avec la réalité. Critique plus sérieuse, il jugeait que la Faculté « n'était pas branchée sur l'avenir », et il exhortait les professeurs à « devenir plus constructifs, à réviser leurs opinions, à nous parler de l'ère nouvelle et à diriger nos regards vers des soleils qui ne s'étaient pas encore levés »... Les accusations de Simonson furent reprises par d'autres, et bientôt plusieurs petits groupes d'étudiants qui se réunissaient la nuit dans leurs chambres pour discuter des œuvres d'Anatole France, de Karl Marx, de théâtre moderne, de littérature contemporaine, de l'anarchisme ou de la presse de demain, se réveillaient soudain, clignant des yeux, stupéfaits de découvrir que les autres étaient semblables à eux. Ils parlaient beaucoup et se trouvaient parfois en désaccord, mais ils partageaient un point de vue commun, ils voulaient « voir leurs théories appliquées, et non plus seulement discutées de la façon la plus rhétorique qui soit ; il fallait les appliquer au monde, à eux-mêmes, à Harvard [12] ».

Ce vent de révolte entraîna les étudiants bien avant de toucher les membres de la Faculté. Quatre mois ne s'étaient pas écoulés depuis l'article de Simonson, que trois organisations appelant à la révolte s'étaient formées ; John entra en contact avec deux d'entre elles. La première était le « Cosmopolitan club », surnommé le « Cosmos », soutenu par le Président Eliot comme propice au développement des relations entre les étudiants américains et étrangers. De telles organisations risquaient fort de sombrer dans la niaiserie, n'étant souvent guère plus qu'un prétexte à des manifestations au cours desquelles les étudiants se déguisaient, dansaient et chantaient des chansons folkloriques. A Harvard, le club avait cet aspect divertissant, mais sous l'influence des révolutionnaires — comme on commençait à les appeler — il devint le théâtre de discussions et de controverses passionnées. Lors des réunions du « Cosmos », les membres de vingt-sept nations différentes discutaient de la paix dans le monde, du syndicalisme en France, des exécutions politiques en Espagne et de la politique étrangère américaine. Découvrant les problèmes internationaux et impressionné par les théories révolutionnaires des étudiants indiens et chinois, John commençait à voir « le grand nombre de causes qu'il y avait à défendre dans le monde entier ». Le club dramatique était plus proche de ses préoccupations littéraires : il était lui aussi le résultat immédiat de l'agitation étudiante. Deux années plus tôt le professeur George Pierce Baker, répondant à la demande des élèves qui souhaitaient écrire des pièces plutôt que d'entreprendre des recherches sur l'histoire du théâtre,

---

12. Simonson, cité *ibid.*, p. 5-7 ; les citations de Reed proviennent de ces mêmes pages.

avait inauguré un cours de « technique théâtrale ». Encore
insatisfaits, les étudiants avaient réclamé la création d'un groupe
de théâtre pour monter leurs propres œuvres. Comme Baker
était tout à fait sceptique, les étudiants fondèrent un club destiné à présenter des pièces originales, apportant à l'université
« un contact vivant avec tout ce qui était important dans le
théâtre moderne [13] ». Dès la création du club, Reed fut un
supporter enthousiaste de l'entreprise ; il y participait activement.

Mais le plus important de tous ces nouveaux groupes fut le
« club socialiste », fondé par neuf étudiants en mars 1908.
Le préambule à son statut annonçait qu' « il y avait un large
courant d'opinions selon lesquelles l'état actuel de la société était
fondamentalement inique et que la base d'une nouvelle structure devait être trouvée [14] ». Le club s'attacha à étudier « le
socialisme et tous les autres programmes de réforme qui visaient
à un développement meilleur de la société » ; il compta rapidement trente membres et suscita l'intérêt épisodique d'une
cinquantaine de personnes. En fait, son influence dépassait de
très loin le nombre de ses adhérents. Bientôt le noyau du groupe,
dont Walter Lippmann faisait partie, s'infiltra partout dans l'université, incitant les autres à la critique, à la révolte, à la contestation. Etant eux-mêmes directeurs de journaux, présidents
d'assemblées, d'organisations religieuses et politiques, les jeunes
extrémistes firent du socialisme leur continuel sujet de conversation. Soucieux de changer le monde et pas seulement de le
comprendre, les leaders du club établirent un programme pour
la section du Parti socialiste de Harvard et mirent au point
un projet de législation qui fut soumis à l'Assemblée du Massachusetts. Ils attaquèrent l'université qui rétribuait ses employés
avec des salaires de misère, et le *Crimson* parce qu'il ne disait
pas la vérité sur la condition des étudiants et ne défendait nulle-
ment leurs intérêts. Puis Walter Lippmann critiqua, dans les
pages du *Harvard Illustrated,* le département d'économie politique qui traitait le marxisme comme une théorie fumeuse et non
comme « un mouvement actuel qui nous concernait tous » ;
ensuite les étudiants rédigèrent une pétition exigeant la création
d'un cours sur la théorie socialiste [15] ; ils obtinrent satisfaction.

---

13. *Ibid.*, p. 8-9.
14. Cité *ibid.*, p. 12-13 .
15. Cité *ibid.*, p. 45.

A la même époque, des professeurs se décidèrent à inclure dans leurs cours un enseignement nouveau, économique, social et politique.

Durant les deux dernières années que Reed passa à l'université, le Club socialiste eut une influence grandissante. Ses adhérents remplissaient les pages des journaux d'articles passionnés sur l'enseignement ; ils contribuèrent à donner une nouvelle vie à de nombreux clubs politiques et à des cercles presque moribonds ; ils furent à l'origine de toute une série d'organisations telles que le club de politique sociale, le « single tax club », la ligue des hommes de Harvard pour le vote des femmes, et le club anarchiste. Soutenus par une poignée d'étudiants, méprisés ou ignorés par les autres, redoutés par certains membres de l'administration, attaqués ouvertement dans les journaux des étudiants, les radicaux allèrent trop loin. En fin de compte, une grande partie de leurs débats furent interdits par les recteurs qui considéraient que « l'université ne devait en aucun cas être le théâtre d'une propagande ininterrompue et systématique pour les mouvements sociaux, l'économie et les convictions politiques et religieuses [16] ».

Les poursuites contre les « radicaux » ne se produisirent que deux ans après que Reed ait obtenu son diplôme, à l'époque où celui-ci faisait dans un long article l'éloge du mouvement et de ses membres, qu'il considérait comme étant à l'origine de la « renaissance » de Harvard. Il ajoutait qu'il n'avait jamais fait partie du Club socialiste, qu'il avait seulement assisté de temps en temps à ses réunions, sans expliquer davantage cet apparent manque d'intérêt. Etant donné son caractère, la raison en est claire. Les débats sur les questions sociales étaient vivants, intéressants, voire fascinants. Mais les parties de football, les cafés, les week-ends à Nantucket, les bals, et les interminables conférences de rédaction l'étaient tout autant. Les questions économiques et politiques avaient beau revêtir une certaine importance, elles comptaient moins pour John que la poésie, les pièces de théâtre et les nouvelles qu'il écrivait. En outre, Reed devinait que toute cette agitation « ne changeait pas grand-chose à la réputation de Harvard, et que les membres des clubs chics et les athlètes, nos représentants dans le monde entier, n'en avaient certainement jamais entendu parler ». C'est seulement des années plus tard qu'il put proclamer que la « renaissance »

---

16. Cité *ibid.*, p. 2.

de Harvard lui avait révélé que « quelque chose de plus excitant que les activités universitaires existait ailleurs ». Tant qu'il y vécut, Harvard était son monde, et aucun autre domaine ne l'intéressait autant.

Pourtant, cette nouvelle agitation intellectuelle le transforma. Elle lui fit découvrir les problèmes nationaux et internationaux ; de nouveaux points de vue, souvent révolutionnaires, lui devinrent familiers. Chose plus importante, cette « renaissance » lui permit d'entrer dans d'autres organisations où il put exercer ses talents, s'éloignant ainsi de ses origines sociales. Tandis que l' « élite » estudiantine rejoignait pompeusement les clubs des « juniors », Reed au cours de sa troisième année, devint l'assistant de Hans von Kaltenborn, directeur du club d'art dramatique ; il fut chargé de trouver des annonceurs publicitaires pour financer l'impression des programmes ; il devait aussi rédiger les communiqués publicitaires pour les représentations, et s'efforcer de rameuter un maximum d'étudiants. A la même époque les réunions du « Cosmos club » lui prenaient au moins une nuit par semaine. En mai 1909, il fut élu vice-président de ces deux organisations.

D'autres activités moins originales absorbaient également son énergie. La natation et le water-polo, épuisants mais revigorants, lui firent connaître d'autres campus. En avril, on le nomma capitaine de l'équipe de water-polo. En même temps, il envahissait le *Monthly* et le *Lampoon* de sa production, qui débordait sur les pages du *Harvard Illustrated* et de l'*Advocate*. Ses obligations d'éditorialiste lui prenaient un temps fou, mais il ne refusait jamais de passer de longues heures à sélectionner les blagues, les caricatures, les histoires et les poèmes, discutant ses choix avec les autres membres de l'équipe, s'inquiétant des problèmes de maquette ; il restait penché sur le marbre des ateliers d'imprimerie, relisant les épreuves, remplissant les blancs de dernière minute avant de se traîner péniblement jusqu'à son lit.

Le *Monthly* et le *Lampoon* préfiguraient la vie adulte et offraient à John de bonnes occasions de se faire des relations durables. Robert Hallowell était devenu l'un de ses amis intimes ; il avait été nommé rédacteur en chef du *Lampoon* en janvier 1909, alors que Reed était élu au poste d' « ibis », c'est-à-dire rédacteur en chef-adjoint. Il y avait aussi Edward Hunt, poète sympathique qui trouvait le moyen de bûcher ses cours tout en étant président du club d'art dramatique, écrivain reconnu et membre d'une société savante. Dans une lettre à

Edward Hunt qui le remerciait de sa collaboration au *Monthly* — il en devenait corédacteur —, Reed décrit leur amitié « comme une des rares choses vraies qu'on peut trouver dans une vie d'étudiant [17] ». Parmi ses autres connaissances, figurait Walter Lippmann que John jugeait parfois un peu intellectuel et un peu froid, mais qui savait écrire ses éditoriaux d'une façon à la fois objective et mordante témoignant de sa maturité ; enfin il y avait Alan Seeger, dont la dévotion exclusive à l'esthétisme faisait paraître assez légères les tentatives poétiques de John. Le « Western Club » offrait aussi une occasion de se faire des amis ; il réunissait les étudiants qui se sentaient exclus du tourbillon mondain. Peu après son affiliation à ce club, Reed en fut nommé président ; il y joua le rôle que jouait son père à Arlington, trônant au bout de la table principale, et captivant les convives par une suite ininterrompue de mots d'esprit. Un jour où Lippmann, invité au club, y entrait, Reed se leva, s'inclina jusqu'à terre et annonça solennellement : « Messieurs, j'ai l'honneur de vous présenter le futur président des Etats-Unis ». D'ordinaire l'humour volait moins haut : ces garçons de l'Ouest, délivrés du decorum de Harvard, criaient tant qu'ils pouvaient, se lançaient la nourriture aux quatre coins de la table et se livraient à des plaisanteries qui n'étaient pas du meilleur goût. John, qui aimait cette décontraction, chahutait, s'époumonait et faisait autant de bruit que les autres. Nulle part ailleurs à Harvard il ne pouvait être autant lui-même ; nulle part ailleurs il ne se sentait autant chez lui.

Absorbé par toutes ces activités, ces clubs, ces équipes, Reed trouva enfin, au cours de sa troisième année, un professeur qui parvint à l'enthousiasmer : Charles Townsend Copeland, l'une des figures de Harvard ; Copey, comme tout le monde l'appelait, était un homme de petite taille, tout à fait piquant ; n'ayant pas publié sa thèse, il était resté des années au poste de chargé de cours. Pourtant des générations d'étudiants se souvenaient de lui comme du meilleur professeur qu'ils aient jamais eu. Les méthodes de Copeland étaient tout à fait singulières ; en effet, selon l'expression de Walter Lippmann, il « professait l'idée qu'enseigner ne consistait pas à inonder de connaissances, du haut de sa chaire, une masse anonyme de gens qui s'efforçaient de prendre des notes, mais qu'il s'agissait d'une rencontre entre

---

17. Lettre de J. R. à Edward Hunt, 4 juin 1909 (manuscrits J. R.).

_Le professeur Copeland_

deux individualités [18] ». Copey s'arrangeait pour avoir peu
d'étudiants et il les faisait venir dans son appartement. Chaque
cours était un spectacle. Il jouait les autocrates, faisait des remarques incisives, s'engageait dans des digressions qui n'avaient
plus rien à voir avec la littérature ; il savait manifester tour à
tour de la colère, de l'ironie, de la rage, de l'indignation ou
de l'intérêt lorsque les étudiants se risquaient à émettre une
opinion. Quel que fût le sujet dont on parlait, Copeland le
dominait « parce qu'il avait toujours quelque chose de spirituel
à dire, [...] quelque chose d'original à apprendre ». S'il lui arrivait de critiquer férocement les travaux des étudiants, il était
capable aussi de manifester un vif enthousiasme devant un brillant exposé. Pour un étudiant de Harvard, un éloge de Copey
paraissait le comble de l'honneur.

Reed reçut souvent ce genre d'éloges. Son ironie mordante
cachait en fait une santé délicate et Copeland admirait les gestes
audacieux de John autant que sa prose. Très vite, Reed fit
partie du petit cercle d' « individus privilégiés » qui se formait
autour de Copey, ceux qui « restaient chez lui après les cours,
qui traversaient le parc en sa compagnie, qui s'asseyaient avec
lui sur un banc les après-midi de printemps ». Il les traitait
comme des égaux, et quelques-uns parmi eux se confiaient à
lui plus volontiers qu'à leurs familles. Il était toujours prêt
« à conseiller, à réconforter, à rire ». Lorsqu'il commença à
encourager la recherche de l'aventure et de l'héroïsme dans
le monde moderne, Reed devint un véritable disciple. C. J.
mis à part, il ne se rappelait plus tard que deux hommes « qui
lui aient donné confiance en lui, le désir de travailler et de
ne rien faire qui n'en vaille la peine ». Le premier d'entre eux
était Copeland.

Pour les intimes, le samedi soir était toujours un moment
privilégié. Aux environs de dix heures, Reed grimpait l'escalier
sud du hall Hollis pour se rendre chez Copey. Il pénétrait dans
une pièce où s'entassaient toutes sortes de gens : « des athlètes,
des journalistes universitaires, des socialistes, des athées, des
gens du monde, des célébrités et... des gens de moindre envergure ». Faute de siège libre, il devait souvent se contenter d'une
petite place par terre. L'atmosphère était sympathique et cha-
leureuse ; les livres s'entassaient du sol au plafond ; pour tout
éclairage il y avait la lueur d'un feu de charbon et une unique

18. _Harvard Crimson,_ 27 avril 1935 ; cité dans J. D. ADAMS : _Copey of Harvard,_ Boston, Houghton Mifflin, 1960, p. 172.

chandelle sur la cheminée. Assis dans son fauteuil, Copey dirigeait une conversation à laquelle chacun prenait part « pour dire les choses les plus personnelles » et où chacun s'arrangeait pour « être vif, concis, presque brillant [19] ». C'était un merveilleux moment de fraternité que ces soirées passées dans la pénombre, où l'on discutait des systèmes philosophiques, des derniers livres parus, où l'on parlait voyages, réunions et mouvements politiques ; ils faisaient paraître la vie plus riche et plus belle, pleine de merveilles qu'on ne pouvait ignorer et de grandes actions à accomplir. C'était là un enseignement plus authentique que tous les autres cours de Harvard. Hormis les œuvres du programme et ces nombreuses activités, il y avait bien d'autres choses dans cette vie à l'université : le vent frais du matin, à l'époque où les arbres flamboient, les grondements du stade l'après-midi, lors des matches de football ; les promenades nocturnes sur les berges de la Charles où tremblait le reflet des lumières ; les amitiés soudaines qui se formaient lorsque deux compagnons partageaient leurs réflexions intimes sur l'amour et la mort ; les tasses de café avalées au petit matin dans la rédaction, lorsqu'enfin le journal était bouclé ; les excursions dans un cimetière colonial, alors qu'on se sentait jeune et immortel ; la neige où l'on enfonçait jusqu'aux genoux dans Massachusets Avenue, et les petits grêlons qui frappaient les arbres dénudés les jours d'orage ; les week-ends tapageurs passés dans une cabane des North Woods ; les bagarres avec les voyous de Cambridge qui vous laissaient le col déchiré, les joues brûlantes et le joyeux sentiment d'exister ; les voyages en train dans le nord du Maine où l'on se saoulait toute la nuit, le plaisir de parcourir les rues de Lexington en rangs serrés, frappant aux fenêtres et criant : « Les Anglais sont arrivés ! » L'université, c'était la vie, et la vie était faite alors de désirs, d'ambitions, de confusion et de chagrins ; c'était aussi le moment merveilleux où tous les rêves pouvaient devenir réalité.

Un vieux rêve pouvait aussi, parfois, se réaliser. Reed appréciait beaucoup la compagnie des femmes. Elles le trouvaient souvent un peu jeune, manquant de maturité, et lui reprochaient ses façons rudes ; elles jugeaient souvent qu'il avait un air plus enfantin que ses camarades. Mais c'était un jeune homme élégant, élancé, ouvert et plein d'entrain, assez singulier pour faire

19. Toutes les citations à propos de Copey sont tirées de l'article de J. R., « Charles Townsend Copeland », *American Magazine,* n° LXXIII, novembre 1911, p. 64-65.

battre le cœur de quelques jeunes filles. L'une d'entre elles, Mlle Amy Stone, fut son « premier amour ». Le soir qui suivit sa rencontre, lors d'un bal en janvier 1909, Reed ne se contenta pas de décrire sa joie, mais il composa un poème, le premier qu'il dédiait à une femme en chair et en os. Il le terminait par une description assez juste du sentiment qu'il éprouvait et qu'il comparait à

> « une alouette qui déploie son chant,
> prend son essor et bat des ailes face au soleil [20] ».

Quand ce bref engouement prit fin, la merveilleuse sensation d'envol demeura. Ce coup de foudre pour Amy était uniquement un amour de tête. A Harvard, en ce début de siècle, l'amour était une chose, le sexe une autre. Les filles n'étaient plus chaperonnées, mais avec les jeunes filles de Radcliffe ou de Boston que fréquentaient les étudiants, les rapports physiques n'étaient guère possibles. Alors qu'il était de bon ton de fumer et de boire — John faisait les deux —, les relations sexuelles étaient de nature à ternir n'importe quelle réputation. Un des camarades de Reed expliquait que « les hommes qui se vantaient de leurs rapports avec des femmes n'étaient pas bien considérés à Harvard, et n'obtenaient que rarement des postes importants [21] ». Dans une telle ambiance, l'amour ne pouvait s'épanouir que comme un idéal. Sans aucun doute, John partageait ces idées. S'il est vrai qu'il perdit son pucelage durant son séjour à l'université, il ne s'en vanta sûrement jamais, pas même auprès de ses meilleurs amis.

Pris par toutes ses occupations, Reed eut peu de temps à consacrer à son frère Harry, qui arriva à Harvard en 1908. Liés par une solide affection, les deux frères furent séparés par des intérêts divergents. Harry était un aimable jeune homme, assez conformiste, fort désireux de faire partie des clubs de l'élite, et il était bien rare que les deux frères passent un moment ensemble ; dans ces cas-là, chacun s'éloignait rapidement pour vaquer à ses propres affaires. Lorsque Harry rata son examen et fut sur le point d'être exclu de l'université, John parvint à faire intervenir Woodman. Après que le principal eut écrit au doyen, Reed reconnaissant lui écrivit une lettre dans

20. « L'Aurore. Pour Amy Stone », inédit, 8 janvier 1909 (papiers de la famille Reed).
21. Harold STEARNS, « Confessions of a Harvard Man », *Forum*, n° LI, janvier 1914, p. 75.

laquelle il remerciait Woodman d'avoir contribué à garder son frère « dans le monde des vivants [22] ».

Peu après, il fut obligé de lui écrire à nouveau, cette fois à cause de sa propre conduite. En avril, Reed — ce fut la seule et unique fois — se mit à dos les autorités universitaires. Cela avait commencé aux vacances de Pâques avec Joe Adams — un garçon fragile qui ne partageait pas les idées de John, mais le suivait partout avec une sorte d'adoration — et un étudiant de quatrième année, Bill Pickering, qui accompagnèrent Reed à Manhattan. Pendant plusieurs jours, le trio écuma les rues, se rendit au théâtre, se bagarra dans des bars. Puis, ayant pris le train pour Morristown, ils passèrent toute une soirée à faire chanter les élèves du collège. De retour en ville, Reed se mit en tête d'aller faire un tour aux Bermudes. Adams fut enthousiasmé, mais Pickering, peu désireux de manquer son diplôme, se déroba. Dans une lettre hâtivement écrite à Hallowell, le mardi 20 avril, John se déclarait « complètement épuisé et obligé de prendre du repos », il y joignait quelques articles pour le *Lampoon* et demandait avec une certaine suffisance : « Penses-tu pouvoir réaliser ce numéro malgré tout [23] ? » Le jour suivant, Adams et lui étaient à bord d'un steamer, alors que la période de congé se terminait trois jours plus tard.

Les Bermudes étincelantes et colorées, avec leurs maisons écrasées de soleil, leurs palmiers gracieux, leurs plages de sable blanc et leurs night-clubs animés, se révélèrent un vrai paradis. Pris d'un remords passager, Reed écrivit au doyen Byron Hurlbut pour lui expliquer qu'ils avaient tous les deux grand besoin d'un supplément de vacances ; après quoi ils ne songèrent plus qu'à se balader, à flâner, à nager et à danser. Pour payer leur chambre d'hôtel, John vendit plusieurs poèmes à un journal local, tandis qu'Adams tapait le piano dans une boîte miteuse. Quand ils revinrent, les cours avaient repris depuis une semaine.

L'administration ne se montra ni amusée, ni compréhensive. Remettant en vigueur une punition dont on ne s'était pas servi depuis longtemps, la « rustication », Harvard envoya Adams et Reed à Concord pour y poursuivre leurs études sous la direction d'un professeur de l'endroit et ce, jusqu'à la fin du trimestre. Indigné, John se plaignit auprès de Woodman de ce

---

22. Lettre de J. R. à F. Woodman, 14 mars 1909. (archives de Morristown).
23. Lettre de J. R. à R. Hallowell, 20 avril 1909 (manuscrits J. R.).

*à l'université Concord*

que ses résultats allaient souffrir de cet exil ; il ajoutait : « Par ailleurs je suis le seul qui sache comment faire marcher le club d'art dramatique ou comment éditer le *Lampoon* [24]. » Le brave principal fit de son mieux pour transmettre les inquiétudes de Reed, mais Hurlbut resta inflexible. Le doyen se moquait de « sa fatigue », il faisait remarquer que John avait l'air de se porter assez bien pour se charger de toutes ses activités, et demandait à Woodman de lui administrer un sermon « sur l'importance qu'il y avait à faire passer les études avant le *Lampoon,* les clubs musicaux et tous ces loisirs qui vous épuisent complètement et mettent un jeune homme dans un tel état qu'il s'avère incapable du moindre travail ». Caustique, Hurlbut ajoutait : « Il est vraiment temps qu'il quitte un peu Harvard, pour pouvoir constater que malgré son absence, l'université ne s'écroule pas [25]. »

Au printemps, Concord était très agréable : la campagne alentour refleurissait : dans ce décor — le monument commémoratif des fermiers emprisonnés, la vieille demeure de Hawthorne près de la rivière, le calme profond de l'étang de Walden, le cimetière sur la colline où sont enterrés Thoreau et Emerson, et les bâtiments coloniaux du petit village —, Reed retrouva la sérénité. Petit à petit, l'angoisse de ne pas être regretté disparut et quand Edward Hunt vint le voir à Waltham pour discuter avec lui du prochain numéro du *Monthly,* John eut à nouveau la certitude qu'à Harvard, il était quelqu'un. Résigné à son exil rustique, Reed étudiait ; il continuait à écrire pour les journaux et il trouvait le temps d'envoyer régulièrement au « Western Club » une sorte de bulletin humoristique. L'un des numéros décrivait une chasse au papillon ; il s'agissait d'une énorme bête : « Dans la bataille nous avons brisé deux vitres, ainsi qu'un globe électrique et le couvercle du seau hygiénique. Le monstre fut cruellement blessé dans la région du cou et des oreilles. Deux vieilles dames qui logent au-dessous et qui sont des adventistes du septième jour ont cru que Jésus-Christ était de retour parmi nous ; elles ont prié fiévreusement toute la nuit [26]. » L'exil avait beau n'être pas toujours agréable, il n'entamait pas trop sa bonne humeur.

L'été 1909 fut la dernière longue période d'insouciance que

24. Lettre de J. R. à F. Woodman, 6 mai 1909 (archives de Morristown).
25. B. S. Hurlbut à F. Woodman, 11 mai 1909 (archives de Morristown).
26. *Daily Bulletin,* inédit (manuscrits J. R.).

Reed passa chez lui. Il songeait surtout à ce qui viendrait après Harvard et en discutait souvent avec son père, qui approuvait son projet de devenir journaliste. L'année précédente, il avait publié une nouvelle dans le *Pacific Monthly,* aussi rendait-il parfois visite à son directeur Fred Lockley, pour discuter de littérature et des choses de la vie. Ayant pris connaissance de ses productions les plus récentes et conscient de la force qui l'animait, Lockley se montrait encourageant. John lui confia, ainsi qu'à C. J., son véritable désir : il espérait que le journalisme ne serait qu'une étape dans une vie de créateur, de poète, d'auteur dramatique et de romancier. Il commença à prendre des notes en vue d'un roman qui racontait l'étrange histoire d'un indien de l'Oregon — en réalité, un dieu égaré sur la terre. Celui-ci se trouvait peu à peu mêlé à des génies, des journalistes, des politiciens ; il avait affaire en outre avec des musiciens, des magiciens et une fille du Caucase. Ce bizarre mélange de réalisme et de féerie dérouta bientôt son auteur ; il le rangea et n'y pensa plus. Il était jeune ; les romans pouvaient attendre.

Cet été-là un obstacle plus important s'opposa à ses projets d'écriture : d'une part les charmes de l'Oregon, de l'autre ceux d'une jeune fille, Frances Nelson, que l'on considérait comme l'une des plus ravissantes étudiantes de tout l'Etat. Ils firent connaissance au mois de juillet, lors d'un bal donné au « Portland's Heights Club » ; sa grâce, sa beauté, les allusions qu'elle fit à son flirt avec un jeune homme de Yale, et sa connaissance de la poésie, tout cela conquit John. Malgré ses objections, il l'entraîna hors du bal pour aller faire un tour jusqu'à Council Crest qui domine la ville. Des nuages masquaient la lune et la vallée sombre en contrebas était toute piquetée de lumières scintillantes. Tous les deux, serrés l'un contre l'autre, frissonnèrent, et John sentit que l'amour faisait éclater son cœur comme s'il était soudain projeté dans l'espace.

Frances devint le centre de sa vie. Comme elle restait à Portland — sa famille habitait Albany — elle alla danser avec lui au « Waverly Country Club » ; ils firent ensemble des piqueniques dans la campagne ; elle était fascinée par sa conversation « intelligente et vive », par ce qu'il disait des poètes et de leurs œuvres et par son désir de devenir un écrivain célèbre. Après un séjour de quelques semaines chez elle, elle revint au début de septembre pour voir un opéra qu'une troupe en tournée jouait alors à Portland. Elle logea chez les Reed et promit de venir à Harvard en juin pour assister à la remise du diplôme de

John. Moins éprise que lui, Frances était à la fois attirée par sa conduite originale et en même temps déconcertée par sa volonté évidente d' « être différent [27] ». Cet aspect de John se manifestait surtout dans les lettres pleines d'emphase qu'il lui écrivait ; c'était ou bien l'indignation moqueuse — « Je ne vois pas pourquoi vous persistez à m'appeler Monsieur Reed, même si vous êtes sauvage et timide (à ce propos, seul l'un de ces deux adjectifs convient à votre attitude) » —, ou bien de tendres aveux : « En tous cas, depuis que vous êtes partie, je n'ai pris aucun plaisir à danser. Comprenez que seule mon honnêteté m'empêche de vous déclarer tout net que c'est votre absence qui fait cette différence. » Venait alors une longue digression sur la qualité du papier à lettre : « C'est la dernière feuille que j'ai trouvée dans la maison. [...] Ne haïrez-vous point une personne qui manifeste dans sa correspondance une pareille négligence ? » Pour souligner cette conduite délibérément anticonformiste, il annonçait fièrement qu'il avait préféré aller se baigner plutôt que de se rendre à un grand mariage : « Je suppose que la mariée était charmante, mais la rivière me paraissait plus charmante encore. » Il faisait ensuite preuve d'une ironie un peu lourde à l'égard de sa ville : « Portland reste toujours ce lieu étourdissant et frivole qui pousse les gens à fuir New York pendant la bonne saison pour venir s'amuser ici comme des fous [28]. »

Comme Frances passait chez elle la plus grande partie du mois d'août, John partit en compagnie de trois amis pour une randonnée de trois cents kilomètres à pied sur la côte de l'Oregon ; il lui promit que « tous les soirs où il camperait sur la plage, il penserait à elle [29] ». Les quatre garçons traversèrent des forêts de pins et d'épicéas, des dunes désertes ; ils pêchaient des truites arc-en-ciel dans les torrents et les faisaient cuire au crépuscule sur des feux de bois, tandis que les cougars poussaient leurs cris plaintifs dans les montagnes proches ; ils plongeaient dans des rivières phosphorescentes, ayant l'impression, selon l'expression de Reed, d'être « des païens, [...] des adorateurs d'étoiles du plus profond de notre âme [30] ».

---

27. Lettre de Frances Nelson Carroll à R. Rosenstone, 1971.
28. Lettres de J. R. à Frances Nelson, 2 août, 7 août et 2 septembre 1909. Lettres en possession de Frances Nelson Carroll, Portland, Oregon.
29. *Ibid.*, 7 août 1909.
30. Citation empruntée à un texte de J. R. à propos d'une promenade similaire, intitulé : « De Clatsop à Nekarney », *Harvard Monthly*, n° XLVI, 12 décembre 1908, p. 110-113.

Enthousiasmé par la beauté de cette nature et souffrant de ne pouvoir la décrire, John se laissa un moment envahir par le bonheur. A Harvard, entre amis, ils avaient parlé de s'installer dans l'Ouest, d'y établir une colonie où les artistes, les créateurs pourraient vivre au rythme de la nature. De retour à Portland à la fin du mois, Reed écrivit à Hallowell qu'il opterait volontiers pour une telle existence, mais il exprimait la crainte qu'une fois revenu auprès d'eux, « cette idée ne tombe à l'eau [31] ». Il voyait juste, et pas seulement en ce qui concernait ses amis. Ce que John cherchait, il ne pouvait le trouver dans l'Ouest. Une lettre écrite à Frances peu après son retour à Harvard soulignait la différence fondamentale entre les deux régions : « Le changement, entre l'Ouest et l'Est, est énorme. Là-bas c'est le royaume du corps, ici celui de l'esprit. » Forcé de choisir entre les deux, il optait pour l'Est parce que, disait-il, « vous n'avez pas idée de la joie qu'on éprouve à sentir et à penser comme nous le faisons ensemble ici ; cela vous rend heureux, complètement. C'est une chose qu'il est impossible de trouver dans l'Ouest. [...] Ne ressentez-vous pas parfois ce besoin d'ouvrir votre cœur et votre esprit, ce besoin d'être compris et apprécié [32] ? ».

Durant sa dernière année à Harvard, l'emploi du temps de John frôlait la démence. Il était responsable d'une page entière dans le *Lampoon* et collaborait à un grand nombre d'éditoriaux dans les autres journaux. Au *Monthly,* il avait ses obligations au sein de l'équipe de rédaction, sans compter les articles qu'il écrivait. Comme le président du « Cosmos » n'était pas revenu à l'université, on lui avait confié son poste : il était donc tenu d'assister aux réunions du mardi, aux après-midi du lundi et aux manifestations mensuelles. Tous les jours, il présidait les déjeuners du « Western Club », et devait consacrer une partie de ses après-midi aux équipes de natation et de water-polo ; il s'occupait en outre des clubs d'art dramatique, de chant, de mandoline, de guitare et de banjo. Il était membre du « Club des débats », du « Symposium » et de « La Table ronde », organisations consacrées à l'échange des idées ; pour finir, Reed s'inscrivit à la « Memorial Society ». Avec un tel nombre d'obligations, on ne pouvait s'étonner s'il dormait aux cours, ou y bâillait si violemment qu'un jour, un professeur

31. Lettre de J. R. à Hallowell, 26 août 1909 (manuscrits J. R.).
32. Lettre de J. R. à Frances Nelson, 18 septembre 1909.

furieux lui lança : « Si vous ne pouvez vous empêcher de bâiller, vous pourriez au moins avoir l'amabilité de mettre votre main devant votre bouche ; d'ailleurs je crois que, dans votre cas, les deux mains ne seraient pas de trop [33]. »

Au début de l'année scolaire, il y eut à Harvard un changement de direction. Le président Eliot, qui se retirait après quarante ans d'exercice, fut remplacé par Abbot Lawrence Lowell, qui appartenait à une famille d'intellectuels bien connue. John salua cette nomination dans le *Lampoon,* mais, très vite, il fut déçu par la politique du nouveau doyen. Lowell, professeur de droit administratif, s'était mis à la tête d'un groupe de professeurs hostiles au système du libre choix des matières ; peu après son entrée en fonctions, il modifia le système de façon à obliger les étudiants à choisir des programmes plus restreints. Espérant améliorer l'esprit communautaire et réduire l'écart entre riches et pauvres, il annonça son grand projet qui consistait à mettre tous les étudiants de première année dans une même catégorie de dortoirs.

Tout comme les étudiants contestataires, Reed était hostile à ces changements qui heurtaient son individualisme. Sans être un théoricien, il avait appris par Copey que l'enseignement ne se faisait pas à coups de règlements, que le contact magique entre deux individus capables de se comprendre pouvait, plus que n'importe quoi, leur dévoiler des horizons inconnus. Il y en avait bien quelques-uns qui obtenaient leur diplôme « sans avoir rien appris », mais cela ne le dérangeait guère. Plutôt qu'un minimum de culture pour tous, John jugeait préférable que la liberté existante permît à quelques-uns — les plus doués et les plus intelligents — de s'épanouir. Il aimait les contrastes existants, il était fasciné par ce monde dans lequel « certains disposaient de quinze mille dollars par an... tandis que d'autres, de la même promotion, crevaient de faim dans des chambres misérables ». John aimait Harvard parce que l'université fourmillait d'étranges personnages de toutes les races et de toutes les opinions, « des poètes, des philosophes, des dingues de toutes sortes », et il craignait que les tentatives de standardisation faites par les autorités pour « souder l'ensemble du corps étudiant, ne produisent qu'une ennuyeuse uniformité ».

Son hostilité vis-à-vis du système de Lowell amena John à jouer un rôle nouveau pour lui, celui de critique. Auparavant,

33. Cité dans une lettre de W. F. Avery à John Stewart, 8 septembre 1935 (manuscrit Hicks).

dans ses éditoriaux, il traitait de problèmes limités : extension de l'éligibilité dans les clubs sportifs, ou suppression des longues robes que les étudiants de dernière année étaient obligés de porter. Maintenant, il dénonçait les projets concernant le dortoir des étudiants de première année et défendait « le libre-service intellectuel » que constituait le système du libre choix des matières, expliquant que cette liberté, « qu'on ne trouvait dans aucune autre université », faisait toute la supériorité de Harvard. Même dans le *Lampoon,* John devint sérieux ; il écrivait que « l'étroitesse du monde était précisément due au fait qu'on devait s'y spécialiser pour réussir », et il ajoutait que les études supérieures ne devaient pas être une période de spécialisation. Ce ton un peu pontifiant ne lui convenait guère, il était plus à son aise dans l'humour ; aussi suggéra-t-il plaisamment la création d'un dortoir pour le corps enseignant : « Les étudiants sont censés devenir civilisés en l'espace de quatre ans, alors que les professeurs et les chargés de cours ne le deviennent jamais. Vivant seuls, ils prennent des façons moroses, sans parler de leur accoutrement peu avenant et même franchement rébarbatif. Leur mauvaise humeur se déverse évidemment sur leurs élèves, alors qu'elle pourrait très bien se décharger sur leurs confrères aussi tâtillons qu'eux [34]. »

Sa mentalité se rapprochant peu à peu de celle des étudiants révoltés, John fut amené à élargir un peu ses vues. Il se lia davantage avec Lincoln Steffens. Deux fois, l'année précédente, à l'issue de conférences qu'il avait tenues sur le campus, le célèbre journaliste avait bavardé avec lui et pu ainsi envoyer à C. J. des nouvelles de son fils. Reed avait alors été impressionné par les questions pénétrantes que son aîné se posait sur des sujets économiques et politiques. Il pria donc Steffens de venir à la rédaction du *Monthly* ; celui-ci suggéra que le journal entame une enquête sur les structures sociales de Harvard : cette idée enthousiasma Reed. La sévère critique de la société que cette enquête ne devait pas manquer de susciter n'apparut dans le *Monthly* qu'après le départ de Reed, mais son admiration pour Steffens s'en trouva accrue. Plus tard, au cours de cette même année, John fit un compte rendu du livre de Steffens (*Les Bâtisseurs),* une série de portraits de leaders progressistes. John écrivait que ce livre de Steffens faisait la juste apologie « des

34. « Au fait », article de J. R., *Lampoon,* n° LVIII, 7 décembre 1909, p. 146 ; « Editorial », *Monthly,* n° XLIX, janvier 1910, p. 77 ; « Editorial », *Lampoon,* n° LVIII, 5 novembre 1909, p. 72 ; « Editorial », *Lampoon,* n° LVIII, 20 octobre 1909, p. 46-47.

elle l'avait introduit dans des mondes différents et amené à considérer la société selon des critères nouveaux. Mais pour se faire un nom, il avait dû souvent enfreindre certains principes. Ce qu'il montra le plus clairement — non seulement à Harvard, mais pendant quatre ans encore — c'est son besoin de se sentir accepté par l'élite sociale. Il n'alla pourtant jamais jusqu'à abdiquer sa propre personnalité, pour adopter l'esprit réactionnaire des « clubmen ». Nombre d'entre eux devaient d'ailleurs se rappeler Reed comme un personnage « agressif, aimant se faire remarquer, et cherchant la publicité [39] ». Ces jugements contenaient une bonne part de vérité. Sans aucun doute, Reed était un jeune homme égocentrique ; cet égoïsme lui masquait les besoins des autres. Il pouvait être un ami véritable, agréable et généreux mais à l'occasion il savait aussi se montrer déplaisant, voire odieux. Somme toute, il était plus digne d'admiration que de confiance véritable.

Reed avait beau être essentiellement un homme d'action, il se voyait, lui, d'abord comme un écrivain. Il avait publié plus de vingt poèmes et neuf nouvelles en l'espace de quatre ans, sans compter d'innombrables éditoriaux, sketches, articles, blagues et bouts-rimés. Plusieurs de ses pièces avaient été jouées sur le campus, et il avait en outre une malle bourrée de textes inachevés ou inédits. Mais cette prolixité ne signifiait pas que son style était parvenu à maturité. Ses multiples occupations l'obligeaient à écrire à la hâte. Il n'avait jamais assez le temps de faire des corrections. Les idées surgissaient, et il s'emparait de la première image venue sans trop se soucier de son originalité. C'était certainement un écrivain, mais pas encore, et de loin, un créateur.

Son écriture montrait clairement sa nature profonde : de toute évidence Reed avait l'âme romantique. Tout dans ses œuvres, mises à part quelques points d'humour, indique une vision du monde à la fois fantastique et étrange. Dans une dissertation sur le roman au XVIIIe siècle, il écrit : « Le mystère a hanté l'esprit des hommes depuis les premiers âges », et ses propres textes appartiennent à ce genre traditionnel, où se mêlent le charme et l'horreur, qu'il décrit dans sa copie. Dans ses poésies, les paysages de l'Ouest, avec leurs déserts, leurs montagnes, leurs forêts, ont un aspect à la fois désolé et grouillant qui leur donne quelque chose de quasi humain. Ses animaux aussi sont

39. Cité dans G. HICKS, *John Reed...*, p. 50.

affublés de sentiments et de traits humains ; une mouette déploie « son armure étincelante » pour affronter l'ouragan ; un coyote se lamente tristement avec ses frères : « A cause du jour qui s'en va / De la proie qui s'est échappée / Et de sa terreur de l'inconnu [40]. » L'amour qu'il éprouvait pour des femmes bien réelles ne l'empêche pas d'en faire dans ses poèmes des créatures désincarnées :

« A l'heure où vers l'Est les fées du sommeil tissent
Avec les rêves, la toile grise et livide de l'aube
Et l'étendent dans ta chevelure, si blonde, si blonde
Tu dors — et pourtant, les ombres des danseurs disparaissent,
Les fantômes vacillants un par un sont partis
La musique immortelle s'évanouit dans l'air lourd [41]. »

La prose de Reed est encore plus marquée par le fantastique. Même les histoires qui se déroulent de nos jours sont empreintes d'un certain mystère : *La Main rouge* est un conte où il est question de potion magique et de conspirateurs bizarres ; une autre histoire raconte l'invasion de l'Angleterre moderne, repoussée grâce au retour du Roi Arthur avec Excalibur ; le gardien de phare des *Portes chantantes* est conduit vers une mort étrange par un dieu indien solitaire. Dans *Bacchanale,* un voyageur passe la nuit dans un temple grec en compagnie d'une déesse morte depuis deux mille ans. Dans une autre histoire, un garde forestier se voit contraint d'épouser une sirène qui vit dans un lac des montagnes. Les époques anciennes ou mythiques conviennent encore mieux à sa forme d'imagination : les aventures du jeune Will, par exemple ; l'histoire du grand prêtre égyptien que la déesse Astarté empêche d'arrêter la révolution, dans *Le Pharaon* ou *Histoire de Kubac* qui décrit un royaume décadent perdu dans les arcanes du temps [42].

Ces contes bizarres sont assez révélateurs du talent de John.

---

40. « Le roman au XVIIIᵉ siècle », inédit (manuscrits J. R.) ; « La mouette », *Harvard Advocate,* n° LXXXVI, 16 octobre 1908, p. 29 ; « Le chant du coyote », *Monthly,* n° XVII, octobre 1908, p. 40-41.

41. « L'Aurore. Pour Amy Stone », inédit.

42. « Au secours de l'Angleterre », *Monthly,* n° XLIX, janvier et février 1910, p. 161-170 et 191-199 ; « Les portes chantantes », *Monthly,* n° XLVII, février 1909, p. 247-250 ; « Bacchanale », *Monthly,* n° XLIV, juin 1907, p. 210-212 ; « Le pharaon », *Monthly,* n° XLVII, janvier 1909, p. 156-160 ; « La dame du lac », inédit et « Histoire de Kubac », fragment inédit, appartenant tous deux aux manuscrits J. R.

La description était son point fort ; il savait créer une atmosphère, un climat : vallées grecques solennelles, hantées par les ombres des guerriers hoplites marchant au combat ; clameurs de Thèbes lorsqu'une troupe de soldats armés de torches dévaste ses temples ; phare fantomatique perché sur un cap parmi les pins que le brouillard recouvre comme un linceul ; spectres des chevaliers de la Table Ronde galopant vers la bataille sur une plaine immense. Son habileté dans la description, et son incapacité à inventer une intrigue réaliste s'expliquent assez facilement. Reed avait fait une sorte de fixation sur la période de son enfance, où malade, il découvrait l'Aventure dans les livres. Malgré l'énergie et la combativité qu'il avait déployées jusque là, quelque part demeurait en lui le petit garçon craintif qui redoutait d'affronter le monde des hommes. Masqué par la stature, par les gestes assurés, c'est dans ses histoires que l'enfant apparaît, se réfugiant dans les régions magiques où planent des mystères redoutables, peu dangereux d'ailleurs, puisque purement imaginaires. Sachant que dans la vie réelle l'échec était possible, il se donnait une sorte de sécurité en s'abritant dans des fantasmes qu'il contrôlait aisément. Mais il éprouvait aussi le besoin de se confronter sans cesse à la réalité. C'est dans la lutte entre ces deux tendances qu'allait se décider le destin de Reed.

John, étudiant diplômé de vingt-deux ans ne savait rien de tout cela — peut-être l'ignora-t-il toujours. Se livrant peu à l'introspection, il cherchait bien rarement à démêler l'origine de ses désirs et de ses actes. Une seule fois, dans un essai resté inédit, il essaya de trouver un sens aux années passées à Harvard. Il y divisait ses camarades en trois catégories : les athlètes, les bûcheurs et les hommes d'action. Les premiers, qu'il admirait pour « leur passion juvénile de la gloire et de la beauté physique », étaient étrangers à la véritable signification de Harvard et se trouvaient réduits « à jouer le rôle inoffensif de figures de proue ». Les bûcheurs, voués à l'étude, se contentaient de suivre une tradition vieille de trois cents ans ; ils montraient trop d'étroitesse d'esprit et de sérieux et manquaient par trop de « désirs authentiques ». Etant donné sa propre nature, on ne doit pas s'étonner que Reed ait jugé les hommes d'action comme seuls vraiment représentatifs du Harvard d'alors. Parce qu'ils se montraient enthousiastes, qu'ils faisaient du sport non une fin en soi mais un divertissement, parce qu'ils goûtaient les études « pour le profit intellectuel qu'elles procurent », ces hommes étaient des rêveurs, des poètes ;

eux seuls cherchaient « les véritables critères à l'aide desquels il est possible d'apprécier quelqu'un ». Il citait Théodore Roosevelt comme l'un des plus remarquables représentants de ces hommes qui unissent la virilité et le goût de l'action, dans la grande tradition de ceux qui « font marcher le monde [43] ». A la fin de ses études, John s'identifiait totalement à ce genre de personnage [44].

En juin 1910, Reed avait remporté suffisamment de succès pour envisager l'avenir avec confiance. Tous les doutes — même à son propre sujet — s'effaçaient momentanément. Il pouvait dire des études que c'était une période « où l'on peut lire de bons livres, se faire de véritables amis, où l'on sait rester jeune de corps et d'esprit, où l'on peut caresser de belles pensées et de grands rêves ». C'était aussi le moment où l'on se préparait à saisir les promesses du monde qui attendait au dehors. Lors de discussions à propos de la vie post-universitaire, il avait toujours exprimé une opinion très tranchée : « Cela peut se résumer ainsi : ou bien les aventures et le bonheur, ou bien l'argent et l'encroûtement [45]. » Quelque route qu'il dût prendre, on pouvait s'attendre à ce qu'elle ne soit pas traditionnelle.

---

43. « Le piège d'une existence dispersée », J. R., inédit (manuscrits J. R.).

44. Reed admirait Roosevelt qui était le grand héros de son père, mais cela ne l'empêchait pas de plaisanter sur les exagérations de T. R. Une petite pochade inédite est assez révélatrice à ce sujet :

> « Ecrivain, lutteur, grand pacificateur
> Rude et fier orateur,
> Juge, législateur,
> Moderne calomniateur,
> Levé de bonne heure, comme le Kaiser,
> Il est de la nature le grand perturbateur. »

45. « Editorial », *Lampoon,* n° LVII, 18 mars 1909, p. 40-41 ; « Au fait », *ibid.,* 24 juin 1909, p. 12-14.

# Europe

*La première chose qu'on ressent ici, c'est l'impression de pouvoir réaliser pleinement tout ce dont on a toujours rêvé. Ce qui frappe ensuite c'est la joie de vivre, une gaieté iné-puisable, que vous soyez arrêté, que vous manifestiez l'intention de vous engager à la Légion Etrangère ou que vous décidiez une expédition pittoresque dans le quartier apache. Puis, un beau matin, on se réveille avec cinq ans de plus que la veille au soir. Toute la confiance qu'on a pu acquérir à l'université disparaît ; c'est du moins ce qui m'est arrivé. Je sors tout juste d'une période d'angoisse et de trouble qui m'a terriblement déprimé pendant une quinzaine de jours. Paris est merveilleux ; mais, à moins d'avoir des dispositions pour la philosophie, à moins d'être un artiste, un véritable bohème... il est impos-sible qu'une existence aussi préméditée ne vous rende pas inquiet et mécontent.*

Lettre de John Reed, à Alan Gregg, 23 novembre 1910.

Cinq mois après avoir obtenu son diplôme, alors qu'il habitait au Quartier latin, les véritables sentiments de John se manifestèrent brusquement avec une sincérité assez rare dans sa correspondance. Auparavant il avait eu d'innombrables aventures avec des marins, des vagabonds, des prostituées, des paysans, et des démêlés avec la police. Conformes à ce qu'il avait imaginé, ces histoires ne furent pourtant généralement relatées aux amis et à la famille que dans des lettres au style si impersonnel qu'on aurait pu les croire arrivées à quelqu'un d'autre. La vie sur la rive gauche était une réalité qui valait bien n'importe quel rêve. John s'éveillait tard, déjeunait de café et de croissants dans un petit bistrot, faisait un tour au Louvre, au Petit Palais, allait fouiner sur les quais, chez les bouquinistes, flânait aux Tuileries, et passait ses soirées devant un verre de vin aux « Deux Magots » à bavarder avec d'autres jeunes Américains ; il faisait ensuite le tour des cafés de Montmartre, et finissait souvent la nuit au bal Bullier ou chez Maxim's. Il avait beau rencontrer des artistes, des écrivains, des professeurs, des étrangers et de charmantes jeunes Françaises, cela ne l'empêchait pas de passer de longues heures seul, à tenter d'écrire, dans sa chambre d'hôtel aux murs tapissés d'affiches. Suivant le conseil de Copey, il essayait d'écrire ses expériences et pourtant, mis à part quelques récits de voyage et un petit nombre de textes humoristiques du style *Lampoon,* il produisait peu. Il se revoyait souvent à Harvard ;

là-bas, il avait été quelqu'un. Aussi, devenait-il furieux lorsque des étudiants, ses camarades, dénigraient la vie à l'université ; il avouait qu' « elle lui manquait terriblement[1] ». Dans sa nouvelle vie, si différente de la précédente, l'avenir lui apparaissait parfois comme une sorte de gouffre béant. Quand le travail ne marchait pas bien, il n'y avait rien à quoi il pût s'accrocher, aucun rôle qui pût lui convenir ; alors, l'angoisse surgissait, compagne funeste et envahissante.

Le meilleur remède, c'était l'action. Le besoin qu'avait Reed de voir, de toucher, de sentir, et de faire, était plus fort que le désir de devenir un artiste, et l'envie de bouger le faisait sortir de sa chambre, le poussait à explorer Paris et ses environs. Il était facile d'écrire plaisamment : « Oh ! Que ne suis-je un philosophe paresseux... assis bien tranquillement, en paix avec le monde entier, sachant profiter de la douceur des choses ! » Mais ce rôle n'était pas fait pour un homme qui disait par ailleurs : « Je dois me hâter, sans quoi je finirai par me dessécher sur pied[2] ! » Tous ses instincts le poussaient à abandonner sa table de travail, et il abusait les autres et lui-même en prétendant qu'il était venu en France pour écrire. John n'était ni un philosophe, ni un vrai bohême, il avait gardé du collège le goût du chahut et de l'indépendance ; il aimait s'embarquer clandestinement à bord de navires, marchander avec les prostituées, tromper la vigilance des gardiens pour pénétrer dans des propriétés privées ; bref il lui fallait une existence libre de toute obligation, qui n'admît aucune règle et aucune limite.

Les voyages à l'étranger après l'obtention du diplôme étaient une habitude assez répandue parmi les étudiants de Harvard, mais évidemment Reed avait des projets bien plus grandioses. Pensant arriver par l'ouest de l'Europe, il voulait descendre le Danube en bateau, s'arrêter à Constantinople, voyager sur la côte sud de la Mer Noire, suivre les traces de l'armée de Xénophon jusqu'en Perse, poursuivre ensuite vers l'est jusqu'aux Indes et, de là, regagner San Francisco. Alors que la plupart des étudiants voyageaient confortablement, John rêvait de traverser les campagnes à pied et d'escalader les montagnes ; il voulait travailler en route, dormir dans des granges et des meules de foin, naviguer sur des bateaux de

---

1. Lettre de J. R. à Allan Gregg, 23 novembre 1910 (manuscrits J. R.).
2. *Ibid.*

pêche et des péniches. Il appréciait — et même adorait — les paquebots de luxe, les grands hôtels et les bons restaurants, mais il craignait que tout ce confort ne le coupe de la réalité.

Ce désir d'aventures et d'imprévu était une des raisons de son départ pour l'Europe. Comme beaucoup d'artistes issus de la bourgeoisie, il trouvait les taudis plus excitants que les demeures banales, les ouvriers et les paysans plus pittoresques que les médecins ou les avocats. Reed, qui avait craint puis imité la brutalité des voyous de Goose Hollow, voyait là une façon de se prouver qu'il était un homme. Et puis cela le rapprochait du romanesque qu'il affectionnait tant dans ses histoires. L'Europe allait lui permettre de pénétrer dans ce passé lointain et mystérieux, domaine des preux chevaliers et des gracieuses damoiselles. Il y avait chez John différentes envies inextricablement mêlées ; il voulait aller rêver sur les ruines des châteaux toscans et se frotter aux marins dans les bouges de Marseille, retrouver la trace des déesses dans les ruines des temples grecs et boire le vin dans une outre avec les paysans de Castille. Son ardent désir d'aventure pouvait seul concilier ces deux tendances.

Ces rêves romanesques n'empêchaient pourtant pas John de considérer le côté pratique des choses. Il voyageait modestement, mais cela coûtait cher et son père — sachant qu'il allait être destitué de son poste de juge par l'administration Taft [n] — était dans une situation financière difficile. C. J. lui avait envoyé cent dollars après son diplôme, ainsi qu'une lettre de change, mais John espérait bien pouvoir gagner sa vie en vendant les articles qu'il comptait faire « sur les pays étrangers ou inconnus » où le mèneraient ses voyages [4]. Cependant, Lincoln Steffens, qui était bien introduit, fut incapable de lui trouver le moindre travail dans quelque publication que ce fût ; il approuvait le désir que John avait de rentrer dans son pays avec une réputation suffisante pour pouvoir entrer dans la carrière des lettres.

Quoi qu'il en soit, l'Europe attirait John, et comme il se sentait vigoureux et plein de ressources, il savait qu'il était capable de se débrouiller. A Portland, pendant des années, il avait assisté au départ des grands voiliers ; il espérait enfin s'embarquer lui aussi sur un navire, en gagnant sa vie. Comme

3. W. H. Taft, républicain, président des Etats-Unis de 1909 à 1913. (N.d.T.)
4. Lettre de J. R. à L. Steffens, 3 juillet 1910 (manuscrits J. R.).

il ne voulait pas partir tout seul, il persuada Waldo Peirce —
grand gaillard nonchalant et plus fortuné que lui — d'abandonner sa réservation sur le paquebot « Mauritania » et de
venir le rejoindre. Lorsqu'ils montèrent à bord du « S. S. Bostonian », le 9 juillet, Waldo commençait déjà à pester contre
l'aventure. Ses craintes s'avérèrent fondées. Ce cargo anglais,
transportant 648 têtes de bétail, était un vieux rafiot pourri ;
le poste d'équipage était plus qu'humide, l'odeur du bétail
horrible et les officiers désagréables. Après le déjeuner où ils
avaient eu la surprise de trouver des vers dans la soupe, Waldo
laissa sa valise et sa montre sur la couchette de Reed, plongea
par-dessus bord et franchit à la nage les dix-sept kilomètres
qui le séparaient de la côte. On ne l'avait pas vu partir ; et,
lorsqu'on remarqua son absence, personne, excepté John, ne
crut que quelqu'un ait pu tenter de nager aussi loin. Comme
John détenait les affaires de Peirce, au terme de sa première
journée en mer il fut accusé de meurtre et averti qu'il serait
jugé à son arrivée en Angleterre.

John, qui ne se faisait pas trop de souci pour Waldo —
c'était un excellent nageur — devint sur le bateau une sorte
de célébrité. Les marins endurcis le considéraient avec un
respect mêlé de crainte. Il se mit à la tête de la douzaine
d'étudiants qui se trouvaient sur le cargo et s'efforça de rendre
la vie à bord plus agréable. D'abord ils organisèrent un club,
puis installèrent leur tente sur la dunette où ils purent passer
de meilleures nuits sur de la paille fraîche, « loin de l'haleine
fétide et des odeurs ignobles de l'équipage ». Ensuite, en
soudoyant les officiers, ils obtinrent la permission d'ouvrir les
robinets d'eau de mer pour prendre des douches sur le pont
et furent autorisés à prendre des bains de soleil. La mauvaise
qualité de la nourriture était un problème plus difficile à
résoudre, et lorsqu'une délégation — munie d'argent — fut
chassée de la cuisine par le chef furieux, il sembla bien que
les étudiants « devraient manger comme tout le monde ».
Heureusement, le second cuisinier fut plus facile à corrompre
et leur fournit la viande, les fruits, et les gâteaux destinés au
mess des officiers, ce qui améliora un peu leur ordinaire [5].

---

5. Toutes les citations se rapportant à la traversée sont tirées d'un
texte inédit de J. R., sans titre, figurant dans les manuscrits J. R. Une
version romancée de ce voyage, écrite en collaboration avec Julian
Street et intitulée « Par-dessus bord », parut dans le n° CLXXXIV du
*Saturday Evening Post*, le 28 octobre 1911, p. 15 et s.

Le travail était dur. Engagé comme garçon d'étable, Reed se porta volontaire pour travailler la nuit ; il imaginait qu'il pourrait paisiblement rêver de poésie sous les étoiles. En fait, de huit heures trente chaque soir jusqu'à quatre heures du matin, il était sous les ponts au milieu des taureaux. Quand le navire roulait sur la houle, il devait plonger parmi les bêtes qui meuglaient tant qu'elles pouvaient, pour s'assurer qu'elles ne s'étranglaient pas avec leur licou et ne s'écrasaient pas les unes les autres ; avant de regagner son lit en rampant, il devait encore nourrir le bétail, et il passait ses après-midi à transporter des bottes de foin. Pourtant, il ne regrettait rien. En dehors du travail, il y avait la mer, le ciel bleu et pur, et le soir, lorsque le soleil rouge plongeait dans l'obscurité, il ressentait une sorte d'ivresse. Et puis les côtes d'Europe se rapprochaient chaque jour un peu plus.

Il apprit à connaître l'équipage ; c'était presque ce qu'il y avait de mieux dans le voyage. A quelques exceptions près, il en vint à sympathiser avec les mécaniciens, les chauffeurs, les vigies et les matelots de pont, tous chaleureux et amicaux, beaucoup plus « aimables et avenants que les Yankees de la même catégorie ». C'était les Irlandais qu'il préférait ; ils aimaient bavarder, buvaient sec, et juraient comme des charretiers. Il aimait leurs chansons obscènes ou violemment anglophobes, et il se mit comme eux à truffer ses phrases de leur juron favori : « bloody fuckin' ». Il y avait aussi deux « rustres du Middle-West qui sortaient de l'université de l'Illinois », et qui étaient moins de son goût. Ces garçons, les seuls qui n'appartenaient pas à l'Ivy League [6], offensèrent en quelque façon les autres étudiants et furent expulsés du club. John leur ordonna « de partir et de ne jamais remettre les pieds sous leur tente ». Il trouvait drôle de jurer avec de simples matelots irlandais, mais il était encore trop plein de l'esprit de Harvard pour tolérer une indélicatesse de la part de garçons diplômés d'une université d'état.

Après onze jours de traversée qui lui parurent courts, John passa une interminable nuit d'angoisse. On l'avait mis aux fers dans une petite cabine ; la pluie anglaise tambourinait sans cesse sur le pont du « Bostonian » qui remontait lentement le canal de Manchester. John se reprochait d'avoir voulu faire embarquer Waldo sur le navire, et craignait que son ami

---

6. Ivy League : ligue sportive qui regroupe les universités chics du Nord-Est des U.S.A. (N.d.T.)

Angleterre

ait fait une traversée moins tranquille que la sienne. Le matin suivant, il fut déféré devant le tribunal de commerce, dans une grande salle sombre et lugubre où siégeaient une douzaine de solides Anglais moustachus. Au moment où l'audience commençait, Waldo, qui avait pris un paquebot rapide, fit irruption dans le tribunal, manifestant bruyamment sa joie. Quelques instants plus tard, les deux jeunes gens déambulaient dans les rues grises de Manchester à la recherche d'un pub. Reed qui jubilait griffonna ce mot pour Bob Hallowell : « J'ai enfin trouvé mon élément ; il y a eu de l'imprévu dès le départ et cela promet de continuer [7]. »

L'Angleterre lui plut beaucoup. Le lendemain de leur arrivée, Waldo prit le train pour Londres, mais Reed avait l'intention de voyager à pied. Il fit l'emplette d'un costume de gros drap solide et s'enfonça résolument dans la campagne. Comme il connaissait bien l'histoire et la littérature du pays, le paysage et les gens lui furent vite familiers. Il apprécia les forêts épaisses et monotones, les grandes prairies plantées de chênes, les vieilles fermes pleines de rabicoins, avec leurs haies soigneusement taillées, les auberges aux murs épais, aux vastes cheminées, les petits estaminets et les édredons moelleux qui garnissaient les lits. Partout où il allait, il trouvait les gens provinciaux certes, mais charmants et beaucoup plus « malins et heureux que nos paysans et nos villageois. Ce ne sont pas des rustres. Même s'ils sont pauvres, ils se montrent toujours courtois, ne sont jamais grossiers et ne griffonnent pas d'obscénités sur les murs comme le font nos villageois [8] ».

Après avoir quitté Manchester, John marcha pendant dix jours, parcourant de grandes distances, parfois sous des rafales de pluie ; il se considérait, avec un certain humour, comme « le type même de l'Américain obstiné, démocrate et indépendant ». Partout il trouvait l'Histoire : dans la cité médiévale de Chester, avec ses thermes romains, ses murailles du XIIe et sa cathédrale gothique aux formes élancées ; sur les montagnes brunes et nues au sommet desquelles perchaient des châteaux en ruines ; dans les ravissants villages du Pays de Galles aux maisons de pierre couvertes de roses ; chez un vieillard chevelu qui vivait dans une hutte et voulut lui apprendre à parler l'ancien gallois ; enfin, chez les villageois

---

7. Lettre de J. R. à Bob Hallowell, 2 juillet 1910 (manuscrits J. R.).
8. Lettre de J. R. à C. J. Reed, 3 août 1910 (papiers de la famille Reed).

102

de Chipping Norton qui, en costumes de couleurs vives, dansaient dans les prés. John marchait vite, mais cela ne l'empêchait pas de se livrer à des espiègleries. Une nuit où il pleuvait, comme toutes les auberges étaient pleines, il dormit dans une grange qui se trouvait derrière le château des Tudor appartenant à Mme Alfred Vanderbilt ; le matin, il parvint à convaincre un domestique en livrée de lui apporter de l'eau, du savon et une serviette. Avant de partir, il laissa sa carte de visite où il exprimait ses regrets de ne pouvoir rester davantage et de n'avoir pu saluer la maîtresse des lieux. Il arriva au château de Kenilworth un dimanche après-midi ; c'était jour de fermeture. John et deux camarades qu'il avait rencontrés dénichèrent l'entrée réservée au duc de Leicester, forcèrent le passage et purent ainsi visiter de haut en bas la tour de Mervin. Sur la route d'Oxford, il s'arrêta à Blenheim et pénétra dans le domaine du duc de Marlborough où il passa tout l'après-midi à s'ébattre dans le lac privé. Déçu de voir que Stratford-on-Avon avait été « défiguré par les touristes américains et autres », il parvint à se faufiler sans payer jusqu'à la tombe de Shakespeare, puis en sortit précipitamment, bousculant un gardien furieux [9].

En arrivant à Londres, Reed se considérait déjà comme un voyageur expérimenté ; il s'était montré fort économe et n'avait pratiquement pas touché à ses cent dollars. Désireux de se mettre à la mode, il se débarrassa de son costume de grosse toile et se constitua, grâce à la lettre de change de son père, une magnifique garde-robe pour laquelle il dépensa rapidement trente-quatre livres : « Je suis maintenant complètement équipé ; il ne me manque qu'un manteau léger, quelques paires d'escarpins et un sac de voyage en cuir. Me voici pourvu d'un solide manteau et de chaussures de marche ; j'ai acheté un costume de tweed léger pour mes promenades matinales dans les quartiers mal famés, une jaquette brodée, un haut-de-forme en soie, des gants en peau de chamois, une canne à pommeau d'argent, qui me serviront pour aller à Piccadilly ou à Hyde Park, ou bien pour mes sorties de l'après-midi. Enfin, j'ai fait l'acquisition d'un habit de soirée éblouissant, d'une série de chemises assorties, et d'un smoking qui sort tout droit d'un tailleur, fournisseur de Sa Majesté, etc. [10]. »

---

9. Lettres de J. R. à Harry Reed, 29 juillet 1910, et à C. J., 3 août 1910 (papiers de la famille Reed).
10. J. R. à C. J. Reed, 15 août 1910 (papiers de la famille Reed).

S'excusant d'avoir tant dépensé, il expliquait, dans une lettre à sa famille, que cela en valait la peine, car désormais, il pourrait mieux profiter de ses voyages.

Maintenant qu'il était vêtu de façon irréprochable et qu'il avait retrouvé le cher Waldo, John voyait Londres comme « la plus belle ville qu'on puisse imaginer ». C'était aussi une ville chère, et il entama sérieusement ses réserves. Waldo et lui se firent inviter par des amis et des parents éloignés ; mais ils durent rendre ces invitations et ils emmenèrent de nouveaux amis dans de grands restaurants tels que le « Trocadéro », « Simpson's », l'hôtel « Savoy », le « Globe », la « London Tavern », le « New Mermaid Tavern », la « Vieille Auberge du Dr Johnson », la « Cheshire Cheese ». Quand Waldo le quitta pour participer à un championnat de golf, Reed découvrit qu'on pouvait vivre à bien meilleur marché en prenant ses repas dans de petites gargotes où se retrouvaient les journalistes, ou en dînant pour un shilling d'un peu de thé, de pain et de confitures sous les arbres de Hyde Park. Consciencieusement, il fit le tour des monuments historiques — la Tour de Londres, l'Abbaye de Westminster, le Parlement, White Hall, le British Museum, la Tate et la National Gallery. Mais il apprécia davantage les endroits moins touristiques, les quartiers populaires et les rues louches du côté de Petticoat Lane, Whitechapel et Blackfriars.

John avait vaguement pensé pouvoir travailler à Londres. Une recommandation de Steffens lui permit de rencontrer Joseph Fels, un progressiste fortuné qui l'introduisit dans plusieurs bureaux de rédaction. Reed manquait d'enthousiasme ; il apprit en outre que n'importe quel reportage lui demanderait plusieurs semaines, ou il voulait à tout prix aller retrouver ses amis de l'autre côté de la Manche. Il s'amusait trop pour s'installer dans une routine quelconque, et décida de se laisser vivre. Un soir, alors que Fels lui tenait un grand discours sur les magnifiques possibilités économiques qu'offrait l'Angleterre, John s'endormit sur son assiette. Ennuyé de s'être montré impoli, il écrivit à Fels une lettre de remerciement dans laquelle il s'excusait de son manque d'intérêt pour les affaires : « Je suis évidemment trop mal dégrossi et trop jeune pour me passionner pour les questions économiques. Elles ne m'inspirent aucune inquiétude — particulièrement dans ce pays [11].

Au bout de trois semaines, Reed partit pour Canterbury,

---

11. Lettre de J. R. à Joseph Fels, 17 août 1910 (manuscrits J. R.).

puis fit à pied vingt kilomètres jusqu'à Douvres, bien décidé à franchir la Manche « par quelque moyen frauduleux [12] ». Après une journée passée à fureter sur les quais, il n'avait pas réussi à trouver de combine ; en revanche, il persuada Peirce de s'embarquer clandestinement avec lui sur la malle qui partait à minuit pour Calais. En dépit d'une traversée très agitée, tout alla bien jusqu'au moment où, en entrant dans le port, des marins les découvrirent et les firent sortir de leur cachette. Ce n'est qu'en leur offrant chacun deux dollars que les garçons purent éviter d'être dénoncés à la police. Waldo, las d'être entraîné dans toutes ces histoires, suggéra qu'ils se séparent ; il acheta une boussole et disparut dans les champs, tandis que John, après s'être procuré une carte, commençait à descendre la côte.

Après trois jours de marche et un voyage en chemin de fer, il était à Paris. La ville lui apparut comme un tourbillon confus, avec ses grands boulevards, sa circulation intense, ses cafés aux stores de couleurs vives et ses jolies filles ; le lendemain, il rencontra deux amis de Harvard, Carl Chadwick et Joe Adams. Le même soir, le trio en smoking, escarpins vernis et gants beurre frais, canne au bras, dîna au Café de la Paix, fit le tour de Montmartre — le « Moulin Rouge », l' « Abbaye », le « Rat Mort » et le « Café Royal » — puis termina la soirée en dansant jusqu'à quatre heures du matin chez Maxim's. Sans se coucher, ils grimpèrent dans l'auto de Chadwick et roulèrent jusqu'à Grez, où sa famille habitait une vaste maison couverte de roses.

Après une bonne nuit de repos, Chadwick emmena Reed et Adams à Saint-Pierre, sur la côte normande, où un groupe de jeunes gens passait l'été. Au milieu d' « une merveilleuse foule de jeunes filles », John s'aperçut qu'il faisait de rapides progrès en français. Le centre des réjouissances était la maison de la famille Filon qui comptait trois filles, Madeleine, Marguerite et Geneviève ; celles-ci avaient aussi un grand nombre d'amies, toutes « bourrées de talents, cultivées, à la mode », attirantes et toujours merveilleusement habillées. Pendant une semaine, garçons et filles furent inséparables ; on les vit sur les courts de tennis, à la baignade, aux meetings aériens du Havre ; ils allaient jouer aux petits chevaux dans les casinos, partaient en voiture à la recherche de bons petits restaurants

---

12. J. R. à Margaret Reed, 21 août 1910 (papiers de la famille Reed).

dans la campagne. Partout, ils buvaient du champagne et du vin, et la conversation devenait alors assez gaie. Reed était stupéfait qu'on puisse tenir des propos aussi osés en compagnie des femmes.

Cette expérience ne cessait de l'étonner et de le ravir ; il était extrêmement impressionné par la liberté des jeunes filles françaises : « Elles peuvent aller partout sans chaperon... Nous descendons tous dans le même hôtel, ou bien nous dormons ensemble dans une meule de foin au bord de la route. Tout le monde plaisante sur les sujets les plus délicats et cela se termine par des éclats de rire. » A titre d'exemple, il expliquait qu'au début chacun avait prétendu qu'Adams, avec sa chevelure blonde, était en réalité une femme, la maîtresse de Chadwick, déguisée en homme, puisqu' « en France il n'y a pas d'hommes blonds ». Cette grave question fut enfin tirée au clair lorsque toute la troupe décida de se rendre au bord de la mer pour voir Adams se baigner tout nu.

De retour à Grez, où Peirce les attendait, Reed trouva un tas de lettres qui lui étaient destinées. Des parents lointains l'invitaient à venir en Angleterre, mais l'éclat de ce pays se ternissait déjà. La France était beaucoup plus intéressante « parce qu'il y a beaucoup moins de pudibonderie et d'affectation et qu'on y trouve la gaîté et la joie de vivre ». Il apprit par une lettre de sa mère que C. J. avait annoncé sa candidature au Congrès sous l'étiquette progressiste. John eut un bref moment le mal du pays et écrivit à son père un mot d'encouragement : « Bravo ! J'aimerais être là-bas pour faire avec toi la tournée électorale. Si tu désires que je rentre à la maison pour quelque raison que ce soit, fais-le moi savoir, je partirai tout de suite [13]. » Cette humeur ne dura pas. Une heure après avoir terminé sa lettre, il était dans l'auto avec Waldo, Carl et Joe, en route pour l'Espagne.

C'est sous le ciel pur de septembre qu'ils firent le tour des châteaux de la Loire ; dans les vignes, les grappes étaient mûres ; ils s'arrêtèrent pour visiter Blois, puis continuèrent vers Bordeaux, et de là, suivirent la route bordée de pins jusqu'à la frontière. A San Sebastian, station à la mode, ils assistèrent à une corrida. John préféra aux rites sanguinaires le spectacle de l'arène écrasée de soleil et des costumes multicolores ; il fut plus impressionné par la présence du roi et de sa cour que

---

13. Toutes les citations concernant le séjour à Grez sont tirées de lettres de John à C. J. (papiers de la famille Reed).

par les taureaux et les toréadors. Cette nuit-là, ses amis perdirent au jeu des sommes considérables ; et comme leurs ressources s'épuisaient, leur désir de visiter l'Espagne s'évanouit de même. Reed, qui voulait faire seul et à pied le tour du pays, en fut plus soulagé que mécontent. Tandis que ses compagnons repartaient pour la France, il fit l'achat d'une grosse blouse de paysan et d'un pantalon de velours côtelé, et, son appareil de photo en bandoulière, il se mit en route vers le Sud ; il ne savait pas un traître mot d'espagnol. L'Espagne était le pays des pluies torrentielles, des déserts aveuglants ; la gloire passée et la misère présente s'y côtoyaient : églises incrustées d'or et paysans misérables, universités fameuses et superstitions dignes du Moyen Age. Au bout d'une dizaine de jours, il pensait avoir vu l'essentiel du pays ; il connaissait maintenant ses contradictions criantes, et avait été tour à tour effrayé, attiré et déçu par le peuple et par les coutumes. Au sud de San Sebastian, il longea des champs cultivés et de larges rivières qu'enjambaient des moulins ; il croisait de robustes laboureurs et des femmes qui portaient gracieusement leurs paniers sur la tête. A Tolosa, il se mêla à une fiesta où des paysans ivres en chemises bleues dansaient et chantaient dans les rues. Dans les Pyrénées, de terribles orages l'obligèrent à abandonner la marche. Il dut monter dans un vieux wagon de troisième classe étouffant — « une survivance de l'époque de l'Inquisition » — dans lequel il fit connaissance avec les paysans et où il passa sa première nuit ; il y en aurait bien d'autres. Communicatifs et aimables, ils l'assaillirent de questions et insistèrent pour qu'il partage avec eux leur repas et leur vin ; leur curiosité sur ses origines et leur ignorance du monde faisaient d'eux « de véritables enfants [14] ».

C'est sous un ciel sans lune, aux environs de quatre heures du matin, qu'il arriva à Burgos ; ici, l'histoire devenait envahissante. Après avoir quitté la gare, il s'enfonça dans des rues sombres et boueuses. Il se sentait « rempli de la joie de l'explorateur qui découvre un pays étrange ». De loin lui parvenait le cri solitaire du « sereno », le veilleur de nuit ; et « le passé glorieux de ces lieux l'envahit brusquement ». Aux lueurs de l'aube, la masse d'El Castillo, la colline grise aux pieds de laquelle était né le Cid, surgit vers l'est : on s'attendait à voir une splendide troupe de chevaliers galoper à travers

14. Toutes les citations sur l'Espagne sont tirées d'*Une incursion en Espagne,* texte inédit de J. R., comportant 54 p. (manuscrits J. R.).

les rues, lancés à la poursuite des Maures qu'ils allaient chasser de Tolède. Le matin, il suivit une procession religieuse, « dont la solennité lui parut très ridicule », jusqu'à la cathédrale. Là, sous les voûtes sombres, l'harmonie des chœurs, la riche splendeur des chasubles, les centaines de fidèles agenouillés, dont la foi éclatait dans les yeux, lui firent sentir « la puissance du catholicisme dans sa force vive ». Retournant à la lumière, il grimpa les rues pavées, fit un repas de vin et de fromage, et se mit à rêver près de la Tour des Croisés. La manifestation d'une superstition toujours vivace vint troubler sa rêverie : une foule bruyante d'hommes et d'enfants dévalait les rues, en abreuvant d'injures et de malédictions une vieille femme voûtée qu'ils prenaient pour une sorcière.

La réalité devait lui réserver quelques surprises au cours des deux jours qui suivirent. S'acoquinant avec un marin qui parlait un peu d'anglais, il décida de partager avec lui une chambre dans un hôtel de Valladolid. Le lendemain, son sens de l'économie lui fit éplucher la note et il découvrit que la patronne et le marin s'étaient arrangés pour lui faire tout payer. Des semaines plus tard, il souffrait encore de l'aventure, non pas à cause de la mauvaise foi de son compagnon, mais parce qu'en partageant son lit avec lui, il avait attrapé des poux dont il n'arrivait pas à se débarrasser. Le jour suivant, à l'aube, alors qu'il sommeillait dans la gare de Medina del Campo, John fut appréhendé par la police militaire, interrogé en espagnol et placé sous bonne garde. Lorsqu'enfin on eut trouvé un soldat qui parlait français, Reed apprit qu'on attendait le passage du train où se trouvait le roi, et que les autorités surveillaient les étrangers et recherchaient les anarchistes. Après l'avoir fouillé sans ménagement et constaté qu'il ne transportait pas de bombes, les soldats furent enfin convaincus qu'il n'était qu'un étudiant américain voyageant pour son plaisir.

Salamanque lui parut être la véritable Espagne avec ses jardins luxuriants, ses vieux bâtiments aux arcades de pierre ocre, ses rues qui grouillaient de couleurs et de vie. Il y avait partout des mendiants loqueteux, des infirmes, des aveugles, des femmes exhibant des bébés anémiques, des enfants couverts d'ulcères. Au coin des rues, près des églises et autour des cafés, ils attendaient les touristes compatissants, mais John, aussi sale qu'eux, avec son manteau déchiré, sa large ceinture rouge autour de la taille et ses pantalons de velours chiffonnés fut très fier de ce qu'ils ne l'approchaient pas. Dans la cathédrale, au milieu des tombes des « preux chevaliers et des dames vertueuses », maintenant enfouis sous la pierre, il se mit à songer à l'élan fondamental qui pousse l'homme vers la religion, et aux sentiments que toute église sécrète et transcende à la fois : « Cette spiritualité dont la suprême expression est la lumière du soleil et celle des étoiles [...] l'instinct de nos ancêtres était juste, eux qui les adoraient. » Chassant cette humeur inhabituelle, il se dirigea vers l'université, véritable berceau de l'enseignement ; elle logeait autrefois six mille étudiants venus du monde entier. Les salles ne lui firent pas grande impression ; en revanche, il fut ému par le patio, à la pensée que Lope de Vega, Calderon et Cervantes « avaient autrefois foulé ces mêmes dalles à l'ombre de ces mêmes bâtiments ».

Tolède fut le clou du voyage ; cette ville à la fois splendide et pathétique, ancienne résidence de la brillante cour d'Espagne, était maintenant une sorte de caserne « vivant de ses ruines ». Mais quelles ruines ! De ravissants palais mauresques, l'église où les conquérants chrétiens avaient chanté leur premier « Te Deum », de vieilles synagogues aux toits incrustés d'ivoire, des mosquées exquises, la maison du Greco, « le plus vivant de tous les peintres espagnols ». Pendant deux jours, Reed explora le labyrinthe des rues et des venelles étroites et pentues. Il se perdait au milieu de ces maisons qui avaient toutes l'air de prisons, se fourvoyant dans des culs-de-sac, se retrouvant sur des terrasses inattendues qui plongeaient sur les à-pics vertigineux des gorges du Tage ; il s'émerveillait des tons changeants et subtils dont le soleil teignait les façades. Le dimanche, dans la cathédrale, il fut intrigué par les étranges contrastes qu'offrait l'église : un paysan en haillons était agenouillé sur la pierre dure et des larmes ruisselaient sur ses joues. Pendant ce temps, dans la sacristie, des prêtres fumaient et riaient, tout en se changeant, puis donnaient à leurs visages une expression figée de « contrition dévote », tandis qu'ils se dirigeaient vers l'autel.

Madrid le déçut, ses bâtiments massifs, ses grands boulevards et ses jardins publics faisaient plus français qu'espagnols. Las de voyager, fatigué d'avoir à lutter pour se faire comprendre, John promena sur la ville un regard hostile. Evitant les rues animées, il allait passer des heures devant les trésors artistiques du Prado et de son palais où il put admirer une collection d'armures médiévales. A la recherche de l'authentique, il essaya un certain nombre de cabarets où il ne trouva ni joie, ni vie, mais des entraîneuses, style « flamenco », bien fades en comparaison de la Carmen qu'il avait rêvée. Comme il était un peu à court d'argent, il essaya un hôtel très bon marché qu'il abandonna rapidement — les chambres y étaient plus sales qu'une porcherie — pour un lit de feuilles dans le parc d'El Retiro.

Echevelé et crasseux comme un clochard, Reed trouvait plaisant de jouer du contraste entre sa tenue et son portefeuille. Il s'était déjà livré à ce petit jeu plusieurs fois. Vêtu comme un misérable, il débarquait dans un hôtel élégant, où les chasseurs étaient harnachés « comme des amiraux » ; à l'accueil glacial de l'employé succédaient les courbettes lorsqu'il exhibait une grosse liasse de billets et qu'il laissait un généreux pourboire. A Tolède un garçon soupçonneux lui avait demandé s'il avait de quoi payer un repas, il en avait alors commandé deux et, grand seigneur, en avait étalé un à ses pieds pour nourrir les chiens. Il se rendait dans un des cafés les plus chics de Madrid pour y boire du chocolat et faire son courrier ; là, il prenait grand plaisir à observer les coups d'œil furieux des patrons [15]. Il était certes amusant de se moquer des « honnêtes gens », mais c'était un divertissement un peu limité. Aussi prit-il le lendemain, un billet de troisième classe pour la France, impatient d'y retrouver ses amis.

Paris était « le plus bel endroit du monde ». Installé à l'hôtel, rue Jacob, à la fin de septembre, John, remis à flot par sa lettre de change, commençait à goûter cette nouvelle vie où il se sentait « libre de toute contrainte, qu'elle fût morale, religieuse ou sociale ». Il avait la liberté de « flâner sans cesse, sans jamais s'ennuyer ». Il pouvait rester des heures à lire dans un café, ou aller au Luxembourg regarder les enfants qui faisaient voguer leurs bateaux dans le bassin. Il se couchait fort tard ou pas du tout, et il lui arrivait d'aller retrouver une jeune femme dans sa chambre et d'y rester toute la nuit. L'automne était particulièrement beau, le ciel était lumineux, l'air frais et les arbres du Bois et des Tuileries avaient pris des couleurs éclatantes. Les boulevards, les monuments, l'élégance de ses habitants faisaient de Paris « la ville la plus merveilleuse, la plus voluptueuse qu'on puisse imaginer », celle dont « il avait rêvé sans le savoir toute sa vie [16] ».

15. J. R. à Bob Hallowell, septembre 1910 (manuscrits J. R.).
16. Lettres de J. R. à Alan Gregg, 6 novembre 1910 ; à Edward Hunt, 21 octobre, et à Bob Hallowell, 30 septembre 1910 (manuscrits J. R.).

Waldo Peirce, qui s'était lui aussi installé au Quartier latin, s'était fait une quantité de relations parmi lesquelles Reed trouva rapidement sa place. John dut à sa nouvelle garde-robe — c'est ce qu'il écrivit à sa mère — de pouvoir se rendre à des dîners mondains et au théâtre, où il était invité par des familles françaises et américaines. Il lui fallait aussi s'habiller pour aller aux dîners du professeur Schofield de Harvard — chargé de cours à la Sorbonne — qui offrait aux étudiants des soirées somptueuses et solennelles. John était très flatté de ces invitations, mais ce genre de réceptions ne satisfaisait guère son envie de s'amuser. Lorsqu'il découvrit que Waldo était du même avis, ils devinrent inséparables. Tous les deux, ils aimaient descendre le boulevard Saint-Germain au petit matin ; « nous prenions une leçon de français gratuite en bavardant avec toutes les putains que nous rencontrions [17] ». Le soir, ils se rendaient au Bullier, bal populaire, ou bien ils s'amusaient à faire irruption dans des soirées guindées, vêtus de costumes loufoques ; ils se bagarraient dans des bistrots, puis se vantaient interminablement de leurs exploits.

Voulant vérifier si Paris était bien la capitale de l'amour, Reed se mit en quête de compagnes. Ses amis de Saint-Pierre habitaient Paris, il y retrouva les sœurs Filon, alla danser et boire le champagne dans l'atelier de Madame Beaurain et participa à « une soirée fort amusante » qui se prolongea jusqu'au dimanche à six heures du matin [18]. Un jour, Waldo et lui décidèrent d'escorter une vieille dame riche, accompagnée de ses deux charmantes filles, jusqu'à la foire de Saint-Cloud ; il flirta tout l'après-midi avec l'une d'entre elles et se mit à songer qu'il pourrait bien s'esquiver pour faire l'amour avec elle. Cet espoir se concrétisa avec une autre jeune femme. Feignant d'ignorer l'argent qu'il lui donnait, John se jouait la comédie de la passion, débarquant dans sa chambre avec d'énormes bouquets de fleurs qu'il déposait sur son lit. Ses rêves d'amour s'écroulèrent car la dame ne cachait pas sa vénalité. Une nuit, elle en vint à lui demander de quoi il vivait ; furieux de s'entendre rappeler à la réalité, il s'habilla et partit en claquant la porte.

Le Quartier latin, plein d'étudiants américains, avait « exac-

---

17. J. R. à Bob Hallowell, 30 septembre 1910 (manuscrits J. R.).
18. Lettre de J. R. à Margaret Reed, 9 octobre 1910 (papiers de la famille Reed).

tement l'allure d'un petit Harvard [19] ». La plupart étaient des membres de clubs, et bien que dans ses lettres Reed proclamât qu'il évitait les Américains pour mieux connaître les Français, il allait régulièrement à sept heures aux « Deux Magots », lieu de rassemblement des étudiants de Harvard. Comme la saison de football commençait là-bas, il suggéra à Waldo de faire la traversée en paquebot sous prétexte que « ce serait pour eux deux une excursion tout à fait originale [20] ». Il se contenta d'engager des paris sur les résultats avec Elis, assista au déjeuner annuel Yale-Harvard au café Voltaire et, quand leur parvint la décevante nouvelle d'un match nul, il alla se consoler en buvant toute la soirée avec ses camarades.

Les gens de Harvard, cela allait pour passer une soirée, mais ce n'était pas des compagnons très palpitants. John était maintenant tout à fait accepté par ces mêmes personnes qui là-bas l'avaient dédaigné, et jugé bienvenu ; la clique de Mont Auburn Street s'était arrangée pour transporter toutes ses petites habitudes outre-Atlantique. Leurs mœurs sexuelles s'étaient un peu modifiées, mais ils vivaient « comme ils auraient vécu à New York ; tous les soirs ils se retrouvaient pour boire un cocktail avant le dîner, ils étaient toujours impeccablement vêtus et fumaient des Philip Morris [21] ». Tout à fait à l'aise, sûrs d'eux-mêmes, confiants dans leur valeur et ne se posant pas la moindre question, Reed les trouvait de plus en plus inquiétants, lui qui commençait à douter sérieusement de lui-même à mesure que son séjour à Paris se prolongeait.

Malgré ses airs fringants, Reed ignorait complètement où il allait. Il pensait bien être un écrivain, mais ne produisait pas grand chose : quelques histoires drôles pour le *Lampoon,* des récits de voyage mal ficelés, trop longs, pleins de clichés, deux histoires assez médiocres et quelques ébauches de poèmes — tel était le résultat d'innombrables après-midi passés devant sa table de travail. La matière ne lui manquait pas, mais — ce qui était pire — l'imagination et la volonté. D'autres Américains aux prises avec les mêmes problèmes paraissaient s'en sortir mieux que lui. Gluyas Williams, son successeur au poste d' « ibis » au *Lampoon,* travaillait d'arrache-pied, passant des

19. Article de J. R. intitulé « Lettre de Paris », *Boston Advertiser,* 13 mars 1911.
20. J. R. à Harry Reed, 15 octobre 1910 (manuscrits J. R.).
21. J. R. à Alan Gregg, 23 novembre 1910 (manuscrits J. R.).

nuits entières sur ses toiles dans un atelier. Peirce, trop paresseux pour peindre beaucoup, semblait apprécier la vie de café. Incapable de se forcer à écrire aussi bien que d'oublier totalement son travail, Reed devenait amer et irritable.

Il était facile de tenir les autres pour responsables, eux qui agissaient comme s'ils savaient ce qu'ils voulaient, mais Reed était sans cesse tourmenté par l'idée que son inadaptation à la société « était obligatoirement de sa faute ». Hésitant entre deux extrêmes, John se battit avec Waldo lorsque celui-ci lui dit que ses encouragements n'avaient pas suffisamment aidé leur équipe, puis il se fâcha avec le professeur Schofield, qui le sermonnait sur sa mauvaise conduite. Il se rendit bientôt compte qu'ils avaient eu raison, mais n'éprouva aucun désir de s'excuser : « Si on essaie de prétendre qu'on est sage, on est fichu ; quelqu'un nous aura tôt ou tard. C'est pourquoi il faut dire tout ce qu'on pense, peu importe si cela paraît stupide. Si quelqu'un tient devant vous de grands raisonnements intellectuels et si vous n'êtes pas capable de les suivre, n'insistez pas ; tant pis si l'on vous méprise. » Le malheur, c'est qu'une telle conduite l'avait souvent fait « parler à tort et à travers ». Aussi, résolut-il d'écouter plus et de parler moins [22].

Les membres des clubs, Waldo, Williams et Schofield avaient réveillé un souvenir cher au cœur de Reed : l'université. Il pressa ses amis de lui donner des nouvelles de ce qui s'y passait, il se mit à envoyer des critiques détaillées au rédacteur en chef du *Lampoon,* des conseils pour le club d'art dramatique et pour le symposium ; il alla même jusqu'à s'inquiéter du sort d'une personne qu'il n'aimait pas particulièrement et qui voulait rentrer au « Hasty Pudding » ; il envoya un télégramme de félicitations à Copeland qui était nommé maître-assistant et demanda à Alan Gregg — sur un ton humoristique qui cachait mal une grande part de sérieux — des nouvelles de toutes « les organisations au sein desquelles il avait eu une influence si déterminante, où son souvenir était sans aucun doute l'objet d'une grande vénération »... Comme il cherchait à comprendre ce qu'avait signifié pour lui l'expérience universitaire, il arriva à cette conclusion : ce n'était pas une préparation à la vie pratique, mais plutôt une sorte de microcosme, un monde où les triomphes et les échecs aidaient à devenir un homme. A Gregg qui s'interrogeait sur le même problème,

22. *Ibid.*

il écrivait : « Oublie l'avenir et plonge-toi dans le présent. C'est la seule préparation possible [23]. »

Le doute, le désespoir, la colère et la nostalgie du passé apparaissaient comme des humeurs et disparaissaient aussi mystérieusement qu'elles étaient venues. Les lettres qu'il envoyait chez lui continuaient à déborder d'enthousiasme, mais, peu à peu il changeait ses plans. A la mi-octobre il décida d'abandonner son tour du monde, se contentant d'un projet de voyage au printemps en Allemagne, en Italie, en Autriche et en Grèce. Dans une lettre à son frère, il explique que sa décision vient de ce que Waldo n'est pas un bon compagnon de voyage ; et il ajoute : « Et puis ce n'est vraiment pas drôle de se balader tout seul [24]. » Les problèmes financiers de sa famille ne s'arrangeaient pas, et lorsqu'il apprit que C. J. avait été battu aux élections primaires en septembre, Reed analysa sérieusement la situation. Comme son père était maintenant sans emploi, il lui paraissait absurde de rester là, à vaguement parfaire son éducation. Chez lui, l'argent ne manquait pas encore vraiment, mais il confiait à sa mère dans une lettre : « Je crois que je vais rentrer et me mettre à travailler. » Ce qui poussait John à prendre cette décision, c'était beaucoup plus son besoin de faire quelque chose que le souci causé par les embarras familiaux. Il décida qu'un jour il ferait le tour du monde mais seulement « lorsqu'il aurait fait lui-même quelque chose de ses dix doigts [25] ».

La décision qu'il venait de prendre quant à son avenir lui rendit la vie présente beaucoup plus agréable. A un mois

---

23. *Ibid.*, et 28 novembre 1910 (manuscrits J. R.).

24. J. R. à Harry Reed, 15 octobre 1910 (manuscrits J. R.).

25. Durant les années qui suivirent, après la mort de son père, Reed se sentit coupable d'avoir dépensé tant d'argent ; il se reprochait d'être à l'origine des nombreux ennuis que C. J. avait connus au cours de sa carrière. Dans son essai *Trente ans, déjà,* il rappelle que son père avait été battu de justesse lors de sa candidature au Congrès, et en grande partie parce qu'il était venu à Harvard pour assister à la remise de son diplôme, au lieu de poursuivre sa campagne électorale dans l'Oregon. C'était tout à fait faux. Comme il avait été destitué le 13 juillet de sa fonction de juge, il ne put se présenter aux primaires que le 14 août, si tard que son programme n'apparaissait même pas sur les panneaux électoraux. En dépit de l'aide que lui apportèrent certains marginaux tels Heney, Steffens et Robert La Follette, il n'arriva qu'à l'avant-dernière place le 24 septembre. A en juger par les articles de l'*Oregonian* qui lui étaient hostiles et ceux de l'*Oregon Journal* qui le soutenait, la campagne de C. J. avait été beaucoup moins énergique et intensive que celle des deux premiers candidats.

d'octobre clair et vif, où les feuilles s'amassaient le long des quais, succéda un mois de novembre maussade : les nuages pesaient sur Montmartre, la pluie ruisselait le long des rues pavées et les cafés avaient rentré leurs terrasses. Malgré le mauvais temps, il y avait toujours de l'animation dans les rues où Reed continuait à se promener. Il visitait les musées, les galeries, se rendait dans les librairies et se régalait d'un croissant, puis faisait son courrier dans des cafés enfumés et dînait dans des restaurants bon marché. Il allait au théâtre, plaisantait avec les jeunes filles de la taverne de la rue Pascal et lisait jusque tard dans la nuit. Paris en décembre lui parut tour à tour « triste, froid, plein de couleurs magnifiques, mais angoissant », lui laissant une impression de mélancolie lorsqu'il pensait à son pays. Emu par la générosité de ses parents à son égard, il avait travaillé une partie de l'automne pour leur offrir un cadeau de Noël : il s'agissait d'un album en vélin, où il avait calligraphié, illustrés par des pastels, ses meilleurs poèmes. Sous le titre de *Chansons d'un homme au cœur plein et à la tête vide,* se trouvaient rassemblés des pièces sentimentales ou joyeuses qu'il dédicaça à sa mère : « Fruits d'une existence frivole dont tu portes la responsabilité. »

Cette existence frivole devenait ennuyeuse. Lors d'un séjour à Grez au cours duquel il eut une querelle avec la famille Chadwick et d'autres amis, il décida d'abandonner son projet de voyage au printemps. Il expédia par bateau la plupart de ses vêtements, ses livres et ses manuscrits inachevés, puis au début de janvier, il partit vers le sud pour y chercher le soleil et l'aventure. Il les trouva bientôt l'un et l'autre. Il avait remis le costume qu'il portait en Espagne, et se laissait pousser la barbe. A Orange, il trouva qu'il faisait « presque chaud », il admira le théâtre romain et assista à la messe dans une église de campagne où un prêtre hirsute « dévorait le corps et le sang du Christ avec une joie d'anthropophage, qui trahissait sans nul doute un jeûne prolongé ». Il jugea qu'Avignon, où soufflait un mistral glacé, « était la plus belle ville qu'il eût jamais vue », il goûta le charme pittoresque de cette cité qui lui évoquait la Renaissance. Il cheminait sur des routes poudreuses, sous un ciel clair, rencontrait de jolies femmes au teint hâlé et des hommes aux visages de Romains, qui chassaient le lièvre dans les champs. L'idée lui vint de publier un récit de voyage. L'air du Midi était revigorant et il se prit d'intérêt pour les peintres et les poètes provençaux. Il découvrit avec stupeur que les arènes de Nîmes servaient aux corridas ;

115

on y avait installé l'électricité, des toilettes et autres com-
modités. Il en fut tout d'abord déçu, puis décida que « c'était
tout à fait normal qu'on utilise ces lieux dans le même esprit
que les Romains autrefois [26] ».

Il trouva Marseille « splendide, rude et virile », moins belle
que Paris, mais plus « romantique ». Le soleil s'y couchait
derrière les colonnes d'Hercule, ses eaux menaient « en Grèce,
en Asie, en Egypte » et dans ses rues se côtoyaient les marins
du monde entier : « Les Coptes, les Ecossais, les Chinois et
les Turcs... les Français raffinés, les Italiens artistes, et les
Américains barbares et grossiers. » Il avait pris pension dans
un hôtel de passe ; il apprécia la foule sur la Cannebière
« bordée de cafés, d'hôtels et de boutiques splendides ». Chez
Pascal, l'un des plus anciens restaurants de la ville, il fit un
festin de bouillabaisse et d'agneau de Provence, puis s'aventura
dans la partie de Marseille que son guide touristique signalait
comme « dangereux la nuit » ; il y demeura jusqu'au matin,
« discutant avec toutes les vieilles prostituées plutôt mater-
nelles, avec les plus jeunes qui étaient presque des enfants, et
avec des marins hindous ». Il passa la journée du lendemain
à « flâner sur les grands quais », où l'on voyait « des milliers
de navires ancrés dans les bassins, des montagnes de noix
de coco et d'immenses tas de cacahuètes » ; il y entendit « tous
les langages connus sous le soleil — et même certains qui
n'ont jamais existé ! [27] ».

Le 14 janvier, Reed se rendit à Toulon pour y retrouver
Waldo, Harold Taylor, deux des sœurs Filon — Madeleine et
Marguerite — ainsi que Madame Beaurain ; ils devaient faire
une randonnée sur la Côte d'Azur. Rasé, portant veste en
tweed, chemise ouverte, foulard, pantalons de velours et sac
au dos, John ouvrait la route. Pendant neuf jours, ils mar-
chèrent en direction de Nice à travers les montagnes ou le
long de la côte, pique-niquant dans les bois, nageant dans l'eau
glacée ; ils visitaient des ruines romaines, couchaient dans de
charmants petits hôtels où le gîte et le couvert « ne coûtaient
presque rien », riaient sans cesse et s'entendaient à merveille.

Alors que son séjour en Europe tirait à sa fin, cette excursion
lui laissa l'impression d' « un merveilleux rêve de bonheur,

---

26. J. R. à Margaret Reed, 14 octobre 1910 (papiers de la famille
Reed).
27. Lettres de J. R. à Margaret Reed, 8, 9, 10 et 11 janvier, et à
C. J. Reed, 9 janvier 1911 (papiers de la famille Reed).

d'un bout à l'autre ». Sa sensibilité déjà vive s'accrut encore : jamais les forêts de pins n'avaient senti si bon, jamais le pain, le fromage et le saucisson ne lui avaient paru si délectables ; jamais le soleil n'avait teinté les pics neigeux de nuances si subtiles, jamais les amis n'avaient été aussi francs, proches et chaleureux. Madeleine l'attirait : mince, hâlée, les traits fins, « elle ressemblait à une belle gitane [28] ». Lorsqu'il leur arrivait d'être seuls, ils parlaient peu, sentant que les mots ne pouvaient traduire un sentiment que le vent marin emportait, qui surgissait du plus profond de leurs cœurs mais qui restait entre eux, inexprimé. Puis, un après-midi, John qui jouait les gladiateurs, l'épée au poing dans les arènes de Fréjus, s'agenouilla devant Madeleine qui trônait, assise sur les gradins comme une impératrice. Sans doute, lorsqu'il releva la tête et que leurs yeux se croisèrent, se comprirent-ils enfin. A Monte-Carlo où s'achevait le voyage, Madeleine consentit à devenir sa femme.

C'était bien la conclusion qui convenait à un voyage commencé sous le signe de l'inattendu. Depuis que Reed avait quitté Paris — il savait qu'il devait bientôt rentrer chez lui — ses soucis et sa tendance à la dépression avaient disparu. De Marseille il écrivait à C. J. : « De même que l'Université et que le contact des femmes, l'Europe était une expérience extraordinaire qui dépassait mes rêves les plus fous [29]. » John était toujours plus heureux lorsqu'il voyageait ou lorsqu'il avait un but bien précis ; ses fiançailles, au fond, ne faisaient que répéter un antique modèle social. S'il était encore incapable d'écrire aussi bien qu'il le souhaitait, il pouvait néanmoins se jeter dans le présent et dans l'action. La vie oisive en Europe était terminée, mais il emmenait avec lui un peu du vieux continent. En partant pour l'Amérique, il s'assignait deux buts dans la vie : « gagner un million de dollars et se marier [30] ».

28. J. R. à C. J. Reed, 12 janvier 1911 (papiers de la famille Reed).
29. *Ibid.*, 23 janvier 1911 (papiers de la famille Reed).
30. Cité par G. Hicks, *John Reed*, p. 63.

# Manhattan

*C'est à New York que j'ai découvert l'amour, c'est là que j'ai commencé à écrire ce que je voyais, éprouvant dans la création un plaisir intense ; c'est là que je sus enfin que j'étais capable d'écrire. C'est à New York que je commençai à sentir vraiment la vie de mon époque. La ville et ses habitants étaient pour moi comme un livre ouvert ; chaque chose avait son histoire, dramatique, pleine d'une tragique ironie et d'un humour décapant. Je m'aperçus que la réalité dépassait de loin toutes les fictions poétiques les plus compliquées. Lorsqu'il m'arrivait de quitter New York un peu trop longtemps, je ne me sentais pas bien, je n'étais pas vraiment heureux.*

John REED, *Trente ans, déjà*. Toutes les citations qui suivent et qui n'ont pas de renvoi sont tirées de cet essai.

*23 ans*

Le désir qu'il avait toujours eu de se sentir chez lui, d'être compris, John put enfin le satisfaire à l'âge de vingt-trois ans, dans la plus grande et la plus brillante des cités de l'Est : Manhattan. Elle avait le véritable éclat de la vie. Portland baignait dans la brume des forêts sauvages au bord du Pacifique, avec ses cow-boys et ses indiens ; Harvard, malgré le mal qu'on devait se donner pour s'y faire une place, n'était jamais qu'un petit univers fermé par la Charles ; l'Angleterre, la France ou l'Espagne n'étaient que des terrains de jeu pittoresques où pouvait s'amuser la jeunesse américaine. En revanche, New York était une réalité quotidienne dans laquelle John devait faire son trou comme tout un chacun. La richesse, la misère, la joie, le désespoir, l'amour, la haine, la beauté, la laideur, l'idéalisme, l'ignorance, la gloire et l'anonymat — ces notions devenaient des réalités tangibles dans les quelques kilomètres carrés qu'occupe Manhattan.

Les rues animées, pleines de couleurs crues l'inspiraient et il abandonna ses rêves mythiques. New York le formait, mais en imagination il refit la ville. Lorsqu'il la décrivait, c'était un mélange de « réel » et de « féerique », de fines observations et de trouvailles poétiques : « Je me promenais dans les rues, depuis les immenses gratte-ciel de la ville basse, le long des docks de l'East River qui portaient encore la trace des élégants voiliers d'autrefois et de leurs cargaisons d'épices, jusque dans l'East Side grouillant où des quartiers entiers étaient comme des villes étrangères dans la ville ; où les quinquets fumeux des bruyantes voitures à bras faisaient d'une rue misérable, une splendeur. Je débouchais soudain sur de petits marchés où l'on braillait à tue-tête, où le sang coulait à flots, où les écailles de poisson giclaient à la lumière des lanternes ; de grosses femmes juives vantaient à grands cris leur marchandise sous le vacarme des ponts gigantesques, trépidants, et la marée humaine allait au travail et en revenait à l'ouest, à l'est, au sud, au nord. »

Sa venue dans cette ville s'explique assez bien ; c'était le seul endroit possible en 1911 pour un écrivain ambitieux. John, pour son voyage de retour, avait abandonné le transport de bétail et pris un paquebot ; après un arrêt à Harvard pour voir Harry, Copeland, et quelques amis, il était reparti pour Portland où C. J. et Margaret avaient été ravis de le retrouver et surpris par son apparence. Des mois d'alimentation frugale et de longues marches avaient effacé un début d'embonpoint, lui donnant une silhouette plus virile. John racontait ses aventures à qui voulait les entendre sans avoir rien perdu de sa jeunesse ni de son exubérance, mais son père, qui le considérait maintenant comme un adulte, décida de ne pas le protéger plus longtemps. Quand la série de visites eut pris fin, C. J. le fit asseoir et lui exposa l'état des finances familiales.

La situation n'était pas brillante. C. J. qui ne travaillait plus dans un bureau était obligé de faire du porte-à-porte pour essayer de vendre des assurances dans une ville où les hommes d'affaires — à quelques exceptions près — le considéraient comme un renégat. Il gagnait à peine de quoi couvrir les dépenses quotidiennes, mais il continuait à payer à Harry un appartement de la Gold Coast et assura son entrée au club Spee, l'un des plus fermés de Harvard. En tant qu'exécuteur testamentaire de l'héritage des Green, il était plongé jusqu'au cou dans d'interminables tractations financières, confronté à des partenaires hostiles, et se débattait pour vendre des propriétés grevées d'hypothèques ; en même temps, il luttait vainement pour empêcher Charlotte Green de dilapider sa part déjà bien entamée. Il avait beau adorer John, il ne pouvait pas l'aider. Désormais le fils aîné devrait se débrouiller seul.

Ses parents, très inquiets, s'arrangèrent pour lui dissimuler sous des allures joyeuses leurs craintes de ce qui leur apparaissait comme « des fiançailles insensées [1] ». C. J. désirait

---

1. C. J. Reed à L. Steffens, 21 mars 1911 (archives Steffens).

que son fils conserve sa liberté et sa jeunesse de cœur, qu'il dispose de plus de temps pour jouir de la vie. Il écrivait à Steffens : « C'est un poète : il faut le laisser écrire. Laissez-le tout voir — mais, surtout, empêchez-le de devenir comme moi [2]. » Margaret s'inquiétait davantage des conséquences de cette future union. « Les bonnes gens de Portland, écrivait John à Waldo, semblent attacher une signification infâmante à l'adjectif " français ", dès qu'il s'agit d'une jeune fille, et ma mère a reçu plus de condoléances que je n'ai eu de félicitations [3]. » Cette attitude méfiante vis-à-vis d'une étrangère ne fit que confirmer une chose que Reed savait déjà : Portland n'était pas une ville faite pour lui. Au début de mars, il était à New York. Il logeait provisoirement au club de Harvard et cherchait du travail dans les journaux, « prêt à faire n'importe quoi, même si c'était très dur, décidé à affronter le danger ou à accepter les basses besognes, pourvu que cela en vaille la peine [4]. » Il alla voir Steffens et s'aperçut que l'homme qui autrefois lui avait semblé tellement sérieux, était chaleureux et compréhensif. Lorsque Reed hésitait sur la carrière à suivre, disant qu'on ne pouvait mélanger la prose et la poésie, Steffens calmait ses craintes et affirmait : « Tu peux tout faire, du moment que tu le veux », et cela avec tant de conviction qu'on arrivait à le croire.

Steffens ne se contenta pas d'apporter un réconfort moral. Quelques semaines plus tard, il procura à John une place à mi-temps et à l'essai dans l'*American*. C'était tout à fait ce qui convenait pour un début. Six ans auparavant, ce journal avait été racheté par un groupe de journalistes, ceux-là mêmes qui avaient dévoilé un certain nombre de scandales lorsqu'ils écrivaient pour *Mc Clure's* : Ida Tarbell, Ray Stannard Baker, John Siddall et Steffens. L'esprit du journal ayant peu à peu évolué de la critique acerbe au soutien inconditionnel du pouvoir, Steffens avait démissionné. A cette époque, les pages de l'*American* étaient ouvertes à toutes sortes d'auteurs : essayistes, romanciers, poètes et journalistes. Reed tâta de l'imprimerie, corrigea des épreuves, aida à la mise en page et contribua à la résolution de différents problèmes. L'une de ses tâches principales consistait à lire les manuscrits ; il se réjouissait fort de pouvoir rejeter avec mépris les œuvres d'auteurs connus. La

---

2. Cité dans L. STEFFENS, *John Reed,* p. 181.
3. J. R. à Waldo Peirce, 24 février 1911 (manuscrits J. R.).
4. J. R. à Steffens, 23 février 1911 (archives Steffens).

mauvaise poésie faisait ses délices : « J'ai pris un malin plaisir à sévir contre les poètes élégiaques, espèce que je dédaigne particulièrement quand ils essaient d'écrire comme Kipling [5]. » Reed se mit vite au courant du fonctionnement de la rédaction et des besoins commerciaux du journal ; les rédacteurs le jugèrent « plein d'idées, éveillé, vivant et sympathique » et il fut engagé définitivement [6].

L'*American* n'avait qu'un seul défaut, il payait mal : cinquante dollars par mois, c'était à peine de quoi vivre. Mais cela n'avait pas trop d'importance. Même s'il devait de temps en temps faire des travaux un peu bizarres, John ne se plaignait pas de sa situation d'écrivain débutant. Le plaisir de vivre à New York lui paraissait plus important que de gagner de l'argent. L'atmosphère de la ville, le monde qui gravitait autour des bureaux de rédaction — journalistes professionnels et écrivains en tous genres —, la foule des gens pressés, les bars louches, les magasins chics aux vitrines éblouissantes, les appartements minables, le grondement continu de la circulation sur Broadway, le vacarme métallique du métro aérien, les allées et venues de tous ces gens qui avaient toujours une raison de se dépêcher, toute cette animation le délivra de l'espèce d'oppression dont il souffrait à Paris. D'un seul coup, l'énergie qu'il avait montrée à Harvard revint, et avec elle les mots qu'il fallait pour décrire la vie et inventer des histoires.

Tout d'abord John s'éparpilla dans plusieurs directions. Il laissa la poésie de côté (pour plus tard). Le reportage vécu, la satire, les sketches, les textes courts et les articles humoristiques se vendaient plus facilement. Il ressortit quelques histoires écrites à l'université, il tenta de les retravailler, mais abandonna vite cette idée. En fait, il lui était plus facile de repartir à zéro. Puisant dans son expérience européenne, il écrivit une nouvelle à partir de l'épisode du plongeon de Waldo, et un petit récit de voyage intitulé *Incursion en Espagne*. Ces deux textes essuyèrent d'abord un certain nombre de refus, puis il en vendit les droits à Julian Street, écrivain à la mode, pour la somme de cinquante dollars, et lorsqu'elles parurent dans le *Saturday Evening Post,* Reed n'était mentionné que comme co-auteur. Il trouvait des idées plus facilement qu'il n'écrivait. Pris entre deux désirs contradictoires, céder à son imagination

---

5. J. R. à Edward Hunt, 27 juillet 1911 (manuscrits J. R.).
6. Entretien d'Ida Tarbell avec G. Hicks, 31 octobre 1934 (manuscrits G. Hicks).

et faire vrai, John commença beaucoup de récits, mais en acheva peu. Deux textes cependant furent acceptés par le *Century* : c'étaient des contes plutôt humoristiques à la manière de O'Henry [7], qui racontaient l'histoire de Monsieur Vidocq, policier parisien extrêmement tâtillon. Un autre, intitulé *Portrait de Mrs Van,* qui brossait un tableau spirituel et raffiné de la vie des étudiants américains à Paris, lui fut retourné bien des fois, avant de paraître deux ans plus tard dans le *Smart Set*.

Les refus de manuscrits se multiplièrent durant le printemps 1911, aussi John décida-t-il de choisir des sujets plus précis. Steffens lui suggéra de faire une enquête sur les pompiers de New York ; ce service public fonctionnait très mal en raison de combines politiques. Ce genre d'articles était sans doute passé de mode ; en outre, son texte était ennuyeux et dépourvu de détails vivants, il n'est donc pas surprenant que personne n'en ait voulu. Consciencieusement, il retravailla son article et en fit un portrait de Croker, capitaine des pompiers ; là encore, pas d'amateur. Changeant de sujet et adoptant un style plus personnel, il décrivit les mésaventures des malheureux qui prenaient leur repas dans une nouvelle espèce de restaurant, les « Quick Lunch », dus au génie de « quelques Yankees rusés qui avaient découvert que manger ne vous coûtait pas seulement de l'argent, mais un temps précieux qu'on pouvait justement utiliser à faire de l'argent ». Dans ce récit, il montrait la bousculade inhumaine, le vacarme, l'insipidité des plats, et partait en guerre contre les établissements végétariens, où de grandes affiches mettaient les gens en garde contre « la dégénérescence morale causée par l'ingestion du steak Porter-house [8] ». Les éditeurs étaient sans doute suffisamment payés pour éviter de semblables « festins », car l'article fut également refusé.

Les premiers textes publiés de Reed étaient écrits dans un style plutôt plat ; ils glorifiaient l'individualisme. Le numéro de *Collier's* daté du 20 mai comportait un petit sketch, non signé, intitulé *Immigrants,* qui, dans la meilleure tradition de l'Amérique-terre-d'accueil, décrivait l'arrivée à New York d'un bateau amenant sa fournée d'Européens de l'Est. Frappés de stupeur par « l'immense muraille déchiquetée des gratte-ciel », ils chantaient, criaient et pleuraient de joie car « c'était l'Amé-

_____

7. O'Henry : pseudonyme de William Sydney Porter (1862-1910). Écrivain américain spécialisé dans la nouvelle. (N.d.T.)
8. « Le Quick Lunch », texte inédit (manuscrits J. R.).

rique, et le bonheur se trouvait juste de l'autre côté du fleuve [9] »...
En juin, *Trend* publia un autre de ses articles, ce qui arrondit
encore une fin de mois ; l'article, intitulé *La morale involontaire
du Gros Business,* et sous-titré « Fable pour les pessimistes »,
était une ennuyeuse et longue défense du capitalisme où Reed
s'efforçait assez laborieusement de prouver que le gros business-
man qui ne cherche que son profit parviendrait à créer, malgré
lui, une société à la fois belle, juste et libre.

Son travail pour les magazines et ses différentes tentatives littéraires absorbèrent John jusqu'à l'été 1911, mais il n'était pas
homme à rester enfermé chez lui. Il aimait la société, il avait
besoin de boire, de rire et de s'amuser. Deux de ses compagnons
d'alors étaient des vieux copains de Harvard : Walter Lippmann
qui collaborait à *Everybody's* et H. W. Kaltenborn qui était
reporter à l'*Eagle* de Brooklyn. Un jour, dans la rue, il rencontra Alan Seeger dont les yeux rêveurs et le teint pâle révé-
laient le poète romantique. Seeger alla emprunter un peu d'argent et emmena Reed dîner chez Petitpas, un restaurant français
familial et douillet situé dans la 29e Rue, où John Butler Yeats,
peintre irlandais exilé, présidait à la table des artistes ; il y
avait là John Sloan, Robert Henri, et de jeunes intellectuels
parmi lesquels Van Wyck Brooks. Ils discutaient tous avec passion des problèmes et des espoirs de l'art américain. La conversation était intéressante, mais John éprouvait un égal plaisir
à écouter les joyeux bavardages des ivrognes de la « Working
Girls Home », une énorme taverne enfumée, à deux étages,
aux murs couverts de fresques et ornés de têtes d'élans, qui
était envahie par une faune étrange : pickpockets, truands,
gangsters chics accompagnés de leurs dames endimanchées, et
gros Allemands ventrus.

Ces plaisirs strictement masculins, la bière, les cigares et les
discussions ne remplissaient pas une existence. New York ne
manquait pas de femmes agréables, et beaucoup d'entre elles
n'auraient pas dédaigné un élégant jeune homme qui de plus
avait quelque talent pour les lettres. Mais John les évitait ; il
écrivait presque toutes les nuits à Madeleine, essayant d'exprimer ainsi sa passion. Sans qu'il sût pourquoi, son ardeur s'était
peu à peu refroidie, au point que sa fiancée lui apparaissait
maintenant davantage comme un souvenir sentimental que
comme une femme réelle. Les lettres de Madeleine lui procu-

---

9. « Immigrants », *Collier's,* n° XLVII, 20 mai 1911, p. 10.

raient moins de plaisir que celles qu'il recevait de Waldo ; celui-ci décrivait ses orgies parisiennes, dans les ateliers d'artistes où s'ébattaient des lesbiennes et des modèles nus. A la fin du printemps, écrire à Madeleine devint un cauchemar. Après avoir retourné le problème dans tous les sens, il en vint à se demander s'il devait rompre ses fiançailles. Ses amis se bornaient à dire qu'un pacte était une chose sacrée, mais Steffens, plus expérimenté suggéra gentiment à John de ne pas épouser sa fiancée avant d'être sûr de l'aimer. Incapable de rompre avec le principe moral, inculqué dès l'enfance, selon lequel toute promesse est inviolable, Reed « était terrifié par le caractère solennel de l'événement [10] » : en fin de compte (il n'était pas homme à se plier aux conventions), il rompit définitivement au mois de juin.

Ses parents s'en montrèrent ravis. C. J. lui écrivait : « Tu as eu raison de casser, tu vas pouvoir mener ta propre vie, libéré d'une obligation et d'une responsabilité qui étaient au-dessus de ton âge [11]. » Il fut soutenu dans sa décision par les conseils de Waldo qui critiquait fort le mariage en tant qu'institution. Cette décision le soulagea, il avait l'impression d'être un autre homme, comme si, après avoir eu la vue troublée, il voyait clair de nouveau. Il confiait à Peirce : « Je croyais connaître les femmes et savoir ce qu'était l'amour... je m'aperçois que je n'en sais rien. » Jamais il n'aurait pensé que le grand amour qu'il avait vécu en France pourrait disparaître, ou que des problèmes quotidiens pourraient le contrecarrer. S'il avait fait venir Madeleine à New York, ç'aurait été un peu, selon sa propre expression, essayer de faire « du Louvre un gratte-ciel » ; en outre, ç'aurait été une folie : vu son maigre salaire, il ne s'en serait pas sorti. De ce désastre frôlé, il tira une bonne leçon : « J'ai perdu ma sentimentalité ; je pense que c'est la seule façon de devenir un véritable artiste. » Il comprit alors une vérité essentielle : « Un homme ne rencontre jamais de compagne prédestinée. Il y a des milliers de femmes avec lesquelles il peut se marier et être heureux. » Quant au mariage, ajoutait-il, il fallait « le faire vite, sans attendre, comme pour s'en débarrasser [12] ». Cette nouvelle façon d'envisager la question lui permit de profiter des occasions qui se présentaient. Au début

10. Lettre de J. R. à Waldo Peirce, 17 juillet 1911 (manuscrits J. R.).
11. Lettre de C. J. Reed à J. R., 10 juillet 1911 (manuscrits J. R.).
12. J. R. à Waldo Peirce, 17 juillet 1911 (manuscrits J. R.).

de juillet, le vœu de chasteté qu'il s'était imposé depuis ses fiançailles fut rompu.

Au cours de l'été 1911, John alla habiter à Greenwich Village. Il y rejoignait trois de ses amis qui avaient loué un appartement au troisième étage d'un vieil immeuble en brique, au 42 Washington Square South, non loin du carrefour de MacDougal Street. Le loyer s'élevait à trente dollars par mois ; les pièces étaient très hautes de plafond, les fenêtres larges ; il y avait d'immenses cheminées et un chauffe-bain capricieux, qui donnait de l'eau chaude l'été et froide l'hiver. Comme beaucoup d'autres immeubles situés à la limite de la zone des taudis, celui-ci était en grande partie habité par une nouvelle catégorie de locataires : des jeunes gens, filles et garçons, plus ou moins artistes qui préféraient les alentours du Village, avec ses petites rues tranquilles et tortueuses, au tourbillon épuisant de la métropole. De l'appartement, on apercevait, à travers les branches d'arbres, les demeures cossues des bonnes familles du quartier nord, mais la chambre de John donnait à l'est et au sud, sur l'arrière-cour misérable d'un immeuble occupé par des Italiens ; là, les enfants braillaient, les ouvriers battaient leurs femmes lorsqu'ils étaient ivres, et du linge de toutes les couleurs de l'arc-en-ciel pendait à chaque fenêtre [13].

Ses camarades étaient tous des anciens de Harvard : Robert Andrews et Alan Osgood avaient travaillé au *Lampoon* et Robert Rogers avait collaboré au *Monthly*. Andrews, qui était employé dans la filiale publicitaire de Lamont, Corliss et Cie, était un personnage désinvolte, très porté sur les femmes, tandis que le gros Rogers, reporter à l'*Eagle* de Brooklyn, avait conservé toute la raideur de sa Nouvelle-Angleterre natale. Osgood, qui travaillait dans une banque, avait quelque chose du dandy ; toujours prêt à faire des virées nocturnes sur les plages de Staten Island ou sur le Bowery, il aimait aussi se rendre dans les petits bars populaires dont John appréciait le pittoresque. Le 42 Washington Square acquit peu à peu la réputation d'un endroit où l'on s'amusait ferme, et devint une sorte d'étape pour les gens de Harvard en déplacement. Les visiteurs couchaient par terre : c'était Alan Seeger qui, débarquant de sa cabane des forêts du New-Hampshire, apportait à Manhattan une nouvelle fournée de poèmes, ou Joe Adams qui travaillait

---

13. J. R., *La Vie de bohème,* New York, imprimé à compte d'auteur en 1913. Les citations descriptives dans les trois paragraphes suivants sont tirées du même ouvrage.

maintenant dans une banque de Chicago, Edward Hunt qui allait être nommé assistant du doyen de Harvard, ou encore Harry, son frère, qui adorait faire des excursions dans la capitale.

Les journées étaient plutôt mouvementées. Cela commençait avec « l'horrible sonnerie du réveil », et la course folle, entre la cuisine et la salle de bains, des quatre garçons qui s'habillaient. Ils se bousculaient autour du lavabo, avalaient leur café à la hâte avant de s'engouffrer dans le métro. John avait alors devant lui huit heures de travail, ce qui parfois n'était pas de trop pour les conférences de rédaction, les interviews et les changements de maquette de dernière minute ; il y avait aussi des journées plus tranquilles, souvent coupées de déjeuners copieusement arrosés. Le soir, John rentrait à l'appartement ; alors commençaient d'interminables palabres concernant le dîner. D'ordinaire, c'était la situation financière qui tranchait. Heureusement, le quartier abondait en petits restaurants italiens, tous des entreprises familiales : Paglieri's dans la 11ᵉ Ouest, Bertolotti's dans la 3ᵉ, Mori's dans Bleecker Street. On y trouvait de bons pains chauds, des « antipasti » épicés, des montagnes de pâtes et de la sauce tomate à des prix abordables même pour les plus modestes. Après le dîner, « comme le vin rouge donnait envie de se dégourdir les jambes », le groupe déambulait dans les rues, passait devant des familles misérables assises sur les marches des escaliers, des couples enlacés sur les bancs du square, tout en riant et en plaisantant. De retour au 42, ils fumaient après avoir « ouvert les fenêtres sur la nuit grondante », et se mettaient à jouer aux cartes, ou bavardaient interminablement ; quelquefois ils trouvaient le temps d'écrire un poème.

Les amis se succédaient : Bob Hallowell, bellâtre toujours tiré à quatre épingles, qui était dessinateur au *Century Magazine* ; le placide Lippmann, qui racontait ce qu'il venait de lire dans Marx ou Freud ; Seeger, qui faisait de « sa voix argentine » des discours solennels sur l'esthétique poétique ; le sculpteur Arthur Lee, qui prônait « l'inspiration de l'art moderne » ; Harry Kemp, le poète vagabond qui venait de quitter sa dernière conquête, et toujours prêt à discuter de tout ; Harry Reeves, élégant jeune homme blond et nietzschéen convaincu. C'étaient des discussions intellectuelles où s'affrontaient les points de vue les plus récents et les dernières doctrines en matière d'art et de politique. Vers minuit, les voix se faisaient rauques et fatiguées. Pour se rafraîchir, on se rendait au café de l'hôtel Brevoort sur la Cinquième Avenue, ou bien au Lafayette, plus proche ;

là, au milieu de Français plus âgés qui jouaient aux échecs, de musiciens italiens bruyants, de toutes sortes de poètes et d'artistes en herbe, le cointreau ou le vin déliait à nouveau les langues, et la conversation repartait jusqu'au moment où les serveurs empilaient les chaises sur les tables et se mettaient à balayer. Tard dans la nuit, Reed et ses camarades passaient sous l'arc de triomphe pseudo-romain ; en rentrant ils croisaient dans l'ombre des couples étendus sur l'herbe du square. Le soleil n'allait pas tarder à se lever, et il leur fallait un peu de sommeil pour pouvoir soutenir le même rythme le lendemain.

En septembre, Steffens, qui venait de perdre sa femme, vint s'installer au deuxième étage de leur immeuble comme le lui demandait John. La relation de maître à élève qui s'était jusqu'alors établie entre eux fit place à l'amitié. Ils pouvaient s'apporter mutuellement beaucoup de choses. Steffens avait une coiffure à la chien, un large front, et il clignait sans cesse des yeux derrière des lunettes rondes. C'était un journaliste réputé, qui était allé partout et connaissait tout le monde. Cultivant volontiers le paradoxe, cet intellectuel sympathique était légèrement désabusé ; aussi fut-il stimulé par l'énergie et l'enthousiasme de Reed. A n'importe quelle heure du jour ou de la nuit, John faisait irruption chez lui pour parler de ses dernières aventures ou de sa dernière découverte : une pièce de théâtre, une jeune fille, un videur de boîte de nuit, un groupe de vagabonds ou un chanteur de cabaret. Leurs conversations portaient sur toute une série de sujets, de la politique au mariage en passant par le socialisme et la littérature ; tour à tour badins et sérieux, ils échangeaient des anecdotes, des informations, se lançaient dans de grandes théories et rivalisaient d'idées originales. L'influence de Steffens sur Reed fut considérable. En parlant avec lui, il avait l'impression de se comprendre soudain : « C'est comme si je le découvrais, ainsi que moi-même et le monde entier, avec des yeux neufs. Je lui parle de ce que je vois, de ce que je pense, et grâce à lui, cela devient beau et prend un sens. Il ne juge pas, il ne donne pas de conseils, mais avec lui tout devient clair. » C'était vrai pour les questions intellectuelles, mais aussi pour la vie personnelle. Lorsque John était à sec, il allait emprunter de l'argent à Steffens ; quand il avait des difficultés pour écrire ou des ennuis dans son travail, il s'adressait à Steffens qui l'écoutait patiemment jusqu'à ce que Reed ait trouvé la solution lui-même grâce à la profonde compréhension de son ainé. Lorsqu'il tombait amoureux, et cela lui arrivait souvent, Steffens faisait appel à son bon sens : « Tu n'es pas amoureux, disait-il, ou plutôt tu ne devrais jamais penser : Bon sang ! voilà que je suis encore en train de tomber amoureux. Tu ne l'es pas plus que tu ne l'as été auparavant. Alors, réfléchis. Quand tu seras vraiment épris, tu le sauras... Attends que cela t'arrive, ça vaut le coup d'attendre [14]... » Steffens, après Copeland, fut le second qui engagea John à « ne rien faire qui n'en vaille la peine ».

Comme Copeland, Steffens répétait sans cesse le même conseil : il fallait sortir, voir le monde, et ensuite seulement écrire ce qu'on avait vu. John n'avait guère besoin qu'on le pousse dans cette voie. New York était une ville magique où l'on trouvait de tout. Le Village avec ses épiceries de luxe, ses librairies, ses galeries d'art, ses bistrots et sa faune (hommes aux cheveux longs et femmes coiffées à la garçonne, artistes, écrivains, révolutionnaires, bohèmes) était le centre de son existence en même temps qu'un point de départ pour l'exploration : « Toute l'aventure du monde était réunie près de moi ; à moins d'un mile, je pouvais trouver tous les pays étrangers. » Il apprit vite à les connaître tous : Chinatown, Little Italy, le quartier syrien, le village allemand et le quartier juif des faubourgs de l'East Side. A pied, il se rendait partout, sur le Bowery, où de longues files de clochards se pressaient devant le Secours populaire et devant les asiles de nuit, à la halle aux poissons de Fulton, « où les coquillages, les fruits de mer luisaient sous la lumière bleue des lampes à arc qui crépitaient ». Il allait boire un verre chez Mac Sorley's ou chez Sharkey's, ou encore dans les gargotes du Tenderloin ; il mangeait dans d'obscurs petits restaurants étrangers, discutait avec les filles qui faisaient le trottoir près de « Satan's Circus », sur les quais avec les débardeurs espagnols, avec les matelots de la marine marchande qui profitaient de leur séjour à terre pour boire un bon coup, ou encore avec les vieux clochards sur les bancs des parcs. Il apprenait auprès d'eux d'étranges leçons : comment se procurer de la cocaïne, pénétrer dans des tripots clandestins, savoir où l'on pouvait embaucher un tueur à gages. Il acceptait parfois de curieuses invitations : un bal de gangsters ou un réveillon organisé par un gros bonnet démocrate au profit des malheureux.

Cette fascination pour le monde souterrain de Manhattan ne l'empêchait pas d'apprécier le luxe de la grande ville. John

---

14. Lettre de Steffens à J. R., 14 juin 1912 (manuscrits J. R.).

était attiré par la population élégante et les magasins chics de la cinquième Avenue ; il fréquentait les restaurants chers pour faire de l'épate. Il raffolait des spectacles nouveaux de Broadway et du Metropolitan Opera ; il allait aussi bien voir les Ziegfeld Follies que l'*Othello* de Verdi, des spectacles populaires où se produisaient Ethel et John Barrymore ou des œuvres sérieuses comme *Œdipe Roi* ou *Père* de Strindberg, ou des pièces de Synge que jouait une troupe irlandaise en tournée. Il adorait les meetings aériens de Long Island et prenait le train pour Princeton ou New Haven lorsque l'équipe de football de Harvard s'y rendait ; il soutint l'équipe des « Giants » contre les « Athletics » dans la coupe du monde ; il allait aux expositions d'art contemporain du « National Art's Club », et ne dédaignait pas les plaisirs clinquants de Coney Island. En quelque compagnie que ce fût, Reed se plaisait partout où il allait.

Tous les plaisirs que New York pouvait offrir ne lui masquaient pas les véritables problèmes, l'exploitation féroce de l'homme, si évidente dans un centre urbain. Les ghettos étaient certes pittoresques, mais John sentait bien qu'ils étaient en contradiction avec le développement de la société. La solution de ces problèmes était liée aux théories qui impliquaient un changement radical de la société, aux idées révolutionnaires de certains de ses amis. Il en avait également entendu parler lors de la conférence qui s'était tenue au Carnegie Hall, où Emma Goldman discutait avec Solon Fieldman sur le thème : « Socialisme ou anarchisme ». La théorie le mettait mal à l'aise, et il en revint à sa vieille idée : les villes étaient néfastes parce qu'elles ne suivaient pas le rythme de la nature. Cependant sa propre expérience lui montrait que la vie y était palpitante, « plus rapide, plus passionnée [15] ». Comme ce problème ne pouvait guère trouver de solution rationnelle, John le résolut en fuyant de temps en temps Manhattan. Le samedi, après s'être habillé de vieux vêtements, il prenait le train pour Redding Ridge ; de la gare, il fallait faire quinze kilomètres à pied pour arriver jusqu'à la ferme d'Ida Tarbell ; il y passait le week-end à nourrir les poules et à se prélasser sous les arbres. Un dimanche, lors d'une promenade dans le comté de Westchester, il découvrit une maison inoccupée à cinquante kilomètres de New York ; bâtie au sommet d'une colline, elle était entourée de pommiers. Il revint en ville l'esprit fourmillant de projets : il la louerait

---

15. « Essai », fragment inédit (manuscrits J. R.).

avec des amis, achèterait une auto d'occasion et changerait d'emploi. Sans plus tarder, il écrivit à Waldo de venir le rejoindre car, disait-il, il y avait là-bas « de ravissantes collines à peindre [16] ».

Ces beaux plans tombèrent à l'eau, comme bien d'autres projets d'ailleurs, qui concernaient tous l'achat de fermes ; en effet, malgré l'attrait que la nature exerçait sur lui, John ne pouvait s'arracher à New York qui l'envoûtait. En ce moment surtout, où il commençait à recueillir les fruits de ses efforts. Il faisait partie de l'équipe permanente de l'*American* et contribuait à sa publication. Le numéro de novembre 1911 comportait deux courts articles de John ; l'un racontait une journée qu'il avait passée à Harvard avec William James, et l'autre était un portrait de Copeland. Dans les mois qui suivirent, il fit d'autres articles sur des personnalités en vue, publia quelques poèmes, tandis que des histoires et de petits sketches paraissaient dans d'autres journaux. On le remarqua suffisamment pour qu'il soit élu en décembre au « Dutch Treat Club ». Lors des déjeuners hebdomadaires, il fit la connaissance d'éditeurs, d'écrivains et d'artistes connus.

D'autres personnes, qui n'appartenaient pas au monde des journalistes new yorkais, devaient encore augmenter sa satisfaction. Au début de l'été 1911, Copeland lui écrivit pour le féliciter « de ses progrès et de sa réussite » ; quelques mois plus tard, il ne tarissait pas d'éloges sur l'article que John lui avait consacré et qui, disait-il, « loue votre vieil ami bien au-delà de ce qu'il mérite [17] ». Il pressait John de mettre à exécution une idée que Reed et Oswood avaient caressée un moment : il s'agissait de s'embarquer comme simple matelot et de faire sur un voilier le tour du cap Horn. Au début de l'année 1912, Robert Benchley qui était rédacteur au *Lampoon* lui écrivit pour lui demander conseil sur la façon de débuter : « Me conseilleriez-vous de m'attaquer directement à la capitale et, dans ce cas, quel est à votre avis, la meilleure façon de s'y prendre ? Je m'adresse à vous qui avez su si rapidement vous tailler une ·place au soleil [18]. » Edward Hunt lui demandait souvent des tuyaux pour pénétrer dans le monde de l'édition et

---

16. J. R. à Waldo Peirce, 17 juillet 1911 (manuscrits J. R.).
17. Lettres de Charles T. Copeland à J. R., 6 mai et 18 octobre 1911, et 20 février 1912 (manuscrits J. R.).
18. Lettre de Robert Benchley à J. R., 3 février 1912 (manuscrits J. R.).

lui envoyait des poèmes que John essayait de placer dans des magazines.

John manquait beaucoup à ses parents. Margaret, qui se plaignait de sa solitude, écrivait : « Nous avons de grandes ambitions pour toi, plus grandes sans doute que celles que tu peux avoir toi-même. » Elle faisait des critiques sur ses premiers textes et, craignant qu'il n'écrivît sans soin, elle le mettait en garde : « Surtout, ne bâcle aucun travail, si tu peux l'éviter [19]. » C. J. était beaucoup plus positif : « Je pense à toi et parle de toi tous les jours ; à chaque instant je suis fier de toi. » Tandis que Margaret donnait surtout des nouvelles de la famille, son père lui parlait des événements politiques en Oregon. C. J. participait activement au mouvement qui voulait assurer à Roosevelt et non à Taft l'investiture du parti Républicain pour les élections de 1912 ; il fut ravi d'apprendre que Steffens avait introduit John auprès de Théodore Roosevelt : « C'est un homme, c'est même le plus grand Américain vivant. Pour l'époque, il est aussi important que Lincoln. » Les finances de la famille étaient dans un piètre état. C. J. se lamentait d'avoir été accablé de dettes sa vie durant et suppliait son fils « de ne jamais s'endetter et même d'essayer d'économiser un peu ». Mais il savait également raconter ses soucis d'une façon plaisante : se plaignant de ce qu'aucun des membres de la famille Green n'ait jamais su ce qu'était l'argent, il décrivait ainsi Charlotte (sa belle-mère), au cours de son dernier périple extravagant : « Hier, nous avons reçu une grande photographie qui la représente montée sur un chameau, s'accrochant désespérément à un cheikh bédouin qui semble avoir grande envie de la découper en côtelettes avec son cimeterre. [...] A l'horizon, on aperçoit le Sphynx qui contemple ce spectacle avec une mine dégoûtée. [...] On peut dire que la race des Pharaons a eu beaucoup de chance de n'être plus qu'un souvenir avant qu'elle n'envahisse l'Egypte. Si Moïse avait pu la soudoyer, il y aurait eu dans ce pays huit plaies au lieu de sept [20]... »

L'admiration que lui témoignaient sa famille, ses amis et ses collègues, les succès qu'il remportait en série, eurent sur Reed un effet analogue à celui qu'ils avaient eu à Harvard : la tête lui tourna ostensiblement. Cela n'apparaissait évidemment pas devant n'importe qui et en toute circonstance. Avec ses amis les plus proches, il était toujours le même : vivant, volon-

19. Lettre de Margaret Reed à J. R., sans date (manuscrits J. R.).
20. Lettre de C. J. Reed à J. R., 2 mars 1912 (manuscrits J. R.).

tiers bruyant, très bavard et souvent original dans sa façon de parler et de se conduire. En fait, c'était un bon copain, qui prêtait volontiers son argent et ses affaires, compatissait aux malheurs d'autrui et savait apprécier les œuvres de ceux qu'il aimait. En revanche, ses nouvelles relations — et d'autres plus anciennes — le trouvaient quelquefois insupportable. Certains le jugeaient vaniteux, foncièrement intéressé, cherchant la gloire à tout prix. Carl Chadwick, qui revenait de France où il s'était marié avec Geneviève, la sœur de Madeleine, le traita de romantique prétentieux, qui n'agissait que pour attirer l'attention [21]. Thomas Beer, qui étudiait le droit à l'université de Columbia, décela chez John deux aspects contradictoires. Il pouvait être antipathique : lorsque Thomas l'avait invité au club de Yale, John avait d'abord essayé d'être drôle, puis « il avait enfilé des platitudes et des lieux communs, en faisant le récit de ses aventures au Quartier latin, exaspérant les convives qui avaient tous vécu à Paris » ; il lui arrivait aussi d'être sombre : un jour d'hiver où il pleuvait, Beer l'avait rencontré sur les quais. Planté devant l'Hudson, les mains dans les poches de son manteau râpé, il fixait la rivière d'un air maussade ; John lui parla du Pacifique, lui décrivant la ville de Tacoma où il connaissait un vieil aveugle qui cultivait des roses dans sa cour, il lui parla du bruit de l'océan étouffé dans la brume grise de l'automne, et des bordels misérables qui s'étageaient sur les pentes, de l'odeur du bois de cèdre qu'on brûlait à Portland... Emu, Beer en conclut que John n'était pas un brillant causeur mais qu'il savait rendre belles les choses qu'il aimait [22].

Le poseur bruyant, le rêveur secret avaient toujours été présents en Reed ; la vie à New York ne fit que rendre le clivage plus net. Au début de cette année 1912, son désir de réussite et sa volonté de rester lui-même allaient entrer en conflit. Il n'était pas entièrement conscient de ce problème, mais il se heurtait à la principale difficulté qui attend un artiste dans une société où l'homme est classé selon sa réussite : un hiatus se crée entre ce qu'il a envie de dire et les nécessités commerciales. Cela se compliquait encore des doutes, des craintes et des espoirs qu'il éprouvait quant à sa propre valeur.

La poésie fut son premier champ d'expérience. Après avoir été un peu à court d'inspiration, il avait recommencé à écrire

---

21. Lettre de Carl Chadwick à J. R., sans date (manuscrits J. R.).
22. Tiré du texte de Thomas Beer intitulé « Playboy », *American Mercury*, n° XXXII, juin 1934, p. 180-181.

des poèmes dont plusieurs furent acceptés par l'*American* et d'autres publications au printemps 1912. Pourtant, le fait que ses textes soient acceptés ne signifiait pas qu'il fût un poète. Plus d'une fois, il avait été obligé de renvoyer à Edward Hunt des poèmes (qu'il trouvait merveilleux) parce qu'ils n'étaient pas assez commerciaux. Il pouvait toujours se dire que les poèmes de Hunt étaient trop « littéraires » ; mais il savait bien que les journaux n'accepteraient que la poésie la plus insignifiante : « des petits couplets qui faisaient se pâmer les clubs féminins de Washington [23] ». C'était troublant pour lui d'entendre les éditeurs dire que la poésie était un genre démodé, et de les voir ensuite accepter ses poèmes.

Il traversait une difficile période de réajustement ; il essayait de sortir de ce qu'il avait fait et de se débarrasser du romantisme du XIXe siècle. Il était encore capable d'écrire ce genre de chose : « La lune à l'œil lourd / S'engloutit somnolente dans le sein pâle de l'Aurore » ; mais New York lui communiqua un élan nouveau. Dans son *Hymne à Manhattan,* si le style n'était pas neuf, le sujet l'était :

« O qu'un jeune Timothée joue de sa lyre
Et chante un hymne à New York ! Voici que chaque tour,
[chaque flèche
Allume un immortel feu.
Cette cité dont on méprise
Les membres informes, la force brute
A des mains émoussées tant elle a voulu saisir, mains de
[Titan, proches des cieux.
C'est une merveille du monde qui surpasse les Sept autres [24]. »

Pour décrire des hommes en train de construire un gratte-ciel, il adoptait une écriture plus ferme et un ton plus original :

« Brouhaha de langues inconnues, sifflement des lampes,
Fracas, fusion ; crissement des engrenages,
Le dos nu d'un géant aux gros muscles noués,

---

23. Lettre de J. R. à Edward Hunt, 20 juillet 1911 et 29 février 1912 (manuscrits J. R.).
24. Paru dans l'*American Magazine,* n° LXXV, février 1913, en première page. Texte repris dans *La Vie de bohème,* p. 34, et dans *Tamburlaine,* Frédérick C. Bursch ed., Riverside, Connecticut, 1917, p. 16.

On entrevoit une épaule énergique taillée dans l'acier
Et au-dessus de tout, par delà les plus hauts sommets,
Un fantôme magique s'élève dans le ciel [25]. »

Pour changer, John s'essaya aux vers libres, tentant de saisir sur le vif des aspects de la vie citadine. Aucune de ces tentatives ne le satisfit entièrement ; il n'avait d'ailleurs publié que des vers rimés, qu'ils soient empreints d'humour ou expriment une vision assez romantique du monde.

Au grand désappointement de John, ses œuvres les plus achevées ne furent pas acceptées : tel fut le cas de *Sangar,* habile mélange de politique et de mythologie. Cette œuvre était un hommage à Steffens, elle s'inspirait des efforts de son aîné pour apaiser une violente querelle entre le gros capital et le monde du travail. A la fin de 1911 en effet, Steffens se rendit à Los Angeles pour couvrir le procès des frères Mac Namara, leaders syndicaux des ouvriers de la sidérurgie, accusés d'avoir fait exploser une bombe dans les locaux d'un journal antisyndicaliste, le *Los Angeles Times.* Cet attentat avait fait onze morts parmi les employés. Malgré le large soutien de tous les travailleurs du pays et des intellectuels de l'Ouest, les frères étaient pratiquement sûrs d'être condamnés à mort. Steffens, qui s'était engoué d'anarchisme chrétien — en fait, il était probablement le seul anarchiste chrétien de tous les Etats-Unis — pensait que les autorités locales ne gagneraient rien à ces exécutions. Il mit donc sur pied une sorte de compromis entre le directeur du *Times,* le procureur et l'avocat de la défense, Clarence Darrow. Les termes de ce compromis étaient simples : plutôt que de continuer à proclamer leur innocence, les frères devaient avouer leur crime, et ils ne seraient condamnés qu'à des peines légères. Les frères Mac Namara finirent non sans mal par accepter ce marché, mais le plan échoua. Le fait de s'être déclarés coupables leur ôta le soutien du mouvement ouvrier et de plus, ruina la candidature de Job Harriman, un socialiste qui auparavant avait de bonnes chances d'être élu maire de Los Angeles. Fait plus grave, l'un des frères fut condamné à quinze ans de prison et l'autre à perpétuité. Steffens, attaqué par les travailleurs et les intellectuels, revint à Washington Square, brouillé avec beaucoup de ses anciens amis.

John fit son possible pour le réconforter. Il avait suivi l'af-

---

25. « Les débuts d'un gratte-ciel », *American Magazine,* n° LXXIII, octobre 1911, p. 735. Repris dans *Tamburlaine,* p. 17.

faire de Los Angeles, sans trop savoir que penser de ces tractations ridicules, mais dans les conversations il défendait passionnément les frères Mac Namara. Comme la discussion politique
n'était pas son fort et qu'il s'avérait incapable de convaincre
qui que ce soit, il exprima son admiration pour Steffens dans
un poème. La veille de Noël, après avoir vidé une bouteille
de bon vin dans un restaurant, il récita son poème, intitulé
*Sangar,* à Steffens qui l'apprécia. C'était une sorte d'allégorie
décrivant une grande bataille au cours de laquelle un chevalier
pas très jeune — Sangar, jadis féroce guerrier — bondit dans
la mêlée, sans armes. Au nom du Christ, il essaie d'arrêter le
carnage. Il se produit alors un flottement dans les rangs des
soldats, puis l'intrépide beau-frère de Sangar le maudit et le tue.
Tandis que la bataille continue à faire rage, le chevalier arrive
aux cieux :

« Oh ! Quelle joie il y eut au ciel quand Sangar arriva !
La douce Marie pleurait, elle soigna et pansa ses blessures,
Dieu le Père le tira de son désespoir
Et Jésus saisit sa main et se mit à rire, à rire [26]... »

Cet hommage clair et bien écrit désignait nettement le Christ
comme le symbole du courant révolutionnaire que Steffens avait
voulu encourager. Il y avait peut-être une autre signification,
beaucoup plus personnelle cette fois, mais ni l'un ni l'autre
n'avaient le goût de s'interroger là-dessus.

*Sangar* semblait n'intéresser aucun éditeur et John fut encore
davantage convaincu que la poésie engagée n'était pas faite
pour leur plaire. Il en eut bientôt une autre preuve, cette fois
avec ses récits. Il en commençait beaucoup, qu'il n'arrivait
jamais à finir ; il affectionnait les récits chevaleresques et les
contes humoristiques ; cependant, à la fin de 1911, son expérience de la ville commença à transparaître dans ce qu'il écrivait.
Quelques pages sur des enfants immigrés, sur des artistes crevant de faim dans leur mansarde, et des portraits de jeunes
femmes élégantes qui se liaient avec des dandys à la mode,
finirent par constituer de véritables histoires ; certaines d'entre
elles furent extrêmement difficiles à placer. La plus réussie
était une sorte de conte bref dans un style assez dépouillé : une

---

26. « Sangar », *Poetry,* n° 1, décembre 1912, p. 71-74. Repris dans
*Tamburlaine,* p. 11-13, et dans une plaquette, Frederick C. Bursch ed.,
1913.

fille du dancing populaire de Hay Market, qui met de l'argent de côté pour se payer un voyage en Europe, rencontre un aristocrate sud-américain. Il en fait sa maîtresse et l'emmène à Rio. Accablée par le mal du pays, elle finit par revenir à New York pour reprendre son emploi dans le night-club clinquant et vulgaire ; elle se trouve finalement plus heureuse là, au milieu de ses amis et de ses clients, qu'avec un aristocrate étranger.

Cette histoire — *La Raison du cœur* — collectionnait les refus ; aussi Reed, mécontent, demanda-t-il des explications au directeur d'*Everybody's*. Celui-ci lui fit de grands compliments, mais il ajouta que seuls Flaubert ou Maupassant avaient le talent nécessaire pour écrire ce genre de chose. Il ajoutait :

« Notre journal se vend par abonnements ; aussi le père de famille, sachant par les précédents numéros que nous évitons d'aborder les problèmes sexuels, le laisse-t-il entrer chez lui sans penser un instant qu'il faudrait le cacher. Ses enfants le liront et peut-être même avant lui. Il compte donc sur nous pour en censurer le contenu. C'est la raison pour laquelle nous devons faire extrêmement attention aux histoires que nous publions. Vous avez travaillé pour l'*American,* vous devez connaître leur opinion là-dessus. Il nous est malheureusement impossible de ne pas tenir compte de cet état de fait [27]. »

John avait beau ne pas être d'accord avec cette mentalité, il devait bien reconnaître qu'elle prévalait dans les bureaux de

---

27. Lettre de Gilman Hall à J. Reed, 12 juin 1912 (manuscrits J. R.). Quelques mois plus tôt, John avait essuyé un refus analogue de la part de l'*Adventure Magazine*. Il avait alors reçu une lettre d'un des rédacteurs qu'il connaissait (écrite le 9 septembre 1911) : « Voyez-vous John, votre histoire est fondamentalement immorale, or toutes les « bonnes » aventures sont tout à fait morales... Vous devriez vous montrer moins audacieux, ou si vous devez l'être absolument, soyez-le d'une manière conventionnelle. Alors l'*Adventure* se fera un plaisir d'examiner vos prochains textes. » C'était là un problème que d'autres écrivains connaissaient bien. Quelques années plus tard, James Oppenheim pastichait ainsi, dans le *Mystic Warrior,* les conseils d'un directeur littéraire :

« Peu importe ce que vous avez à dire, il y a une façon de le dire
De manière que tout le monde le comprenne...
C'est extrêmement simple — bien sûr il faut faire quelques sacrifices.
Ne soyez pas trop lugubre, ni trop sordide
N'allez pas fourrer votre nez dans les latrines,
N'allez pas heurter les convictions ni la foi des braves gens,
Ne parlez de politique, ni de sexe, ni de socialisme,
Ne soyez pas trop intellectuel, et que votre histoire se termine bien,
Bref, rassurez les bonnes gens... »

rédaction. En attendant, il dut ranger le récit dans ses tiroirs.

Les journaux, qui n'acceptaient ni poésie engagée, ni récits originaux, ne semblaient pas très bien convenir aux derniers textes de Reed ; cependant il restait une chance que John n'avait pas encore tentée : le reportage. Avec Steffens, il avait appris que le reportage pouvait être un art, une façon de dire la vérité avec du talent, de l'esprit et du style. John savait que ses deux articles publiés — des portraits de personnages en vue, qui avaient suivi celui de Copeland — étaient plutôt insignifiants [28]. Il se mit en quête de sujets plus conséquents et finit par en trouver un qui l'intéressait de près : Harvard. Son attitude à l'égard de l'université était restée ambiguë. Cela apparaissait encore dans un de ses récits, où le personnage principal était un aristocrate épuisé et impuissant qui vivait à New York. Contrastant avec ses allures de dandy et sa conduite ridicule, il y avait un journaliste original, qui ne mâchait pas ses mots — probablement un autoportrait —, aimant s'habiller d'une façon extravagante, et qui restait assis pendant des heures au « Harvard Club » en compagnie de deux rustres de son espèce à fumer, à boire et à ricaner en racontant des histoires vulgaires [29].

Satisfait de cette œuvre, John la montra à plusieurs de ses amis. Lorsque Bob Hallowell, qui lui reprochait le portrait de l'aristocrate, en vint à dire que ses sarcasmes risquaient de nuire à l'université, Reed devint furieux. De vive voix d'abord, dans une lettre ensuite, il répliqua sèchement que de toute façon Harvard était hors d'atteinte et que personne ne pouvait lui nuire avec des mots. Il ajoutait que ce n'était pas le snobisme qu'il méprisait, au contraire il le trouvait « pittoresque ». Il n'y avait, disait-il, que deux sortes de gens qui critiqueraient son tableau : « les vieux prétentieux, qui autrefois avaient jugé ces manières ridicules et l'avaient écrit dans le *Lampoon,* et les jeunes prétentieux qui se prenaient beaucoup trop au sérieux ». A la fin de la lettre, il mettait un peu d'eau dans son vin : « Que ma maudite arrogance ne te blesse pas, je crois que nous nous connaissons suffisamment pour pouvoir parler de cela [30]. » L'amitié n'était pas en cause. Les commentaires d'Hallowell,

---

28. Les deux portraits suivants furent ceux de « Frederick Muir », *American Magazine,* n° LXXIII, avril 1912, et de « Joseph E. Ralph », *ibid.,* n° LXXXIV, octobre 1912, p. 679-681.

29. « De retour au pays », texte inédit (manuscrits J. R.).

si vieillots soient-ils, touchaient un point encore sensible. Les blessures que lui avait infligées la vie universitaire mettaient longtemps à se cicatriser.

C'est en février 1912 que lui vint l'idée d'écrire un article sur Harvard ; elle prit forme à la fin du mois suivant, lors d'une réunion d'anciens élèves qui s'était tenue à Boston, et à laquelle John s'était rendu — c'est du moins ce qu'il prétendait — pour se moquer « de la ploutocratie de ses camarades de la Nouvelle-Angleterre [31] ». La rédaction de l'*American* lui avait déjà donné son accord pour publier une enquête intitulée : « Harvard, centre du monde intellectuel » ; John participa aux discussions concernant un règlement récent qui interdisait toute activité politique sur le campus. Cette interdiction faisait suite aux activités des radicaux qui avaient continué à faire venir des progressistes, des socialistes et — ce qui aggravait encore leur cas — des suffragettes dans l'enceinte sacro-sainte de l'université. Faisant sienne la cause des étudiants, Reed n'eut bientôt qu'un objectif : son article raconterait l'histoire de la « renaissance de Harvard » et expliquerait l'importance qu'avait eue ce mouvement révolutionnaire dans les domaines politique et artistique.

Enthousiasmé par cette idée, John fit des recherches, relut les journaux d'étudiants des années précédentes, alla interviewer des amis et des condisciples, pressa Edward Hunt, W. Lippmann et quelques étudiants révolutionnaires de lui fournir des articles, des documents et des témoignages sur ce qui s'était passé depuis 1908. Ce travail lui prit tout son temps mais il était heureux. En avril, après avoir rassemblé un nombre impressionnant de faits, de théories et de déclarations enthousiastes, il se déclara persuadé que son œuvre serait « ce qu'on avait écrit de mieux sur Harvard [32] ». A la fin du mois, il compléta un manuscrit qui ne comportait pas moins de 20 000 mots et l'expédia à ses amis pour qu'ils apportent d'éventuelles corrections sur les faits et des critiques sur l'interprétation qu'il en donnait.

« La renaissance de Harvard » était un bon article. Beaucoup trop long, souvent emphatique, il était néanmoins sérieusement documenté et traduisait bien l'effervescence des étudiants et des professeurs au moment où ceux-ci avaient compris que le savoir avait un rapport direct avec le monde extérieur. Il reflétait

---

30. J. R. à Bob Hallowell, 19 mars 1912 (manuscrits J. R.).
31. J. R. à Edward Hunt, 29 février 1912 (manuscrits J. R.).
32. *Ibid.*, 1er avril 1912 (manuscrits J. R.).

bien l'ardeur qu'ils avaient mise à défendre le droit à la libre parole et à la contestation. John plaçait fort justement Lippmann et le club socialiste au cœur de ces événements, et faisait des fameuses élections démocratiques de 1910 — celles où il avait changé de camp — une conséquence directe du mouvement. Ses amis, ainsi que les révolutionnaires, se déclarèrent ravis du résultat ; toutefois, certains jugèrent que sa vision poétique l'avait entraîné à des exagérations. Malheureusement, les rédacteurs de l'*American* ne partagèrent pas cet enthousiasme. Effrayés des conséquences qu'un soutien aussi évident aux thèses des étudiants révolutionnaires ne manqueraient pas d'avoir, ils eurent peur de s'attaquer à Harvard, que l'on considérait comme le rempart du conservatisme et des intérêts financiers. Ils commencèrent par demander à Reed de réduire son ouvrage à 6 000 mots, puis trouvèrent que décidément le ton et le contenu devaient en être modifiés. John acceptait à la rigueur les coupures, mais pas les changements. A la fin de mai, pris d'un accès de désespoir, il en vint à conclure qu'une œuvre falsifiée serait pire que pas d'œuvre du tout, aussi l'enquête ne parut-elle jamais [33].

Cet article avait été un essai de réflexion sur ces années passées à l'université, une occasion d'affirmer ce qui était important et de se débarrasser de ce qui ne l'était pas. Ce fut aussi à partir de ce moment que l'opinion de Reed vis-à-vis des journaux changea. Avec les rédacteurs de l'*American,* il avait souvent discuté du contenu du journal, et la nuit, quand il ne pouvait dormir, il rêvait que la politique de la rédaction se modifiait. Il précisa son attitude dans un mémo de trois pages. En tant que membre de l'équipe de rédaction, il désirait s'en tenir aux pratiques quotidiennes du journal : il attaquait l'aspect prétendument démocratique de son contenu, et la règle hypocrite selon laquelle il fallait écrire de façon à ce que « la personne la plus simple puisse comprendre ». C'était la mort des « grands génies littéraires, celle de l'artiste qui s'adressait aux plus intelligents ». S'appuyant sur Nietzsche, Shaw, Whitman, Emerson, Shelley et Ibsen, et faisant écho à un article de H. G. Wells qui venait de paraître dans l'*Atlantic Monthly,* il écrivait : « Un véritable artiste continue à créer pour l'amour de l'art, qu'il soit publié ou non. » Après tout, les écrivains n'avaient pas besoin des journaux, et désormais il n'écrirait plus expressément

---

33. *Ibid.,* 29 mai 1912 (manuscrits J. R.).

pour eux, bien qu'il souhaitât sincèrement que ce qu'il choisirait d'écrire fût considéré comme digne d'être publié [34].

Avant de pouvoir mettre en pratique ces nouvelles résolutions, Reed était parti à Harvard pour y assister à la remise du diplôme de son frère Harry. Les deux frères furent alors prévenus par télégramme que C. J. était gravement malade. Ils retournèrent en hâte à Portland où ils trouvèrent leur père très affaibli par une crise cardiaque. C. J. mourut dans la matinée du 1er juillet. La foudroyante rapidité de la maladie, puis la mort furent ressenties par John comme irréelles. L'homme vigoureux, qui lui était apparu davantage « comme un vieil ami sage et affectueux que comme un père » n'était plus. John, maintenant chef de famille, essaya de réconforter sa mère accablée de chagrin. Mais lui-même était plongé dans un désespoir sans bornes, et par une nuit pluvieuse de l'Oregon il s'élança dehors et erra seul, jusqu'au matin, dans les rues sombres. Puis vint l'horrible cérémonial funèbre : les drapeaux en berne sur les bâtiments administratifs, l'étrange et douce beauté des gazons du cimetière qui surplombe la rivière, envahis par un millier de personnes venues honorer la mémoire d' « un homme intelligent et fin », qu'on portait en terre. John et Harry se tenaient à côté de la haute stèle qui signale l'emplacement du caveau de la famille Green.

John passa du désespoir à la colère froide et au remords. Il accusa d'abord les gens de Portland d'avoir tué son père en faisant de lui un proscrit, puis il découvrit une raison plus directe : « Mon père se faisait trop de bile — c'est tout. Il ne nous l'a jamais montré, mais sa fatigue et ses soucis d'argent l'ont mené à la tombe ! » C. J., tourmenté par ses problèmes financiers, avait fait des efforts héroïques pour leur donner une éducation de « fils à papa », mais il l'avait payé cher. John, qui admirait profondément la vie courageuse et sans tache de son père, sentait le remords l'envahir lorsqu'il considérait son propre égoïsme [35]. Jusqu'au moment où il put prendre un peu de recul, il se sentit extrêmement coupable et se tint pour responsable des nombreux problèmes et des échecs familiaux, y compris celui des élections de 1910. Convaincu que C. J. avait « gâché sa vie » pour sa famille, John se promit de le venger.

---

34. « L'art pour l'art », mai 1912 (manuscrits J .R.).
35. Lettres de J. R. à Edward Hunt, 12 juillet 1912, et à Bob Hallowell, 15 juillet 1912 (manuscrits J. R.).

Les problèmes financiers étaient tellement compliqués qu'il dut rester à Portland des semaines, puis des mois, tâchant de rassembler les parts d'un héritage qui consistait en quelques milliers d'actions dans des mines d'or et d'argent, mais aussi en dettes qui atteignaient plusieurs milliers de dollars ; il ne reçut finalement qu'une seule chose : la montre en or que son père lui avait léguée. Il trouvait à la ville de Portland un charme étrange : « des fleurs par millions, les bois, les montagnes et un air vif ». Il se remémorait son enfance avec nostalgie ; il se rendit au domaine de Cedar Hill, maintenant démantelé en plusieurs lots, il se promena dans les forêts de pins tachetées de soleil qui s'étendent à l'ouest de la ville. Il se rappelait les deux garçons et leur poney lancés à la poursuite d'ours et d'indiens imaginaires. Un moment, il eut le désir de s'installer à Portland pour y prendre la place de son père, mais cela ne dura guère, car la réalité lui soufflait : « Il n'y a personne ici à qui parler, et j'y deviendrais fou au bout d'un an [36]. » Comme il n'avait pas trop de soucis à se faire pour Margaret puisque Harry, abandonnant ses projets de voyage en Europe, restait à Portland ; comme l'automne arrivait, les jours devinrent plus courts, et Reed se mit à regretter New York ; à la fin octobre, « n'y tenant plus », il prit le train pour l'Est [37].

En dépit de son caractère inconfortable, ce séjour de quatre mois à Portland fut important. Comme il avait là-bas peu d'amis capables de le retenir, John y passa la plupart du temps dans la solitude. Après les dix-huit mois agités de New York, il eut le temps de réfléchir à la direction qu'il entendait donner à sa vie. Plus d'une fois, il se heurta avec sa mère à propos de sa façon de vivre et de ses amis. Bien qu'elle affirmât ne pas être snob, Margaret ne cachait pas sa déception de le voir fréquenter tant de « soi-disant bohèmes » ; il comprit que seule « la société chic [38] » intéressait sa mère et ses critiques l'aidèrent à formuler des questions qui sommeillaient en lui depuis longtemps. Pendant l'été et une partie de l'automne, il avait passé de longues heures devant sa table de travail, à chercher ce que devait être son style de vie. En dehors d'un projet d'opérette pour enfants et d'un poème sérieux et grave en hommage à

36. *Ibid.*
37. J. R. à Robert Andrews, 17 octobre 1912 (manuscrits J. R.).
38. Citation d'une lettre antérieure de Margaret Reed à J. R., 16 mai 1911 (manuscrits J. R.).

C. J., la plus grande partie de ce qu'il écrivit dénotait un effort pour donner un sens à sa vie new yorkaise.

Reed n'arrivait pas à se voir comme un bohème, il se considérait plutôt comme un jeune écrivain qui luttait pour acquérir toute l'expérience possible. Evidemment, il ne pouvait se sentir à l'aise dans le petit monde confortable de la bourgeoisie, car, ainsi qu'il l'écrivait dans un poème intitulé *Révolte* :

> « Oui, il est doux de mal faire
> Il y a de la joie dans le blasphème
> Il est bon de pouvoir dépenser follement,
> Nos chants sont des chants de révolte.
> Et toi, toi qui es saint, toi qui fis tout cela
> Toi qui pourvus les hommes et leur assignas le chemin
> Tu as dérobé le sel de la vie
> En ces temps méprisables [39] ! »

Lorsqu'il commença à écrire son roman intitulé *Les Bohèmes,* ce n'était pas du tout pour décrire la lutte que mènent les artistes. Situé en majeure partie dans une grande brasserie de Greenwich Avenue, le roman mettait en scène des personnages curieux : un jeune reporter, un officier de marine en retraite, une putain qui récitait les poèmes d'Omar Khayyam et ceux d'un révolutionnaire polonais. Une fois de plus, il éprouva de grosses difficultés à poursuivre ce long récit. Il se sentait plus à l'aise dans la poésie, et au moment où il désespérait de se sortir du roman, il eut l'idée d'en faire une satire. Y ajoutant de courts morceaux qu'il avait écrits au 42 Washington Square, reprenant, corrigeant jusqu'à ce qu'il trouve l'expression juste, Reed avança dans sa tâche. Lorsqu'il revint à New York, il avait terminé son poème qui comptait près de quinze cents vers.

*La Vie de bohème ou Journée passée en compagnie des artistes* était le meilleur ouvrage qu'il ait jamais écrit. Avec beaucoup d'humour il racontait l'histoire mouvementée d'une journée dans la vie des « génies » du « quartier latin » de Manhattan, celle de John Reed et de ses amis. Il utilisait des tons divers et parodiait avec finesse plusieurs poètes. Le ton était à la fois élégiaque et satirique : il faisait l'éloge de la vie de bohème

---

39. *International,* n° V, janvier 1912, p. 28.

et s'en moquait ; l'existence que l'on menait à Washington Square était amusante et prétentieuse, pittoresque, joyeuse, insouciante et folle. L'œuvre dédiée à Steffens, « le seul homme qui ait compris mes intentions », commençait par une invocation du poète à sa muse :

« Je voudrais immortaliser dans ces vers
Les grands esprits de notre petite époque
Les Milton obscurs qui n'ont encore rien fait
Les Wagner muets — les Rembrandt, dix ou davantage —
Et les Rodin, il en loge à chaque étage.
Bref, tous ces hommes au génie méconnu
Qui vivent dans d'obscurs et sordides appentis
Se trouvent dépossédés de leur juste héritage
Par cette époque d'épiciers et de mercantis.
Personne ne les plaint, ni même ne les chante
Certes, ils sont insolvables, mais ils ont la jeunesse. »

Il décrivait ensuite les plaisirs du Village : les restaurants, les hôtels, les rues tortueuses, les petits squares et les écuries pittoresques transformées en galeries de peinture ; et il en venait à ce qui était le centre d'attraction du quartier :

« ... Pourtant nous sommes libres, nous qui vivons à Washington
[Square
Nous osons penser ce qu'on ne pense pas dans les beaux
[quartiers
Nos nuits s'épuisent en discussions enflammées ;
Que nous importe ce vieux monde lugubre et tâtillon
Quand chacun de nous sait qu'il aura sa part de gloire ? »

Suivait le tableau misérable de l'appartement au quatrième étage du 42 Washington Square. La chambre du poète donne sur la lessive des familles italiennes, que John décrit en parodiant la manière de différents poètes :

Shelley :

« Ainsi que de mouvants oriflammes
Flotte dans l'azur serein ou changeant
La chatoyante lessive. Quel charmant objet
Que le linge purifié ! »

Keats :

« Que vienne à moi la force de peindre l'étrange spectacle
Que j'ai devant les yeux. Ces fantaisies tissées
S'offrent à la folâtre brise ;
Ici la toile patinée par le temps
S'est tissée en chemin de Damas. Les foulards bigarrés
Des climats exotiques, le linge éclatant,
Les étoffes teintes de roses tyriens. »

Whitman :

« Maillots, chemises, kimonos, chaussettes, chemises de nuit,
[pyjamas ;
Roses, rouges, verts, de teintes, de nuances et de couleurs va-
[riées ;
Certains ont des trous, d'autres n'ont pas de trous ;
Peu importe qu'ils soient déchirés, passés ou reprisés, je
[chante ceux de la Femme
Et ceux de l'Homme, également ! »

John raconte ensuite l'emploi du temps d'une de ses journées : le matin, après avoir essayé d'écrire un peu, il arrive
en retard au bureau ; pendant trois heures, il déjeune en compagnie des membres du « Dutch Treat Club ».

Au cours d'une discussion sur la poésie avec les rédacteurs
de l'*American,* il s'amuse à jouer les puristes. Dans la soirée,
il se hâte vers la galerie aux éclairages tamisés où le peintre
Umbilicus l'a invité à un « thé d'esthètes » ; ce peintre a
si longtemps étudié les grands maîtres européens, « que ni sa
vision, ni son enthousiasme, ni lui-même n'y ont survécu ».
Puis vient la description de « personnages néo-bohèmes » que
l'auteur a en horreur : le poète qui écrit un vers par an ; le
peintre qui affirme « que les artistes devraient se livrer à tous
les vices » ; le poète de la nature qui « ne sort jamais de sa
chambre surchauffée » ; la soi-disant paysanne qui porte un
« costume pastoral » à trois cents dollars ; l'anarchiste, qui
« sans la police ne se sent pas en sécurité » ; l'homme riche qui
essaie d'être Mécène et n'arrive qu'à être Midas, sans oublier
une douzaine de femmes bizarres qui « tantôt veulent être des
hommes, et tantôt ne le veulent plus ». Cette aimable compagnie
qui mange des sandwiches, sirote du thé, pérore sur la vie
et sur l'art, inspire à l'auteur ces vers méprisants :

« Tordus, tordus, tordus, tordus,
Ils ont la tête vide, vide, vide,
Ils parlent pour ne rien dire et feignent de penser
Et chacun gobe le discours de l'autre sans sourciller. »

Le narrateur s'échappe, il préfère aller respirer dehors. Les rues ont beau être envahies par la cohue, elles ont beau être sales, au moins elles sont vivantes ; elles portent en elles l'annonce de la grandeur future de la ville :

« Ces ordures qui prolifèrent, ces monuments grossiers
Ne sont que le reflet d'une jeunesse indomptable
Mais son chant c'est le chant des gratte-ciel
Qui défie ce qui est au ras du sol.
Réveillez-vous, regardez l'avenir qui brille dans le soleil
Races anciennes, peuples nouveaux, confondus et mêlés,
Un monde commence : ET POURTANT, RIEN N'EST FAIT ! »

La journée s'achève chez l'auteur ; avec ses amis il discute de l'art et de la politique, non pour passer le temps, mais parce que cela les concerne directement :

« Voici que d'une pirouette de notre esprit
Nous corrigeons les erreurs de l'humanité ;
Voici qu'avec l'acuité de nos railleries mordantes
Un poignard acéré plonge dans le sein de Mammon ;
Impatiente jeunesse, pleine de rage créatrice,
Qui arrache à deux mains l'inépuisable flambeau ;
Les dilettantes vous expliquent longuement
Pourquoi ils ont échoué : ils s'excusent, se lamentent, se plai-
[gnent
Condamnent les vrais artistes pour se bénir eux-mêmes
Attribuent leurs déboires aux démons ;
C'est aux Dieux de la Force que nous sacrifions
Et nos jeunes esprits s'engagent dans les sentiers de la gloire. »

*La Vie de bohème* décrivait les sentiments que Reed avait lui-même éprouvés pendant cette année à New York, alors qu'il était un écrivain pauvre et ambitieux. Son poème abordait des sujets importants, mais n'en traitait aucun sérieusement ; lorsqu'il l'avait écrit durant l'automne 1912 à Portland, la vie lui paraissait encore une sorte de grand jeu. Toutefois, son expérience des journaux et l'épreuve qu'avait été pour lui la mort de son père donnaient à certains passages une tonalité plus grave. Dans une description de New York, retrouvant un style qu'il avait déjà utilisé, il dépeignait la ville, pleine de merveilles et de magie, abondant « en palais plus luxueux que ceux que Satan se fait construire en enfer » ; mais l'affirmation de l'inégalité sociale apportait un élément nouveau : « Jamais au cours de l'histoire, un aussi petit nombre d'hommes n'a eu autant de biens et de pouvoirs qu'à notre époque " démocratique ". » La vie était injuste, mais la démocratie existait tout de même, car ceux qui crevaient de faim et se berçaient de rêves dans les asiles de nuit pouvaient du jour au lendemain réussir un gros coup à la Bourse, faire un best-seller ou épouser une riche héritière [40]. Le succès, robot dépourvu de cœur, adressait son sourire figé à ceux qui appuyaient sur le bon bouton. John, encore sous l'influence de son éducation, insistait bien sur ce fait que, malgré les énormes différences entre riches et pauvres, tout le monde pouvait avoir accès à ce bouton magique.

Pourtant, malgré cette belle assurance, les procès que son père avait entamés à Portland et les observations que lui-même avait pu faire, l'amenèrent à penser que quelque chose n'allait pas dans la société américaine. On voit apparaître ce nouvel état d'esprit dans des notes qu'il avait prises pour des textes à venir : « Nous sommes des Romains conquérants, mais grossiers et tristes. [...] Nous nous sommes ligués pour écraser toute sensibilité et tout raffinement. » La cause en est la volonté de réussir, elle qui fait que chaque homme « n'a qu'une seule intention : amasser de l'argent sans jamais se douter de la sottise de ce projet, étant donné le cours implacable du temps ». Cet appât du gain ne résultait pas uniquement de l'injustice de la société, il tenait aussi au fait que la population était essentiellement matérialiste et dépendait si étroitement des événements qu'elle redoutait toute forme d'intelligence et d'imagination, et s'efforçait de les écraser. John avait dressé une liste de sujets à traiter dans le cadre de ses essais sur l'état de la société : *L'Individualisme, Pourquoi je déteste mon gouvernement, Les Journaux, véhicules de l'incompréhension, La Sénilité de Dieu, Le Monde du travail*, et *Les Radicaux* [41].

Malgré tous ces problèmes, on pouvait toujours « peindre, écrire et chanter les merveilles », car les poètes étaient capables

---

40. « Article sur New York », octobre 1912 (manuscrits J. R.).
41. « Essais », fragments inédits (manuscrits J. R.).

de sauver l'Amérique. En septembre, il reçut une lettre de Harriet Monroe lui demandant d'écrire dans sa nouvelle revue poétique *(Poetry),* qui voyait le jour à Chicago. John lui envoya *Sangar,* et quelques autres textes, auxquels il joignait une lettre résumant son point de vue sur le statut de l'écrivain en Amérique. Il lui recommandait d'ouvrir les pages de sa revue à « tous les genres et à tous les esprits », et se plaignait de ce que les magazines commerciaux « étaient en train de dévaloriser la poésie américaine, exactement de la même façon qu'ils avaient commencé à dégrader le genre de la nouvelle ». Il avait changé sur un point — il ne croyait plus que les artistes dussent écrire uniquement pour l'élite :

« C'est la bourgeoisie pitoyable et platement bigote qui est notre ennemie. Un syndicaliste [...] m'a lu le poème de Neihardt, *La Chanson de l'homme,* d'une façon simple et belle : jamais, je n'avais entendu lire de la poésie ainsi. [...] Je pense que l'Art ne doit plus être réservé au plaisir esthétique de quelques esprits éclairés. Il doit retourner à ses origines naturelles [42]. »

Quatre mois, ce n'est pas long, mais ces quatre mois-là avaient permis à Reed de penser d'une façon nouvelle. Un certain nombre d'éléments avaient contribué à ce changement : la ville de New York et la vie à Washington Square, ses succès commerciaux et l'échec de ses œuvres majeures lui avaient montré que les journaux étaient les remparts des valeurs bourgeoises ; ses rencontres avec des rédacteurs, des écrivains, des sculpteurs, des révolutionnaires, les discussions avec Steffens, Lippmann et d'autres amis, enfin, tout ce qu'il avait observé de la vie urbaine : les filles harassées à la sortie de leurs « bagnes », qui rentraient chez elles en chancelant, et les femmes couvertes de bijoux qui trônaient dans des limousines, les mendiants sur le Bowery et les flics qui dans leurs secteurs se livraient à des matraquages en règle. Au mois de juin, il était allé à Lawrence voir les usines où les ouvriers appartenant à l' « Industrial Workers of the World [43] », avaient, après une grève de deux mois, remporté leur première grande victoire dans l'Est contre les gros bonnets du textile du Massachusets. A Portland, il avait vu des hommes qui méprisaient son père vivant, venir lui rendre hommage à son enterrement. Tout cela

42. J. R. à Harriet Monroe, 11 septembre 1912, *Poetry,* n° XVII, janvier 1921, p. 209.
43. I. W. W. : centrale syndicale américaine qui commençait à s'implanter dans l'est des U.S.A. (N.d.T.)

l'avait amené à adopter une attitude critique vis-à-vis de son pays. La position de l'artiste élitaire, méprisant les valeurs matérielles et les goûts insipides du public américain lui était tout à fait naturelle. En revanche, cette identification avec les travailleurs les plus modestes, avec ces hommes exploités par un système économique injuste apparaissait plus nouvelle. Si ses positions n'étaient pas identiques aux leurs, l'ennemi était le même : la bourgeoisie, qui s'arrangeait toujours pour brimer les aspirations des hommes à mieux vivre.

En cet automne 1912, John Reed essayait de trouver le moyen de concilier ces deux sortes de critiques. Comme il n'était pas de ceux qui systématisent leur pensée, c'est dans une lettre à Bob Andrews écrite à la mi-octobre qu'il exprimait son désir. Il y disait son espoir de retrouver chez son camarade les « tendances socialistes » qu'il avait manifestées au printemps ; puis il annonçait brusquement : « ... J'ai adhéré à l'I. W. W., et je suis maintenant d'avis qu'il faut tout faire sauter. » Le post-scriptum de cette lettre montre que son projet n'était pas trop sérieux : « Ci-joint l'argent des billets pour les matches de Yale. Garde-le avec le tien. Il faut absolument y aller [44]. » Evidemment, il n'y avait aucune raison que Reed oublie le football à cause de ses nouvelles préoccupations. Portland, Harvard, les journaux, New York, l'Amérique et le monde entier étaient aux mains des conservateurs, des gens hypocrites dépourvus d'imagination. Le seul moyen de s'opposer à eux, c'était de vivre le plus intensément possible, d'aimer l'art, la jeunesse, l'héroïsme, tout ce qui pouvait rendre la vie plus belle.

---

44. Lettre de J. R. à Robert Andrews, 17 octobre 1913 (manuscrits J. R.).

# Greenwich Village

*Le projet essentiel des* Masses *est un projet social. Nous nous proposons d'attaquer sans relâche tous les vieux systèmes, les morales caduques, les anciens abus — le poids écrasant d'une idéologie périmée que nos ancêtres nous ont léguée. A la place, nous voulons faire du neuf. C'est pourquoi, tous ensemble, nous voulons pourfendre les spectres à coups d'épée plutôt qu'à coups de massue, avec franchise plutôt que par allusions. Nous entendons être arrogants, impertinents, avoir mauvais goût sans jamais être vulgaires. Nous ne nous sentons liés à aucune doctrine ou à aucune théorie réformiste, mais nous les exprimerons toutes pourvu qu'elles soient révolutionnaires... Les poèmes, les textes et les dessins rejetés par la presse capitaliste à cause de leur violence trouveront dans ce journal la place qu'ils méritent... Etre sensibles à tous les courants, et ne jamais nous cramponner à un seul aspect des choses : tel est l'idéal que nous souhaitons pour* Les Masses. *Et si jamais nous changeons d'idées, eh bien — pourquoi pas, après tout ?*

John REED, manifeste sans titre.

Deux mois après son retour de Portland, John Reed composa à New York un manifeste où soufflait l'esprit du journal auquel il allait bientôt appartenir, et qui confirmait en même temps les distances qu'il allait prendre vis-à-vis des valeurs admises par la presse new yorkaise. Le but visé, c'était la liberté ; il s'agissait de libérer l'individu soumis aux croyances, aux systèmes d'oppression ; pour y parvenir, il fallait « une réforme sociale » au sens le plus large du terme. Utilisant toutes les formes de l'imagination — poésie, humour, roman, art — cette liberté devait saper (d'une façon fort mystérieuse) les institutions morales, politiques et économiques. Bien embarrassé pour préciser comment cela devait se produire, John prévoyait néanmoins de grands bouleversements dans la vie, dans le monde artistique, dans la société et annonçait l'apparition d'un âge nouveau. Libération, révolte, ou même révolution, quel que fût le nom qu'on lui donnât, le phénomène promettait d'être passionnant.

Le fait qu'il ait pu, à partir de sa propre expérience, composer un manifeste répondant aux préoccupations de nombreux artistes montrait que l'évolution de Reed n'était pas exceptionnelle. En effet, un journal d'opposition aussi violent que *Les Masses* avait un public ; cela indiquait que ses rédacteurs rendaient compte dans leurs articles de certains changements significatifs au sein de la société américaine. Ces changements n'étaient pas sans rapports avec le monde de la bohème que

John avait décrit à sa manière dans son grand poème. Mais cette « bohème » était en train d'évoluer, et lorsqu'il revint de l'Oregon à la fin d'octobre 1912, John trouva le Village plus vivant, plus frénétique, pittoresque et passionné que jamais ; il était devenu le centre d'un mouvement qui rassemblait toute une catégorie de gens : ceux qui refusaient les valeurs dominantes et cherchaient un mode de vie plus intelligent, ceux qui étaient convaincus que l'Amérique avait besoin d'un profond bouleversement.

Cette société marginale n'était pas un phénomène nouveau dans le monde occidental ; ses racines plongeaient dans une tradition ancienne : on en retrouvait la trace chez les poètes du Moyen-Age, chez François Villon qui tout en écrivant des poèmes, participa à des rixes dans des tripots, et chez bien d'autres poètes qui faisaient scandale ou se montraient trop indépendants pour bénéficier de la protection d'un mécène. Le phénomène avait une autre origine, anglaise celle-là, connue sous le nom de « Grub Street », quartier populaire qui abritait une sorte de prolétariat artistique et intellectuel (celui-ci avait toujours existé dans les grands centres urbains depuis la Rome impériale). La bohème, en tant que mode de vie ne datait que du XIX$^e$ siècle. Il s'agissait non d'une existence vécue par nécessité, mais d'un style de vie qu'on avait choisi, d'une révolte consciente contre l'aspect sérieux et le souci de rentabilité de la civilisation bourgeoise. Souvent, les représentants de la bohème étaient des gens aisés qui imitaient les allures des artistes sans le sou, se moquaient des conventions sociales et proclamaient que l'art était plus important que l'industrie. Pittoresque, variée, de mœurs sexuelles assez libres, la bohème était devenue « une " Grub Street " romantique, qui avait des théories et se prenait au sérieux : c'était une " Grub Street " provocante et qui s'affichait [1] ».

La ville d'élection de ces marginaux était Paris, et plus particulièrement Montmartre et le Quartier Latin. Reed avait vu cette bohème lors du séjour qu'il avait fait là-bas. Son désir d'écrire à Paris, il le partageait avec beaucoup d'artistes américains ; en effet, les Etats-Unis avaient toujours paru ne tolérer, à la rigueur, que la culture traditionnelle, et refusaient toute forme d'avant-garde. Pourtant, en cet âge de fer que fut le XIX$^e$ siècle, quelques petites manifestations dissidentes

---

1. In M. COWLEY, *Retour d'exil,* Viking Press, New York, 1951, p. 55.

s'étaient produites, et des « bohèmes » en miniature avaient fait leur apparition. Il y avait eu par exemple le petit groupe qui avant la guerre civile se réunissait dans la brasserie Pfaff à Broadway, juste avant Bleecker Street. Là, se rencontraient des personnalités du journalisme et du théâtre venues boire des pintes de bière mousseuse. Walt Whitman en était la vedette, il trônait à la même table tous les soirs et professait une grande admiration pour la belle Ada Clare, célèbre sous le nom de « Reine de la bohème ». Connue à la fois pour sa prose, sa poésie, ses talents de comédienne et ses amours tumultueuses, cette femme originaire d'un Etat du Sud faisait ainsi le portrait du parfait « bohème » :

« Le bohème est cosmopolite par nature, sinon par habitude ; il aime les beaux-arts et tout ce qui n'est pas conventionnel. Il n'est pas, comme les habituels produits de la société, une insouciante victime des lois et des coutumes ; il les transgresse avec une insouciance joyeuse, élégante et facile, car il est guidé par le principe du bon goût et de la sensibilité. Surtout, et c'est l'essentiel, le bohème ne doit montrer aucune étroitesse d'esprit. S'il le fait, il est réduit à un rôle de mondain [2]. »

Une telle définition permettait à toute personne un peu originale, vaguement cultivée de se dire « bohème » ; et c'est ce qui se passa en Amérique à la fin du XIX° siècle. L'exemple de San Francisco était très répandu : vers 1870, un groupe de journalistes, trouvant leurs maisons trop petites pour s'y réunir, fondèrent le « Bohemian Club », où ils pouvaient rencontrer des écrivains, des artistes et différents citoyens de la « Barbary Coast ». Au fur et à mesure que les années s'écoulaient, le club évolua, et à la fin du siècle — à l'époque où C. J. Reed en fit partie — il était devenu une sorte de rassemblement d'hommes d'affaires qui préféraient les millionnaires aux artistes pauvres, et qui exigeaient la tenue de soirée à leurs dîners. A Boston, à New Orleans, à Philadelphie et à Cincinnati apparaissaient les mêmes pâles imitations de « bohèmes », New York n'était guère mieux loti. Dans les salons de Manhattan, les soirées étaient aussi rigides et aussi conventionnelles que chez les « aristocrates » ; un personnage comme Edmund Clarence Stedman était à la fois poète et agent de change à Wall Street... Un peu plus intellectuel était le « Dutch Treat Club », composé

---

2. Cité dans Albert EARRY, *Garrets and pretenders*, Dover, New York, 1966, p. 26.

de journalistes pour qui l'anticonformisme se réduisait à prendre une cuite un soir par semaine.

Au début du xxᵉ siècle, la bohème américaine ne prônait aucune révolte contre la société bourgeoise, elle mettait un peu d'animation dans une vie monotone ; c'était une soupape de sûreté qui permettait à certains hommes d'affaires sérieux de pouvoir parler « culture », de manifester à l'occasion des attitudes originales et de se livrer à des passe-temps que les vieilles filles prudes jugeaient choquants. Cependant, la nouvelle bohème commençait à se constituer ; après 1910 — au moment où Reed vint habiter à Washington Square — elle allait se développer. Pour la première fois aux Etats-Unis, un grand nombre de jeunes passionnés, pleins de talents et d'enthousiasme se réclamaient de la bohème. A Greenwich Village, le nouvel esprit intellectuel répandu par les universités influença leurs goûts artistiques ; les thèses réformistes américaines eurent aussi sur eux une influence, quoique plus inégale. Ce mélange produisit une sorte de culture parallèle et vivace, une renaissance dans le domaine artistique, mais surtout une nouvelle conception de l'homme et de la société, qui devait garder sa fraîcheur plus d'un demi-siècle.

Il est difficile de dater précisément l'avènement de cette nouvelle bohème et d'en connaître les origines. Elle était certainement liée au fait que la population américaine s'accroissait et se fragmentait de plus en plus. L'industrialisation, l'urbanisme et la technique faisaient éclater la société, déracinaient les gens, empilaient la population dans des cités cosmopolites ; de nouvelles formes de travail et de loisirs, de nouvelles façons de vivre étaient apparues ; cependant, les anciennes règles de la morale puritaine étaient encore strictement observées. Le mouvement progressiste avait attaqué les trusts, défendu et protégé la sécurité des travailleurs et les consommateurs ; il se fixait comme but ultime un avenir plus noble dans lequel l'Amérique était censée retourner à ses origines prétendument paradisiaques, celles de Jefferson. Utilisant les fissures de cet énorme corps social, brisant avec les morales traditionnelles, sensibles aux voix proches ou lointaines qui prêchaient d'étranges doctrines (bergsonisme, pragmatisme, freudisme, marxisme, anarchisme), de jeunes bourgeois parcouraient le chemin que John Reed avait suivi, depuis la confiance aveugle dans la validité d'un système politique jusqu'à la mise en question radicale de ses fondements, de l'acceptation béate du capitalisme à la critique de l'individualisme matérialiste, de l'amour de

162

l'art à la quête de formes nouvelles capables d'exprimer leur époque, de l'obéissance passive, de la moralité victorienne, à la révolte ouverte contre toutes les conventions.

Tout d'abord, ces dissidents se sentirent isolés et incompris. Ils mirent cela sur le compte de l'esprit qui régnait dans les villes américaines où les gens, par ennui, cancanaient, suspectaient la moindre originalité d'être un signe de folie, pensaient que l'art était inutile et que sexe était synonyme de vice ; les jeunes gens originaires de petits villages s'aperçurent que dans les grandes villes, les pressions sociales et familiales n'étaient pas moins fortes. Ils en vinrent vite à la conclusion que l'Amérique tout entière partageait le point de vue de ceux qui avaient pignon sur rue. Floyd Dell, qui avait quitté Davenport (Iowa), décrivait ainsi ce qu'ils avaient tous plus ou moins éprouvé : « Tout au long de leurs années de jeunesse, ils s'étaient sentis en conflit avec un environnement hostile. L'un avait passé son enfance à Chicago, l'autre à Oshkosh, un autre à Steubenville, (Indiana), etc. L'un ici, l'autre là, tous très seuls et très malheureux. [...] C'étaient tous des idéalistes, ils aimaient la beauté et aspiraient à la liberté ; il leur semblait que le monde entier conspirait pour écraser leurs idéaux, fouler aux pieds ce qui était beau et faire de la vie une prison [3]. » C'est seulement aux alentours de 1910, à travers quelques publications, par des lettres d'amis, ou par ouï-dire, que les jeunes gens de cette génération prirent conscience du fait qu'ils étaient nombreux. Rejoindre la bohème en quittant sa province pour la ville, ou simplement en changeant de quartier, c'était un moyen de rompre l'isolement. La ville elle-même était inhospitalière, mais au moins elle offrait des endroits où ils pouvaient se rencontrer ; ainsi, quittant leurs familles, ils retrouvaient une nouvelle communauté.

De ces communautés, il y en avait un peu partout à travers le pays. Les principales se trouvaient à San Francisco et à Saint-Louis ; après 1910, à Chicago, une communauté particulièrement active se développa, lorsque des écrivains, des danseurs, des peintres vinrent s'installer dans une série d'entresols à Jackson Park ; ils accrochaient aux fenêtres des rideaux de couleurs crues, se chauffaient avec des poêles à bois, éparpillaient des coussins sur le plancher et se rassemblaient pour boire des cocktails (alors inconnus de la bourgeoisie) à la

---

3. Cité par Joseph Freeman, *An American Testament,* Farrar et Rinehart, New York, 1935, p. 266.

lumière vacillante des bougies. C'est là que Floyd Dell discutait littérature et socialisme avec George Cram Cook ; Arthur Davison Ficke et Witter Bynner écrivaient des poèmes imagistes [4] ; Sherwood Anderson et Vachel Lindsay y lisaient leurs dernières œuvres ; Théodore Dreiser, pince-sans-rire nonchalant, célèbre pour ses démêlés avec la censure, parlait des derniers livres parus avec Harriet Monroe, jeune femme très guindée ; Thorstein Veblen, économiste renégat aux manières bourrues, critiquait, lui, les institutions américaines. Ce groupe avait beau être actif, il se sentit rapidement dominé et dépassé par la réputation grandissante de New York ; le départ de Dell pour Greenwich Village en 1913 marqua le début de l'exode provincial vers le « centre de la civilisation ».

Situé à proximité des principales institutions financières et culturelles du pays, le Village devint inévitablement le centre de la bohème américaine ; il attirait les jeunes artistes de la même façon que New York fascinait tous les hommes ambitieux. Le faible prix des loyers constituait un attrait supplémentaire, mais les gens appréciaient surtout de vivre dans un authentique village, protégé de la croissance inexorable de Manhattan par le labyrinthe de ses rues et de ses ruelles. Il y avait de petites rues tranquilles et calmes, telles les rues Gay, Minetta et Christopher, de petites impasses : Milligan Place et Patchin Place ; les charmantes écuries sur MacDougal Alley et l'oasis accueillante de Washington Square qu'entouraient les ghettos italiens et irlandais avec leurs bars bruyants, leurs restaurants familiaux, leurs épiceries bon marché où l'on faisait facilement crédit. La longue tradition d'hospitalité du Village comptait aussi : il avait abrité depuis très longtemps des artistes et des originaux de toutes sortes : c'est là que Tom Paine avait écrit *La Crise américaine* [5], c'est là qu'Edgar Allan Poe avait souffert et sombré dans l'alcoolisme ; Stephen Crane et Frank Norris y avaient fondé le naturalisme américain et le poète John Mase-

---

4. *Imagisme :* mouvement poétique anglo-américain (1909-1917). Préconise la liberté dans le choix du sujet poétique. Les Américains G. J. Fletcher, les Anglais R. Aldington et D. H. Lawrence firent publier leurs œuvres dans la revue *Poésie* de Harriet Monroe, puis dans les anthologies d'Ezra Pound. (N.d.T.)

5. Thomas Paine (1737-1809) : homme politique et pamphlétaire américain. Les pamphlets qu'il publia de 1776 à 1783 ont été réunis sous le titre *La Crise américaine*. En 1791, il devint citoyen français et entra à la Convention comme girondin. Robespierre le fit mettre en prison ; c'est là qu'il rédigea *Le Siècle de raison*. (N.d.T.)

field avait travaillé comme barman au « Working Girls Home ». En outre le Village avait déjà une certaine célébrité, puisque, depuis 1905, le journal *Bohemian* vantait ses charmes, décrivant l'ancienne bohème pittoresque, et avait révélé l'existence de ses nouveaux représentants, en publiant des œuvres de Louis Untermeyer, de George Jean Nathan et de Dreiser.

Déjà, avant la mort de son père, Reed avait vécu en marge des conventions, dans un univers que plus tard un habitant du Village devait décrire ainsi : « C'est la patrie des déracinés, où chaque individu qu'on rencontre vient d'une autre ville et s'efforce de l'oublier, où personne ne semble avoir d'autres liens ni d'autres souvenirs que ceux de la veille au soir [6]. » Greenwich Village n'était pas une communauté cohérente, c'était un mélange de cercles, de clubs, de groupes qui s'ignoraient ou se suspectaient les uns les autres. Déjà établis à demeure ou sur le point de l'être, il y avait une quantité de gens aux talents très divers : des intellectuels tels que Lippmann, Max Eastman, Van Wick Brooks, Randolph Bourne et Waldo Frank ; des poètes : Seeger, Harry Kemp, Alfred Kreymborg, Edna St. Vincent Millay et Orrick Johns ; des féministes : Crystal Eastman, Henrietta Rodman, Neith Boyce et Susan Glaspell ; de vieux progressistes et des journalistes comme Steffens, Frederic C. Howe et Hutchins Hapgood ; des révolutionnaires : Emma Goldman, Alexandre Berkman, Bill Haywood, Carlo Tresca, Morris Hillquit et William English Walling ; des peintres : John Sloan, George Bellows, Robert Henri, George Luks, Marsden Hartley, Andrew Dasburg et Max Weber ; l'auteur dramatique Eugene O'Neill et Margaret Sanger, la championne du contrôle des naissances.

A son retour de Portland, Reed arriva juste au bon moment pour prendre part à la transformation du Village. Auparavant, il existait des lieux de rencontre et quelques vagues clubs : Petitpas, chez qui il était allé avec Seeger ; la soirée du mardi au « Crazy Cat Club » chez Paglieri's, où le chanteur comique Bobby Edwards jouait du ukulele et chantait des chansons satiriques avant d'emmener les spectateurs danser au « Turkey Trot » ; il y avait dans la Cinquième Avenue, le Club A, un appartement communautaire qui comptait parmi ses occupants le romancier Ernest Poole et l'écrivain Mary Heaton Vorse ; enfin la galerie Photo-Secession au 291 de la Cinquième Avenue, où le photographe Alfred Stieglitz exposait les derniers

---

6. In *Retour d'exil*, p. 47.

tableaux des post-impressionnistes européens et dirigeait des débats intellectuels. En cet automne 1912, le Village commençait à se transformer en une véritable communauté, avec ses manifestations propres, ses institutions, ses organismes et sa presse.

A deux reprises, des habitants du Village qui avaient trop bu se firent connaître en proclamant leur indépendance vis-à-vis des Etats-Unis, et voulurent fonder la République de Washington Square. Quoique significatives, ces attitudes n'étaient pas très sérieuses. Beaucoup plus importants furent : la nouvelle version du journal *Les Masses,* organe principal de la nouvelle bohème ; l'ouverture du Salon de Mabel Dodge, où les différents groupes se rencontrèrent ; l'exposition de l'Armory Show, qui sépara nettement l'avant-garde artistique des tendances traditionnelles ; enfin le « Club libéral », autrefois à Gramercy Park, qui vint s'installer au Village, offrant à ses habitants un lieu de rassemblement permanent. John devait entrer en rapport avec tous ces organismes et nouer avec certains d'entre eux des liens très étroits.

Après quatre mois d'exil, il se plongea à nouveau dans la vie de la grande ville. Il retrouva les rues familières, se délectant du bruit et de l'agitation confuse de la métropole ; John se sentait chez lui malgré les changements qui étaient survenus au 42 Washington Square et parmi ses amis. Bobby Rogers, sur la voie de la respectabilité, habitait maintenant River Side Drive ; il allait obtenir un poste de professeur au Massachusets Institute of Technology. Seeger était parti à Paris pour y écrire des poèmes et Harry Reeves vivait sur la rive gauche dans la même chambre d'hôtel où John avait séjourné. Reed fut très secoué en apprenant la mort du joyeux Alan Osgood ; il se rappelait le projet qu'ils avaient eu de s'embarquer pour la Chine comme simples matelots, suivant l'exemple de Joseph Conrad. La vie pouvait se briser net aussi bien pour un jeune que pour un homme âgé comme C. J. Il importait donc de vivre intensément, mais ce qui importait encore davantage, c'était de trouver une raison de vivre.

John fut content de retourner à l'*American ;* il retrouva les conférences de rédaction, les repas qui s'éternisaient, les conversations et les potins. Ses amis lui manquaient ; il fit parfois venir en week-end Edward Hunt, qui était à Harvard, puis il s'arrangea pour lui trouver un poste de rédacteur dans son journal. Dès l'instant où Hunt vint habiter au 42, les deux hommes furent inséparables. Un jour, ils tombèrent sur un autre de leurs camarades, Robert Edmond Jones, qui errait dans

Broadway, maigre et affamé, essayant de trouver une place de décorateur dans un théâtre. Ils l'emmenèrent dans leur appartement, organisèrent une collecte en sa faveur auprès des anciens de Harvard ; ils le nourrirent, le vêtirent et se débrouillèrent pour l'introduire dans le monde du théâtre.

Comme toujours, Reed ne songeait qu'à la littérature. Son premier grand reportage, celui qui décrivait le dîner offert le jour de Noël 1911 par le leader démocrate Tim Sullivan aux clochards du Bowery, parut en décembre dans l'*American*.

Plein de notations fines, il rendait bien l'ambiance de l'événement, la foule de vagabonds crasseux, crevant de faim, en haillons, qui grelottaient en faisant la queue, attendant qu'on ouvre les portes de l'établissement ; puis, à l'intérieur, la bruyante allégresse, les dindes savoureuses et les montagnes de purée que l'on faisait passer à grands coups de bière ; les conversations émues qui roulaient sur la vieille terre irlandaise. John décrivait l'émotion ultime à la fin du repas, lorsque ces hommes reniflants, les yeux rouges, courbés, usés, perdus, durent se traîner dehors [7]. Reed, avant même que ses amis ne lui en fassent compliment, savait que cet article était ce qu'il avait écrit de plus achevé ; pourtant il continuait de s'interroger : était-ce vraiment le genre de chose qu'il avait envie d'écrire ?

La poésie restait sa passion, et il fut content d'être reconnu. Seeger était l'un de ceux qui l'encourageait, ainsi qu'Edwin Arlington Robinson. Il reçut des compliments de William Rose Benet du *Century*, qui appréciait ses textes, mais détestait le genre de vie du Village ; il écrivait à John : « Que faites-vous parmi tous ces poètes à moitié fous ? Vous n'avez rien à voir avec eux [8] ! » Harriet Monroe, répondant à la lettre que John lui avait écrite de Portland, lui dit qu'elle avait pris beaucoup de plaisir à lire ses poèmes ; elle avait choisi de publier *Sangar* dans son numéro de décembre [9]. Lors de sa parution, John fut surpris par l'ampleur des louanges qu'il reçut, et heureux de savoir que son œuvre était sélectionnée comme l'une des dix meilleures parues dans la revue cette année-là [10]. A Percy Mac

---

7. « Les invités au banquet du gros Tim », *American Magazine,* n° LXXV, décembre 1912, p. 101-104.

8. Lettre de W. Rose Benet à J. R., 8 novembre 1912 (manuscrits J. R.).

9. Harriet Monroe à J. R., 28 septembre 1912 (manuscrits J. R.).

10. Le fait que *Sangar* ait été sélectionné parmi les poèmes les plus réussis de cette première année de la revue *Poésie* représentait un grand honneur pour son auteur. Le premier prix allait à W. B. Yeats et le

Kaye qui lui envoyait une critique fort élogieuse, il écrivait : « Jamais personne ne m'avait écrit ainsi sur ce que j'avais fait. Cela m'ouvre de grandes possibilités et stimule mon imagination ; je pense qu'un jour je serai capable de communiquer une partie des choses merveilleuses que je sens. Chaque jour, j'en vois davantage [11]. »

Ce désir de montrer aux gens « des choses merveilleuses » se heurtait à un double obstacle : il fallait concilier l'intention de « faire quelque chose qui en vaille la peine » et la possibilité de subsister. John connaissait assez les maisons d'édition pour savoir que la poésie ne rapportait pratiquement rien. Or, il avait besoin d'argent, non seulement pour lui-même, mais aussi pour aider son frère et sa mère qui se débattaient dans de grandes difficultés financières. Et puis il éprouvait une autre difficulté, plus difficile à admettre. Son inspiration se tarissait. Son ardent désir de succès orientait sa créativité vers des formes plus populaires ; à cela s'ajoutait un doute pénible quant à sa propre valeur et à ses capacités. La nouvelle poésie ne paraissait que dans des publications confidentielles ; elle utilisait les nouvelles techniques poétiques prônées par les imagistes et elle expérimentait un langage nouveau, de nouvelles formes, de nouveaux sujets ; tout cela le dépassait. Par tempérament, il était plus un romantique qu'un moderne, plus enclin à l'enthousiasme qu'au doute, plus spontané qu'intellectuel. Les sujets et le style modernes ne lui venaient pas facilement ; toutes les félicitations dont il était l'objet n'arrivaient pas à lui ôter la conviction que sa poésie était sans grande nouveauté, qu'en fait il était piégé, et comme relégué dans une de ces petites mares que la mer laisse derrière elle en se retirant.

John ne se confiait pas aisément : il se débattait tout seul avec ses problèmes de style et s'interrogeait sans fin sur le genre littéraire qui lui convenait le mieux. Certains de ses amis s'aperçurent sans doute de ses hésitations, mais Steffens fut le seul à lui en parler ouvertement : « Tu n'as pas trouvé ta forme, disait-il, tu n'as pas trouvé ton " terrain ", ta " voie ". » Puis, retrouvant le rapport de maître à élève : « Rappelle-toi

---

second à Vachel Lindsay. Parmi les premiers auteurs qui collaborèrent à la revue, figuraient Ezra Pound, W. V. Moody, A. D. Ficke, A. Aldington, H. D. Rabindranath Tagore, G. Sterling, A. Lowell et William Carlos Williams.

11. Lettre de J. R. à Percy Mackaye, 21 décembre 1912 (manuscrits J. R.).

la règle, la seule que tu aies à respecter pour le moment : puisqu'il s'agit d'art, tu peux faire ce que tu veux [12]. » Steffens pouvait parler ainsi, fort de sa longue expérience, mais Reed avait peine à le croire. Pour lui, certains textes étaient de la littérature, alors que d'autres — sans doute ceux qui paraissaient dans les journaux — étaient autre chose, de moindre valeur. Reed avait gardé l'attitude de l'étudiant respectueux envers les grands auteurs, ceux qu'on trouve dans les recueils de morceaux choisis, survivants d'une armée victorieuse et décimée ; il croyait à l'Art avec un grand « A » et à la Littérature avec un grand « L ».

Au début de décembre, un événement vint le distraire momentanément de ses préoccupations. Au Village, on ne parlait plus que du dernier numéro des *Masses,* et lorsque John put s'en procurer un exemplaire, il reçut une sorte de choc électrique. Les histoires, la poésie et les textes qu'on y trouvait étaient actuels, nouveaux, débordants d'imagination ; il fut frappé par le mélange d'esprit et de pertinence de la double page de dessins où Art Young représentait l'industrie de la presse comme un somptueux bordel dont les services étaient exclusivement dévoués aux gros trusts de publicité. L'éditorial, succinct et prometteur, annonçait que le journal entendait favoriser « toutes sortes d'expressions pourvu qu'elles soient libres et spirituelles », et défendre la cause du socialisme. C'était ce qu'il avait toujours cherché : un journal où il pourrait exprimer tout ce qui lui tenait à cœur et qui trouverait sans doute une solution aux questions qu'il se posait sur les rapports entre l'art et la révolution.

Reed exhuma son histoire sur l'entraîneuse du bal populaire, ainsi que deux autres textes courts, et dénicha l'adresse de Max Eastman, le directeur des *Masses.* Il ne se laissa pas décontenancer au téléphone par une voix qui manquait de chaleur et insista pour lui amener ses œuvres immédiatement. Lorsque John fit irruption dans le bureau d'Eastman, homme mince et distingué, il était dans un tel état d'excitation qu'il ne remarqua même pas la gêne de son hôte. Eastman devait toujours se rappeler par la suite l'impression défavorable que lui fit Reed, lors de leur première rencontre : « Il resta debout et ne cessa d'aller et venir dans la pièce durant toute la visite ; ses regards se dirigeaient de tous côtés mais évitaient systéma-

---

12. Lettre de Steffens à J. R., 27 octobre 1912 (manuscrits J. R.).

tiquement son interlocuteur [13]. » Quand la porte se referma sur John, le timide directeur poussa un soupir de soulagement et se demanda une fois de plus ce qui avait bien pu le pousser à accepter cette responsabilité au sein du journal.

Les chemins qui avaient conduit Reed, Eastman (et son journal) au même point n'étaient pas les plus courts. Le journal, né en janvier 1911 — fondé en coopérative — était une idée de Piet Vlag, un Hollandais qui gérait une cantine située au sous-sol de la « Socialist rand school ». Vlag, homme énergique et gai, assura l'apport financier et fournit le personnel nécessaire à une publication qu'il entendait consacrer aux intérêts des travailleurs (selon sa formule favorite, « au mieux-être social par l'organisation coopérative »). Malgré des collaborateurs pleins de talent — les dessinateurs John Sloan, Art Young, Charles A. Winter et Maurice Becker et les écrivains Louis Untermeyer, Mary Heaton Vorse, Ellis O. Jones et Inez Haynes Gillmore —, le journal manquait d'attrait. La passion de son directeur pour le système coopératif situait *Les Masses* dans l'aile la plus conservatrice du mouvement socialiste ; plutôt que de manifester des intentions radicales ou révolutionnaires, le journal s'embarquait dans des campagnes fumeuses, dénonçant le « militarisme » des boys-scouts et l'élévation du coût de la vie. Quand vint l'été 1912, Vlag était prêt à vendre son fonds à un journal féministe de Chicago.

L'équipe des rédacteurs l'en empêcha ; ils ressentaient trop le besoin d'un organe capable de publier des œuvres anticommerciales : aussi le fondateur leur confia-t-il *Les Masses*. Comme aucun des dirigeants n'avait envie de s'occuper de l'administration et du train-train quotidien, ils se trouvèrent dans l'embarras, jusqu'au moment où Art Young se rappela une récente discussion qu'il avait eue avec Max Eastman à propos du manque d'attrait du journal. Eastman était un jeune philosophe, diplômé de l'université de Columbia, qui avait organisé un mouvement en faveur du vote des femmes et s'était récemment converti au socialisme. Jusqu'alors, l'esthétique l'intéressait plus que la politique, et il en était maintenant au même point que Reed : il éprouvait un immense besoin de « mettre un peu d'aventure dans la vie new yorkaise et un peu d'imprévu dans la révolution ». Lorsqu'il reçut la lettre lui annonçant qu'il était nommé directeur

13. Tiré de Max EASTMAN, *Enjoyment of Living,* Harper and Brothers, New York, 1948, p. 406.

des *Masses,* il fut à la fois sceptique et intrigué [14]. Un soir, lors
d'une conférence de rédaction, il trouva l'atmosphère chaleu-
reuse ; on buvait, on s'animait, chacun proférait des opinions
plus radicales les unes que les autres, « évoquant la promesse
des-lendemains-qui-chantent pour l'avenir et la littérature américaine [15] ». Max, ravi, impressionné et flatté d'avoir été choisi,
accepta de s'occuper du prochain numéro des *Masses* et de se
joindre aux autres pour collecter les fonds nécessaires à la
publication.

Théoriquement, le journal fonctionnait en coopérative ; en
fait, ce fut bientôt un seul homme qui s'en occupa. Parmi tous
les rédacteurs, seule Dolly Sloan, l'épouse du peintre, petite
bonne femme combative, dévouée à la cause socialiste, savait
se débrouiller avec les problèmes pratiques du journal ; surchar-
gée de travail, elle était tout à fait disposée à s'en décharger sur
Eastman. Avant la sortie du premier numéro, il fallut collecter
l'argent nécessaire, s'entendre avec les imprimeurs, tenir la
correspondance, discuter avec les rédacteurs, et décider en fin
de compte de ce qui devait paraître ou non. Le fardeau était
énorme, beaucoup plus lourd qu'Eastman ne l'aurait souhaité,
mais sa fonction lui donnait néanmoins des satisfactions : il pouvait améliorer la typographie, moderniser le format, publier des
œuvres que la presse capitaliste refusait et surtout, modifier
l'orientation politique du journal vers l'aile gauche du socialisme
qui soutenait la lutte des classes. Eastman, qui pesait le pour
et le contre, fut suffisamment déprimé par l'intrusion de Reed
pour décider de « s'occuper du prochain numéro et d'abandonner
ensuite [16] ».

En lisant *La Raison du cœur,* il changea d'avis. Max croyait
qu'un journal qui ne payait pas les pigistes ne recevrait de bons
articles que de ses propres rédacteurs. Il fut convaincu du contraire. Reed était de toute évidence « quelqu'un qui décrivait un
aspect essentiel de la vie américaine dont aucun autre journal
n'osait parler, sinon pour le condamner ; il écrivait avec une
sorte de grâce naturelle ; son style était à la fois vif et concis ».
Pour la première fois, Eastman eut la certitude que *Les Masses*
« pouvaient être un bon journal et qu'il existait une littérature

14. Art Young, *Art Young : His Life and Times,* Sheridan House,
New York, 1939, p. 276.
15. M. EASTMAN, *Enjoyment of Living,* p. 398-399.
16. *Ibid.,* p. 406-407.

originale que la presse commerciale étouffait littéralement ». Aussitôt il écrivit à John que ses textes lui plaisaient beaucoup ; il s'engageait à publier son histoire dans le prochain numéro et lui demandait « toutes sortes d'études, de critiques humoristiques ou sérieuses, concernant un sujet d'actualité, aussi souvent qu'il lui plairait [17] ».

John revint le voir ; les compliments l'ayant calmé, il fut plus direct. De son côté, Max se montra plus cordial et le trouva cette fois « aimable et spirituel ». Désireux de faire partie de l'équipe, John lui présenta un manifeste destiné à la première page. Eastman le parcourut et fut déçu en constatant que Reed n'avait pas lu son éditorial, ou pas compris ce qu'il avait lu. Eastman, qui avait été formé par John Dewey, se considérait comme un « révolutionnaire expérimental » ; il insistait sur l'importance d' « un programme de lutte des classes soigneusement mis au point », aussi fut-il surpris par la réaction de John, passionnelle et irréfléchie, qui proposait d'adhérer à toutes les formes possibles de radicalisme [18]. Max, reprenant cette idée, et gardant quelque chose du ton insolent et de la phraséologie, composa son propre manifeste. L'ensemble des rédacteurs décida par vote qu'il dirigerait le journal de façon définitive ; ce fut à peu près au même moment qu'ils élurent John au comité de rédaction.

Les rédacteurs des *Masses* ne s'ennuyaient pas. Louis Untermeyer et Reed étaient chargés de trier les poèmes qu'on envoyait au journal ; Untermeyer considéra John comme un « solide phénomène, malin et très comédien [19] ». Tous les deux aimaient profondément la poésie, ils se méfiaient des œuvres ennuyeuses ou hermétiques et éprouvaient une véritable passion pour « les poèmes irrémédiablement ratés ». Devant l'avalanche de poèmes qui s'entassaient tous les jours sur leur bureau, ils eurent l'idée d'entreprendre une anthologie des « Plus mauvais poèmes du monde ». Ensemble, ils se délectaient des rimes les plus exécrables qu'ils trouvaient, et se laissaient des petits mots pour se signaler des vers particulièrement grotesques. Deux fois par mois, Untermeyer et Reed amenaient un choix des meilleurs textes aux conférences de rédaction qui avaient lieu dans de

---

17. *Ibid.*, et Max Eastman à J. R., 2 décembre 1912 (manuscrits J. R.).
18. *Enjoyment of Living,* p. 420-421.
19. Tiré de Louis UNTERMEYER, *From Another World,* Harcourt et Brace, New York, 1939, p. 57-61.

petites pièces mal éclairées, au murs nus ; dans l'atmosphère enfumée, on buvait de la bière, on sélectionnait les dessins, on lisait les poèmes, les articles et les nouvelles. Chacun donnait son avis sur ce qu'il fallait mettre dans le numéro suivant. L'ambiance était étrange, presque irréelle : « On s'embarquait pour ainsi dire sans aucun plan, rien que nos innocentes convictions, raconte Art Young, et notre certitude que tous les chemins étaient bons du moment qu'ils étaient nouveaux [20]. » Les débats étaient souvent houleux, et Reed en particulier se montrait parfois si violent, que plus tard on se souvenait de lui comme de « l'enfant terrible des *Masses* [21] ». Puis John, obstiné et tenace au cours des discussions, voyait les choses d'un peu plus loin. Après une séance particulièrement épuisante et dogmatique, il confia à Untermeyer : « Bon sang, Louis, nous sommes une clique de Samsons qui nous prenons beaucoup trop au sérieux. Nous oublions que les Philistins ne redoutaient qu'une seule arme : la mâchoire d'un âne [22]. »

Malgré l'air sérieux qu'elles se donnaient, ces réunions étaient un peu futiles ; les rédacteurs formaient une joyeuse équipe unie par le désir de choquer le bourgeois et de changer le monde entier. Bien qu'ils fissent preuve d'une grande lucidité, certains problèmes ne trouvaient jamais de solution. Lorsque Hippolyte Havel, un petit anarchiste moustachu qui ne décolérait jamais, interrompit l'une de leurs réunions en criant : « Espèces de bourgeois ! Vous votez ! vous votez pour de la poésie ! La poésie vient de l'âme ! Il est impensable qu'on vote pour de la poésie [23] ! » Beaucoup de rédacteurs sentirent que cette critique était fondée, mais, puisqu'ils s'étaient engagés dans cette formule communautaire, ils ne trouvaient pas d'autre méthode de sélection. Pas plus qu'ils n'avaient trouvé de solution au dilemme que posait ce petit refrain célèbre dans le Village :

---

20. Art YOUNG, *On my Way,* Liveright, New York, 1928, p. 278.
21. Reed reconnaissait parfois sa propre violence, du moins le fit-il plus tard, lors du procès que le gouvernement intenta en 1918 aux *Masses,* accusant le journal d'ingérence dans le conflit international. John décrivait ainsi une conférence de rédaction particulièrement mémorable : « J'apportai un poème. Sans préciser de qui il était, je le passai à quelqu'un qui le lut à haute voix. On vota contre. Je révélai alors qu'il était de moi et j'insistai pour qu'il soit publié, même si les autres semblaient ne pas l'apprécier. J'insistai tant qu'on finit par l'accepter. »
22. L. UNTERMEYER, *From Another World,* p. 58, et *Bygones,* p. 33.
23. A. YOUNG, *On my Way,* p. 281.

« Ils dessinent des femmes nues dans *Les Masses*
Elles sont moches, grosses, et grasses
En quoi cela sert-il la lutte des classes ? »

Les rédacteurs du journal, tous issus de la bourgeoisie, souhaitaient la révolution dans l'art et dans la société. Ils croyaient que la libération de la classe ouvrière s'accompagnerait de la mort de la morale bourgeoise, puisque l'exploitation financière était liée au puritanisme dans l'art et la société. Ils savaient parfaitement que leur public se composait avant tout de jeunes gens appartenant à la nouvelle bohème ou de sympathisants, mais cela ne les dérangeait pas. Dans le premier numéro publié sous la direction de Piet Vlag, ils avaient déclaré vouloir libérer la classe ouvrière « qu'elle le veuille ou non ». Tout au plaisir de briser les vieilles conventions, Reed et ses camarades ne s'inquiétaient pas trop de l'élitisme qu'impliquait un pareil discours.

Collaborant aux *Masses,* John se trouva au cœur de la révolte du Village. Toutes les doctrines qui circulaient parmi la bohème se retrouvaient dans le bureau de Greenwich Avenue sous forme de manuscrits, de dessins, ou encore en la personne d'auteurs qui voulaient diffuser leurs théories. Le marxisme, l'anarchisme, le syndicalisme, la révolution, le contrôle des naissances, le corporatisme, l'amour libre, le cubisme, le futurisme, le freudisme, le féminisme, la nouvelle femme, la nouvelle poésie, le nouveau théâtre et l'action directe, tout cela était décrit, exposé, dans les pages du journal par une pléiade de jeunes Américains talentueux : Amy Lowell, Carl Sandburg, Sherwood Anderson, Susan Glaspell, William Carlos Williams, Harry Kemp, Randolph Bourne, Stuart Davis, Arthur B. Davies, Jo Davidson, George Bellows, Robert Minor, Boardman Robinson, Upton Sinclair et James Oppenheim ; des écrivains et des artistes étrangers y collaboraient également : Bertrand Russell, Maxime Gorki, Romain Rolland et Pablo Picasso.

La diversité des sujets traités et la variété des rédacteurs étaient une perpétuelle source d'enseignement. Au cours de ces dix-huit mois passés au Village, les idées de Reed sur la vie, l'art, la littérature et la politique s'étaient considérablement modifiées ; *Les Masses* ne firent qu'accélérer le processus. Stimulé par les éditoriaux d'Eastman, par les opinions socialistes de Young et de Sloan, et par les vues anarchistes de Bellows, il se mit à lire des textes révolutionnaires et se rendit à des meetings publics. Les « divers types d'hommes » l'intéressaient davantage que les opinions qu'ils professaient. Les théories ne l'influençaient jamais autant que les individus, et ses convictions politiques étaient plus viscérales que cérébrales : « En fin de compte, les idées seules ne signifient pas grand-chose pour moi. Il faut que je voie. Lors de mes pérégrinations dans la ville, je ne pouvais faire autrement que de voir la hideur de la misère et de la déchéance, la cruelle injustice qui faisait que les riches avaient des automobiles à ne savoir qu'en faire et que les pauvres n'avaient pas de quoi manger. Ce n'est pas dans les livres que j'ai pris conscience du fait que ce sont les travailleurs qui produisent tous les biens de ce monde, et que ceux qui les possèdent ne les ont pas gagnés [24]. »

John ne se contentait pas d'approfondir ses connaissances politiques ; certains artistes lui ouvraient des domaines jusque-là inexplorés. Sloan, âgé de quarante-deux ans, était un homme compréhensif et qui voyait loin. Tour à tour spirituel et philosophe, il restait toujours prêt à discuter avec un jeune collaborateur. Il était venu petit à petit au socialisme ; le spectacle de la misère des rues, plutôt que sa situation personnelle, l'y avait mené : sans aucun doute, il sentait que Reed suivait un trajet identique. Sa peinture qui se rattachait à l'école « Ash Can », puisait son inspiration et sa violence dans les scènes de rue new yorkaises, un peu comme les histoires que Reed commençait à écrire. Son point de vue réaliste sur la société n'empêchait pas Sloan d'avoir l'esprit large ; il était sensible à l'avant-garde qui bousculait alors les vieilles doctrines artistiques et tentait de faire naître une nouvelle image de l'homme.

Ce monde nouveau, les Etats-Unis le découvrirent lors de l'exposition internationale qui s'ouvrit le 17 février 1913 au 25 Armory Street. Elle avait été organisée davantage par les artistes eux-mêmes que par des conservateurs de musée ; les tableaux étaient accrochés dans l'ancienne garnison du 69e Régiment, un gigantesque bâtiment : on pouvait y voir quelque seize cents peintures, sculptures et dessins qui donnaient un bon aperçu des productions européennes et américaines de l'époque. Les œuvres les plus osées devinrent l'objet de controverses passionnées. Comme tous ceux qui s'intéressaient à l'art, John s'y rendit plusieurs fois. Il dut se frayer un chemin

---

24. J. R., *Trente ans, déjà.*

dans la foule pour pouvoir admirer les tableaux des Fauves, Derain, Dufy, Matisse et des cubistes Picasso, Braque et Léger ; comme tous les autres visiteurs, il tomba en arrêt devant le *Nu descendant un escalier* de Duchamp. Il tenta de concilier sa propre vision avec celle des plaisantins qui disaient que ce n'était pas une femme, mais un homme, « une explosion dans une fabrique d'épingles » ou encore « un escalier qui descendait un nu ». Si ses goûts le poussaient davantage vers les impressionnistes ou vers les représentants de l'école « Ash Can », Reed était cependant sensible à la signification politique qu'impliquaient ces nouvelles conceptions esthétiques. Robert Henri et Alfred Stieglitz disaient que l'exposition était un cri de guerre en faveur de la liberté en art, et on avait choisi comme emblème pour l'exposition la pomme de pin, symbole de la révolution dans le Massachusets. Au même moment les organes de la presse bourgeoise refusaient le modernisme artistique au nom d'arguments politiques [25]. Les critiques conservateurs ne se contentaient pas d'accuser les modernes d'« immoralité et de décadence », le *New York Times* les traitait de « cousins des anarchistes en politique ». Cette expression attira aussitôt l'attention de John ; il comprit que les critères artistiques traditionnels — de même que ceux qui régissaient la société — constituaient un système de défense contre tout changement. Si l'Amérique se sentait menacée par l'art moderne, alors il en était partisan. Son point de vue était identique à celui que manifestait Hutchins Hapgood dans le *Globe,* qui rapprochait les expériences artistiques des expériences sociales et interprétait les bouleversements politiques, sociaux et artistiques, non comme des signes de décadence, mais comme la condition nécessaire « à toute croissance vitale [26] ».

La société bourgeoise, choquée par cette exposition, se sentait encore plus menacée par la liberté des mœurs sexuelles qui donnait déjà au Village une certaine célébrité. Reed n'était pas

---

25. Un grand nombre de personnes concernées par l'Armory Show en parlaient en termes de révolution. Mabel Dodge écrivait à Gertrude Stein, le 24 janvier 1913, que ce serait « l'événement public le plus important depuis la signature de la Déclaration d'Indépendance, et que ces deux événements étaient d'ailleurs de même nature... Il y aura des émeutes et des remous tels que rien ne sera plus comme avant ».

26. Citation empruntée à Barbara ROSE, *L'Art américain après 1900,* Frederick A. Praeger, New York, 1967, p. 67-77.

vraiment un théoricien de l'amour libre ; il n'usa jamais du discours freudien simplifié (libération contre la répression) qui avait cours parmi les représentants de la bohème ; il ne manifesta jamais un grand intérêt pour les histoires amoureuses du Village, qui fascinèrent tant Floyd Dell. Il salua l'audace d'une célèbre jeune femme qui combattait la prostitution en s'offrant à tous les hommes qu'elle rencontrait, mais cela ne l'empêchait pas de croire encore à l'amour, fût-ce épisodiquemeent. Malgré tout son charme, il ne consacrait que peu de temps aux femmes. Lorsque l'une d'elles lui plaisait, John espérait naturellement qu'il coucherait avec elle et qu'ils y prendraient tous les deux plaisir ; il espérait également qu'elle se sentirait concernée par les bouleversements de la société moderne. Au début de l'année 1913, sa compagne la plus fidèle était une charmante et tendre institutrice avec laquelle il passait la nuit de temps en temps. Leur liaison leur convenait à tous deux ; c'était plus sérieux qu'une passade, mais très différent d'une profonde et véritable passion.

Ce genre de liaison était si répandu au Village que John n'eut jamais à s'en justifier. En revanche, la morale traditionnelle le mettait en colère. Il détestait la mentalité des progressistes qui croyaient à « l'élévation morale » et tentaient de réformer et de guérir les gens de ce qu'ils appelaient leurs vices : l'alcoolisme et la promiscuité. Lorsqu'un groupe de dames riches et élégantes, membres de la Ligue des Loisirs et de l'Aménagement des Congés pour les Travailleuses, vint faire une enquête sur la funeste influence des bals populaires et sur la nature profondément immorale, répugnante et obscène des danses modernes telles que le Grizzly Bear, le Turkey Trot et le Tango, Reed fit un article au vitriol. « De quel droit ces personnes viennent-elles discuter les goûts des travailleuses ? » demandait-il. Il stigmatisait le réflexe imbécile de ces « dames bien nourries et bien morales » qui voulaient à tout prix rendre meilleurs « ceux qui leur étaient socialement inférieurs ». Le vice se trouvait dans l'œil du censeur, et si ces danses étaient parfois sensuelles, c'était tout simplement parce que l'attitude des travailleurs vis-à-vis du sexe était plus simple que celle de la société sophistiquée. La notion de vice était fabriquée et définie par une classe sociale ; ni les lois, ni les discours ne changeraient les gens. La liberté, non pas la répression, tel était le remède à ce que certains considéraient comme immoral. John se déclarait sûr qu'une attitude libertaire finirait par montrer que « la nature humaine était, par essence, bonne [27] ». La collaboration aux *Masses,* la participation aux manifestations artistiques et politiques, tout cela ne lui rendait pas plus évidente l'orientation qu'il voulait donner à ses textes, pas plus que cela ne lui fit quitter le monde de la presse commerciale. Lorsque *La Vie de bohème* parut au mois de février — éditée par les soins de Frederick Bursch dans une petite imprimerie du Connecticut — John expédia un certain nombre d'exemplaires à un dollar, et reçut de toutes parts de grands éloges. Julian Street pensait que c'était « un petit bijou... brillant et plaisant à la fois » ; il lui prédit qu'un jour les exemplaires de ce tirage limité se vendraient chacun mille dollars [28]. Les gens du Village apprécièrent cette description pittoresque de leur propre existence et commencèrent à considérer l'auteur, cet étonnant jeune homme blond qui vivait et écrivait avec beaucoup de goût, comme le grand porte-parole de leurs aspirations. Dans les cafés et les restaurants, autour de Washington Square, on se montrait John avec orgueil et respect ; on le considérait comme « l'enfant chéri » de la nouvelle bohème.

En ville, sa célébrité atteignit un sommet lorsque les membres du « Dutch Treat Club » le choisirent pour écrire et mettre en scène un spectacle annuel qui avait lieu au cours d'un dîner chez « Delmonico ». Il écrivit rapidement le livret et les paroles, s'occupa des répétitions, houspilla les comédiens, refusa de laisser changer son texte par des humoristes professionnels et surveilla pendant des semaines les moindres détails du spectacle. Dans cette farce, les journaux étaient tournés en ridicule ; *Everymagazine, pièce immorale,* jouait du contraste entre ses prétentions outrées et la réalité du spectacle, entre la volonté d'être libre de toute influence extérieure et l'étroite dépendance qu'exerçait la publicité, entre l'affectation des journalistes qui prétendaient modeler l'opinion publique et la peur qu'ils avaient de choquer les honnêtes gens. Comme il s'agissait d'une farce satirique, John pouvait se permettre d'appeler les choses par leurs noms. De vieux journaux rassis comme le *Century, Scribner's, Harper's,* étaient qualifiés de fossiles : « Je suis aristocratique, extrêmement / Je suis une nécrologie vivante. » Il s'attachait d'autre part à montrer l'hypocrisie de la presse progressiste, de l'*Outlook,* par exemple : « Je suis un réformateur

---

27. J. R., « Article contre les moralisateurs », inédit, et « Lettre » au *New York Times,* 27 janvier (1913 ?) ; fragments inédits (manuscrits J. R.).

28. Lettre de Julian Street à J. R., 21 février 1913 (manuscrits J. R.).

modéré, car il faut bien un brin de réforme... C'est un moyen de se faire un peu d'argent. » A la fin du spectacle, les journaux tous ensemble proclamaient la parfaite objectivité de leurs opinions, tandis que le chœur exprimait un avis différent :

> « J'ai entendu raconter une histoire idiote
> Qui fait le tour de la ville
> Et qui raconte que tous les journaux mensuels
> Appartiennent à J. P. Morgan [29]. »

Quand le rideau tomba, Reed fut applaudi, acclamé, ce fut un véritable déluge de compliments. Pour célébrer son succès, il se saoûla complètement et sombra dans un délicieux oubli. Son succès au « Dutch Treat Club », de même que sa récente popularité au Village étaient certes des indices de réussite personnelle. Malheureusement, la vie était une affaire quotidienne et ces bravos ne lui enlevaient pas l'épine qu'il avait au pied : il en avait assez de travailler pour l'*American*. Il était las de besogner sur des manuscrits qui n'avaient rien d'excitant, qui ne possédaient pas, eux, l'éclat de la bohème. Il trouvait ce travail « inepte et dérisoire [30] ». Il s'ennuyait. De plus, la ville prenait sa revanche ; il s'inquiétait de son manque d'exercice, de son goût de plus en plus prononcé pour l'alcool et les cigarettes ; il commençait à s'empâter. Pour rompre ce train-train, il travailla sur le projet d'une revue commerciale, mais sérieuse, qui serait entièrement consacrée à la littérature ; il s'efforça d'y intéresser la Crowell Company. Pour améliorer sa silhouette, il partit faire de la marche à pied dans la campagne pendant toute une semaine avec Bobby Jones ; à nouveau, il se mit en quête d'une ferme. Mais dès qu'il avait trouvé l'endroit idéal, la réalité venait doucher ses rêves d'évasion ; mis en demeure de choisir, John se trouvait bien forcé d'opter pour Manhattan.

Ces hésitations eurent des répercussions psychologiques. Durant ce printemps 1913, John fut instable, tantôt désespéré, tantôt euphorique. Parfois son humeur était aussi maussade que les nuages bas qui pesaient sur les gratte-ciel de la ville. Puis,

---

29. Citations empruntées à *Une pièce immorale*, New York, 1913, éd. privée.
30. Lettres de J. R. à Edward Hunt, 10 mars 1913, et à Sam McCoy, 17 avril 1913 (manuscrits J. R.).

profitant d'une éclaircie, il partait se balader dans les rues, et se sentait alors des ailes ; il passait d'interminables soirées à rire avec ses amis et à parler du nouveau monde qui n'allait pas tarder à naître. Avec ses compagnons du Village et des *Masses,* il était souvent question des rapports entre l'art et la politique, et ce problème qui le tourmentait se manifestait parfois d'une manière intempestive : au mois de mars, Reed avait été présenté à la poétesse Sara Teasdale ; rapidement, il avait fait dévier la conversation littéraire sur des sujets politiques, si bien qu'en partant, il eut le sentiment de s'être comporté comme un cuistre. Il lui écrivit pour s'excuser de l'avoir assommée avec « sa réforme sociale ». Elle lui répondit aimablement en l'assurant qu'elle avait trouvé la conversation « très intéressante [31] ». Mais cela n'empêchait pas John de se tracasser : il se jugeait trop sérieux.

L'écriture restait un bon moyen de se trouver, et, bien qu'il fût satisfait de ses succès précédents, John — comme tous les artistes — savait que c'était l'œuvre à venir et non la dernière en date qui comptait. Déjà l'existence nonchalante que décrivait *La Vie de bohème* s'effaçait en partie derrière des préoccupations plus sérieuses qui commençaient à émerger. Elles se manifestaient çà et là dans des textes réalistes où apparaissaient des flics, des vagabonds, des prostituées et des femmes de ménage ; cependant, il lui arrivait encore d'écrire des poèmes romantiques où il était question de flots tumultueux et de printemps qui faisait reverdir le monde. A la recherche de nouveaux moyens d'expression, il se lança dans un genre qu'il avait délaissé depuis Harvard : en avril, il acheva une pièce en trois actes. Il avait voulu faire un vaudeville ; mais le fait même d'avoir choisi ce genre léger témoignait de son embarras.

*Entrez, Dibble* avait pour personnage principal un jeune homme qui ressemblait fort à John. Dibble, révolté par le snobisme de Harvard, se fait ouvrier, mais en même temps il se fiance avec la fille d'un millionnaire et organise une grève dans l'usine de son futur beau-père. Les complications qui s'ensuivent fournissent matière à des scènes comiques, mais permettent aussi au héros de tenir des discours passionnés sur la misérable existence des travailleurs ; il en profite pour condamner l'hypocrisie des capitalistes qui couvent leurs filles chéries en exploitant le reste de l'humanité. Dibble, de même

---

31. Sara Teasdale à J. R., 20 mars 1913 (manuscrits J. R.).

que son auteur, joue le rôle de l'intellectuel qui, méprisant la bourgeoisie, se consacre tout entier à la cause du prolétariat, mais il se différencie de John par un aspect essentiel : il est vraiment sur la brèche. Et c'était bien là le dilemme qui peu à peu se posait à Reed. La plupart de ses amis se contentaient d'être des artistes ou des critiques œuvrant pour la cause de la liberté ; John, lui, avait autant besoin d'action que de théorie ; il en vint à se demander si un écrivain pouvait se contenter de mettre sa plume au service de cette libération. Il lui avait fallu longtemps pour formuler cette question, mais la réponse devait être encore plus longue à venir.

# Paterson

Dès la tombée de la nuit, les filles commencent à déambuler près de ce carrefour ; elles ont le visage tiré, les traits durs ; ce sont des filles « bon marché » : elles ressemblent à de petits oiseaux qui s'enveloppent frileusement dans leur plumage terni. Elles arrivent d'Irving Place par la Quatorzième Rue, remontent vers Union Square par la Seizième, descendent la Quinzième (repassant par le carrefour) vers la Troisième Avenue, et ainsi de suite, sans cesse attirées par ce carrefour...

Sur cette place, bien sûr, il y a toujours un flic. Il suit à peu près le même trajet que les filles, mais son allure est plus lente, plus majestueuse. Son travail consiste à faire croire qu'elles n'existent pas. Pour ce faire, il oblige les filles à marcher sans cesse (créant ainsi l'illusion qu'elles se rendent quelque part). La Société n'accorde aucun repos au vice. Si les femmes restaient immobiles, qu'adviendrait-il de nous ? Lorsque le flic apparaît au carrefour, les femmes qui arpentent le trottoir s'éparpillent comme un vol de moineaux...

J'étais au carrefour en train d'observer ce petit manège ; leurs murmures étouffés et le doux bruit de leurs pas me parvenaient jusqu'à moi. Elles m'injuriaient ou m'aguichaient, suivant qu'elles avaient dîné ou non. C'est alors que le flic arriva.

Ses énormes épaules apparurent dans la lumière glauque de la Quinzième Rue, il avait l'arrogance satisfaite du monarque absolu. Sans bruit, les filles disparurent... Il s'arrêta un moment, jouant avec sa matraque et jetant autour de lui des regards inquisiteurs... C'est alors qu'il me vit.

— Circulez ! ordonna-t-il avec un signe de tête autoritaire.

— Pourquoi ? demandai-je.

— Pas de discussion ! Faites ce que je vous dis...

— Je ne fais rien de mal, dis-je.

— C'est comme ça ?... Suivez-moi ! gronda-t-il, en me prenant par le bras.

Le flic et moi, nous avons remonté la Quinzième Rue ; aucun de nous deux ne parlait. Nous sommes entrés dans le commissariat enfumé et crasseux...

Il y avait devant moi un autre prévenu, c'était

*une fille mince, elle n'arrivait pas à l'épaule du policier qui la tenait par le bras...*

*— Racolage, dit la voix rude de l'agent de police...*

*— Dix jours !... Au suivant !*

*Le juge écrivait quelque chose sur une feuille de papier. Sans lever les yeux, il aboya :*

*— Qu'est-ce qu'il a fait, sergent ?*

*— Rébellion envers un agent de la force publique, dit le flic, hargneux. Je lui ai dit de circuler et il a refusé d'obtempérer...*

*— Hum... grommela le juge distraitement ; il continuait à écrire.*

*— Il a refusé ?... Bon !... Qu'est-ce que vous avez à dire pour votre défense ?*

*Je ne répondis pas.*

*— Tu ne veux pas parler, hein ? Bon, je vais...*

*Il leva la tête, me reconnut et sourit.*

*— Salut, Reed ! fit-il.*

*Il regarda le flic d'un œil haineux :*

*— La prochaine fois que vous attrapez un de mes amis...*

*Il laissa sa menace en suspens comme pour la rendre plus redoutable. Puis se tournant vers moi : « Vous viendrez bien vous asseoir un moment à côté de moi ? »*

John REED, « Un aperçu de la justice », article paru dans *The Masses*, n° IV, avril 1913, p. 8. Ce texte a été repris par F. Dell dans son ouvrage, *Daughter of the Revolution*, Vanguard Press, New York, 1927, et par William L. O'Neill, *Echoes of Revolt : « The Masses », 1911-1917*, Quadrangle, Chicago, 1966.

Au cours de ses déambulations dans les rues de Manhattan, en quête d'aventure et de pittoresque, Reed apprit que la réalité pouvait être symbolique. Il n'y avait guère besoin d'enjoliver ce genre d'incident ou de le charger d'un sens superflu. A lui seul, c'était un rappel complet et violent du fait que la frontière qui séparait la fiction de la réalité était encore plus vague que celle qui sépare la justice de l'injustice. Cependant, cette histoire ne prouvait pas grand-chose. Si John pouvait impunément se payer la tête d'un flic, les autres en étaient bien incapables. Lui pouvait s'asseoir à côté du juge, les autres devaient rester debout devant son bureau ; ils n'avaient ni réputation, ni amis influents pour les protéger. Comme John n'appréciait pas beaucoup cette discrimination, il souhaitait de plus en plus en finir avec ces privilèges qui le protégeaient des réalités brutales, celles que le commun des mortels devait affronter. C'était déjà ce besoin de mesurer son courage qui l'avait fait partir en cargo et accomplir ses randonnées solitaires en Europe. Jusque-là, les épreuves qu'il s'était infligées n'avaient concerné que lui ; maintenant elles se justifiaient par les théories révolutionnaires dont se satisfaisait un désir de justice, hérité de son père, qu'il avait toujours ressenti.

Au Village, le courant radical donnait naissance à des mouvements divers. John n'était pas homme à choisir une théorie unique et à s'y tenir toute sa vie. Il les acceptait toutes, et se sentait attiré au gré des événements par l'action directe. C'est pourquoi, lorsque ce mouvement de révolte fut soudain celui d'une foule en chair et en os, pour John le déclic se produisit. Cela arriva un soir, dans un petit appartement du Village où il fit la connaissance de William D. Haywood, surnommé « Big Bill », chef de l'I. W. W. ; c'était un homme corpulent, combatif, exigeant, que la bohème considérait comme un véritable héros. Quatre heures durant, il raconta les événements que la presse avait pratiquement passés sous silence : les vingt-cinq mille travailleurs de la soie s'étaient mis en grève pour obtenir la journée de huit heures ; cela se passait à Paterson, non loin de New York. Les autorités de la ville traitaient les grévistes comme s'ils dressaient les barricades de la révolution. On les matraquait dans les rues et on en avait mis en prison un nombre considérable. Tous les lieux de réunions étaient interdits à l'I. W. W. et lorsqu'on se risquait à critiquer l'administration ou la police municipales, on était poursuivi par les tribunaux pour tentative de sédition. Haywood expliqua qu'il fallait absolument alerter l'opinion publique pour que les travailleurs reçoivent l'aide et le soutien dont ils avaient un besoin urgent. Le leader syndical avait touché une corde sensible : Reed décida qu'il irait à Paterson pour faire connaître la vérité sur la répression.

Deux jours plus tard, en compagnie d'Edward Hunt, John était sur les lieux. A six heures du matin, il faisait frais, le temps était gris ; sous les nuages bas et la bruine tenace, de part et d'autre des eaux sombres du Passaic, les rues de la ville ouvrière étaient désertes. Les mains dans les poches, le col relevé pour se protéger de l'humidité, Reed et Hunt se hâtaient vers le quartier des usines. Ils débouchèrent dans une rue interminable, bordée d'un côté par les murs sombres de l'usine qui avait l'air d'une forteresse, de l'autre par des logements en bois, à moitié écroulés. Ils découvrirent des hommes et des femmes qui s'abritaient sous les fenêtres ou sur les seuils, « qui riaient et bavardaient comme s'ils venaient de terminer leur petit-déjeuner un dimanche ». Devant les usines, une cinquantaine de personnes trempées par la pluie faisaient les piquets de grève ; au fur et à mesure que le jour se levait, leurs rangs s'épaissirent ; ils furent bientôt plusieurs centaines. Trempés, mal vêtus, hommes, femmes et enfants étaient d'humeur joviale ; cette bonne humeur persista jusqu'à l'intervention de la police. Celle-ci leur intima l'ordre de se disperser, puis se mit à bousculer violemment les piquets, comme si elle espérait provoquer un incident. Toute gaîté s'éteignit aussitôt ; les ouvriers fixèrent leurs adversaires « avec des yeux pleins de haine [1] ».

John s'était séparé d'Edward pour aller jeter un coup d'œil alentour ; soudain trempé par une averse, il alla se réfugier sous un porche. Immédiatement un policier vint lui ordonner de déguerpir. Comme il refusait, le policier, après avoir grimpé les marches, l'agrippa par le bras et le jeta sur le trottoir où se trouvait un autre flic. Ensemble, ils traînèrent Reed sur le trottoir.

— Maintenant, tu fous le camp d'ici, dit le premier.

— Je ne partirai ni d'ici ni d'ailleurs. Si j'enfreins la loi, vous n'avez qu'à m'arrêter, répliqua Reed.

Comme l'officier n'avait guère envie de l'arrêter — c'est ce qu'il lui dit avec force injures — John, qui se contenait, nota calmement le numéro de plaque du policier et lui demanda son nom.

— Ah ! c'est comme ça ! rugit le policier furibond, c'est moi qui vais te le demander, ton nom ! Je t'emmène !

Entraînant John par le bras, il remonta la rue en jurant et en le menaçant de sa matraque. Deux autres policiers vociférants vinrent à la rescousse et poussèrent John dans le panier à salade qui se mit en branle, salué par les cris et les ovations des piquets de grève. On fourra John dans une cellule crasseuse de quatre pieds sur sept ; plus tard dans la matinée, il fut déféré devant le juge Carroll, un homme « qui avait le visage intelligent, cruel et impitoyable des magistrats des tribunaux de police ». John n'avait pas d'avocat pour le défendre. On lut l'acte d'accusation, puis on l'autorisa à donner sa version des faits. Il dut ensuite écouter « un habile tissu de mensonges » débité par l'officier de police qui prétendait faire la preuve de l'illégalité de sa conduite. Carroll, qui avait déjà fait emprisonner des centaines de grévistes sans la moindre preuve, était peu enclin à croire ce journaliste trop curieux. Le verdict fut rapide : « Vingt jours de prison. »

Malgré l'injustice de cette condamnation, John n'avait pas trop l'air d'un martyr en quittant le tribunal. Un journaliste qui était présent à l'audience le décrivit « souriant et heureux »,

---

1. J. R., « La guerre de Paterson », *The Masses*, juin 1913, p. 14, 16-17. Repris par W. L. O'NEILL, *Echoes of Revolt : « The Masses »*, *1911-1917*, et par John STUART, *The Education of John Reed*, New York International, 1955. Les citations qui suivent, concernant la grève de Paterson, qui ne font pas l'objet d'une note particulière, sont tirées de ce même article.

et attribua cette bonne disposition au fait que John allait avoir la chance inespérée de trouver « la couleur locale » derrière les barreaux [2]. Lorsqu'il pénétra dans la prison du comté de Passaic, un grand bâtiment, humide, insalubre, rempli de vermine (il datait de la guerre civile), son sourire s'évanouit. On lui ôta ses effets personnels, il dut se laver dans un tub répugnant et revêtir la tenue des prisonniers : pantalon gris, raide de crasse, veste de toile et chemise bleue délavée. On le poussa dans un long corridor sombre bordé de cellules, où la seule aération provenait d'une minuscule lucarne. Il se trouva au milieu de prisonniers misérables et démoralisés : l'un d'eux avait des chancres syphilitiques sur les jambes, un autre plus jeune semblait à moitié fou, un drogué à la cocaïne attendait une dose qu'on devait lui faire parvenir du dehors, un autre enfin, au visage terrible, allait et venait sans cesse en gémissant sur le même ton sauvage et monotone.

John, qui commençait à se sentir désemparé et perdu, se demandait ce qu'il faisait là ; on l'enferma bientôt dans une cellule en compagnie d'un grand noir et d'un étranger barbu à la peau brune en qui il reconnut Carlo Tresca. Il lui tendit la main et voulut engager la conversation, mais Tresca refusa de répondre aux questions et se retira dans un coin. Comme il n'y avait que deux lits, le noir offrit de coucher par terre, mais les deux autres refusèrent. Durant la nuit les trois hommes demeurèrent silencieux. John angoissé fumait cigarette sur cigarette ; il se sentait frustré. Le lendemain matin, dans la cour de la prison, il retrouva Haywood qui venait juste d'être arrêté, et lorsque celui-ci lui fit faire connaissance avec les autres, Reed comprit pourquoi Tresca s'était montré si hostile. Comme John, de toute évidence, ne ressemblait pas à un ouvrier soyeux, le syndicaliste l'avait pris pour un indic placé là par la police. L'Italien se jeta dans ses bras, et les autres grévistes se rapprochèrent de John : ils voulaient voir ce journaliste qui appartenait à un célèbre journal révolutionnaire ; la sensation d'isolement disparut.

Le courage, la cordialité et la solidarité des grévistes, leur détermination donnaient un sens à la vie en prison. Reed s'entendit tout de suite avec les Italiens, les Lithuaniens, les Polonais et les Juifs ; c'étaient de petits hommes, rudes, bruns,

2. Tiré de l'*Evening Sun,* 28 avril 1913. On peut lire dans le *New York Times* (29 avril 1913) un compte rendu précis de l'arrestation et du procès.

exubérants, dévoués corps et âme à l'I. W. W. ; ils chantaient sans cesse des chants révolutionnaires et ne craignaient pas de prendre à partie leurs geôliers. Nombre d'entre eux avaient le visage balafré ou tuméfié par les coups de matraque ; tous avaient le visage décharné, car depuis neuf semaines ils ne mangeaient pas à leur faim. Le spectacle de la souffrance et la brutalité inutile de la police les rendaient sombres. Pourtant ils étaient toujours prêts à se battre, à retourner faire les piquets de grève. Ils lui dépeignirent la cruauté des méthodes policières. John apprit comment les grévistes passifs avaient été battus, maltraités, puis entassés dans des cellules minuscules sans aucune aération avant de passer en jugement ; la peine la plus courante était six mois de prison. John admirait Haywood dont le visage massif et rude était taillé et couturé comme un vieux roc ; sa voix tranquille redonnait espoir à tous autour de lui. John sentait que la grève des soyeux était avant tout l'affaire de ces hommes « courageux, actifs et sympathiques », avec qui il partageait sa nourriture et ses cigarettes. Derrière les barreaux son enthousiasme pour la cause grandissait : il écrivait à Hunt : « Si tu voyais les grévistes ici, tu saurais ce qu'est une grande grève [3]. »

Pourtant, malgré l'amitié des syndicalistes, malgré l'ampleur du combat, la prison, où le divertissement favori consistait à organiser des courses de cafards, lui parut « pire que le cargo à bestiaux ». Le fait que de lui-même il compare cette nouvelle expérience avec son voyage en bateau est assez significatif. Lors de sa traversée, Reed avait essayé de travailler aussi dur qu'un matelot ; en prison, il espérait se prouver à lui-même qu'il était aussi résistant que les grévistes. De même que pendant son voyage, Reed fut incapable de tenir son rôle jusqu'au bout ; il en ressentit de la honte, de l'orgueil, une certaine confusion mêlée d'arrogance et parfois d'humilité. Ces sentiments apparaissent nettement dans les nombreuses lettres qu'il envoyait à Edward Hunt, et qui portaient en exergue « de la geôle de Reading [4] ». Le fond du problème, c'était en fait que Reed adorait se distinguer de la foule. Il était fier d'annoncer : « Ici je suis un personnage », mais il avait peine à se conduire comme un simple gréviste. Il trouvait la nourriture — une soupe grasse, des pommes de terre pourries, et de la viande

---

3. Lettre de J. R. à Edward Hunt, sans date (manuscrits J. R.).
4. *Ballade de la geôle de Reading,* célèbre poème d'O. Wilde écrit en prison, 1898. (N.d.T.)

avariée — tellement immangeable, qu'il demanda à Hunt de lui procurer des repas convenables par l'intermédiaire des restaurants voisins ; puis, pendant un moment, il caressa le projet d'attaquer le tribunal du comté de Passaic pour arrestation illégale, et de faire « sauter » le policier pour « brutalité abusive ». Il pria Edward de « conserver toutes les coupures de presse pour sa délectation personnelle » et garda précieusement une ballade que lui avait envoyée Harry Kemp, où celui-ci comparait Reed aux grands personnages de l'histoire

« Qui osaient dire la vérité à la face du Pouvoir
Et languissaient souvent au fond d'un noir cachot[5]. »

Reed se montrait parfois ombrageux. Il s'inquiétait de la réaction de sa famille et se demandait s'il pourrait retrouver son emploi à l'*American* ; lorsque les autres évoquaient des questions matérielles de ce genre, il s'énervait. Redevenu plus calme, il admettait volontiers qu'il n'était ni un héros, ni un martyr — « tout cela est une grande farce », disait-il — et, dans de grands accès de sincérité, il déclarait qu'en dépit de l'inconfort de la prison « son terrible besoin d'aventure et son humour lui faisaient apprécier cette expérience ». Mais ce qu'il pouvait avouer de lui-même, il l'acceptait plus difficilement venant des autres. Lorsque Hunt vint le voir à l'heure des visites et lui confia qu'il était resté muet sur les détails de son arrestation pour que John ait le plaisir de raconter lui-même son histoire, Reed se mit en colère et, dans une lettre de plusieurs pages, il accusa son meilleur ami de le traiter « comme un gosse ». Devant une telle violence, Hunt ne pouvait répondre que par l'humour :

« Le ton farouche de ta lettre... m'amène à penser que ton goût de l'aventure et ton sens de l'humour ont momentanément disparu. Si tu as l'intention de sortir des profondeurs de ton cachot, en agitant tes chaînes et en faisant valoir ton bon droit, que Dieu te protège — et nous aussi[6] ! »

A Harvard, Bobby Rogers fut mis au courant de son incarcération ; sans en connaître les détails, il écrivit à John que si

5. *Ibid.*, et Harry Kemp à J. R. (manuscrits J. R.).
6. Lettre d'E. Hunt à J. R., sans date, et de J. R. à E. Hunt (manuscrits J. R.).

le juge voyait en Reed un danger pour la société, il était bien fou de ne pas comprendre « qu'il serait bien plus dangereux encore lorsqu'il sortirait de prison... Je vois d'ici les gens s'arracher les exemplaires de l'*American*. Titre choc : " Vingt jours en Enfer ", par le sieur John Reed. Il y aura de quoi se régaler [7] ».

Les amis de John le connaissaient bien. Après quatre jours d'incarcération, un avocat de l'I. W. W. le fit sortir de prison ; de retour à Washington Square, il se mit à rédiger son article pour *Les Masses*.

« A Paterson (New Jersey), c'est la guerre. Mais une guerre bizarre. La violence est le fait d'un seul camp : les patrons des usines. Leurs domestiques, les policiers, matraquent des hommes et des femmes qui ne font aucun mal, et chargent à cheval des foules qui demeurent dans la stricte légalité. Leurs mercenaires, les détectives armés, se servent de leurs fusils pour massacrer des gens innocents. Leurs journaux, le *Paterson Press* et le *Paterson Call,* lancent des appels au meurtre et à la violence contre les leaders syndicaux. Leur instrument, le juge Carroll, condamne à de lourdes peines les paisibles piquets de grève que la police s'empresse de ramasser. Les patrons ont le contrôle absolu de la police, de la presse et des tribunaux. »

John racontait ensuite ce qu'il avait vu et fait ; lorsqu'il en venait à la situation des ouvriers, son ton se faisait dramatique. Il démontrait que ce n'était pas l'I. W. W. mais bel et bien les autorités de Paterson qui étaient anarchiques, elles qui déguisaient leur violence sous les mots de « loi » et d' « ordre », et qui « contredisaient les idéaux américains ». Il reprochait à la Fédération américaine du Travail et au Parti socialiste de ne pas avoir aidé les grévistes ; enfin, il attirait l'attention des lecteurs sur le sort de ses compagnons jetés en prison : « Réfléchissez ! Depuis douze ans, leurs grèves échouent — douze longues années de déceptions et de souffrances incalculables ; il faut à tout prix leur éviter de perdre encore la partie. Ils ne peuvent pas la perdre [8] ! »

C'était un article dur, violent, emporté : il prouvait que Reed avait changé. Le journaliste sympathisant était devenu un

---

7. R. Rogers à J. R., sans date (manuscrits J. R.).

8. J. R., « La guerre de Paterson ». On peut en lire davantage sur son expérience carcérale dans un article de John intitulé « L'Hôtel du sheriff Radcliffe », *Metropolitan*, n° XXXVIII, septembre 1913, p. 14-16, 59-60.

partisan convaincu. Cette expédition à Paterson, qu'il avait entreprise en amateur, comme celles qui l'avaient conduit au dîner offert par Sullivan aux clochards ou dans les bouges et les tripots du Tenderloin, débouchait sur des horizons nouveaux. Son travail à l'*American* l'ennuyait de plus en plus ; les contacts qu'il gardait avec les révolutionnaires par l'intermédiaire des *Masses,* son incapacité à trouver une forme satisfaisante pour ses ambitions littéraires, l'envie de sortir un peu de la vie du Village l'avaient fait rechercher quelque chose de nouveau, et il avait enfin trouvé une cause. Sans se poser trop de questions, sans avoir besoin de peser mûrement sa décision, il avait fait de son inclination personnelle une vocation. Lorsque John sortit de prison, il savait qu'il y avait quelque chose à faire, et qu'il devait le faire. Son article était un premier pas, mais déjà il sentait qu'il fallait d'autres armes que la plume pour gagner cette bataille.

La grève des soyeux de Paterson était un événement important, non seulement pour Reed, mais aussi pour l'I. W. W., pour l'ensemble du mouvement ouvrier et pour la partie de plus en plus grande de la bohème qui s'intéressait aux questions sociales. Les organisateurs de l'I. W. W (qui avait moins de dix ans d'existence) venaient pour la plupart des frontières de l'Ouest ; ils avaient connu les camps d'exploitation forestière et les sinistres pays miniers où quelques concessions faites par les bourgeois masquaient la lutte des classes et la féroce exploitation dont étaient victimes les travailleurs. L'I. W. W. était le dernier en date des nombreux organismes qui avaient tenté de se créer depuis la Guerre civile, pour rassembler en un syndicat les travailleurs sans qualification plutôt que de fonder des groupes corporatistes ; les membres de ce syndicat étaient des militants possédant une conscience de classe. A l'origine, le syndicat avait eu le soutien de certains socialistes, tels Eugene V. Debs et Daniel De Leon, mais lorsqu'il se déclara hostile à l'action politique — aussi révolutionnaire fût-elle — ceux-ci s'en séparèrent. L'I. W. W. considérait la politique comme une espèce de jeu inventé pour détourner l'attention des travailleurs de leurs véritables préoccupations. Il était, selon l'I. W. W., beaucoup plus important d'organiser les ouvriers que les électeurs, de gagner les grèves que les élections.

Au cours des premières années, les syndicalistes remportèrent peu de victoires, mais ils attirèrent sur eux l'attention du pays en grande partie à cause de la façon dont l'Amérique les considérait. Dans leurs discours, les dirigeants se déclaraient révolutionnaires, ils affirmaient la nécessité de détruire le système capitaliste ; ils parlaient de « grève générale », de « sabotage » et de « propagande par l'action ». L'idéologie de l'I. W. W. était un assez curieux mélange de marxisme, de syndicalisme et d'anarchisme, mais ses chefs savaient que les travailleurs croyaient plus volontiers à des améliorations immédiates qu'à des espoirs lointains et utopiques. Malgré la violence de ses discours, l'I. W. W. se montrait à la fois responsable et prudent lorsqu'il organisait une grève ; le syndicat mettait les ouvriers en garde contre toute exaction et se fixait des objectifs assez limités : réduction du temps de travail et augmentations de salaire. Néanmoins, la presse ne relevait que ses appels à la révolution, à l'action directe, et les démêlés du syndicat avec les autorités remplissaient les journaux.

Comme le reste de la population, les gens de la bohème considéraient les syndicalistes de l'I. W. W. comme d'authentiques révolutionnaires, sauvages et durs, à cette différence près que, pour eux, cela donnait de l'I. W. W. une image plus romanesque que terrifiante. Les habitants du Village pour la plupart se déclaraient satisfaits des récents triomphes remportés par les socialistes : Debs avait obtenu six pour cent lors de l'élection présidentielle de 1912 ; en outre, des membres du parti (plusieurs centaines) avaient été élus à des postes officiels dans le pays tout entier. Mais, paradoxalement, en participant aux batailles électorales, en en gagnant certaines, les socialistes pouvaient apparaître comme trop intégrés au système, trop attachés aux conventions bourgeoises contre lesquelles la bohème se révoltait précisément. Pour quelqu'un comme Reed, le Parti socialiste « n'était pas plus efficace que la religion [9] ». On ne pouvait en dire autant de l'I. W. W. Avec ses vagabonds, ses poètes, ses organisateurs énergiques, rendu célèbre par les violents débats qui avaient eu lieu à Spokane, à Fresno et à San Diego, par sa réputation de violence due aux sabotages et aux heurts avec la police et les vigiles, l'I. W. W. apparaissait comme une organisation active, qui transformait le mouvement radical en un cri héroïque pour la liberté, où l'on savait hurler les slogans courageux face aux fusils des milices privées. Combattre avec l'I. W. W., c'était combattre pour la justice et ressentir l'exaltation des temps révolutionnaires.

---

9. *Trente ans, déjà* ; les citations qui suivent et qui ne font pas l'objet d'une note particulière dans ce chapitre sont tirées de ce texte.

Lorsqu'à la fin de 1912, le syndicat s'installa sur la côte Est et organisa les travailleurs de Lawrence (Massachusets) dans la perspective d'une grève contre les plus gros industriels du textile, les gens du Village furent de tout cœur avec l'I. W. W. Les gros titres des journaux avaient rendu célèbres auprès du public les porte-parole du syndicat : Haywood, Tresca, et le leader Arturo Giovannetti qui était aussi un poète raffiné et mystique. L'I. W. W. gagna cette grève malgré l'énorme puissance du capital et des autorités réunies, et il sembla alors qu'on arrivait à un tournant de l'histoire ; la presse s'inquiéta de ce raz-de-marée révolutionnaire, tandis que les syndicalistes et leurs sympathisants voyaient se lever l'aube d'une ère nouvelle. Quant à John Reed, lorsqu'il s'était arrêté à Lawrence pour observer la situation après la grève, il avait cru comme beaucoup d'autres que le syndicat « jouait un rôle prédominant dans le monde social et industriel et que sa nouvelle force était le présage de la victoire prochaine des opprimés ».

Paterson fut le second des principaux objectifs que l'I. W. W. se fixa dans l'est du pays ; pourtant, le syndicat ne pouvait prétendre avoir lui-même déclenché la grève. Les conditions de travail étaient déjà très pénibles (des journées interminables pour un salaire dérisoire), lorsqu'une accélération des cadences — les ouvriers durent travailler à quatre métiers au lieu de deux — provoqua une grève spontanée dans un des plus grands ateliers. C'était au mois de février 1913. Alors seulement l'I. W. W., qui essayait d'organiser les ouvriers depuis quatre ans, vit ses efforts payés de retour. Très vite, les grosses usines textiles suivirent le mouvement ; les patrons, qui croyaient à un coup de force de la part du syndicat, décidèrent de ne pas céder d'un pouce ; ils refusèrent collectivement les discussions, non seulement pour défendre leurs propres intérêts, mais aussi pour protéger d'autres industries qui se sentaient menacées. L'acharnement de la presse et du clergé qui dénonçaient l'anti-américanisme de l'I. W. W., l'attitude des autorités, de la police et des tribunaux, tout cela résultait directement de la décision des patrons. L'I. W. W. qui voulait remporter une nouvelle victoire dépêcha sur les lieux tous ses dirigeants nationaux, pour qu'ils se fassent exprès arrêter. Alors que le nombre des syndicalistes augmentait rapidement, les ouvriers non syndiqués étaient largement représentés lors des assemblées de grévistes et les leaders syndicaux se contentèrent des revendications des ouvriers de Paterson qui réclamaient la journée de huit heures et un salaire minimum garanti pour certaines catégories de travailleurs. On était loin des objectifs révolutionnaires, mais au moins l'I. W. W. satisfaisait l'ensemble des ouvriers et assurait ainsi sa popularité et son expansion.

Le décalage entre la réputation révolutionnaire de l'I. W. W. et ses actions mesurées, prudentes et pacifiques n'apparaissait pas nettement aux idéalistes de Greenwich Village qui s'empressèrent d'aller admirer les héros de la classe ouvrière en pleine action. La publicité faite autour de l'arrestation de Reed, et les efforts qu'il fit pour sensibiliser ses amis à la gravité et à l'importance de cette grève, incitèrent des gens du Village tels Walter Lippmann, Max Eastman, Henrietta Rodman, Ernest Pool, Margaret Sanger, Harry Kemp et Leroy Scott à se rendre en pèlerinage à Paterson. Le dimanche, surtout ; les ouvriers qui ce jour-là n'avaient plus besoin de faire les piquets, participaient à des meetings populaires. Les autorités de la ville leur avaient refusé l'autorisation de se réunir, aussi les familles se rendaient-elles à pied à Haledon, petite ville voisine dont le maire était socialiste. Sur une prairie à flanc de coteau, propriété d'un sympathisant, quinze à vingt mille ouvriers venaient s'installer sur l'herbe avec leurs enfants ; ils mangeaient du pain et du fromage, buvaient du vin tout en écoutant les discours des dirigeants syndicaux perchés sur le balcon de la ferme. Tout d'abord, ces rassemblements firent sur certains visiteurs l'effet de pique-niques d'écoliers le dimanche, mais les discours qu'on y tenait donnaient vite une impression fort différente. Certains orateurs se montraient très violents, tel Tresca qui exhortait ainsi ses compatriotes : « Occhio per occhio, dente per dente, sangue per sangue ! » Les discours d'Elizabeth Gurley Flynn, oratrice à la chevelure rousse, étaient plus habituels : elle prêchait la grève des bras croisés et affirmait aux ouvriers que les patrons ne craignaient rien tant que cette forme de violence qui consistait à refuser le travail.

La plupart des délégués du Village firent savoir aux grévistes que l'opinion publique voyait en eux des hommes et des femmes qui faisaient faire un pas important à la démocratie industrielle. Dès sa première visite à Haledon, Haywood demanda à Reed de prendre la parole ; celui-ci regarda l'océan des visages sur la colline, et aucun mot ne lui vint. Comme il demeurait silencieux, il perçut une sorte de rythme curieux qui agitait la foule ; cela lui rappela une impression identique qu'il avait éprouvée en prison, lorsque les grévistes chassaient leur tristesse en chantant ; puis il se souvint du stade de

Harvard, les après-midi d'automne, lorsque son équipe avait le dessous. Repris par sa vieille vocation, John se mit à faire chanter les ouvriers : *La Marseillaise* d'abord, puis *L'Internationale*. Devant lui, les Italiens, les Allemands, les Polonais, les Grecs et les Juifs, tous chantaient ensemble ; lorsque l'écho des chœurs lui revint de la colline, un sentiment de triomphe l'envahit qui lui fit penser que le jour de la victoire était proche.

Les discours, les chants, les articles, tout cela n'aidait guère les familles qui peu à peu mouraient de faim à Paterson. Les gens du Village cherchaient un moyen de les aider plus concrètement ; peu avant le 15 mai, ils eurent l'idée de monter un spectacle sur Paterson. Le projet était à la fois simple et nouveau : il s'agissait de faire revivre les principaux événements de la lutte. Les acteurs seraient les grévistes eux-mêmes, et le spectacle aurait lieu à Madison Square Garden. Cette représentation serait en même temps un moyen de propagande et une source de revenus ; ce pouvait être aussi une occasion de réunir l'intelligentsia de gauche et le mouvement prolétaire et anticapitaliste et d'en faire une force puissante dans le combat qui les opposait à leurs ennemis communs : la grande et moyenne bourgeoisies satisfaites d'exploiter et de réprimer.

Il est difficile de déterminer si l'idée de ce spectacle était due à Reed, mais sans aucun doute les efforts énormes qu'il déploya en permirent la réussite. Des six hommes chargés de la réalisation, John était de très loin le plus actif. C'était lui qui donnait une direction à ce qui autrement n'eût été qu'un groupe d'individus « inefficaces, brouillons, désorganisés », n'arrivant à s'entendre sur rien. Les réunions avaient lieu la nuit dans le minuscule appartement de Margaret Sanger. Pendant des jours, l'appartement fut envahi par des anarchistes, des socialistes, des suffragettes, des auteurs dramatiques, des poètes, des professeurs, des dirigeants de mouvements extrémistes, qui s'asseyaient où ils pouvaient, sur les tables, sur les étagères, sur les lits, sur le plancher ; tout le monde discutait ferme chaque décision. Il y avait Haywood, « avec son visage couturé, balafré, ridé... La tête baissée, son énorme bras reposant sur l'épaule de quelque jeune fille » ; F. Sumner Boyd, un socialiste qui avait fait de la prison à Paterson pour avoir lu l'article de la Constitution de l'Etat du New Jersey relatif à la liberté d'expression ; Alexander Berkman qui avait passé quatorze ans de sa vie en prison parce qu'il avait tenté d'assassiner Henry Frick au cours de la grève de Homestead en 1892 ; le vieux Jessie Ashley, « charmant et démodé, qui ressemblait à une vieille grand-mère puritaine » et qui, en fait, était très actif au sein de plusieurs mouvements révolutionnaires ; la riche Mabel Dodge qui servait d'interprète à Gertrude Stein et donnait des réceptions dans son salon fameux de la Cinquième Avenue ; le romancier Ernest Poole, qui avait quitté Princeton pour vivre dans une baraque depuis 1907 ; il y avait aussi Harry Kemp, un blagueur toujours à la recherche de la femme parfaite avec laquelle il pourrait partager ses nuits. On discutait interminablement sur le financement, la publicité, le fonctionnement du spectacle, et c'était toujours John qui, au milieu du bruit et de la confusion « sautait dans la mêlée et se mettait à gueuler » jusqu'à ce qu'il ait convaincu tout le monde qu'il fallait marcher ensemble [10].

Pendant que le comité s'occupait des questions financières et techniques, Reed se chargea d'écrire le scénario et la mise en scène. Il communiqua son enthousiasme à certains de ses amis, persuadant Robert Jones de s'occuper du praticable, John Sloane de peindre les décors. Edward Hunt accepta le rôle de régisseur. Les répétitions, qui avaient lieu dans un local syndical, étaient très difficiles, car les grévistes de nationalités différentes avaient beaucoup de mal à comprendre John et à se comprendre entre eux. Il s'adapta à ces acteurs improvisés, leur demandant d'abord de faire exactement comme s'ils se rendaient au travail le matin, comme s'ils faisaient le piquet de grève, affrontant les matraques policières. Ensuite, il demandait aux autres leurs avis sur ce qu'on venait de jouer. Très vite les ouvriers devinrent à la fois critiques et comédiens, faisant des suggestions, et s'efforçant d'aider leurs camarades. Ils mettaient tout leur cœur à la tâche. Le premier jour ils étaient trois cents, bientôt les répétitions eurent lieu en présence d'un millier de personnes. Lorsque la police vint fermer le local, parce qu'on y troublait « l'ordre public », John dut diriger les répétitions dans un terrain vague avoisinant, où ils étaient parfois arrosés par une averse de printemps. Le temps, la fatigue, la confusion qui régnait, rien ne pouvait arrêter cette force joyeuse et indéfinissable qui tous les jours s'exprimait :

---

10. Toutes les citations du paragraphe précédent proviennent de deux lettres non signées, datées du 9 et du 12 juin 1913 (manuscrits J. R.). Il paraît à peu près certain qu'Edward Hunt en est l'auteur. Ce sont de longs documents qui décrivent en détail l'activité du comité chargé d'organiser le spectacle et les problèmes qui se posaient à lui, particulièrement les difficultés de mise en scène.

les grévistes réclamaient à grands cris « Musica, musica, musica », jusqu'à ce que John les fît chanter. Pour répondre à leur enthousiasme, il composa un chant révolutionnaire en adaptant les paroles d'un hymne de l'I. W. W. sur l'air de *Harvard, Old Harvard*.

A force d'aller et venir sans cesse entre Paterson et Manhattan, d'être toujours sur la brèche, John s'épuisait. Il n'avait le temps ni de se nourrir convenablement, ni de se changer, ni de dormir ; il ne pouvait absolument pas régler tous les détails du spectacle dans les trois semaines qui lui restaient. Quelques jours avant la représentation, l'argent fit défaut et le comité exécutif se vit contraint d'abandonner le projet ; heureusement, les soyeux de New York vinrent à la rescousse ; ils apportèrent les fonds nécessaires. On était à la veille du spectacle et rien n'était tout à fait prêt ; et tout le poids de l'échec retomberait sur John. Près de craquer, il continua. L'après-midi du 7 juin, douze cents grévistes conduits par Tresca et Haywood défilèrent depuis le quai du ferry d'Hoboken jusqu'à Madison Square Garden, où ils se jetèrent sur les sandwiches et le café, puis Reed, sans veste, les manches de chemise relevées, hurlant dans un mégaphone jusqu'à ce qu'il n'ait plus de voix, fit répéter une dernière fois les comédiens amateurs. A la fin de la répétition, il s'écroula, victime de la fatigue, dans un des bureaux de Madison Square Garden.

A huit heures, John était de nouveau sur pied, plus en forme que jamais. Autour de la salle, les rues étaient noires de monde et de longues files de gens attendaient devant les guichets. On avait accroché sur les quatre côtés de la tour de Madison Square Garden le sigle de l'I. W. W., qui s'étalait en grandes lettres rouges lumineuses de dix pieds de haut. Avant d'entrer dans l'auditorium, le Shériff Julius Harburger donna son point de vue aux journalistes sur « les doctrines séditieuses... anti-américaines... hystériques et ineptes » de l'I. W. W. ; il regrettait que l'ordonnance d'un tribunal l'ait empêché d'interdire *La Marseillaise,* il ajouta : « Si jamais quelqu'un s'avise d'insulter le drapeau, je fais arrêter le spectacle, et ce sera si vite fait que tout le monde en aura le souffle coupé [11]. » A l'intérieur, c'était un immense brouhaha. Les balcons où l'on avait accroché d'immenses drapeaux rouges étaient pleins à craquer, les gens tapaient des pieds ; des vendeurs hurlaient

---

11. Cité dans le *New York Times,* 8 juin 1913.

en distribuant des journaux politiques et par-dessus tout cela jouait la fanfare de l'I. W. W. Trouvant que les places d'orchestre, à un et deux dollars, ne se remplissaient pas assez vite, le comité décida de vendre toutes les places à un quart de dollar. A neuf heures, alors qu'une partie des quinze mille spectateurs encombraient encore les couloirs d'accès, Reed donna le signal et le spectacle commença.

Le décor était impressionnant. D'un côté, dans l'ombre, il y avait une immense scène derrière laquelle, en toile de fond, grandeur nature, on apercevait les ateliers de tissage dont les fenêtres étaient éclairées. En bas, au milieu de la salle, une large allée séparait le public en deux : c'est là que des soyeux à l'air triste se dirigeaient par petits groupes vers le fond de la scène, vers les usines. Lentement, l'air abattu, ils disparaissaient derrière les portes sombres, et pendant un long moment, on n'entendait plus rien, si ce n'est le bruit grinçant et la vibration mécanique des métiers. Puis soudain, à l'intérieur, des voix se mettaient à crier : « Tous en grève ! Tous en grève ! » Riant, se bousculant, les ouvriers s'échappaient alors des bâtiments, venaient envahir la scène et entonnaient *L'Internationale*. Après quoi, les bruits et les lumières de l'usine disparaissaient ; seuls restaient les acteurs rejouant les événements qu'ils avaient vécus : les piquets de grève, l'arrivée des flics, les affrontements brutaux entre policiers et grévistes, les coups de feu tirés dans la foule et qui tuaient un ouvrier, le convoi funèbre, puis l'enterrement au cours duquel chaque ouvrier déposait un œillet rouge sur le cercueil ; venait ensuite le défilé du 1er mai, avec drapeaux et fanfares, qui s'achevait en un meeting au cours duquel ils décidaient à l'unanimité de ne jamais reprendre le travail tant que la journée de huit heures n'aurait pas été accordée.

Dès le début, le spectacle fut un triomphe. Le public essentiellement composé d'ouvriers new-yorkais, de représentants de la bohème et de quelques bourgeois sympathisants, se leva pour chanter *L'Internationale* avec les acteurs ; après quoi plus personne ne resta assis. Rien ne séparait les acteurs des spectateurs, la foule ne faisait qu'un avec les grévistes, conspuait la police, répondait à l'unisson aux chants révolutionnaires, reprenait les slogans de Tresca, de Haywood et de Flynn, applaudissait et acclamait sans cesse, jusqu'à l'épisode solennel des funérailles qui fascina le public et fit verser de nombreuses larmes. Les journalistes furent impressionnés par cette communion entre le public et les acteurs ; leurs articles du lendemain furent enthousiastes : ils parlaient de « spectacle extraordinaire », « d'un réalisme poignant qu'il serait difficile d'oublier », et certains allaient même jusqu'à déclarer que cette représentation marquait « la naissance d'une expression artistique nouvelle [12] ». Les gens de la bohème y voyaient l'annonce d'un théâtre révolutionnaire fait pour le peuple et capable d'émouvoir les masses, tandis que Hutchins Hapgood saluait l'idée, le spectacle et la mise en scène : « Ce genre d'événement nous laisse entrevoir la véritable démocratie où l'expression individuelle, aussi bien dans le domaine industriel que dans le domaine artistique, deviendra pour le peuple une réalité tangible, répandant ainsi une chaude lumière sur l'ensemble de l'humanité [13]. »

Cette lumière était déjà là, dans le cœur du public, dans celui des comédiens-grévistes, dans l'esprit des artistes tels que Reed qui avait su donner à la réalité une dimension nouvelle. Cette chaleur humaine était née de l'expérience collective, mais elle ne pouvait guère durer hors du théâtre. Nombreux furent ceux qui sortirent de Madison Square Garden, plus déterminés que jamais à gagner la grève de Paterson, mais la police, les patrons intraitables, les enfants affamés, les loyers en retard n'avaient pas disparu. Aussi émouvante et prenante qu'elle fût, une œuvre d'art ne supprimait pas le monde autoritaire de l'exploitation, où régnaient l'esprit de lucre et l'appétit de pouvoir. Cette triste réalité se manifesta d'abord dans les articles des quotidiens. Les directeurs, se méfiant des comptes rendus favorables des critiques de théâtre, commencèrent à expliquer gravement que le spectacle était certes réussi, que les revendications de certains grévistes étaient justifiées, mais que l'I. W. W. n'en était pas moins une organisation insupportable, fondamentalement « destructrice », qui ne promettait que « haine et violence » ; bref, c'était « l'anarchie à court terme pour l'Amérique [14] ». Ce genre de réaction des grands quotidiens n'était pas très étonnant ; en revanche, le bilan financier établi par le comité exécutif le 25 juin fut un coup beaucoup plus sérieux. Loin de faire apparaître des bénéfices, le spectacle était déficitaire de près de deux mille dollars. Les frais de la représentation pour une seule soirée étaient extrêmement élevés,

12. Cité dans Mabel Dodge Luhan, *Movers and Shakers,* Harcourt and Brace, New York, 1936, p. 205-210.
13. Tiré de Hutchins Hapgood, *A Victorian in the Modern World,* Harcourt and Brace, New York, 1939, p. 351.
14. *New York Times,* 9 juin 1913.

et on n'avait pas eu assez d'argent pour louer Madison Square Garden plus d'un soir. Sur les quinze mille places, beaucoup avaient été vendues à vingt-cinq cents, sans compter le grand nombre de places gratuites pour ceux qui présentaient aux guichets la carte rouge de l'I. W. W.

On ne se nourrit pas d'arguments, si bons soient-ils, et cette explication n'aidait guère les grévistes qui crevaient de faim. D'une certaine façon, le spectacle avait détourné leur attention des objectifs essentiels : l'horaire de travail et les salaires. A Paterson les subsides s'épuisaient ; les grévistes avaient placé un espoir chimérique dans le succès de la représentation et certains, voyant la réaction du public, avaient même rêvé de grands bénéfices. Lorsque la presse de Paterson apprit ce mauvais bilan financier, elle en profita pour accuser les responsables de se remplir les poches ; le découragement était si grand parmi les grévistes que cette idée fit son chemin. Le résultat fut, selon l'expression de Flynn, « désastreux pour la solidarité [15] ». En juillet, le front des ouvriers jusqu'alors uni s'écroula : certains d'entre eux retournèrent au travail. Ils devinrent vite très nombreux. Au mois d'août, la grève était terminée, sans qu'aucune des revendications ait été satisfaite.

A l'époque où tous les brillants espoirs de mai et de juin s'évanouissaient, John Reed était loin de Paterson, occupé à vivre une expérience tout à fait différente. Lors des années qui suivirent, il reconnut que cette grève interrompue avait été un désastre et avait entraîné le recul irrémédiable de l'I. W. W. sur toute la côte Est. Le syndicat ne gagna jamais plus aucune grève dans la région, et ainsi que John le faisait justement remarquer : « Après avoir été battu à Paterson, l'I. W. W. ne put jamais recouvrer son ancien prestige. » Peut-être n'imagina-t-il pas que son activité ait pu avoir un résultat négatif pour la cause des ouvriers, mais ce qu'il comprit en tout cas, c'est que la tâche d'un grand syndicat de l'industrie était trop énorme pour qu'une simple représentation théâtrale puisse en venir à bout. Le pouvoir de l'art et le soutien de quelques artistes pleins de talent ne pouvaient changer de façon sensible les réalités d'un ordre économique impitoyable. Dans la fièvre

---

15. Tiré de *I speak my own piece*, Masses and Mainstream, New York, 1955, p. 156. Cf. également le discours d'Elizabeth Gurley Flynn, intitulé « La vérité sur la grève de Paterson », qui figure dans l'anthologie de l'I. W. W. établie par Joyce Kornbluh, University of Michigan Press, 1964, p. 212.

de tous ces préparatifs, Reed avait cru un moment que l'art pouvait modifier le cours de l'histoire. Mais ceux de ses amis qui étaient moins concernés par le spectacle savaient qu'un tel événement n'aurait dans le meilleur des cas qu'un effet superficiel. Deux anciens camarades de Harvard, qui envoyèrent à John des félicitations au mois de juillet, disaient à peu près la même chose ; l'I. W. W. écrivaient-ils, « contribuait à mettre un peu de vie dans la classe ouvrière, ce dont elle avait besoin » ; mais ils ajoutaient : « *Notre aide ne leur sera d'aucune utilité, tant qu'ils n'auront pas commencé à bouger par eux-mêmes* [16]. »

Bien que John ait compris, dans ses moments de lucidité, que le spectacle était tout au plus une représentation symbolique de l'âpre réalité de la lutte des classes, cela ne diminuait en rien pour lui l'importance de la grève. A Paterson il avait fait connaissance avec l'esprit révolutionnaire, il s'en était imprégné et cela lui avait plu. Les leaders syndicalistes l'avaient impressionné, il admirait « leur profonde compréhension du monde ouvrier, la force de leur ambition et le pouvoir qu'ils avaient d'entraîner et de réveiller les foules par leur seule présence ». Pour lui, la grève était « un phénomène dramatique, c'était le bouleversement, la démocratie en marche, [...] la lutte du peuple », c'était une expérience magnifique car elle suscitait l'espoir ; grâce à elle la solidarité et la camaraderie se développaient parmi les grévistes. La façon dont il raconta dans une lettre à sa mère, la dernière visite qu'il fit à Paterson le 17 juin, montre bien que l'élément humain comptait davantage que l'idéologie :

« Quand j'ai dit que je m'en allais, dix mille personnes m'ont demandé de rester. Ne répète pas ce que je te dis, cela aurait l'air ridicule. Je les ai fait chanter une fois encore, et lorsque je me suis trouvé parmi eux, ils m'ont dit : " Tu nous as beaucoup manqué ; on ne chante plus, reviens nous voir demain ", ils ont ajouté : " Tu sais rendre les gens heureux "... Voilà ce que je fais, Muz [17]. »

Un rendez-vous galant empêchait Reed de revenir le lendemain. Comme on avait beaucoup parlé de lui dans les journaux à la suite de son arrestation, puis de ses activités

---

16. Lettre de H. K. Moderwell et de Sam Eliot à J. R., 14 juillet 1913. (C'est l'auteur qui souligne.)

17. Lettre de J. R. à Margaret Reed du 18 juin 1913 (papiers de la famille Reed).

théâtrales, il insistait dans cette lettre à sa mère sur le fait qu'il ne s'écartait pas du chemin que son père lui avait montré :

« Ne crois pas les journaux qui racontent que j'ai partie liée avec l'I. W. W. ou avec quelque autre groupuscule. Je ne suis pas plus socialiste que je ne suis anglican. Je sais maintenant que je suis fait pour vivre la vie et la décrire, quelle qu'elle soit, au sein du mouvement ouvrier ou ailleurs. Je ne suis pas plus patient que papa vis-à-vis de certaines cliques, et je ne m'embrigaderai pas plus qu'il ne l'a fait dans aucun parti quel que soit son programme [18]. »

Il n'était peut-être pas très honnête d'insinuer que l'I. W. W. manquait d'envergure. En revanche, John était tout à fait sincère lorsqu'il expliquait que son rôle était celui de l'écrivain en quête d'aventure. Si l'action révolutionnaire apportait l'émotion et la vie, on pouvait également les trouver ailleurs.

Comme d'autres gens de la bohème qui étaient allés à Paterson pour aider les syndicalistes et qui avaient participé au spectacle, John durant l'été 1913 put — à la différence des ouvriers — se livrer à d'autres occupations qui lui paraissaient aussi intéressantes que la défense des travailleurs. Pourtant, il ne pouvait oublier ce qu'il avait vu, ni ce qu'il avait fait avec les grévistes à Madison Square Garden, le spectacle de ces hommes courageux qui avaient su représenter en la jouant « leur existence déchue en même temps que la grandeur de leur révolte ». Il ne pouvait oublier davantage la chaleur de ces ouvriers « grandis par quelque chose qui les dépassait [19] », qui par leur sympathie avaient su lui redonner confiance. D'autres chemins allaient s'ouvrir, mais, jamais il n'oublierait Paterson.

18. *Ibid.*
19. « La guerre de Paterson », art. cité.

# Cinquième avenue n° 23

*Celia appartenait à cette race de femmes qui font les plus grandes amoureuses. Celles qui semblent appartenir moins à la terre qu'à l'essence même de la terre... Elles respirent communément dans cette haute et légère atmosphère où les artistes n'arrivent qu'à respirer parfois. Elles voient la Vérité, non par éclairs, mais dans une lumière continue et paisible ; Vérité qui souvent dément les idées reçues... Elles ont l'innocence des oiseaux qui planent, car même si elles connaissent le mal, elles ne peuvent le comprendre. Elles sont toujours belles.*

*De telles femmes ne sont faites que pour l'amour. Bien que leur éducation et leur goût leur interdisent toute vulgarité, elles sont capables de se conduire comme des bêtes auprès des hommes, pourvu qu'elles en aiment un. Avec joie· elles le suivront dans les endroits les plus sordides, il suffira qu'à l'une d'elles il dise « Je t'aime » pour qu'elles pardonnent...*

*Délicieusement humaines, ce qu'elles désirent avant tout c'est l'amour des hommes. Elles débordent de toute la joie du monde, elles savent jouer avec les couleurs, les bijoux, les robes, les lumières, elles savent émouvoir. Elles sont comme des coupes remplies d'une inépuisable passion et d'une confiance infinie dans l'amour des hommes.*

John REED, « Histoire de Celia », fragment inédit (manuscrits J. R.).

Les jeunes femmes du Village avaient beau être éman-cipées, libres de vivre en dehors des règles convenues, cela n'empêchait pas John Reed de les considérer parfois comme des créatures vaguement irréelles, comme de curieuses com-binaisons de passion et d'innocence. Certes, il avait eu des aventures et affectait l'attitude de quelqu'un qui a beaucoup vécu, mais il avait une vision de la femme où entraient pour une bonne part son idéalisme et son besoin d'affection. Cet idéalisme était essentiellement littéraire. Son tempérament romanesque lui permettait de décrire une femme comme Celia, dont il est permis de penser qu'elle n'exista jamais. C'était la Femme Idéale, créature à mi-chemin entre le ciel et la terre, entre l'innocence et l'expérience, miraculeusement belle, débor-dant d'amour et de joie, prête à suivre partout l'homme qu'elle aimait — et à devenir son esclave — pourvu qu'il daigne prononcer la formule magique : « Je t'aime ».

L'étude du comportement humain ne passionna jamais Reed ; il ne fut pas davantage un Don Juan, contrairement à certains de ses contemporains de la bohème, mais il lui arrivait d'avoir des aventures et de montrer à l'occasion une certaine connais-sance du cœur des femmes. Dans les histoires qu'il écrivait, il dépeignait avec talent les prostituées, les femmes de ménage, les vendeuses, et savait rendre le franc-parler des femmes émancipées. En quelques mots, il était capable de faire vivre un personnage, comme dans le portrait-charge qu'il avait fait du stéréotype féminin du Village : « Personne qui porte l'uniforme de Greenwich Village : fait preuve d'une profonde compréhension de Matisse ; tendance à la langueur ; velléités d'indépendance financière ; cheveu sombre, œil sombre, passé obscur [1]. » Il s'agissait là d'un idéal essentiellement masculin, mais c'était un rôle que beaucoup de jeunes femmes du Village essayaient de remplir de leur mieux. Lors de ses débuts à New York, après qu'il ait rompu avec Madeleine, il tombait amoureux avec une régularité si surprenante que c'était devenu un sujet de plaisanterie parmi ses amis. Chaque fois, c'était la grande passion, et pendant quelques semaines, il se sentait grandi, plus fort, plus mûr qu'auparavant. Ce que d'autres considéraient comme une toquade, lui l'appelait amour, et John, en poète un peu enfantin, recherchait ce genre d'émotion comme une fleur recherche le soleil. Cette recherche, pas plus que pour la fleur, n'était consciente. L'amour venait de nulle part, puis disparaissait aussi mystérieusement qu'il était venu. C'était une sorte de don des dieux, dont il lui paraissait si difficile de connaître la véritable nature que jamais il n'essaya d'analyser ses causes ou ses effets de façon réaliste ; seule la poésie pouvait suggérer la force de la passion.

Ce qui lui arriva au cours des trois semaines précédant la représentation fournit à John la meilleure preuve de la nature capricieuse de l'amour. Harassé, exténué par ses continuels va-et-vient entre New York et Paterson, il succombait en même temps à cette passion qui lui était familière. La femme en question s'appelait Mabel Dodge, elle faisait partie du comité exécutif, et bien qu'elle parût n'être pas insensible au charme de John, tous les deux sentaient bien qu'avant la mise au point du spectacle, il n'y avait guère de place pour l'amour. Les autres s'aperçurent des regards qu'ils échangeaient, et de la complicité qui s'établit peu à peu entre eux deux. Hutchins Hapgood, vieil ami de Mabel, qui observait cela de près, comprit vite leur manège : « Quand je lui vis cet air là, je sus qu'elle était éprise et que Reed était piégé [2]. »

Mabel Dodge, de huit ans l'aînée de John, était une femme de caractère. Fille d'un riche banquier de Buffalo, elle s'était mariée à l'âge de vingt et un ans ; deux ans plus tard, elle était veuve, l'année suivante, elle épousait Edwin Dodge, un archi-

1. Fragment d'une pièce, cité dans Mabel DODGE, *Movers and Shakers,* p. 124.
2. Tiré de H. HAPGOOD, *A Victorian in the Modern World,* p. 351.

tecte fortuné. De 1903 à 1912, ils vécurent tous les deux dans leur luxueuse villa à Arcetri, sur une colline qui dominait Florence ; ils y recevaient fastueusement toutes sortes de gens : des aristocrates et des artistes ; entre autres, le grand dramaturge Gordon Craig, l'actrice Eléonora Duse, et l'écrivain Gabriele D'Annunzio ; Gertrude Stein, qui n'était pas encore connue, faisaient partie de leurs intimes ; ce fut après un assez long séjour chez eux qu'elle écrivit son *Portrait de Mabel Dodge à la Villa Curiona,* livre dans lequel, curieusement, elle s'arrangea pour ne parler ni de Mabel, ni de la villa.

Lorsque les Dodge, en 1912, retournèrent en Amérique, Edwin et Mabel étaient devenus étrangers l'un à l'autre. Chacun partit de son côté, Mabel était attirée par les courants nouveaux qui se faisaient jour à Greenwich Village, ayant depuis toujours manifesté des sentiments anticonformistes. Elle contribua à la préparation de l'Armory Show ; pour elle, l'exposition était un moyen de saper les habitudes de la bourgeoisie : « J'étais partie pour faire sauter New York, et rien n'aurait pu m'arrêter [3]. » Très vite, elle se lia avec de nombreux artistes et avec des révolutionnaires qu'elle recevait dans son élégant appartement. Il était situé au n° 23 de la Cinquième Avenue, juste en face de l'hôtel Brevoort ; les pièces étaient peintes couleur coquille d'œuf et remplies de vieux meubles italiens ravissants. Les réceptions se multiplièrent et Mabel devint l'hôtesse accomplie de ce que Steffens appelait « le seul salon réussi qu'il ait jamais vu en Amérique [4] ».

L'époque était propice à ce genre de manifestation, et Mabel Dodge se révélait une hôtesse hors pair. Riche, aimable, cultivée et généreuse, elle avait le don assez rare de stimuler les gens et de les mettre à leur aise ; elle savait les aider à réfléchir et leur donnait envie de s'exprimer. Lorsqu'à la fin de l'automne 1912, ses réceptions occasionnelles se transformèrent en « soirées » régulières, elles devinrent une sorte d'institution au sein de la vie artistique de Greenwich Village. Toutes les tendances de la bohème se retrouvaient sous son toit. Il y avait des peintres : Marsden Hartley, Andrew Dasburg, Max Weber, Charles Demuth et John Marin ; des intellectuels : Lippmann, Steffens, Eastman et Hapgood ; des anarchistes : Goldman, Berkman et Hippolyte Havel ; des

---

3. Mabel DODGE, *Movers and Shakers,* p. 36.
4. *The Autobiography of Lincoln Steffens,* Harcourt and Brace, New York, 1931, p. 655.

écrivains et des poètes : Carl Van Vechten, Edwin Arlington Robinson et Amy Lowell ; les leaders de l'I. W. W. : Haywood, Tresca, Arturo Giovanitti et Frank Tannenbaum ; des socialistes : William English Walling et Morris Hillquit ; divers partisans de l'impôt unique ou du contrôle des naissances, des suffragettes, des politiciens et des journalistes.

Ce salon était un vaste lieu de rendez-vous où chacun avait son mot à dire au milieu d'une foule pittoresque et pour le moins hétéroclite : des femmes en robe du soir discutaient avec des syndicalistes en bleu de travail, des jeunes filles coiffées à la Jeanne d'Arc et chaussées de sandales acceptaient les cigarettes que leur offraient des hommes en smoking ; un éditeur à succès vêtu d'une blouse de paysan russe trinquait avec un anarchiste habillé en P.-D.G. Dans les discussions, on abordait pêle-mêle les problèmes sociaux, intellectuels, artistiques ou politiques. Il arrivait que le whisky, la bière ou le vin aidant, les conversations deviennent « tumultueuses et folles », mais la plupart du temps, c'étaient des échanges brillants et originaux : « les arguments et les opinions allaient et venaient : on s'en emparait, on les disséquait, on se les renvoyait jusqu'à ce que le salon aux murs clairs parût lui-même s'animer. On y sentait des sortes de courants souterrains, des vagues d'émotion et de plaisir [5] ». Vers minuit, on ouvrait toutes grandes les portes de la salle à manger et tout le monde se précipitait pour souper : il y avait du jambon de Virginie, des canapés au gorgonzola, de la dinde en gelée, des salades, et des liqueurs fines qu'on faisait venir de l'étranger.

A l'époque où l'on répétait le spectacle de Paterson, Mabel était devenue une sorte de célébrité. En effet, la réputation de son salon avait franchi les limites du Village. Lippmann et Steffens s'y rendaient souvent, mais Reed n'y était encore jamais allé, et c'est durant les répétitions qu'il rencontra Mabel. Il connaissait sa fortune, sa réputation et ses relations ; il sentait bien l'autorité dont elle jouissait dans la société new-yorkaise. De son côté Mabel avouait qu'elle recherchait les futures célébrités et que son instinct maternel la poussait vers les jeunes gens. Lorsque John prit vraiment la direction du spectacle, il devint le genre de personnage qu'elle souhaitait capturer. Leur attirance mutuelle se fondait sur un désir que

5. M. DODGE, *Movers and Shakers,* p. 92 ; Carl Van VECHTEN, *Peter Whiffle,* Alfred A. Knopf, New York, 1922, p. 124.

chacun d'eux éprouvait, celui de connaître la force et le pouvoir de l'autre.

Le charme de Mabel tenait à bien autre chose qu'à sa fortune ou sa renommée. Ce n'était pas une beauté classique, mais elle avait un regard singulier et prometteur qui attirait les hommes ; de plus, elle savait s'habiller de manière originale. Mabel ne se souciait guère d'être à la mode ; elle portait de longues robes de soie naturelle et des capelines à larges bords qui donnaient à sa silhouette une allure douce et féminine, quelque peu désincarnée, la faisant ressembler « à une fleur coupée [6] ». Il régnait autour d'elle une sorte d'aura mystique. Hapgood, qui était lui-même fasciné par l'infini, la considérait comme une âme sœur « enivrée par les dieux » ; dans sa conversation, elle faisait souvent référence à l' « esprit de l'Univers » qui coulait en elle, qui l'aidait à prendre ses décisions, et donnait un sens à sa vie. C'était une façon d'expliquer le profond désir qu'elle avait de dominer les autres ; « cette grande force qui échappait au réel », ainsi qu'elle l'appelait, l'avait amenée à ouvrir son salon ; c'était elle qui maintenant la poussait vers John Reed [7].

Après le spectacle, John et Mabel n'étaient pas encore libres ; John, complètement épuisé, avait besoin de vacances. Or, Mabel manifestait le désir de retourner en Italie pour l'été. En dix jours, Reed expédia les affaires courantes et se prépara à faire la traversée. Il se faisait l'effet d'un déserteur en abandonnant à leur sort les ouvriers de Paterson qui, eux, continuaient la grève. Ce sentiment de culpabilité grandit encore du fait qu'il partait au moment où sa mère lui demandait de revenir à Portland. L'héritage laissé par C. J. posait de gros problèmes. John, dans une lettre, avouait à sa mère qu'il se sentait très coupable de partir ainsi et de les laisser, elle et Harry, se débrouiller avec tous les ennuis. Pour se justifier, il ajoutait : « Pour la première fois de ma vie, je suis vraiment fatigué ; je sais que je ferai du meilleur travail si je me repose quelque temps [8]. »

A la fin de juin, Mabel et John s'embarquèrent à bord du paquebot allemand « Amerika », en compagnie de John, le fils de Mabel, qui avait dix ans, de Miss Galvin, la nurse du

6. *A Victorian in the Modern World,* p. 348..
7. *Movers and Shakers,* p. 215-216.
8. Lettre de J. R. à Margaret Reed, 18 juin 1913 (papiers de la famille Reed).

garçon, et de Robert Jones qui partait étudier la mise en scène en Allemagne. Malgré l'excitation du départ, Reed n'était pas très heureux. Au moment où ils quittèrent le port, il sentit comme un arrachement ; il se faisait l'effet « d'un serpent qui change de peau ; c'était douloureux [9] ». Comme Jones était d'une humeur identique, tous les deux passèrent leurs premiers jours en mer dans une ambiance plutôt mélancolique.

Au moins la mélancolie sur l' « Amerika » était-elle confortable. Ils voyageaient en première classe ; autour d'eux s'empressaient une quantité de serveurs aux petits soins. Reed trouva qu'avec ses grands restaurants, ses ascenseurs, ses salles de gymnastique, ses ponts couverts et son absence totale de mouvement, le bateau ressemblait davantage à un grand palace qu'à un navire. En principe il n'appréciait guère « le confort et les sièges rembourrés » des salons de luxe. Il lui était difficile de cacher son antipathie à « toute cette foule de gens riches, dont les bijoux sont plus beaux que les visages et les chiens à peine moins intelligents que leurs propriétaires ». Pourtant, il trouvait que l'expérience valait la peine : ce voyage possédait un « charme nouveau », en particulier celui de constater que l'argent « ne comptait absolument plus ». Lorsque pour la première fois, non sans quelque nervosité, il signa le nom de Mabel au bas d'un chèque d'un montant impressionnant, le steward lui dit : « Oh, avec ce nom-là, vous pouvez régler n'importe quelle dépense [10] ! » Jamais l'époque du cargo à bestiaux n'avait paru si lointaine...

Si Mabel était généreuse avec sa fortune, son attitude demeurait fort réservée. John, qui brûlait de déclarer sa passion, était tenu à distance, et cette situation ne lui plaisait guère. Elle lui parut soudain très attachée aux convenances, disant qu'elle avait peur qu'on les découvre dans sa cabine, tandis qu'elle s'enorgueillissait de pouvoir s'imposer cette attente, « cette impatience aiguë que provoquait la continence, et cette tension... qui naissait de nos élans réprimés. » Après avoir essuyé un certain nombre de refus, John devint agité et morose. Depuis le début de l'aventure, Mabel avait prévu que leur passion devait aboutir ; un jour, n'y tenant plus, elle lui déclara : « Reed, mon chéri, nous voici au seuil ; rien n'est

---

9. Lettre de J. R. à Edward Hunt, 27 juin 1913 (manuscrits J. R.).
10. *Ibid.*, et lettre de J. R. à Fred Bursch, 27 juin 1913 (manuscrits J. R.).

jamais si beau que le seuil des choses, ne le sais-tu pas [11] ? »
Loin de partager ce point de vue, il se retira désemparé. Il
exhala son dépit dans un poème qu'il alla glisser à minuit sous
la porte de la cabine de Mabel :

« Le vent étouffe le grondement des grands navires,
Le vol des goélands majestueux est plus puissant que les
[turbines
Mile après mile le chuintement de la houle s'écrase s'assourdit
[et renaît
Pourtant plus enivrantes sont tes lèvres sur mes lèvres...

J'ai appelé Dieu cette nuit, mais Dieu n'a pas répondu à
[à mon cri
Il glissait et planait sur les flots infinis et sauvages
Qu'il déchaînera, invisible, en montagnes terrifiantes ;
Pourtant rien ne saurait empêcher le langage de nos
[corps [12] ! »


Son poème n'eut pas plus d'effet que ses discours. Ce n'est
qu'une fois arrivés à l'hôtel des Saints-Pères — son fils et
miss Galvin étaient partis en train pour l'Italie — que Mabel
céda enfin. A l'en croire, cette première nuit à Paris fut merveilleuse. Après avoir attendu si longtemps, elle s'offrit à Reed
avec une ardeur et une frénésie singulières. Pour Mabel l'amour
impliquait une reddition totale, et John était un amant digne
d'être conquis, car il faisait oublier le reste du monde : « Rien
ne comptait plus pour moi que lui... que rester allongée contre
lui, sentir ma peau contre la sienne et m'abandonner au plaisir. »
Lorsque la nuit il lui chuchota : « Je te savais passionnée,
mais je te découvre un tempérament de feu ! », elle fut sub-
juguée : « J'étais follement amoureuse. » Malgré ses deux
mariages consécutifs, elle devait écrire à propos de ce séjour
en Europe : « Enfin, je sus ce que pouvait être une lune de
miel [13]. »

11. *Movers and Shakers,* p. 212-213.
12. Cité *ibid.,* p. 215. Une version légèrement différente parut dans
le n° VIII des *Masses,* mai 1916, p. 10 ; ce texte fut repris dans
*Tamburlaine,* p. 21, et apparaît dans le livre de W. O'NEILL, *Echoes
of Revolt,* p. 88.
13. *Movers and Shakers,* p. 215-216.

Plus tard, Mabel ne se rappela pas grand-chose de ces journées passées à Paris « sinon qu'elles furent comme des interruptions successives dans sa vie amoureuse » ; il n'en allait pas de même pour Reed. Certes, il était épris et sans doute Mabel — elle ne se faisait pas faute de le proclamer — était une maîtresse comme il n'en avait jamais connu. Pourtant, l'amour ne l'empêchait pas de consacrer une partie de son temps à ses amis. Le matin qui suivit leur arrivée, on tambourina vigoureusement à la porte ; John sortit précipitamment du lit de Mabel et regagna sa chambre attenante. Il ouvrit : c'était Waldo Peirce, qui étudiait toujours la peinture à Paris et qui l'emmena prendre son petit-déjeuner dehors. De sa chambre, Mabel « entendait la voix des deux garçons insouciants et gais qui plaisantaient et bavardaient tant et plus ». Rapidement Reed s'habilla et sortit. Elle sentit alors « que son cœur commençait à se briser un peu [14] ».

Il faisait bon se retrouver à Paris, déambuler sur les boulevards, reprendre la vie insouciante, aller au café, se rendre à l'Opéra, fréquenter le milieu artiste. Chaque soir, Mabel emmenait John et Bobby Jones au 27, rue de Fleurus où ils rencontraient Gertrude Stein, Alice Toklas et Pablo Picasso. John, qu'on jugea un peu fruste et trop américain, ne fit pas grande impression sur ces gens ; on recevait dans un magnifique salon où étaient accrochées des toiles surprenantes de Matisse, de Picasso, de Manet et de Cézanne. La conversation bruyante de John ennuya Picasso et déplut à Stein : « Reed me raconta son séjour en Espagne. Il me dit qu'il avait vu beaucoup de choses bizarres, entre autres, une chasse aux sorcières dans les rues de Salamanque. Comme je suis restée plusieurs mois en Espagne et que lui n'y est resté que quelques semaines, je n'ai pas beaucoup aimé ses histoires et je n'y ai pas cru [15]. »

Au début de juillet, après avoir passé une semaine à Paris où il faisait très chaud, Mabel, John, Jones et le critique musical du *New York Times,* Carl Van Vechten, quittèrent la capitale en voiture pour une folle randonnée. Ils atteignirent la Méditerranée, longèrent la Côte d'Azur, firent un arrêt à Monte-Carlo pour jouer à la roulette ; après onze jours de voyage, ils franchirent la frontière italienne. Là, ils se mêlèrent à un

---

14. *Ibid.*, p. 216-217.
15. Gertrude STEIN, *The Autobiography of Alice D. Toklas,* Random House, New York, 1960, p. 134-135.

bal de pêcheurs, sous une immense tente installée au bord de la mer. Reed récupérait peu à peu et s'amusait beaucoup ; ce nouveau pays lui plaisait ; ils dépassèrent Gênes et traversèrent les montagnes en direction de La Spezia : « Ce pays a un air d'opéra comique. On ne peut guère rêver moins confortable. Dans les maisons, on peint des fenêtres là où il n'y en a point, on imite le marbre, on peint des groupes de statues en trompe-l'œil, etc. Ici personne ne travaille. Il fait une chaleur merveilleuse, on mange bien et les vins sont excellents [16]. »

A Arcetri, la demeure de Mabel était absolument extraordinaire ; elle ressemblait davantage à un château qu'à une villa. Reed « se faisait l'effet du pêcheur attrapé par la Fille du Magicien et qu'on transporte dans un palais au sommet de la montagne ». La Villa Curiona — dont on attribuait le dessin à Michel-Ange et celui des jardins à Brunelleschi — dominait la vallée de l'Arno, du haut d'une colline escarpée où poussaient des gardénias, des lauriers-roses et des vignes. Entourée de cyprès, de myrtes, de lauriers et de platanes, pleine de meubles précieux, elle était somptueuse. John fut impressionné par son immense chambre où pendaient des tentures de damas écarlate frangées d'or, provenant d'une vieille église vénitienne ; d'immenses armoires du XIVe siècle allaient jusqu'au plafond ; la pièce s'ouvrait sur une terrasse d'où l'on apercevait les douces collines toscanes qui ondulaient à l'infini [17].

John fasciné par le pays abandonna tout désir d'écrire ; il se promenait dans les environs, essayant de s'imprégner de l'atmosphère, et nageait dans la piscine en marbre du XVe siècle, au milieu d'une oliveraie ; un soir, il assista à un curieux spectacle : deux prêtres chantaient en balançant leurs encensoirs ; il s'agissait d'une cérémonie d'exorcisme destinée à chasser un fantôme de la Villa. Puis les amis de Mabel arrivèrent, parmi lesquels Paul et Muriel Draper et Arthur Rubinstein ; bientôt la Villa fut envahie par une foule « de Londoniens élégants, raffinés [...] qui reflétaient bien cette société moderne, un peu décadente [18] ». Mabel, pour faire connaître John, leur distribua des exemplaires de *La Vie de bohème* ; elle vanta si bien le

16. Lettre de J. R. à Margaret Reed, 12 juillet 1913 (papiers de la famille Reed).
17. Lettre de J. R. à Edward Hunt, 20 juillet 1913 (manuscrits J. R.).
18. Lettre de J. R. à Margaret Reed, 1er août 1913 (papiers de la famille Reed).

rôle de Reed dans le spectacle de Paterson qu'il finit par se sentir « le héros de la fête [19] ». Pourtant, il éprouvait de moins en moins de sympathie pour ce milieu d'intrigues incessantes, parmi ces gens sophistiqués et délicats. Van Vechten disputait à Jones les faveurs de Muriel Draper. Rubinstein et Paul Draper avaient des discussions sans fin sur des problèmes d'interprétation ; Muriel voulait qu'Arthur joue du Bach, compositeur que Carl détestait. Plus d'une fois, John dut intervenir pour calmer les esprits, invitant « tout le monde à goûter le bonheur qui s'offrait à eux [20] ».

Les disputes de ses compagnons avaient beau s'envenimer, John ne s'en souciait guère. Le monde lui paraissait trop merveilleux pour que des jalousies mesquines ou même des problèmes véritables puissent venir le troubler. De Paterson lui parvinrent de mauvaises nouvelles ; Eddy Hunt lui avait envoyé des coupures de journaux relatant les événements qui s'étaient produits après le spectacle ; John n'en fut guère affecté. Dans une lettre où il exprimait ses regrets, il avouait cependant : « Je me sens lâche d'être ici, alors que là-bas vous vous donnez du mal pour essayer de faire quelque chose. » Mais la phrase suivante illustre mieux son véritable état d'esprit : « De ma vie, je n'ai jamais été aussi heureux [21]. » John ne se sentait pas trop coupable, un autre événement le montre bien. Au milieu de l'été, il se rendit au congrès du Parti socialiste italien. On le présenta comme journaliste et comme socialiste ; il monta sur le podium, et fut très applaudi lorsqu'il déclara qu'il apportait le salut des travailleurs américains à leurs camarades italiens.

Les problèmes politiques étaient momentanément hors de propos. Comme lors de son premier voyage en Europe, John se laissait bercer par le monde fascinant de l'Histoire. Tel un prince de conte de fées, chaque nuit, il descendait l'échelle de soie qui conduisait à la chambre de Mabel ; ils faisaient l'amour dans un lit dont les quatre coins étaient ornés de lions dorés. Ils firent plusieurs voyages en auto ; John adora toutes ces vieilles villes : Sienne, « la ville rouge sur les collines », Assise, avec ses trois charmantes églises « couvertes de fresques de Giotto » ; San Giminiano « à qui ses tours donnaient l'air

19. Lettre de J. R. à Edward Hunt, sans date (manuscrits J. R.).
20. Muriel DRAPER, *Music at Midnight*, Harper and Brothers, New York, 1929, p. 121, 123.
21. J. R. à Edward Hunt, 20 juillet 1913 (manuscrits J. R.).

d'un New York médiéval » ; Venise enfin, dont les trésors artistiques défiaient toute description et qu'il était difficile de quitter [22]. Stupéfait par toutes ces beautés, il murmurait souvent : « Voilà de quoi les hommes sont capables ! » Il ajoutait non sans raison : « J'aurais aimé être là, quand cela s'est fait, ou bien j'aimerais que cela se fasse maintenant sous mes yeux [23]. »

L'admiration qu'il manifestait pour l'ouvrage des hommes ne lui attirait pas l'affection de Mabel. Elle était d'une jalousie qui confinait à la folie, entendant monopoliser l'attention à chaque instant du jour et de la nuit : « J'avais horreur de le voir s'intéresser aux Choses. Cela ne m'intéressait pas et il suffisait qu'il aille contempler une église et me laisse à l'écart pour que je le déteste. » Elle accusait John de puérilité, lui disant que rien de ce que les hommes avaient pu faire ne pouvait se comparer « à l'odeur du jasmin aux fenêtres ou à la chaleur du soleil ». De telles déclarations auraient pu toucher le poète qu'il était, mais elles restaient lettre morte pour Reed qui appréciait les grandes réalisations. Malgré le ton péremptoire de Mabel, il demeurait « obstinément fidèle à son émerveillement [24] ».

Ces éclats avaient plus d'importance qu'il ne l'imaginait. Malgré ses manières tranquilles et le respect qu'elle disait avoir pour la vie des autres, Mabel adorait dominer. Ce qui signifiait que, dans ses rapports avec les hommes, ses victoires devenaient des échecs : ceux qu'elle pouvait plier à sa volonté ne lui paraissaient pas assez virils, tandis que les autres se lassaient assez vite de son petit jeu. Il n'était donc pas très surprenant qu'elle eût voulu en rester si longtemps aux préliminaires : une fois les relations physiques engagées, elle savait obscurément que ses tendances profondes ne manqueraient pas de ruiner sa passion.

C'est ce qui arriva au milieu de l'été. Elle considérait les relations homme-femme comme une lutte d'influence ; elle voyait d'un mauvais œil l'intérêt que John manifestait pour les êtres et les choses, qu'elle interprétait comme une atteinte à sa propre personne. C'est seulement le soir, dans l'obscurité, qu'elle se consolait en retrouvant John : « Chaque nuit, je me

22. Lettres de J. R. à Edward Hunt, sans date ; de J. R. à Bob Hallowell, 14 août 1913 (manuscrits J. R.) ; de J. R. à Margaret Reed, 1er août 1913 (papiers de la famille Reed).
23. Cité dans *Movers and Shakers,* p. 218.
24. *Ibid.,* p. 217-218.

l'appropriais, je faisais à nouveau sa conquête, prenant ma revanche sur la défaite du jour [25]. »

Reed, qui était jeune, enthousiaste, et que l'amour rendait aveugle, ne percevait pas bien le combat intérieur de Mabel. Elle était assez bonne comédienne pour dissimuler sa tristesse croissante et il considérait leurs disputes sur des lieux ou des gens comme d'inévitables querelles d'amoureux. Mabel lui reprochant de s'intéresser trop aux « Choses », pour se venger, il fit semblant d'être jaloux de son « éternelle Nature ». Mabel en fut si contente — elle n'avait pas beaucoup d'humour — qu'elle prit au sérieux une pièce satirique et moqueuse que John commença à écrire, dont les personnages n'étaient autres que Dieu-Tout-Puissant, la Fatalité, Gertrude Stein, la Voix de Hutchins Hapgood et un Chœur de Pédérastes. De la même façon, elle interpréta un poème qu'il venait d'écrire, intitulé *Florence, été 1913,* comme la « capitulation » de Reed ; elle crut qu'enfin il lui donnait raison, qu'elle l'avait convaincu « que la Renaissance italienne était ennuyeuse au possible ». En réalité l'ouvrage comparait les artistes modernes à bout de souffle — c'est ainsi qu'il voyait les invités de la Villa — aux héros qui autrefois avaient vu le jour sur « la terre toscane », et il exprimait la crainte qu'un poète vivant ne vît son inspiration se tarir à leur contact. Le portrait qu'il faisait de Mabel était à la fois affectueux et perspicace :

« Dans les vestibules des Médicis, mais beaucoup plus royale
[que ceux-ci
Marche celle que j'aime, moitié bergère, moitié courtisane,
Dans sa main droite elle tient la mort d'un homme, dans la
[gauche sa vie
Prenez garde à celle que vous choisirez, car cela change
[chaque jour ;
Dans son âme logent le soleil et les vents et toutes les bêtes
[de proie [26] ! »

En dépit de ces tensions croissantes, l'été italien passa comme un rêve agréable. Alors que Bobby Jones était occupé à peindre une fresque dans une villa des environs et que les autres se livraient au farniente, John arpentait la campagne,

25. *Ibid.,* p. 219.
26. Cité dans *ibid.,* p. 227-228.

escaladait les Apennins rocailleux, s'aventurait sur les plages désertes près de Pise où ses seuls compagnons étaient les mouettes ; il parcourait les routes poussiéreuses qui traversaient de très vieux champs en terrasses. A la fin d'août, Mabel et John — celui-ci hâlé, reposé, en pleine forme — se rendirent au festival de Sienne. Au milieu des étendards de couleurs vives et des costumes de soie du Moyen-Age, ils assistèrent au célèbre « Palio » qui se déroulait sur la place centrale ; c'était un spectacle pittoresque, et Reed pensa qu' « aussi longtemps qu'il vivrait, il ne pourrait l'oublier [27] ». Ils retournèrent à la Villa pour y faire leurs bagages ; brusquement, deux jours avant le départ, c'était le 30 août, il se réveilla avec une forte fièvre. On diagnostiqua la diphtérie, et ils durent ajourner leur départ.

Mabel, qui souffrait du fait que Reed avait tendance à lui échapper, fut assez satisfaite. Dans son lit, totalement dépendant, il lui appartenait tout entier « sans avoir la moindre chance de s'échapper ». John était comme un bébé sur lequel elle avait tout pouvoir. Pourtant ce plaisir s'avéra de courte durée : « Un homme complètement diminué, sans force, et qui est à votre charge, n'a plus rien d'un homme [28]. » Les invités avaient quitté la Villa et Mabel qui s'ennuyait s'efforçait d'être gentille, de consoler et de dérider son malade que l'inaction forcée rendait tour à tour furieux et abattu [29]. Tous deux sentaient bien que quelque chose n'allait plus, mais il leur était facile de mettre sur le compte de la maladie la détérioration de leurs rapports à la fin de leur séjour en Europe.

A la fin de septembre, lorsque John et Mabel arrivèrent en Amérique, le Village était en pleine effervescence. Des jeunes gens venus des quatre coins du pays débarquaient à Washington Square, les bras chargés de vieilles valises et la tête pleine de rêves de gloire. Ils venaient là pour échapper à l'univers routinier, à la morale étroite, et au Village ils découvraient une société accueillante qui tolérait les attitudes les plus

27. Lettre de J. R. à Albert J. Nock, 25 août 1913 (manuscrits J. R.).
28. *Movers and Shakers*, p. 229.
29. Un de ses sujets d'inquiétude, c'était à nouveau Paterson. Dans une lettre du 18 septembre adressée à W. Lippmann, Reed écrivait : « Pour l'amour de Dieu, écris-moi pour me dire si la grève de Paterson est terminée ou non. Personne ne m'écrit ; *Le Globe,* que j'ai lu pendant tout l'été ici, n'en a jamais fait mention. J'ai écrit à tout le monde pour savoir, mais personne ne s'est donné la peine de me répondre. »

fantaisistes. Nombreux furent ceux qui comme Edwin Justus Mayer furent d'abord frappés « par l'extrême liberté des mœurs et des esprits [30] ». Lorsque Floyd Dell, qui venait de Chicago, arriva au Village en octobre, il passa sa première nuit dans l'appartement « d'une belle danseuse qui avait un alligator apprivoisé dans sa baignoire » ; en réalité l'animal se montra plus affectueux que la jeune femme. Quelques jours plus tard, Dell se débarrassait du faux-col qu'il était de mise de porter dans les milieux artistes de Chicago ; il adopta de confortables chemises en flanelle car, disait-il « ici, on peut porter une cravate en guise de ceinture sans que personne y fasse attention [31] ».

En même temps que le monde de la bohème s'agrandissait, il se créait de nouvelles institutions qui lui donnèrent une certaine cohésion. Le « Liberal Club », le mieux organisé, s'ouvrit au Village à l'époque où Reed revenait d'Europe. Fondé en 1907, le club possédait à l'origine un local sur le très respectable parc de Gramercy ; c'était un endroit où des réformistes distingués, des socialistes modérés, de riches philanthropes et des progressistes mécontents se réunissaient pour discuter ou bien pour écouter des conférences sur des problèmes sociaux très précis. De jeunes habitants du Village s'y infiltrèrent et le club commença à se scinder à propos de deux questions : pouvait-on y admettre des Noirs, et pouvait-on permettre à Emma Goldman (une anarchiste) d'en devenir membre ? Il y avait aussi le cas d'Henrietta Rodman, une militante féministe qui se battait contre l'arrêté par lequel on l'avait radiée de l'enseignement secondaire. Miss Rodman avait été renvoyée pour avoir commis le crime de se marier ; en effet, le règlement de l'école interdisait cette profession aux femmes mariées. On fit beaucoup de bruit autour de l'affaire et de la lutte que menait Miss Rodman pour être réintégrée ; les remous qui en résultèrent achevèrent de séparer nettement le club en deux factions : l'une conservatrice, l'autre radicale. Lorsque la première de ces tendances eut démissionné en masse, Henrietta et ses amis vinrent s'installer au Village.

Dans son nouveau local du 137 MacDougal Street, le club complètement réorganisé était beaucoup plus vivant, plus effi-

30. E. J. MAYER, *A Preface to Life*, p. 95.
31. Floyd DELL, *Homecoming : an Autobiography*, Farrar and Rinehart, New York, 1933, p. 247.

cace et énergique. Les gens du Village se pressaient dans ses deux salles très hautes de plafond, sommairement meublées, mais égayées par des affiches et des toiles d'avant-garde. L'un des membres du club avait recensé six catégories principales : les poètes ; les romanciers et les nouvellistes ; les peintres ; les gens de théâtre ; les juristes, les journalistes, les publicistes ; enfin, les sociologues : cette dernière catégorie comprenait en fait tous ceux qui étaient intéressés avant tout par les questions sociales [32]. Ces divisions n'avaient pas une grande importance. Tous ceux qui tôt ou tard allaient devenir quelqu'un, se rendaient au club pour y bavarder avec leurs amis, pour danser le dernier ragtime qu'on jouait sur un piano droit, jouer au poker, ou participer aux petits spectacles que Dell mettait en scène, ou encore écouter des conférences sur toutes sortes de sujets : la poésie libre, le tango, l'eugénisme, la jupe fendue, l'hygiène sexuelle, Richard Strauss, l'impôt unique, l'anarchisme ou le contrôle des naissances. Deux autres établissements tout proches contribuèrent à faire du 137 MacDougal Street l'endroit le plus vivant du Village. Au sous-sol, se trouvait le restaurant de Polly, qui était tenu par la grande Paula Holliday, originaire d'Evanston ; elle était aidée dans sa tâche par son ami, le fougueux anarchiste Hippolyte Havel qui avait l'habitude de flanquer les plateaux sous le nez des clients en les traitant de « cochons de bourgeois » ; la nourriture était bonne, simple et bon marché. C'était un endroit très couru, bien avant que le club ne s'installe à l'étage au-dessus. Dès ce moment-là, le restaurant prospéra et peu à peu les deux établissements ne firent plus qu'un ; les parties de cartes et les conversations commencées dans l'un se terminaient dans l'autre ; les murs blancs du restaurant se couvrirent de tableaux (il n'y avait déjà plus de place en haut). L'autre succursale du club, c'était la librairie de Washington Square, fondée par Charles et Albert Boni, qui était située au 135, MacDougal Street. Bientôt on ouvrit le mur mitoyen, ce qui permit aux gens de passer d'un endroit à l'autre. De temps en temps des nouveaux venus timides, tel le poète Alfred Kreimborg, qui s'aventuraient tout d'abord dans la librairie, étaient vite entraînés dans le tourbillon du club voisin.

Aussi bien parmi les nouveaux que parmi les anciens, John

---

32. Lawrence LANGNER, *The Magic Curtain*, E. P. Dutton, New York, 1951, p. 69.

était considéré comme un héros plus grand que nature. Au club ou chez Polly, il manifestait ce que Hapgood appelait « une assurance à toute épreuve ». Il rebutait ceux qui ne le connaissaient pas bien en affichant des opinions péremptoires sur n'importe quel sujet, et prenait des allures de matamore qui frisaient le grotesque. Pourtant, même ceux qui étaient agacés par son allure théâtrale — sa façon de s'habiller n'importe comment, de remonter son pantalon d'un coup sec et de passer sa main dans sa chevelure en broussaille, sa manière de regarder sans cesse autour de lui pour voir si on l'admirait — même ceux-là ne pouvaient s'empêcher de reconnaître que *La Vie de bohème* avait contribué à donner un sens à leur mode de vie ; ils reconnaissaient la valeur de ses nouvelles qui avaient paru dans *Les Masses,* du reportage percutant qu'il avait fait sur Paterson ; à cela s'ajoutait le triomphe du spectacle qui, déjà, était entré dans la légende. Maintenant le Village ne parlait plus que de son dernier exploit, sa liaison avec l'énigmatique et fascinante Mabel Dodge.

Le fait d'habiter dans le luxueux appartement au n° 23 de la Cinquième Avenue ne résolvait en rien les difficultés qui étaient apparues en Italie. Comme auparavant, Mabel sortait peu, mais tous ses amis, Hapgood, sa femme, Neith Boyce, Steffens, Van Vechten, Lippmann et Eddy Hunt vinrent la voir, et bientôt les soirées reprirent. Mabel invitait de plus en plus de gens dans l'espoir « que ses conquêtes agiraient sur Reed comme un aphrodisiaque ». C'est le contraire qui se produisit ; John devint l'un des points de mire du salon. Cela ne faisait que confirmer ses craintes : leurs relations étaient avant tout fondées sur une sorte de rivalité. Projetant sur lui ses propres désirs, elle était convaincue que lorsque John pérorait, il ne le faisait que pour s'imposer : « Si j'avais quelque autorité, John voulait en avoir dix fois plus que moi [33]. » En réalité, Reed n'avait pas changé ; ce combat n'existait que dans l'esprit de Mabel, car si John livrait des batailles, c'est entre le monde et lui qu'elles avaient lieu.

Leurs conceptions de la vie étaient rigoureusement incompatibles : là résidait leur véritable problème. Mabel ne se plaisait que dans une ambiance agitée, il lui fallait des rapports compliqués ; elle avait besoin de dominer les autres, tandis que lui ne souhaitait profondément qu'une chose : réussir. Elle était

---

33. *Movers and Shakers,* p. 234.

fascinée par le pouvoir qu'il exerçait sur les gens, mais parfois elle rêvait d'une demeure plus calme, et regrettait de n'occuper qu'une petite place dans sa vie, elle qui aurait souhaité l'accaparer entièrement :

« Reed, lui, était prêt à se lancer dans n'importe quoi ! Toujours prêt à s'enthousiasmer pour quelque nouvelle cause. Il semblait avoir sans cesse besoin de s'emplir les poumons ; il se frottait le menton comme s'il s'efforçait de calmer son cœur qui battait trop vite. Il était constamment sous pression. Ses yeux brillaient, il rejetait en arrière ses mèches brunes qui tombaient en désordre sur son front ; ses tempes brillaient, il relevait les sourcils [34]... »

La déception de Mabel commençait dès le matin. Après le petit déjeuner, elle paressait dans son lit d'où elle observait John qui mangeait à une petite table à côté d'elle, le journal déplié devant lui. Tandis qu'elle fulminait intérieurement contre son indifférence, les yeux « couleur de miel » de Reed restaient fixés sur les « nouvelles », qui, si elles ne concernaient pas directement leurs amis, ne signifiaient rien pour elle. Lorsqu'il lui arrivait de lire à haute voix les passages intéressants, elle sentait qu'il l'utilisait comme « un faire-valoir » et regrettait amèrement que « le monde ait une fois de plus le dernier mot ». Bientôt elle relevait la tête, le journal traînait par terre et John était parti, laissant Mabel « seule et désolée ». La situation était pénible, mais Mabel savait mieux que personne à quoi elle était due : « Il semble que nous ne puissions pas vivre avec les hommes qui acceptent de rester avec nous à la maison, mais les hommes avec qui nous avons envie de vivre ne veulent pas rester avec nous : en aucun cas on ne peut trouver la paix [35]. »

En dépit de leurs nuits passionnées, la situation ne pouvait que se détériorer. Pour essayer d'arranger les choses, Mabel s'efforça de dominer ses impulsions et de pénétrer dans l'univers de John. Un jour qu'il manifestait l'intention d'aller explorer les bas quartiers de l'East Side, quelle ne fut pas sa surprise lorsqu'elle lui déclara qu'elle désirait l'accompagner ; elle ordonna au chauffeur de sortir la voiture et ils traversèrent les ghettos ainsi que des touristes dans un circuit organisé. John, qui pestait intérieurement contre le luxe tapageur de la limou-

---

34. *Ibid.*, p. 232.
35. *Ibid.*, p. 233-234.

sine, essayait de rester aimable, mais ça n'était pas facile. Il semblait que Mabel refusât de comprendre que la vie n'était pas un spectacle, mais quelque chose dans quoi il fallait plonger, même au risque de s'y noyer. Le sel de la vie, c'était précisément d'apprendre à nager.

L'attitude de Reed ne faisait rien pour améliorer la situation. Il ne se rendait pas compte que Mabel n'éprouvait aucun intérêt pour la vie des autres, et aussi obstiné qu'un enfant, il lui faisait des confidences qui ne pouvaient que l'éloigner davantage. Lorsqu'une nuit, il lui confia qu'il avait eu une conversation avec une prostituée charmante et tout à fait extraordinaire, dont l'allure mystérieuse lui avait fait comprendre la part de mystère contenue dans la beauté, Mabel se jeta par terre en feignant de s'évanouir. Tout contrit, il lui jura qu'il lui était resté fidèle. Mais cela ne l'empêcha pas de lui avouer son admiration pour une autre jeune femme, qui avait, disait-il, l'allure d'un ange. Furieuse et blessée qu'il continue à lui faire ce genre de confidence, Mabel criait jusqu'à ce qu'il s'arrête.

La fidélité n'était pas la seule cause de leurs disputes. Mabel se montrait jalouse du temps qu'il passait au « Liberal Club », chez Polly, à la rédaction des *Masses* ou avec ses amis, autant que de n'importe quelle femme, et elle trouvait beaucoup à redire sur l'amitié naissante qui le liait à Fred Sumner Boyd. Boyd, qui était passible de prison à cause de ses activités à Paterson, militait depuis sa jeunesse — passée en Angleterre — dans le mouvement socialiste. Reed admirait l'homme, mais ce qui le fascinait surtout, c'étaient les analyses marxistes qu'il faisait des problèmes sociaux et économiques. Mabel, que ces longues discussions politiques ennuyaient (d'autant plus qu'elles avaient lieu dans son salon), faisait la leçon à John pendant des heures, lui affirmant que son nouvel ami n'était qu' « un phraseur médiocre et superficiel[36] ».

En novembre, la situation empira : les scènes, les crises de larmes et d'hystérie, les disputes se succédèrent jusqu'au moment où elle avala un tube de véronal. Pour la première fois, John se rendit compte de la gravité des choses, de l'ampleur de la jalousie de Mabel ; il découvrit un aspect de l'amour qu'il ignorait : le chagrin. Malheureux, ne sachant plus que faire, il se confia aux autres, ce qui n'était pas dans ses habitudes. Il avouait à Hapgood : « Mabel est une femme merveilleuse.

---

36. *Ibid.*, p. 242.

Je l'aime, mais elle m'étouffe ; avec elle, je ne peux pas respirer [37]. » Les amis compatissaient, mais ne pouvaient guère apporter de solution. Reed n'arrivait pas à comprendre l'origine du conflit — il aimait cette femme, elle l'aimait et pourtant, ils ne parvenaient pas à s'accepter tels qu'ils étaient. Lorsqu'elle menaça à nouveau de se suicider, l'angoisse de John se transforma en panique. Il décida que ça ne pouvait plus durer ; le 21 novembre, n'ayant prévenu que le seul Steffens, il s'enfuit à Boston, laissant à Mabel ce billet :

« Adieu, ma chérie. Je ne peux vivre avec toi. Tu m'étouffes. Tu m'écrases. Tu veux tuer mon esprit. Je t'aime plus que la vie, mais je ne veux pas devenir esclave. Je m'en vais pour mon salut. Pardonne-moi. Je t'aime — je t'aime [38]. »

Harvard, après l'agitation du Village, lui parut une sorte de havre. Dave Carb, un dramaturge que Reed avait connu à l'université, le prit entièrement en charge ; il sut l'écouter et le soir ils avaient de longues conversations autour d'un verre. Copey était là également, et John fut content de pouvoir se promener avec lui dans le parc en discutant de livres et de ses grands projets. Les bâtiments de briques rouges, massifs, rassurants, empreints du calme des vieilles institutions, semblaient immuables, faisant un étrange contraste avec l'existence aventureuse et tourmentée de Reed.

Dans cette atmosphère, il put réfléchir sur ce qu'avait été son existence durant les derniers mois. Son inquiétude ne provenait pas seulement de ses relations avec Mabel. Depuis le début de juillet il s'était laissé aller, sans faire quoi que ce soit de marquant. Certes, la fatigue qui avait succédé au spectacle, puis la diphtérie expliquaient en partie cet état de choses, mais la maladie avait aussi servi d'excuse. Ces deux derniers mois, il s'était contenté de se promener dans le Village, jouissant de sa célébrité et faisant momentanément office de rédacteur en chef des *Masses*. Cela avait été agréable, mais John, ne pouvait se contenter de jouer au personnage important ou d'aider à faire fonctionner un magazine mensuel. Ce n'était pas une occupation où l'on pouvait s'engager à fond ni s'épanouir.

L'écriture restait le fond du problème ; depuis le spectacle, il avait peu produit. On continuait à publier certaines de ses œuvres : quelques petites nouvelles humoristiques avaient paru dans le *Smart Set ;* deux articles d'inspiration naturaliste ainsi

---

37. Cité dans *A Victorian in the Modern World*, p. 353.
38. *Movers and Shakers*, p. 242.

qu'une pièce en un acte avaient paru dans *Les Masses,* et de courts poèmes dans *Collier's* et dans l'*American.* Mais tout cela avait été écrit avant Paterson. Reed avait décrit, dans un article intitulé *L'Auberge du shériff Radcliffe,* la misère scandaleuse de la prison du comté de Passaic : c'était peu pour une période de six mois dans la vie d'un écrivain. Lorsqu'il avait essayé d'écrire, il était resté paralysé devant sa machine. Il avait pensé écrire une pièce sur la vie de Bill Haywood, mais cela n'avait pas dépassé le stade du projet. Il avait promis de rédiger une pièce en un acte pour la section d'art dramatique du « Liberal club » : elle n'était toujours pas écrite. Le problème essentiel était bien là ; pour la première fois depuis son séjour à Paris, Reed était à court d'inspiration. S'ajoutant à ses soucis personnels, le manque d'enthousiasme était à l'origine des crises de cafard qui s'étaient succédé pendant tout l'automne. Bien qu'il le comprît clairement maintenant, il ne trouvait aucun moyen de s'en sortir.

Il en revenait toujours à Paterson, au contact avec les ouvriers, à la fièvre qui avait précédé le spectacle, et il n'arrivait pas à comprendre comment il pouvait raccrocher l'écriture à tout cela. A la mi-juin, il avait reçu une lettre de Bobby Rogers qui soulevait des questions embarrassantes ; c'était juste avant le départ de John pour l'Europe :

« Au fait, si à ton retour... tu as abandonné ce style de propagande improvisée destinée à faire battre les cœurs, que tu as adopté dans le récit de ton emprisonnement pour *Les Masses,* je t'en serai très reconnaissant. Ou bien tu ne fais que cela, ou bien tu fais de la littérature, sans te sentir obligé de lier les deux choses. Dans le premier cas ce sera pour l'amour de Big Bill [Haywood], dans le second, ce sera pour l'amour de l'art. Tu ne peux faire les deux à la fois, autant que je puisse en juger. Ton histoire parue dans *Les Masses* était un plaidoyer très réussi, écrit dans le style des chroniqueurs du dimanche ; il a vraiment atteint son but. Ne te méprends pas sur ce que je dis. Tu as atteint ton but. Si ce texte ne présentait pas de temps forts, c'est que chaque paragraphe était en lui-même un temps fort. Je me demande, simplement, si c'est le genre de chose que tu voulais faire [39]. »

Reed n'acceptait pas nécessairement cette séparation simpliste entre littérature et propagande, mais il se rendait compte qu'elle

---

39. Bobby Rogers à J. R., 13 juin 1913 (manuscrits J. R.).

posait un problème car au mois de novembre, il en était encore à se demander ce qu'il voulait écrire.

Trois jours après son départ de New York, il reçut de Steffens des nouvelles rassurantes : Mabel allait bien et habitait momentanément chez les Hapgood. Pour calmer les craintes de John au sujet d'un éventuel suicide, il le rassurait : « Reste où tu es et ne t'inquiète pas. Elles ne font pas tout ce qu'elles disent, pas plus que nous. » Deux jours plus tard, une nouvelle lettre annonçait que Mabel écoutait la voix de la raison (celle de Hutchins Hapgood) et qu'elle voyait clairement ce qu'il lui fallait faire : « ... Elle veut ce que tu veux ; elle ne veut que cela... je pense que maintenant tout ira bien pour vous deux [40]. » Rassuré par ces nouvelles, John s'apprêta à rentrer à New York. Six mois de vie commune avec Mabel lui avaient appris davantage sur les femmes que les vingt-cinq premières années de sa vie. Il avait abandonné l'idée que le seul fait de dire « Je t'aime » à une femme suffisait pour s'attacher un amour éternel ; il avait compris que ce qu'on appelle amour est en fait un curieux mélange d'extase, de douleur, de plaisir, et de chagrin. Sa liaison avec Mabel lui avait appris une autre chose qu'il pourrait difficilement oublier : l'amour d'une femme, si nécessaire fût-il, ne pouvait à lui seul lui apporter le bonheur.

40. L. Steffens à J. R., 23 et 25 novembre 1913 (manuscrits J. R.).

# Mexique

*Les membres de la « Tropa » étaient déjà partis en avant ; je les apercevais, qui s'enfonçaient sur plus d'un kilomètre dans les taillis sombres de mesquite, avec leur petit drapeau rouge, blanc et vert qui flottait en tête. Les montagnes avaient disparu quelque part derrière l'horizon, et nous progressions au milieu d'une grande cuvette désertique, dont les bords flous rejoignaient le bleu brûlant du ciel mexicain... Un silence et une paix tels que je n'en avais jamais connus nous enveloppaient. Il est presque impossible de raconter le désert ; on s'y engloutit, et peu à peu on arrive à en faire partie. Pressant mon cheval, je rejoignis bientôt la troupe...*

*— Aye, Meester ! crièrent-ils. Voilà Meester à cheval ! Que tal, Meester ? Comment ça va ? Tu viens combattre avec nous ?*

*... Le capitaine Fernando, en tête de la colonne, se retourna et rugit : « Viens ici, Meester ! » Le gros homme grimaçait de plaisir. « Tu vas me tenir compagnie », criait-il, en me donnant de grandes tapes dans le dos. « Allez, bois un coup », dit-il en exhibant une bouteille de sotol qui était à moitié pleine... « Bois ! » reprirent en chœur les membres de la Tropa qui s'étaient approchés pour voir. Je bus. Il y eut de grands éclats de rire et des applaudissements. Fernando se pencha et me serra la main. « C'est bien, compañero ! tonna-t-il, fou de joie... Maintenant tu es avec nous, avec les hommes (los hombres). »*

John REED, *Le Mexique insurgé*, D. Appleton, 1914, p. 35-36 ; traduction française, Maspero, Paris, 1975.

Dans les textes de Reed, il y a des anecdotes à mi-chemin entre la réalité et la fiction, où le narrateur est un personnage romanesque qui renvoie plus à une vérité des sentiments qu'à la réalité vécue. Les descriptions et les dialogues alternent, donnant à sa prose une allure dramatique, élaborant un récit événementiel qui dépasse de très loin le simple reportage. Sans doute Reed n'a-t-il jamais vidé une demi-bouteille de sotol sous les acclamations d'une bande de gucrilleros. Pourtant cette scène restitue l'essentiel de sa réaction vis-à-vis du Mexique. Là-bas, parmi les troupes hétéroclites des armées révolutionnaires, John fit toutes sortes d'expériences et la fierté qu'il éprouvait à se compter parmi « los hombres » les résume assez bien.

Cet épisode, comme beaucoup de ceux qui figurent dans son reportage sur le Mexique, nous renseigne autant sur son caractère que sur la révolution du pays. Il se produisit entre lui et l'événement historique une sorte de fusion parce qu'il recherchait pour lui-même, en écrivant, un sens et une identité. La question posée dans ces quelques lignes occupe une place essentielle dans son expérience du Mexique ; et cette question, il se la posait depuis longtemps, sans l'avoir jamais formulée jusqu'alors : comment devenir un homme ? Après la maladie et les craintes mystérieuses de l'enfance, l'énergie qu'il avait manifestée à Morristown, à l'université, en Europe, au Village et à Paterson avait masqué ce problème. Jouer au football, travailler sur un transport de bestiaux, courir les routes d'Angleterre, de France et d'Espagne, se frotter aux gangsters et aux maquereaux des bars du Tenderloin, se colleter avec les policiers, faire de la prison avec des syndicalistes et l'amour avec Mabel Dodge, c'étaient bien des activités d'homme : pourtant, l'écrivain ne participait qu'en spectateur à ses propres actions : sur le cargo comme dans la prison de Paterson, il n'était pas arrivé à partager vraiment l'existence des marins ni celle des détenus. En dépit de sa furieuse quête d'aventures, John n'arrivait pas à ressembler au modèle de virilité qu'il avait rêvé pendant son enfance en Oregon où les bûcherons, les marins, les cow-boys buvaient, se bagarraient et couraient les filles avec une sauvagerie qui lui paraissait héroïque. Dans cette image idéale, entrait aussi quelque chose du père que les luttes politiques menées avec fougue avaient conduit à une mort prématurée. Pour Reed, être un homme impliquait boire, jurer, se bagarrer, savoir supporter les pires épreuves, et tenir à certains principes, même s'ils devaient l'exposer aux plus grands périls.

Dans ce Mexique révolutionnaire, pays des mitrailleuses et des machettes, le danger ne manquait pas ; les indigènes considéraient qu'on devait tirer à vue sur n'importe quel gringo. C'était l'endroit rêvé pour se mettre à l'épreuve. Aussi, l'intérêt que les Américains manifestèrent pour les remous qui se produisaient au sud du Rio Grande, vint-il à point nommé. En novembre 1913, le chef des rebelles, Francisco « Pancho » Villa, avait remporté plusieurs victoires décisives à Juarez et à Chihuahua ; au début de décembre, il était devenu le grand héros de la révolution. Maître de la province de Chihuahua, Villa et son armée de cavaliers faisaient les gros titres des journaux ; tous les correspondants se ruaient à la frontière. Le directeur du *Metropolitan,* Carl Hovey, en quête d'un bon reporter, s'adressa à Steffens. Celui-ci lui conseilla de prendre Reed. John qui n'était revenu à New York que depuis deux semaines, et qui était momentanément réconcilié avec la vie, décida immédiatement d'accepter le contrat.

Mabel fut terrifiée. En pleurant, elle essaya de lui faire abandonner sa mission ; à ses objections, il répondait : « Je t'emmènerai avec moi dans mon cœur. Mais il FAUT que nous soyons libres pour pouvoir aimer vraiment nos vies. » Reed obtint aussi un contrat du *World* de New York, ce qui arrondissait son revenu. La veille de son départ il y avait une soirée chez Mabel ; on discuta du Mexique. Fred Boyd fit une analyse marxiste de la situation, Steffens assis dans un coin, faisait des

238

remarques pertinentes, et Reed tout heureux « piaffant, surexcité, hors d'haleine, était debout occupé à pérorer ». Une fois les invités partis, durant les heures qui suivirent, « il y eut des pleurs et des manifestations passionnées ». S'aggripant à John, Mabel « voulait le fondre en elle pour qu'il ne puisse plus la quitter » ; le matin venu, il se leva, s'habilla et partit, laissant Mabel sangloter sur l'oreiller [1].

Quelques heures plus tard, elle le suivait ; elle n'avait pu s'en empêcher. Elle le rejoignit à Chicago. Reed se réjouit fort de ne pas faire seul le long voyage en train jusqu'à El Paso ; ils passèrent tout le temps du voyage enfermés tous les deux dans leur compartiment, si bien que dans une lettre à Edward Hunt, il décrivait cette traversée des Etats-Unis comme leur véritable « lune de miel » : « Mabel a déjà décidé que les rebelles mexicains font partie de ce vaste mouvement qui doit secouer le monde (je ne sais trop ce que c'est)... cela, alors qu'elle sait pertinemment que je me rends au Mexique sans aucune idée préconçue ! Je suppose qu'elle s'attend à trouver dans le général Villa une sorte de Gertrude Stein mâle, ou du moins quelque Stieglitz mexicain. » Lorsqu'ils descendirent du train pour prendre leur petit déjeuner au buffet de la gare d'Austin, « Mabel apparut, vêtue d'un chemisier orange (elle en possédait deux autres, un écarlate et l'autre bleu vif, pour la bataille) ; cette tenue déclencha la folie de deux Mexicains — les yeux leur sortaient de la tête — et il y eut un Indien qui devint littéralement fou ». John se voyait lui-même avec humour : « Quant à moi, j'étais vêtu d'un costume de velours jaune vif ; Mabel portait un chapeau orange et une veste de sport en satin, façon peau de tigre ; elle transportait ses bagages luxueux, une énorme pile de couvertures et quatorze sortes de pilules et de pansements. [...] En principe, nous devons descendre à El Paso. [...] Si je ne ramène aucun reportage du front, si je ne franchis jamais la frontière, j'aurai en tout cas suffisamment de matière pour écrire une demi-douzaine de livres [2]. »

La ville frontière était un véritable nid de conspirateurs : « La Grande Loge du Vieil Ordre des Conspirateurs du Monde Entier ». Une faune variée d'Américains et de Mexicains s'entassait dans les hôtels et les restaurants ; il y avait des hommes riches à qui l'on avait pris leurs domaines, des représentants

1. *Movers and Shakers*, p. 246.
2. J. R. à Edward Hunt, 16 décembre 1913 (manuscrits J. R.).

de firmes américaines qui avaient des intérêts de l'autre côté de la frontière, des propriétaires de mines, des directeurs de chemins de fer, des agents secrets du département d'Etat, des espions travaillant pour le compte de différentes factions gouvernementales et révolutionnaires, des trafiquants d'armes et de munitions, des prostituées et des truands qui jouaient toutes sortes de jeux plus obscurs les uns que les autres. Les plus drôles, c'étaient les détectives : « Ils sont de loin les plus nombreux dans cette population, [...] on les reconnaît au raffinement qu'ils mettent à se déguiser. [...] Dès qu'un homme important sort de son hôtel, il est suivi dans la rue par un détective, qui à son tour est suivi par un autre, dont les moindres mouvements sont épiés par un troisième, etc. Cette curieuse procession de gens qui marchent tous dans la même direction en feignant d'admirer les façades ou les nuages, entrave assez sérieusement la circulation [3]. »

Reed n'avait qu'une envie : aller à Mexico. Il décida qu'Ojinaga était l'endroit le plus propice à son reportage. Cette ville abritait les restes de l'armée fédérale mise en pièces par Villa à Chihuahua. Il quitta Mabel, loua une voiture dans laquelle il parcourut les quelques quatre cents kilomètres qui le séparaient de Presidio, localité composée de quelques maisons éparses qui bordaient les bancs de sable désolés du Rio Grande. C'était une sorte d'El Paso en miniature, peuplé de trafiquants d'armes, de contrebandiers, de cow-boys, de rangers du Texas et d'agents secrets. Les journalistes américains à qui l'on interdisait de se rendre à Mexico, demeuraient aux environs de Presidio, « et s'arrangeaient pour fabriquer deux fois par jour des reportages de deux cents mots, pleins de bruit et de fureur ». Ceci ne plaisait guère à Reed. Il grimpa sur le toit en terre du bâtiment des Postes pour observer l'horizon : devant lui s'étendait une végétation rabougrie et au-delà de la rivière jaune, on apercevait les maisons carrées et les clochers de l'église d'Ojinaga. John adressa une demande en règle au général Mercado, commandant en chef de l'armée fédérale, qu'il voulait interviewer. Ce fut un autre officier, le général Orozco, dont l'état-major avait intercepté la lettre de John, qui lui fit cette réponse menaçante :

« Très Cher et Très Honoré Monsieur, si vous avez le malheur de mettre les pieds à Ojinaga, je vous collerai contre

---

3. « El Paso », article inédit (manuscrits J. R.).

un mur, et de ma propre main, j'aurai l'immense plaisir de vous coller quelques pruneaux dans le dos [4]. »

Cet avertissement calma quelque peu l'ardeur de John. Malgré ses bonnes dispositions, « il avait peur de la mort, des blessures, de ce pays étrange et de ces curieuses gens dont il ne comprenait ni la langue, ni les intentions ». Pourtant il se sentait dévoré de curiosité : « Il me fallait absolument savoir comment je réagirais au feu [5]. » A Presidio, de même que dans les mois qui suivirent, le goût de l'aventure fut plus fort que la peur. Il traversa la rivière et grimpa jusqu'à la ville. « Heureusement, je n'ai pas rencontré ce général Orozco », remarqua-t-il laconiquement.

Il finit par dénicher Mercado. « C'était un petit homme gras, triste, soucieux et indécis », qui lui raconta en bredouillant une histoire embrouillée suivant laquelle l'armée américaine soutenait Villa, ce qui expliquait ses victoires. John put constater le lourd tribut de la guerre, en se promenant le long des rues blanches obstruées par les ruines : il n'y avait pas une maison qui eût son toit intact et les murs étaient criblés et éventrés. Les soldats fédéraux maigres, affamés, en haillons, s'abritaient dans les ruines et rançonnaient systématiquement les réfugiés qui s'efforçaient de gagner à pied les Etats-Unis. Dégoûté par ce spectacle, il se joignit à un groupe de péons qui avaient l'intention de traverser la frontière sans se faire voir des douaniers américains. Repassant avec eux la rivière, il y avait une femme dont le poncho faisait une grosse bosse par-devant comme si elle y cachait quelque chose.

« Eh ! là ! cria un douanier. Qu'est-ce que tu as mis sous ton châle ? »

Ouvrant lentement le haut du vêtement, elle répondit tranquillement : « Je ne sais pas, señor. C'est peut-être une fille, peut-être un garçon. »

De retour à El Paso, il fut accueilli par Mabel qui s'ennuyait et commençait à faire des histoires ; elle lui annonça qu'elle rentrait à New York. John ne fut pas trop fâché de cette décision ; il l'accompagna au-delà de la frontière jusqu'à Juarez,

---

4. Cette citation ainsi que les suivantes sur Presidio et Ojinaga sont tirées du chapitre I du *Mexique insurgé*, intitulé « A la frontière » (p. 27 à 38 pour l'édition française, Maspero, Paris, 1975). Ce chapitre parut dans *Masses*, n° IX, décembre 1916, p. 5, 6, 8 ; il est cité dans F. DELL, *Daughter of the Revolution*, p. 51-63.

5. *Trente ans, déjà.*

pour voir ce qui s'y passait. On était le 21 décembre. Sur la place de la ville, il eut un premier aperçu de l'armée révolutionnaire : deux mille cavaliers à la peau sombre, aux traits d'Indiens ; beaucoup d'entre eux n'étaient que des adolescents. Ils étaient vêtus de coutil bleu ou kaki et portaient des foulards de couleurs vives. Les guerriers enthousiastes « paradaient comme des enfants... criant, chantant, et mangeant des cacahuètes ». Lorsqu'un général arrivait, ils montaient à cheval, se rassemblaient par petits groupes disparates, puis, au son d'un clairon enroué, passaient à l'action : « Ces deux mille hommes à l'équipement hétéroclite, plus ou moins déguenillés, montés sur de petits chevaux crottés mais vifs, avec leurs châles rayés flottant derrière eux, jetaient alors tous ensemble un grand cri sauvage, puis s'élançaient soudain dans la plaine immense. C'est ainsi que le général les passait en revue. Ils manquaient certes de discipline... mais quel courage ! et quel spectacle [6] ! »

Le jour de Noël, John se trouvait dans la ville de Chihuahua, où l'état-major de Villa s'était installé. Située au milieu d'un désert, et complètement entourée de montagnes, la ville avait l'air d'un bijou dans un écrin : « A la périphérie, il y a des huttes brunes, et de là jusqu'au centre, le brun s'éclaircit petit à petit jusqu'à ce que tous les murs deviennent blancs, rouge vif, roses ou bleu clair. On y voit des églises blanches aux clochers dorés qui ressemblent à des mosquées. » Malgré les combats récents, la ville vivait encore comme en temps de paix ; les services publics fonctionnaient normalement, et chaque soir, un orchestre venait jouer sur la grand-place. A toute heure du jour, les rues se remplissaient de cavaliers en armes partant pour quelque destination inconnue, et le soir venu, des sentinelles interpelaient les passants au coin des rues. Tout cela rendait l'endroit « aussi pittoresque que possible [7] ».

On donna une grande fête à l'opéra ; on avait accroché des drapeaux partout, les orchestres jouaient et la foule massée hurlait : « Viva Villa ! » Pour la première fois, Reed put apercevoir le général rebelle. Tôt le matin suivant, il fut introduit dans son bureau, dans l'immense et luxueux palais du gouverneur.

---

6. J. R., « Au Mexique, en compagnie de Villa », *Metropolitan*, n° XXXIX, février 1914, p. 72. Il ne s'agit pas vraiment d'un article, mais de la publication de deux lettres de J. R., datées du 21 et du 26 décembre 1913, probablement adressées à Edward Hunt.

7. *Ibid.*

Villa, qui portait un costume marron tout fripé, était assis derrière son bureau ; il lisait des lettres, dictait des réponses sur un ton tranchant, conférait avec ses aides de camp et recevait des délégations de péons. Le général faisait sur tout le monde une grande impression : « C'est l'être le plus naturel que j'aie jamais vu — naturel, dans la mesure où il est encore très proche de l'animal sauvage. » Villa semblait manquer d'agilité ; il avait les jambes un peu raides ; cela se voyait lorsqu'il se levait ou se déplaçait, mais les mains, les bras et le tronc bougeaient avec la rapidité et la précision du coyote. La plupart du temps son visage avait une expression avenante et presque naïve, mais ses yeux démentaient cette bonhomie : sombres, aux aguets, ils lui donnaient un air décidé et cruel, « des yeux de braise qui vous transperçaient » ; c'étaient ceux d'un homme capable de tuer.

Au bout d'un moment, le général se tourna vers Reed. Quelque chose dans l'allure décontractée et assurée de John dut attirer Villa, car très vite, il lui donna le surnom affectueux de « Chatito » (nez épaté) et lui promit qu'il pourrait l'accompagner partout au cours de ses déplacements quotidiens. Dès ce moment, Reed fut le bienvenu dans son bureau, aux dîners officiels, aux déjeuners intimes que préparait la maîtresse de Villa et même à certaines réunions politiques. Entre les deux hommes se développait un sentiment qui n'était pas tout à fait de l'amitié mais qui allait bien au-delà des relations habituelles entre un journaliste et un chef militaire. Agacé par les questions continuelles de Reed, Villa déclarait parfois « qu'il méritait de recevoir une bonne fessée et d'être expédié de l'autre côté de la frontière », mais il proférait ces menaces sur le ton de la plaisanterie. John, de son côté, se rendait compte que Villa pouvait être « un homme très dangereux », mais ce jugement n'entama jamais l'admiration qu'il avait pour « le dictateur absolu [8] » de Chihuahua [9]. Grâce à son aisance et à la facilité

---

8. Les commentaires de J. R. sur Villa proviennent de son « Carnet de voyage au Mexique » (manuscrits J. R.). La plupart des notes prises dans ce carnet, souvent jetées à la hâte et décousues, ont fourni la matière de certaines pages du *Mexique insurgé,* avec parfois fort peu de changements dans l'expression.

9. On se rend compte des liens particuliers qui unissaient Reed et Villa au vu d'un laissez-passer que le général lui délivra ; il y est mentionné que non seulement les autorités civiles et militaires doivent assurer à Reed aide et protection, mais qu'il est autorisé aussi à se servir gratuitement des chemins de fer et du télégraphe.

qu'il avait pour se lier avec toutes sortes de gens, bandits, paysans, généraux, joueurs ou personnalités officielles du gouvernement, Reed au bout d'une semaine était parvenu à réunir une quantité d'informations sur le Mexique. Avant de franchir la frontière, il avait interrogé les gens et lu ce qu'il avait pu trouver, mais la plupart de ces renseignements étaient sujets à caution, c'étaient des on-dit, des bruits, des conjectures. A Chihuahua aussi, les nouvelles étaient déformées, mais il avait les acteurs sous les yeux, il pouvait écouter ce qui se disait en haut lieu, il était donc en mesure d'évaluer la portée des récents événements. Evidemment, le regard qu'il portait sur la révolution, sur ses causes, sur ses chefs et son issue probable était influencé par des opinions préconçues autant que par ce qu'il pouvait voir et entendre.

Au Mexique, une des choses essentielles que Reed sentit plus qu'il ne la comprit, c'est que le pays connaissait en réalité deux révolutions simultanées, l'une politique, l'autre agraire. Les événements des années 1910-1911 qui avaient entraîné la chute et l'exil de Porfirio Diaz, après trente-cinq ans de dictature, avaient été le fait des partisans de ces deux révolutions ; mais l'homme qui lui succéda à la tête du pays, Francisco I. Madero, strictement attaché à la Constitution, n'avait que très peu de sympathie pour les réformes sociales. Il tenta d'écraser les soulèvements des paysans indiens de Morelos, conduits par Emiliano Zapata. Lorsque le général Victoriano Huerta, conseillé par l'ambassadeur américain, son complice, Henry Lane Wilson, renversa et exécuta le président Madero en février 1913, la réputation révolutionnaire de ce dernier fut établie. Tous les soulèvements qui se produisirent alors dans le pays, l'utilisaient comme un martyr et les soldats rebelles étaient fiers de s'appeler les « Maderistas ». Cependant, les deux courants révolutionnaires existaient toujours ; Villa et Zapata représentaient le mouvement paysan et Venustiano Carranza le mouvement politique ; Carranza était gouverneur de l'état de Coahuila ; il prit le titre de commandant en chef de l'armée constitutionnelle. Après avoir établi un gouvernement fantôme d'abord à Hermosillo, puis à Nogales, celui qui s'était lui-même désigné comme le chef suprême prétendit alors parler au nom du Mexique tout entier. En fait, de nombreux révolutionnaires, écœurés par l'attitude conservatrice de Carranza vis-à-vis de la réforme agraire, espéraient voir Villa ou Zapata s'emparer de la présidence.

Bien qu'il ne connût pas précisément tous ces faits, Reed

comprenait assez la situation pour savoir de quel côté devaient aller ses sympathies. On se servait souvent du mot révolution à Greenwich Village, même si peu de gens pouvaient donner à ce terme un contenu précis. Par expérience, en particulier grâce à Paterson, John ne croyait pas qu'un gouvernement constitutionnel pût être le garant des libertés. Certes, on pouvait élire des syndicalistes, mais lorsqu'il s'agissait de faire valoir ses droits face au grand capital, ils étaient bafoués par la police, par les tribunaux et les détectives privés qui se chargeaient d'exécuter les volontés des gros industriels. Reed ne connaissait que partiellement la misère des péons et la situation d'esclaves dans laquelle vivaient des millions d'entre eux, mais, instinctivement il sentit que la révolution mexicaine ne mériterait pas son nom si l'on se contentait de combattre pour la constitution. John se rendit compte que Carranza était davantage un politicien qu'un homme d'action, car il n'avait pas pris nettement position sur la réforme sociale ; aussi toutes ses sympathies allaient-elles aux « Villistas ».

Devenir un partisan de Villa, c'était s'identifier à un mythe héroïque. Hors-la-loi romantique, le général était le héros d'innombrables poèmes et de ballades qui faisaient de lui une sorte de Robin des Bois. Dans ces histoires, il était difficile de démêler la part de vérité et de légende. De son vrai nom Doroteo Arango, il était fils de paysans ignorants ; à l'âge de seize ans, il avait tué un fonctionnaire du gouvernement — on racontait que la victime avait tenté de violer sa sœur — puis s'était enfui dans les montagnes de Durango où il était devenu un hors-la-loi. Vingt années de banditisme lui avaient donné une solide réputation de desperado haïssant tout particulièrement les riches propriétaires, incendiant des quantités d'haciendas et redistribuant entre les pauvres les terres conquises. Partisan de Madero dès le début, Villa devint capitaine dans son armée, fut emprisonné pour insubordination, s'évada, franchit la frontière et s'établit à El Paso où il vécut jusqu'en avril 1913 ; à cette époque, accompagné d'une petite troupe, il franchit de nuit la frontière pour déclencher sa propre insurrection. Il recruta ses troupes dans les montagnes où il avait vécu en hors-la-loi, et parvint à constituer une armée qui en l'espace de huit mois avait débarrassé Chihuahua des troupes fédérales de Huerta et fait du nord-est du Mexique le fer de lance de la révolution.

Villa s'était proclamé lui-même gouverneur militaire de l'Etat et il s'était engagé « dans cette aventure prodigieuse [...] qui consistait à créer un gouvernement pour trois cent mille personnes par ses propres moyens [10] ». Dépourvu d'éducation, à moitié illettré, il avait l'intelligence d'un paysan rusé ; il savait trancher dans l'écheveau compliqué des arguments les plus sophistiqués. Il s'était entouré d'intellectuels, mais ces hommes n'avaient pas d'autre rôle que de répondre à toutes ses questions concernant les domaines de l'éducation, de la justice, des finances et de la législation. Le regarder, c'était un peu comme regarder Bill Haywood : tous deux étaient décidés, actifs, et entendaient assumer l'entière responsabilité de leurs actes. D'une certaine façon, le gouvernement de Villa ressemblait un peu à ce qu'aurait pu être un gouvernement de syndicalistes, avec sa façon rapide et sans bavure de se débarrasser de tous les exploiteurs du peuple.

En tant qu'administrateur, le général frappa John par sa capacité de prendre des décisions simples sur des questions souvent complexes et ardues. Il devait faire face à la stagnation économique et à la pénurie alimentaire dues au fait que la circulation de l'argent ne se faisait plus. Il fit imprimer deux millions de pesos qu'il distribua aux soldats et aux pauvres gens, déclara que tous les autres billets n'étaient que des contrefaçons et fit mettre en prison tous ceux qui refusaient de reconnaître son argent. Les ennemis politiques furent expulsés du pays, leurs biens confisqués y compris les dix-sept millions d'acres et les nombreuses entreprises commerciales de la famille Terrazas, qui autrefois avait régné en maître sur Chihuahua. De cette expropriation Villa fit bon usage : il distribua à chaque citoyen mâle 62,5 acres de terrain et déclara que ces parcelles étaient inaliénables pendant une période de dix ans. Il chargeait ses soldats d'assurer les services publics et fondait des écoles un peu partout. Quels que fussent les projets de Carranza, d'ores et déjà Villa mettait sur pied sa révolution sociale.

Bandit de grand chemin, chef militaire, gouverneur, révolutionnaire — et, aux yeux de Reed, digne d'admiration pour toutes ces raisons — Villa complétait ce tableau en se montrant un véritable démocrate, profondément humain et sachant apprécier la vie. Vêtu de son éternel costume brun fripé, la chemise ouverte, le chapeau repoussé en arrière, le général ne craignait pas de se salir les mains ; il adorait faire avancer les chariots en stimulant les mules récalcitrantes, tout en plaisantant et en lâchant des chapelets d'obscénités. C'était un joueur enragé ;

---

10. *Le Mexique insurgé.*

tous les après-midi, il abandonnait les problèmes de l'état pour assister aux combats de ses propres coqs qu'il regardait « avec l'enthousiasme d'un petit garçon » ; et plus tard dans la soirée, il aimait jouer au faro. Différant en cela de la plupart des Mexicains, Villa ne buvait ni ne fumait. A Chihuahua, il vivait ouvertement avec sa maîtresse, une femme mince à l'allure féline — tandis que sa femme demeurait à El Paso. On racontait qu'il avait violé un grand nombre de femmes. Comme Reed lui demandait un jour si c'était exact, il tira sur sa moustache et répondit soudain : « Je ne prends jamais la peine de démentir ce genre d'histoire... Mais dites-moi, avez-vous déjà rencontré le mari, le père ou le frère d'une de mes victimes supposées ? » Il se tut un moment, puis il ajouta : « Ou même un témoin [11] ? »

Villa avait bien des défauts, mais John les excusait au vu de ce qu'avait fait le général et de ses deux qualités essentielles : son imagination et ses dons de visionnaire. Il ignorait les règles de la stratégie militaire, mais cela ne le gênait pas : il improvisait des tactiques que Reed — non sans quelque exagération — qualifiait de « napoléoniennes », tellement il les trouvait géniales. Un général américain, Hugh L. Scott, envoya à Villa une brochure sur les conventions internationales en temps de guerre, qui l'amusa énormément. Il demanda : « Quelle différence y a-t-il entre une guerre civilisée et une autre guerre ? » Villa permettait qu'on exécute certains prisonniers, et il ne fit jamais aucun reproche à son bras droit, Rudolfo Fierro surnommé « le boucher », dont on savait qu'il avait abattu des centaines de prisonniers après les combats, pour le simple plaisir de tuer. Cela ne dérangeait pas trop Reed qui acceptait volontiers l'idée que la révolution devait nécessairement être violente. Plus importants à ses yeux étaient les rêves d'avenir de Villa ; il n'y aurait plus d'armée au Mexique, et plus de dictateurs protégés par des fusils. Il y aurait des colonies fondées par des vétérans de la révolution, où les hommes tantôt travailleraient la terre, tantôt recevraient une instruction militaire ; ils apprendraient aux péons à repousser les envahisseurs. Villa déclarait qu'il était trop ignorant pour accéder à la présidence ; il aurait voulu vivre dans une de ces colonies, travailler dans une fabrique de selles, élever un peu de bétail et faire pousser du maïs. Il résumait ainsi ses ambitions : « Ce serait bien, je crois, de pouvoir contribuer à faire du Mexique une terre heureuse [12]. »

11. *Ibid.*
12. *Ibid.*

A l'opposé des désirs et de l'entreprise de Villa, beaucoup de gens — des Mexicains, ainsi que des étrangers — entendaient poursuivre l'exploitation du peuple qui durait depuis quatre cents ans. Reed n'aimait guère la bureaucratie militaire, ni l'Eglise catholique qui promettait aux péons la vie éternelle en échange de leur sueur et de leur sang ; mais il réservait sa véritable antipathie aux capitalistes, et particulièrement aux capitalistes américains. Un jour il alla visiter une mine qui appartenait à une compagnie américaine. Son titre de journaliste lui valut un accueil correct, mais plutôt frais, de la part du directeur. Tandis qu'ils grimpaient sur les monceaux de déchets de plomb et d'argent, l'Américain ne cessait de se plaindre de la paresse de ces ouvriers qui, disait-il, détestaient les gringos. John put voir les cabanes où vivaient les mineurs ; c'était la population la plus misérable qu'il ait jamais vue au Mexique. Ils étaient sous-alimentés, marchaient nu-pieds et semblaient physiquement très atteints. Pourtant ces gens le reçurent bien et lui offrirent du café. De retour dans la confortable maison du directeur, on lui confia que les bénéfices de la compagnie étaient menacés « par cette maudite racaille qui était partie faire la révolution avec le seul espoir de pouvoir assassiner et voler ». Depuis 1910, les mineurs se montraient « arrogants », ils discutaient des salaires et des conditions de travail. A sa manière — celle d'un vautour qui aime les charognes — le directeur appréciait le pays : « Ces maudits Mexicains ne méritent pas tout ce que nous faisons pour eux. Tout ce que nous voulons, c'est la paix et la possibilité de travailler. Mais il se pourrait bien que nous fassions changer tout cela, et vite... » Sous-entendu : si les Etats-Unis envoyaient des troupes mettre de l'ordre dans le pays. Sentant que Reed ne partageait pas son opinion, le directeur ajouta : « Si jamais dans vos articles vous essayez de décourager une intervention américaine, nous aurons votre peau [13]. »

Après une semaine passée dans la ville de Chihuahua, il tardait à Reed de rejoindre les troupes sur le terrain pour voir le reste du pays. Le dernier jour de l'année, il s'acoquina avec un nommé Mac, un Américain de vingt-cinq ans qui était « chef mécanicien » dans une mine de Durango. Pour fêter la nouvelle année ils se saoûlèrent ensemble, tandis que les cloches fêlées de l'ancienne cathédrale appelaient les fidèles à la messe de minuit et qu'aux quatre coins de la ville les sentinelles tiraient en l'air des coups de fusil. Mac, un costaud, avait travaillé

---

13. « Carnet de voyage au Mexique ».

partout : aux Etats-Unis, au Mexique, dans les chemins de fer et dans les ranches. Il but tant et si bien qu'il commença à tenir de grands discours sur l'immoralité des femmes mexicaines, sur la pureté des foyers américains et sur les joies « de la chasse au nègre » en Georgie. John écouta ces propos sans réagir ; non parce qu'il avait bu, mais tout simplement parce que Mac avait promis de l'emmener dans le Sud [14].

Le jour de l'An, ils grimpèrent dans un wagon criblé de balles, qui faisait partie d'un train de marchandises bourré de soldats. A l'intérieur s'entassaient des hommes, des femmes, des enfants, des chiens et des poulets : c'était une sorte d'oasis heureuse et bruyante au milieu du terrible désert que le train traversait en soufflant péniblement. On leur offrit de la tequila dans des outres en cuir ; les hommes s'assemblaient pour faire des paris sur un combat de coqs, et organisaient des danses effrénées. Un vieux paysan aveugle que tout le monde écoutait récita une longue ballade révolutionnaire ; à chaque gare, le wagon était pris d'assaut par des vendeurs de cigarettes, de cacahuètes, de lait, de tamales et de patates douces. Ils allèrent ainsi jusqu'à Jimenez, où ils arrivèrent tard dans la soirée. Les deux Américains se dirigèrent vers l'hôtel de la gare et trouvèrent porte close. Ils tambourinaient furieusement lorsqu'une femme « d'un âge incroyable » parut à la fenêtre ; après les avoir examinés, elle consentit à les laisser entrer. C'était une veuve de quatre-vingts ans, originaire de la Nouvelle-Angleterre. Elle refusait de recevoir dans son hôtel les hommes accompagnés de femmes qui n'étaient pas leurs épouses légitimes. Elle leur expliqua la façon dont elle les avait reçus : « En ce moment, il y a un si grand nombre de ces maudits généraux toujours ivres que j'ai dû fermer ma porte à double tour [15]. »

Tandis que Mac s'installait au bar, Reed sortit se promener. Il suivit une longue rue bordée d'arbres qui le mena vers le centre de la ville. Le charme du Mexique opérait. La nuit était « emplie d'une fièvre subtile comme on n'en trouve qu'ici ; dans l'obscurité, on entendait des guitares, des lambeaux de chansons, des rires, des chuchotements, des appels venant de rues plus lointaines ». Une troupe d'hommes à cheval passa lentement devant lui, suivie d'un cabriolet tiré par une mule où s'entassaient des hommes complètement ivres qui s'amusaient à tirer des

---

14. J. R., « Mac l'Américain », *Masses*, n° V, avril 1914, p. 6 ; repris dans F. Dell, *Daughter of the Revolution*, p. 41-50.
15. *Le Mexique insurgé.*

coups de revolver. Sur la place ronde brillamment éclairée, John découvrit des magasins en ruine, qu'on avait saccagés lors des récents combats ; sur une estrade une fanfare jouait un joyeux hymne antirévolutionnaire. La guerre, la politique n'avaient plus rien à faire avec le « paseo » coloré ; les senoritas tournaient autour du square dans une direction, les soldats en faisaient autant dans l'autre, et ils ne se mêlaient jamais. Parfois, un homme glissait un billet dans la main d'une jeune fille ; John imagina que tout à l'heure ils iraient se retrouver discrètement. Evidemment, il ignorait tout de la façon extrêmement stricte dont on devait faire sa cour. Il croyait que les choses se passaient tout naturellement, que la jeune fille et que l'homme qui s'aimaient volaient dans les bras l'un de l'autre. Cinq jeunes Américains en haillons, contrastant avec le reste de la population, étaient affalés sur un banc derrière la place. C'étaient des soldats d'occasion, qui avaient été chassés de l'armée de Villa ; ils ne cessaient de critiquer le pays et les habitants. Après les avoir écoutés quelque temps, John les laissa brusquement tomber, écœuré par ces « ratés amers et sans cœur, dans un pays qui, lui, était si passionné [16] ».

Pendant les jours qui suivirent, Mac et lui se dirigèrent vers le sud-ouest, en direction de Durango, dans un vieux buggy tiré par deux mules ; John eut un bon aperçu du pays. Près des rivières, la terre était fertile, arrosée par de petits canaux d'irrigation et coupée par de grandes plantations d'arbres d'un gris cendré. Mais la plus grande partie du pays était constituée de grandes montagnes rocailleuses, parsemées de mesquite sombre et de cactus ; çà et là on voyait les restes calcinés des ranches qui avait brûlé pendant la révolution. La nuit, ils dormaient à la belle étoile sur d'épais matelas d'épineux, ou bien ils acceptaient l'hospitalité qu'on leur offrait dans de grandes haciendas robustes et massives. Les jeunes filles leur versaient des seaux d'eau sur la tête, des bébés nus rampaient dans la poussière et les femmes à genoux pilaient le maïs avec des mortiers de pierre. Lorsqu'ils se séparèrent à Magistral, un village de montagne situé à trois jours de la ligne de chemin de fer la plus proche, Reed était tombé amoureux de ce pays vide et sauvage.

Le peuple mexicain fit sur lui encore plus d'impression que le paysage. Si pauvres qu'ils fussent, ils partageaient avec lui la

---

16. *Ibid.*, et « Carnet de voyage au Mexique ».

viande, les haricots, les tortillas, les cigarettes et refusaient obstinément qu'on les paie. John sut bientôt faire accepter son argent comme une faveur, pour qu'ils achètent de l'alcool et qu'ils le boivent à sa santé. Dans beaucoup d'endroits, les péons ignoraient tout de la politique ; loin des armées, les constitutionnalistes, les « pacificos » et les « porforistas » pouvaient être amis. Cela s'expliquait par leur tempérament profond que n'altéraient ni les gouvernements, ni les systèmes sociaux : « Je n'ai jamais vu un peuple aussi près de la nature. [...] Ils sont exactement comme leurs petites maisons de terre battue. [...] Semblables à leurs petites récoltes de maïs [17]. »

Ensuite, pendant deux jours, il voyagea en compagnie d'un marchand ambulant arabe, dans une petite carriole. John atteignit Las Nieves : c'était là que se tenait l'état-major du second de Villa, le général Tomas Urbina. L'hacienda du général était immense : le patio à lui seul avait la superficie d'une petite ville. Après avoir franchi un barrage de sentinelles et s'être frayé un chemin à travers une foule de cochons, de poulets, de chèvres, de dindes et d'enfants, Reed découvrit Urbina vautré dans un fauteuil d'osier à moitié défoncé. Le général tendit à John une main molle et lui fit savoir qu'il comptait livrer bataille dans une dizaine de jours ; il promit à John nourriture, alcool, cheval ou femme, bref, de quoi se distraire en attendant. Déçu, Reed passa toute la matinée du lendemain à photographier le général prétentieux sur ses trois chevaux différents, avec sa mère, avec sa maîtresse, en compagnie de ses enfants et, pour finir, avec la famille au grand complet, armée d'épées et de revolvers ; au premier plan, on avait disposé leur bien le plus précieux, un phonographe.

Plus tard au cours de la même journée, le général fit irruption hors de son bureau en hurlant des ordres ; dans une confusion sans bornes la garnison s'apprêta au départ. C'était la « Tropa » : une centaine de soldats, ayant à leur tête Urbina qui montait un cheval gris. Ils quittèrent Las Nieves ; John suivait dans un chariot bourré de dynamite, bringuebalant sur la mauvaise piste du désert. L'après-midi suivant, il put emprunter un cheval. Piquant des deux, il rejoignit la Tropa. Ces hommes pittoresques et dépenaillés étaient habillés n'importe comment (large blouse de paysan ou pantalons étroits des vaqueros) ; ils portaient en bandoulière d'énormes cartouchières,

---

17. « Carnet de Voyage au Mexique ».

leurs éperons gigantesques cliquetaient, et leurs larges sombreros volaient au vent. Tout de suite, on le surnomma « Meester » ; le soir même, il faisait partie du groupe. A l'hacienda, le capitaine Fernando le prit par le bras et lui demanda : « Tu veux dormir avec les compañeros [18] ? » Il les rejoignit dans l'entrepôt où il fut accueilli par des cris et des éclats de rire. Certains soldats jouaient de la guitare et chantaient ; le plancher vibrait de ronflements sonores, l'air était vicié et envahi de fumée ; beaucoup de soldats avaient des puces qui vinrent aussitôt lui rendre visite. Rien de tout cela ne rebutait John. Enroulé dans sa couverture, il dormit sur la pierre comme un bienheureux.

Les deux semaines qui suivirent furent, à l'en croire « les plus passionnantes de sa vie [19] ». Levés avant l'aube, dans le petit matin gris et froid, les membres de la Tropa sautaient en selle, emmitouflés jusqu'aux yeux dans leurs châles bigarrés. Pendant tout le jour, ils faisaient route vers le sud à travers un pays désertique, sous un soleil « qui tapait tellement dur qu'on en attrapait le vertige ». On avait la bouche desséchée, les lèvres se craquelaient et lorsqu'on atteignait une rivière, on se plongeait tout entier dans l'eau boueuse. Parfois ils allaient effrayer les coyotes dans les buissons ; pour le repas de midi, ils coupaient la gorge d'un jeune bœuf, détachaient la viande de la carcasse et la mangeaient crue, persuadés que cette « carne crudo » leur donnait du courage. Tard, après la tombée de la nuit, ils s'arrêtèrent dans les ruines calcinées d'une magnifique hacienda, et passèrent des heures à boire et à danser avec les senoritas de l'endroit jusqu'à ce qu'il soit temps de repartir. C'était un rythme éreintant, tout juste supportable, mais John était content.

Reed se prenait d'affection pour ses compagnons de route, et cela pour des raisons qui n'avaient rien à voir avec la politique ; c'étaient pour la plupart d'ex-bandits, rudes, indisciplinés, crasseux. Lorsqu'il leur demandait pourquoi ils avaient pris les armes ou pourquoi ils avaient choisi la liberté, ils répondaient souvent : « On préfère se battre, comme ça, on ne travaille pas dans les mines. » L'un des soldats, stupéfait d'apprendre qu'actuellement il n'y avait pas de guerre aux Etats-Unis, demanda : « Mais alors, à quoi passez-vous votre temps ? » Une fois, un soldat épuisé, complètement saoûl, voulut

---

18. Le passage qui concerne la Tropa est tiré du *Mexique insurgé*. Toutes les citations qui ne font pas l'objet d'une note particulière dans les pages suivantes sont tirées de ce même ouvrage.

19. *Trente ans, déjà.*

tirer sur Reed sous prétexte qu'il était un espion gringo ; un autre jour, un soldat en colère qui traitait John de lâche parce qu'il ne portait pas de fusil, s'écria : « Nous ne voulons pas de mots imprimés dans les livres ! Nous voulons des fusils et du sang ! » Ce n'était pas bien grave. Il se sentait accepté par l'ensemble de la Tropa, c'était cela qui importait ; les hommes partageaient avec lui leur vin et leurs cigarettes. Ils lui apprirent à danser la jota, riaient en le voyant faire et lui donnaient de grandes accolades. Il se lia aussi d'amitié avec le capitaine Gino Guereca, qui demanda à John d'être son « compadre » ; la nuit, Gino dormait toujours à côté de Reed, et plus tard il l'emmena dans le ranch de sa famille où il le présenta ainsi : « Voici mon cher ami bien-aimé. [...] Voici mon frère. » John, qui se sentait définitivement adopté, pouvait écrire non sans orgueil : « Je me sens très à l'aise avec ces sauvages combattants [20]. »

La Tropa s'arrêta à La Cadena, une hacienda bâtie sur un plateau à une vingtaine de kilomètres d'un important col qu'il s'agissait de défendre contre les troupes fédérales. Les soldats s'y reposèrent quelques jours ; ils improvisaient des corridas, des combats de coqs et partaient se balader jusqu'à des sources chaudes qui se trouvaient dans les environs. Très tôt, un matin, Reed fut réveillé par des cris et des hurlements : les troupes fédérales avaient forcé le col. Fonçant vers le patio, il trouva les hommes en train de seller leurs chevaux à la hâte et de charger leurs fusils ; ils partirent par petits groupes vers le désert. Il n'y avait pas de cheval pour ceux qui ne combattaient pas. Avec une vague impression d'irréalité, il chargea son appareil photo et se mit à observer l'horizon. Pendant un bon moment, il n'y eut rien à voir. Puis soudain, il distingua de la poussière qui s'élevait du sol et qui formait rapidement un gros nuage blanc étincelant dans le soleil. Quelques cavaliers, aux vêtements souillés de sueur et de sang, revinrent dans la cour et constatèrent que les munitions étaient épuisées ; la peur commença alors à s'emparer des soldats qui étaient restés. Depuis un moment déjà, John entendait des coups de feu, et brusquement, il put contempler la bataille : des centaines de petits points noirs se déplaçaient à toute allure parmi les taillis d'épineux. Des cris d'Indiens remplissaient l'espace et des balles passaient en sifflant au-dessus de sa tête. Puis un groupe de soldats

---

20. *Ibid.*

« sanglants, suants et noirs » battit en retraite au galop. Se rendant compte que c'était la déroute, le reste de la troupe qui se trouvait dans la cour commença à s'éparpiller. Reed suivit un soldat, dégringola au fond d'un arroyo et s'enfonça dans le désert.

Le reste de la journée fut tellement irréel qu'il lui semblait que tout cela arrivait à quelqu'un d'autre. Ils couraient droit devant eux à travers les montagnes, se dirigeant vers l'ouest ; derrière son compagnon, John trébuchait, tombait ; il laissa échapper son appareil, perdit son manteau ; il courut, courut jusqu'à la limite de ses forces ; ses poumons lui faisaient mal et il avait d'horribles crampes dans les jambes. Autour d'eux la mort était partout. Un kilomètre plus loin, trois cavaliers abattirent son compagnon. Non loin de lui, il vit un autre soldat en fuite se faire piétiner à mort par les chevaux de l'ennemi. Pourtant, Reed n'avait pas trop peur, cela ressemblait un peu, pour lui, à « une page de Richard Harding Davis », il pensait : « au moins, voilà une expérience. Il y a là de quoi écrire un livre ». Poursuivant sa marche forcée à travers les buissons, il dut à nouveau se cacher au fond d'un arroyo pendant que les soldats de l'armée fédérale passaient à quelques mètres de lui. Les roches coupantes avaient fendu ses bottes, et ses pieds saignaient. Il s'arrêta enfin au sommet d'un escarpement et regardant derrière lui, il aperçut La Cadena, une minuscule petite tache blanche « au milieu des confins désertiques ». A midi, en chancelant péniblement, Reed atteignit le ranch de la famille Guereca, où il avala des litres d'eau, mangea quelques œufs et du fromage ; il se remit en route. Cinq heures plus tard, son dos le faisait souffrir, la tête lui tournait ; « les jambes complètement raides et les pieds en sang », il parvint enfin à l'hacienda d'El Pelayo, où de braves péons lui offrirent de passer la nuit.

Le lendemain, à Santo Domingo, Reed apprit la fin de cette triste histoire. La Tropa, débordée par le nombre des ennemis, était pratiquement détruite et la plupart de ses amis — y compris Guereca — étaient morts. John fut écœuré en songeant à toutes ces morts inutiles dans ce combat dérisoire. Le souvenir de ses compagnons le hantait. C'était un après-midi paisible ; une douce brise agitait les hautes branches des arbres qui bordaient la cour où de jeunes Indiens jouaient à la balle. Au coucher du soleil, les quelques survivants de la Tropa traversèrent les collines par petits groupes ; « c'étaient des vaincus, ils allaient à pied ou à cheval, certains étaient blessés,

tous étaient harassés de fatigue, malades, dégoûtés, perdus ».
L'un d'eux, surpris de voir John, s'écria : « Eh ! mais c'est
Meester ! Comment es-tu ici ? » — « J'ai fait la course avec
les chèvres », répondit John. — « Tu as eu la trouille, hein ? »
répliqua le soldat en riant, mais d'un rire sans joie. La fatigue
et les larmes étaient le lot de ces hommes rassemblés dans le
patio ; ils acceptèrent la nourriture et la boisson de leurs hôtes
et peu à peu commencèrent à faire le récit de ce qui s'était
passé pendant la bataille. John eut beau apprendre que Guereca
et ses amis étaient morts courageusement, cela ne le consolait
pas de la perte de ses chers compañeros, ces hommes joyeux,
héroïques et généreux qui avaient su lui donner le sentiment de
participer à leur lutte.

De retour à Chihuahua le 1er février, Reed suivit Villa jusqu'à
Juarez, puis il traversa la frontière pour venir s'installer dans
un des luxueux hôtels d'El Paso. Dédaignant les autres correspondants qui vidaient bouteille sur bouteille au « Cactus Club »
et concoctaient « de savantes descriptions des événements en
cours ou de ceux qui ne devaient pas manquer de se produire
à mille kilomètres au sud », il fit part de ses exploits à Carl
Hovey. Il lui annonça qu' « il était le seul blanc » à avoir pu
assister à la bataille de La Cadena. « J'en ai rapporté les
informations les plus fracassantes et les plus authentiques
concernant les événements de cette dernière semaine au Mexique [21]. » Lorsqu'il se mit à écrire, John découvrit que les
notes prises chaque soir à la hâte étaient si évocatrices qu'il
n'avait pas besoin d'y changer grand-chose. Il eut vite rédigé
deux articles sur la Tropa pour le *Metropolitan* ainsi qu'une
nouvelle, donc Mac était le héros, pour *Les Masses*. Après
avoir envoyé ces premiers textes, il fut soudain pris de doutes
et, dans une lettre, demanda à Hovey de bien vouloir éliminer
l'aspect sentimental de ses reportages : « Je pense qu'ils auront
plus d'impact si on leur laisse leur rudesse naturelle. Relisez-les
avec attention, je vous prie et si vous voyez que j'ai trop brodé,
coupez sans pitié [22]. »
Ces scrupules n'étaient pas fondés. Le 17 février, il reçut ce

21. « El Paso » ; J. R. à Carl Hovey, 10 février 1914 (archives
Gold).
22. *Ibid.*

télégramme de Hovey : « Article bataille reçu. Personne ne pouvait mieux faire. Sommes absolument enchantés de votre travail. » Trois jours plus tard, Eastman lui télégraphiait à son tour : « *Mac l'Américain* fait un malheur [23]. » Ravi de ces compliments, Reed répondit au directeur du *Metropolitan* qu'il lui promettait une grande exclusivité : la vie de Villa, racontée par Villa lui-même. « J'ai offert à Villa une selle et un revolver muni d'un silencieux Maxim, avec son nom gravé dessus en lettres d'or. Il est fou de joie et fera maintenant n'importe quoi moi. Cette histoire promet d'être absolument passionnante ; en outre, ce sera le plus grand document humain qu'on ait jamais lu. Ce sera un événement sensationnel pour le monde entier [24]. »

Tandis qu'il écrivait ce qu'il avait vu, Reed songeait également à l'avenir. Il savait que c'était contre Torreon que Villa devait livrer sa prochaine bataille. Il avait l'intention d'assurer le reportage et de revenir « avec l'histoire magnifique de la prise et du sac d'une grande cité ». Après quoi, il lui faudrait sans doute attendre six mois pour que se produise l'assaut contre Mexico, et il n'avait guère envie de passer tout ce temps à « attendre que ça vienne [25] ». Malheureusement, il semblait bien que la guerre au Mexique fût en train de changer d'aspect. En effet, l'armée de Villa était mieux équipée, plus expérimentée, plus disciplinée ; cette guerre risquait fort maintenant de ressembler à n'importe quelle autre : « L'armée du Nord devient une armée régulière, professionnelle. Elle n'a plus rien d'original, ni même de typiquement mexicain. Ce n'est pas la Tropa. » A la recherche de pittoresque, il jeta son dévolu sur « le seul soulèvement populaire qui à sa connaissance n'avait pas cessé depuis trois ans », celui de Morelos, conduit par Emiliano Zapata.

Dans chacune de ses lettres à Hovey, il insistait pour qu'on l'envoie dans le Sud où il rencontrerait Zapata. « C'est lui le grand homme de la révolution... Lui seul est vraiment révolutionnaire, en tous points logique et inébranlable... C'est l'homme avec qui on doit compter si l'on veut envisager sérieusement l'avenir du Mexique. » Mieux, aucun journaliste américain n'avait fait de reportage sur lui. Ce serait sûrement une enquête sensationnelle : « Son histoire, à en croire ce qu'on dit, est aussi étonnante qu'un conte des *Mille et Une Nuits* ; il est impossible

23. Télégrammes figurant dans les manuscrits J. R.
24. J. R. à Carl Hovey, 17 février 1914 (archives Gold).
25. *Ibid.*

de comprendre les événements actuels si l'on ne rencontre pas Zapata [26]. »

A El Paso, apparaissait un autre aspect de la réalité mexicaine : la ville était encore plus envahie que deux mois auparavant par les trafiquants d'armes, les détectives et les agents du gouvernement. Ils représentaient les intérêts financiers américains qui menaçaient directement la révolution. Ne pensant qu'à leurs bénéfices, ces gens tenaient avant tout aux lois qui protégeaient leurs titres et leurs propriétés ; ils redoutaient toute forme de gouvernement susceptible de réquisitionner les terres et les mines qu'ils avaient achetées pendant le régime Diaz. Méprisant ouvertement les Mexicains, ils n'hésitaient pas à dire : « Madero était un utopiste, un véritable cinglé : il voulait laisser les Mexicains se gouverner eux-mêmes... Est-ce une chose possible au Mexique ?... » John savait qu'ils s'efforçaient de faire intervenir les Etats-Unis ; il s'inquiétait du fait que tout un peuple allait être corrompu au nom de la civilisation américaine « selon le procédé qui consiste à faire adopter de force par un pays étranger dont la mentalité est différente nos magnifiques institutions démocratiques : à savoir le Pouvoir des Trusts, le Chômage et l'Esclavage du Salaire ». C'était devenu un cliché de dire que les Mexicains ne pouvaient pas comprendre la notion de liberté. Au contraire, Reed pensait qu'ils se faisaient une idée très juste de ce qu'elle pouvait être. Un des membres de la Tropa lui avait confié : « La libertad, c'est quand je peux faire ce que je veux ! » Certains auraient dit que c'était là une opinion d' « irresponsable » ; mais, pour John, c'était une bien meilleure définition que celle que les Américains fournissaient habituellement : « La liberté, c'est le droit de faire ce qui est toléré par les tribunaux [27]. »

Reed, désormais convaincu que la révolution mexicaine était avant tout un combat pour la terre, devenait de plus en plus soupçonneux à l'égard de Carranza dont les domaines étaient dignes par leur taille d'un seigneur féodal. Carranza demeurait extrêmement vague sur le problème de la réforme foncière et n'avait rien fait sinon « félicité » Villa de ses conquêtes dans le nord du pays. John se rendit à Nogales pour y interviewer le commandant en chef ; ses préjugés défavorables se trouvèrent rapidement confirmés. Carranza s'abritait derrière toute une

26. J. R. à Carl Hovey, 10 février 1914 (archives Gold).
27. « En bref », article inédit (manuscrits J. R.) ; J. R., « Que se passe-t-il au Mexique ? », *Masses,* n° V, juin 1914, p. 11, 14.

hiérarchie de fonctionnaires, et les journalistes ne pouvaient le rencontrer qu'en compagnie de son secrétaire des Affaires étrangères, après que toutes les questions qu'ils voulaient lui poser lui eurent été soumises par écrit. Lorsque Reed put enfin être admis un bref moment dans son bureau, il découvrit un homme corpulent, assez raide, « un homme presque sénile » qui mordillait nerveusement sa moustache et dénonçait les ennemis de la révolution d'une voix chevrotante et curieusement haut perchée. Cette entrevue avec le commandant en chef ne fit que renforcer sa conviction que Villa et Zapata étaient les véritables représentants du Mexique et amena John à prendre une décision un peu difficile [28]. Loyal envers la révolution, il rapporta cette entrevue pour le journal *World* sans faire part de ses impressions négatives. Pour cela il voulait attendre le moment où la situation du pays serait plus nette [29].

De retour à Chihuahua, il y trouva une ambiance survoltée ; on préparait l'avance sur Torreon, l'un des principaux obstacles sur la route de Mexico. Tout le monde savait que cette attaque devait avoir lieu, aussi le moment devait-il en être tenu secret. John put profiter de sa réputation grandissante auprès des nombreux correspondants qui entouraient Villa ; elle était fondée autant sur ses exploits au Village que sur l'amitié que le général lui témoignait. Il passait ses soirées à boire chez Chee Lee et à jouer au poker de grosses sommes, en pesos, au Cosmopolitan, le cercle de jeux le plus chic de la ville. Puis, un samedi matin au réveil, il s'aperçut qu'on avait coupé les communications télégraphiques et que certains trains de troupes avaient déjà quitté la ville. Reed et les autres journalistes prirent place, accompagnés d'un cuisinier chinois, dans un wagon à bestiaux qui fut attaché à l'un des longs convois qui partaient vers le sud ; le wagon était muni de bancs, d'une glacière, d'un fourneau et de deux tonneaux de bière.

Ils rattrapèrent l'armée à Yermo, un avant-poste désolé au milieu du désert. Il n'y avait pas un seul point d'eau dans un rayon de quatre-vingts kilomètres. Espacés tout au long de l'unique voie de chemin de fer, se trouvaient dix convois gigan-

---

28. *Le Mexique insurgé* ; et article paru dans le *New York World*, 4 mars 1914.

29. Reed ne donna ses impressions complètes sur Carranza que six mois plus tard. L'article intitulé « Impressions sur Carranza » parut finalement dans le n° 48 du *Metropolitan* et fut ajouté, plus tard, au *Mexique insurgé*.

tesques avec une abondance de pièces d'artillerie, de munitions, de vivres, de mules et de chevaux. Neuf mille soldats accompagnés de leurs femmes campaient dans la nature environnante, buvant, faisant l'amour et chantant sans cesse les couplets de *la cucaracha*. Lorsque Villa arriva, il avait les traits tirés. Il expliqua qu'il avait dû s'arrêter en route pour assister au mariage d'un ami, et fit une grimace de fatigue : « Nous avons commencé à danser lundi soir, nous avons dansé toute la nuit, toute la journée du lendemain, et à nouveau toute la nuit dernière !... Je suis éreinté (rendido) ! C'était plus dur que vingt batailles. » Comme l'armée se préparait à partir, John demanda qu'on lui donne un cheval ; le général devint sarcastique : « Ça, alors ! vous autres correspondants, vous allez bientôt exiger une automobile ! Oiga, señor reporter, savez-vous qu'un millier de mes hommes n'ont pas de cheval [30] ? »

Lorsque la bataille commença, Reed abandonna le confort du wagon à bestiaux pour suivre les troupes à pied. Pendant cinq jours, il demeura juste derrière la ligne du front ; les hommes de Villa enfoncèrent Bermejillo et commencèrent à donner l'assaut à Gomez Palacio, solidement défendu, qui n'était qu'à quelques kilomètres de Torreon. John transportait avec lui une couverture, son appareil photo et son bloc-notes. Il vivait comme un simple soldat dans le fracas incessant de l'artillerie lourde et des mitrailleuses, partageant ses vivres et ses cigarettes avec la troupe, essuyant le feu des tireurs d'élite embusqués. Il but de l'eau croupie dans un canal d'irrigation et passa une nuit dans d'atroces souffrances. Il avait fait l'acquisition d'une mule, et put suivre de près le déroulement des combats. Il y eut d'innombrables exemples d'héroïsme et de lâcheté. Il vit les hommes prendre d'assaut les nids de mitrailleuses tandis que leurs camarades tombaient autour d'eux ; il fut le témoin de paniques et de déroutes sans nombre. Partout il rencontrait Villa qui criait, qui plaisantait et encourageait ses troupes. Des hommes avaient les membres arrachés ou cassés au cours des combats. Des corps gisaient, tordus et déformés par les spasmes de la mort. Il apprit à vivre avec l'horreur. Sans cesse affamé, assoiffé, épuisé, manquant de sommeil, il s'entretenait inlassablement avec les fantassins, les capitaines d'artillerie, les pacificos et les partisans. Il était impressionné par leur mélange de fatalisme, d'humour et de colère. Les Mexicains

---

30. *Le Mexique insurgé* ; l'assaut contre Torreon est décrit aux pages 203 à 297 de l'édition française.

étaient décidément des gens remarquables, en temps de guerre comme en temps de paix, face à la vie comme à la mort.

Reed en eut bientôt assez de ce carnage. L'armée se battait alors dans les rues de Gomez Palacio. Les maisons étaient âprement défendues une à une. Malgré l'ordre exprès que Villa avait donné de ne donner aucune nouvelle tant que la bataille ne serait pas terminée, il s'arrangea pour tromper la censure ; le 25 mars, John envoya au *World* à New York le récit de la chute de Torreon. Puis il monta dans un train sanitaire en partance pour Chihuahua ; sans perdre de temps, il parvint à El Paso le 30 ; de là, il envoya un autre reportage dans lequel il disait qu'enfin Villa se battait à l'intérieur de Torreon. Le 1er avril, il annonça à nouveau la chute de la ville, se fondant sur un télégramme que Villa avait envoyé à sa femme. John était en avance de deux jours : en effet, c'est seulement le 3 avril que les dernières troupes fédérales abandonnèrent Torreon. Les nouvelles de cette grande victoire firent vite oublier le fait que son article avait anticipé l'événement d'une semaine, et qu'il publiait un reportage « vécu » sur une bataille à laquelle il n'avait pas assisté.

S'il n'avait pas été au premier rang, John connaissait pourtant bien la situation : il avait observé suffisamment de combats, pour pouvoir en brosser un tableau exact. La guerre, ce n'était pas seulement des troupes en marche, des coups de fusil, des officiers hurlant des ordres et des hommes visant des objectifs précis. C'étaient les lourds canons enfoncés dans la boue des canaux d'irrigation, que les hommes dégoulinants de sueur s'acharnaient à dégager en jurant ; c'étaient les paysans qui crevaient de faim et devaient mendier leur nourriture parce que les deux armées avaient pillé leurs champs ; c'étaient les prisonniers qu'on alignait contre un mur et qu'on fusillait, les soldats qui saccageaient les boutiques, puis y mettaient le feu jusqu'à ce que des villes entières soient la proie des flammes. Voilà le genre de récit que John pouvait faire sur la chute de Torreon ; c'était suffisamment évocateur pour transformer en une question de vie ou de mort pour tous ces hommes qui souffraient, ce que l'on considérait jusque-là comme une guerre d'opérette. Ses reportages ne se contentaient pas de relater des faits précis, ils reflétaient l'esprit même des plus importantes victoires de Villa.

Aussi pittoresques qu'aient pu être les premiers reportages de Reed, ils paraissent raides et mornes à côté de la série d'articles qu'il écrivit pour le *Metropolitan*. Tandis qu'il se baladait, le 23 mars, dans la mitraille autour de Gomez Palacio, à New York les articles sur La Tropa faisaient l'objet d'une grosse publicité dans les journaux. On y voyait un portrait de Reed portant sombrero, revolver et cartouchières, avec cette légende hyperbolique : « Des récits de la guerre du Mexique par le Kipling américain... Ce que Stephen Crane et Richard Harding Davis firent pendant la guerre hispano-américaine en 1898, John Reed, vingt-six ans, l'a fait pour le Mexique. » Walter Lippmann lui envoya à El Paso ce commentaire enthousiaste :

« Tes articles sont sans aucun doute le meilleur reportage qu'on ait jamais fait. Il est un peu embarrassant de devoir dire à un vieux copain qu'il est un génie... Tu as parfaitement su observer et ta puissance d'évocation ne laisse rien dans l'ombre. Je te serre dans mes bras, John. Si on avait pu écrire toute l'histoire comme tu le fais... J'affirme qu'avec John Reed le reportage ne fait que commencer. Au fait... ces récits sont vraiment de la littérature [31]. »

Reed reçut ces éloges de bonne grâce ; il savait que ses écrits sur le Mexique étaient ce qu'il avait fait de mieux. Ayant fait ses preuves comme correspondant de guerre, pendant les trois mois qui suivirent il travailla avec ardeur sur le matériel qu'il avait rassemblé. Il en tira de petits récits pour le *Metropolitan* et pour *Les Masses,* puis retint ce qu'il y avait de meilleur pour en faire une œuvre qui résumerait toute son expérience de la révolution au sud du Rio Grande.

*Le Mexique insurgé* est un livre pittoresque, une vaste fresque semblable à celles des peintres mexicains, pleine de couleur, de mouvement. Elle retrace le combat désespéré d'un peuple qui lutte à la vie à la mort. La puissance du livre vient de ce que l'auteur s'était tout à fait identifié à son sujet. Les amis de Reed le comprirent ; Lippmann remarquait que sa façon d'écrire « les faisait revivre tous les deux, le Mexique et lui ». Dave Carb disait : « Ça ressemble tellement à Reed que je soupçonne que ça ne ressemble guère au Mexique [32]. » La démarche de John était tout à fait délibérée : il n'entendait pas seulement raconter l'histoire du Mexique qui prenait les armes, mais décrire aussi la réaction d'un radical américain face à la

---

31. Walter Lippmann à J. R., 25 mars 1914 (manuscrits J. R.).
32. *Ibid.,* et lettre de Dave Carb à J. R., 21 mars 1914 (manuscrits J. R.).

révolution. Ce dont il se rendit moins compte, c'est qu'il avait écrit un véritable morceau d'autobiographie, une sorte de conte picaresque moderne qui retraçait les étapes d'un homme dans un monde environné de dangers, le récit des aventures au terme desquelles un poète américain devient un homme.

Lorsqu'il écrivit son livre, le poète l'emporta sur le journaliste : *Le Mexique insurgé* est bien plus une histoire émouvante, qu'un simple historique des faits [33]. Dans la succession des scènes, il y a un équilibre, une cohérence, une vérité que l'expérience au jour le jour est incapable de fournir. Souvent les ciels s'ensanglantent après la bataille, les simples péons s'expriment avec une sagesse surprenante, et le narrateur a de soudaines révélations sur la portée symbolique de certains événements. Cela se produit trop souvent pour qu'on puisse y voir l'exacte transcription de ce que Reed a vu, entendu et fait. Pourtant sa façon de réarranger, la sélection qu'il opéra soigneusement et sa vision poétique lui permirent de faire sentir profondément la nature et les qualités de ce pays plongé dans un immense boule-

---

33. Deux écrivains qui connaissaient bien le Mexique reconnurent que Reed avait su rendre l'atmosphère et l'esprit de la révolution. L'un d'eux, Gregory Mason, autre journaliste, qui travaillait pour l'*Outlook*, le rappela dans son article intitulé « Reed, Villa et le Village » (*Outlook*, n° 140, 6 mai 1935). L'autre, Edgcumb Pinchon, co-auteur d'un ouvrage sur la révolution publié à peu près à la même époque que *Le Mexique insurgé*, écrivit à Reed une lettre de vibrants éloges concernant sa série d'articles. Il voyait John comme un radical très lucide et comprenait parfaitement la méthode qu'il avait adoptée : « Eveiller la sympathie du public avec ce qu'il y a en nous de plus humain, c'est au moins aussi important que de bien comprendre le phénomène de la lutte des classes. C'est, je crois, ce que vous avez voulu faire. » Les critiques parues lors de la publication du *Mexique insurgé*, juste après le début de la première guerre mondiale, furent mitigées, mais la réputation de John était d'ores et déjà assurée. *La Nation* (dans son numéro du 21 janvier 1915) reprochait à l'ouvrage « ses outrances mélodramatiques... et son ton déchaîné qui n'essayait pas tant de peindre la vérité que de choquer le lecteur par des descriptions d'un naturalisme dégoûtant... ». Le *Dial* (dans son numéro 47 du 16 octobre 1914) objectait à Reed « sa manière curieusement désinvolte », mais reconnaissait que le livre « donnait une impression vivante et qu'on pouvait supposer juste, de la réalité mexicaine... ». L'*Outlook* (du 21 octobre 1914) était plus positif : « Aucun des correspondants de guerre au Mexique n'a approché les Mexicains d'aussi près ; il sait les décrire comme ils sont, sans les idéaliser, sans chercher à cacher leur ignorance, leur brutalité ou leur état de semi-barbarie. A coup sûr voici un livre dramatique. Les nombreux dialogues rappellent la manière d'un romancier habile ; les anecdotes et les digressions qui abondent en font un livre qu'on lit avec un très grand plaisir. Il témoigne d'un remarquable sens de l'observation. »

versement historique. Lippmann écrivait plus tard à ce propos :
« La variété de ses impressions, les ressources et les nuances
de son écriture semblaient inépuisables... et la révolution de
Villa, qu'on décrivait jusqu'alors comme une catastrophe, apparut
peu à peu dans les grands mouvements de ce peuple, au milieu
de ce somptueux décor de terres et de ciels [34]. »

Tandis que le poète jouait sur la mise en scène et sur
l'ambiance, le dramaturge modifiait les personnages et la chro-
nologie. Le personnage de Mac n'apparaît pas dans le livre ;
c'est un officier mexicain qui le remplace dans le voyage vers
le sud : il tente d'abord d'abattre Reed puis devient son frère
de sang. Mac, la brute américaine qui détestait les « negros »,
n'était évidemment pas un compagnon digne du narrateur,
partisan de la révolution, alors que le personnage de l'officier
mexicain — en partie inspiré par un homme qu'il avait briè-
vement rencontré à Jimenez — témoigne des dangers que
l'auteur dut affronter et souligne son aptitude à se faire adopter
par ces mêmes hommes qui haïssaient les gringos. Les modifi-
cations chronologiques accusent le côté dramatique de l'histoire,
et les aventures de John mettent en relief la violence de la
révolution. L'épisode de la Tropa et les détails de la rude
existence menée avec les hommes d'Urbina surviennent très
tôt dans le cours du récit. Dans la dernière partie, le narrateur
se promène entre deux villages des montagnes de Durango —
qu'il visita en fait avant de rejoindre la Tropa. Il décrit ces
villages paisibles, endormis, écrasés de soleil, et le charme
mélancolique qui se dégage des mines d'or espagnoles à l'abandon. Dans cette région, hors d'atteinte de tout gouvernement,
les paysans vivent sans se soucier de politique, dans un monde
où les mots de guerre et de révolution sont inconnus. Après
tous les chapitres où il n'est question que de mort et de des-
truction, le livre s'achève sur cette image pacifique, comme si
l'auteur avait voulu montrer que le résultat de la révolution
devait être celui-ci : des gens aimables vivant en paix avec
eux-mêmes et avec la nature.

Le portrait de Villa occupe la partie centrale du livre. Homme
de la terre, fruste, mais passionné et rêveur, il est le parfait
représentant du Mexique tel que le voyait Reed, qui transfère
sur lui les sentiments profonds que ce pays et ce peuple lui
inspiraient. La vie mexicaine plaisait surtout à Reed parce qu'elle

---

34. W. LIPPMANN, *John Reed, héros de légende*, p. 15.

avait toutes les caractéristiques de la jeunesse, « l'impétuosité, la fougue, l'héroïsme, la naïveté, la grandiloquence, la cruauté, la passion, la désinvolture, l'ascétisme, la grâce, la rudesse, la chaleur humaine [35] ». Ces caractéristiques n'étaient pas seulement latines, elles étaient celles d'une société préindustrielle désormais menacée par les vagues du modernisme (la mécanisation, l'esprit scientifique, la théorie politique) qui déferlaient aux frontières du pays. L'un des problèmes cruciaux pour un gouvernement moderne, c'était justement de pouvoir préserver le pittoresque, la chaleur, le charme d'un peuple dont la volonté de vivre pleinement et passionnément semblait au moins aussi grande que le besoin d'en finir avec l'exploitation.

Le fait de se sentir accepté par les révolutionnaires mexicains permit à Reed de faire sienne une cause qui lui semblait juste et significative. Elle avait la même importance que la bataille menée par son père contre les gros propriétaires de l'Oregon. John continuait à admirer son père, mais il voyait bien que les résultats obtenus au Mexique étaient plus décisifs que ceux obtenus par C. J. L'escroquerie et la tyrannie avaient la même origine : le désir de s'enrichir. Mais, ainsi qu'il l'avait appris à Paterson, les conséquences de l'exploitation des êtres humains s'avéraient infiniment plus graves. D'une certaine façon, ce qui se passait au sud du Rio Grande, c'était un peu l'affaire de Paterson écrite à même la terre, l'exploitation de tout un peuple par un petit nombre. A cette différence près qu'au Mexique il n'y avait ni morale bourgeoise, ni droit constitutionnel pour freiner le mouvement révolutionnaire. D'où ce soulèvement généralisé qui avait ensanglanté le pays et semé la ruine dans la nation. En période révolutionnaire, la vie elle-même n'avait pas grande importance ; John avait vu les hommes se rendre au combat joyeusement, lui-même avait subi l'épreuve du feu et découvert « que les balles n'étaient pas si terrifiantes après tout, et que la peur de la mort n'était pas si terrible ». Reed sut alors qu'on pouvait donner sa vie pour une cause. Ce voyage au Mexique, commencé comme un simple travail, s'était transformé en une expérience unique qui avait répondu à ses préoccupations politiques et lui avait apporté la satisfaction sur le plan professionnel. Il avait enfin réalisé dans ces situations violentes et dangereuses son image de la virilité ; il avait trouvé en outre un sujet grâce auquel ses talents d'écrivain pouvaient

---

35. « Carnet de voyage au Mexique ».

s'épanouir. Son écriture acquérait une importance, non seulement en tant que moyen d'expression personnelle, mais comme
possibilité d'avoir un certain impact sur le monde, d'influencer
l'Amérique et par là d'aider ses amis mexicains à réussir dans
leur entreprise. Avec *Le Mexique insurgé,* écrit à la fois pour
soutenir la révolution et assurer sa propre réussite, il remerciait
un peuple et un pays qui l'avaient aidé à « se retrouver [36] ».

---

36. *Trente ans, déjà.*

# Ludlow

*Rien que la masse... la multitude...*
*Rien que le mouvement majestueux du peuple :*
*Ce courant qui entraîne et brasse le monde entier.*
*La tête qui pense, le corps qui se meut, l'espace que*
*font bouger des formes invisibles, l'objet qu'on peut*
*toucher... tout ce que prodigue le souffle de la vie...*
*L'étendue infinie de la création...*
*L'élan naturel, simple et irrépressible de la naissance*
*et de la mort.*
*Rien qui soit séparé, perdu, désespéré, opprimé...*
*Tout peut être accueilli, bienvenu, échangé...*
*Rien ne meurt :*
*Puisque de la mort naît la vie...*

*Voici le grand jour nouveau que des vents clairs ont*
*purifié*
*Pour ouvrir de grands horizons :*
*Les murs sont pleins de force et cependant prêts à*
*bouger ;*
*Les pieux sont debout... dressés...*
*Raidis dans la tourmente des passions*
*Ils s'ébranlent, malgré la terre humide accueillante*
*qui les enserre.*
*Mouvement d'envol !...*
*Audacieux comme l'aurore...*
*Essor irrépressible...*
*Tout brille, tout est clair, tout exige et tout donne :*
*Tout a faim de vivre et n'en finit pas de désirer...*
*Tout s'en va vers une mort qui promet d'autres vies...*
*Voilà la vraie Foi... le seul espoir... le vrai voyage :*
*Voilà ce qui vous fait mal... là gît votre force conte-*
*nue.*
*Voilà ce qui est dans vos cœurs !...*
*Et dans vos vies, une éclatante liberté !...*
*Ecoutez le chant audacieux de l'espace !*
*La Foi vous donnera des ailes !*
*Déjouez les forces malignes,*
*Ignorez-les souverainement,*
*Pour ne suivre que la loi de vos cœurs.*

John REED, poème cité dans le livre de Mabel Dodge
*Movers and Shakers*, p. 280-282.

A la fin du printemps 1914, tout semblait arriver en même temps pour John Reed et sa satisfaction se reflète dans ces strophes. En dehors de quelques images que son amour pour Mabel lui avait inspirées, il ne s'était plus guère soucié de la poésie, abandonnée au profit du journalisme. Maintenant il ressentait le besoin d'une expression plus personnelle pour dire son émotion. Les sentiments, la forme, le ton, tout avait changé. Plus de rimes, plus de métrique traditionnelle, ni de grandioses descriptions de paysages ou d'océan ; fini le chant des gratte-ciel qui crevaient les nuages et les cieux, disparu le « je » à demi fictif qui se pavanait sur une scène héroïque. Il s'agissait maintenant de John Reed — relégué à la troisième personne du singulier — racontant sa propre histoire : ses souffrances, ses espoirs, ses peurs, les désirs d'un homme jeune prêt à se battre, prêt à relever tous les défis à venir. Ce poème fragmenté, qui manque quelque peu d'attrait, est pourtant essentiel si l'on veut suivre l'évolution de John Reed.

Le mot « foi », un peu étrange et curieusement démodé sous sa plume, est en fait un mot clé pour comprendre l'humeur de Reed après son séjour au Mexique. Rien à voir avec l'église, ni avec une quelconque foi religieuse. Il s'agit plutôt là de cette foi nouvelle qu'il avait en lui-même, en sa force. Cette volonté de se tenir debout « raide, au milieu de la tourmente » est plus qu'une image phallique : elle souligne son désir de réussir dans ce monde où il fallait se battre, aussi bien chez lui qu'à l'étranger. « Le grand jour nouveau » depuis longtemps attendu semblait proche ; la possibilité de se mêler « au majestueux mouvement de la foule » devenait plus réelle que jamais, puisqu'à présent son « moi » avait su s'affirmer. Tout cela était désormais possible ; de plus — la parution du *Mexique insurgé* le prouvait — grâce à son talent, il pouvait transcender son expérience.

Lorsque Reed revint à Manhattan au début d'avril, il était devenu célèbre [1]. Dans le salon de Mabel, une soirée entière lui fut consacrée au cours de laquelle il put donner ses impressions sur le Mexique. Mabel se rappelle « ses yeux brillants, ses cheveux bouclés tout ébouriffés, son front rayonnant ». Pendant des heures, il fut « éblouissant, éclipsant tous les autres » qui étaient cependant de brillants causeurs [2]. La publicité qu'on lui avait faite dans les journaux avait étendu sa renommée bien au-delà des limites du Village. Partout on lui proposait des conférences qu'il ne pouvait toujours accepter et on lui réclamait des interviews. On l'écoutait attentivement, il était souvent cité dans la presse et nombreuses étaient les femmes qui lui jetaient des regards prometteurs. Au début cette adulation lui fut agréable, mais elle le lassa vite. A la façon d'un vêtement luxueux, la renommée faisait impression extérieurement, mais profondément, elle ne le satisfaisait guère. Rassuré par ses succès, Reed acheva ses articles consacrés à l'armée de Villa, en même temps qu'il se mettait en quête de nouveaux sujets. Au cours de la première semaine qui suivit son retour, il assura un reportage sur une manifestation contre le chômage, pour le compte du *World*, et se mit en rapport avec le journaliste Robert Dunn qui envisageait de rejoindre une expédition d'alpinistes au Kamchatka. Le massacre de mineurs en grève par la milice d'Etat qui eut lieu

_____

1. Il est difficile d'apprécier précisément la renommée et l'influence de Reed à cette époque. Pour faire sa publicité, le *Métropolitan* citait Rudyard Kipling, qui aurait dit que Reed lui avait fait « découvrir » le Mexique, mais on ne trouve nulle part l'origine de cette assertion. Dans un article de *Collier's* (n° 53 du 13 juin 1914) intitulé « Wilson et le Mexique », les papiers de Reed sur Villa étaient qualifiés ainsi : « le meilleur reportage qui nous soit jamais parvenu du Mexique » ; ce qui n'empêchait pas ce journal d'exprimer son mépris pour l'admiration que John portait à Villa. Après la bataille de Torreon, une grande partie de la presse américaine prit Villa plus au sérieux et le traita avec un peu plus de sympathie ; les reportages de Reed y furent sûrement pour quelque chose.
2. *Movers and Shakers*, p. 280-282.

le 20 avril à Ludlow (Colorado) vint lui rappeler que la lutte des classes ne se limitait pas au Mexique. Aussitôt Eastman et lui se mirent en route vers l'Ouest. Ils découvrirent, dans la partie sud-est du Colorado, de petits villages de mineurs blottis au pied des montagnes enneigées, sous un soleil paisible ; ils s'aperçurent vite que ces apparences étaient trompeuses. Ils traversèrent les restes calcinés de la colonie ouvrière de Ludlow, que la milice avait complètement brûlée, puis grimpèrent à travers les canyons pour aller voir les exploitations minières et les villes de la compagnie, accrochées au flanc des montagnes ; ils bavardèrent avec les mineurs, les commerçants, les cheminots, les veuves des travailleurs, et assistèrent à l'arrivée sur les lieux des troupes fédérales. Celles-ci, suivant les ordres du président Woodrow Wilson, désarmèrent les mineurs ainsi que les hommes de la garde nationale. Les conditions dans lesquelles les mineurs étaient exploités faisaient, en comparaison, paraître presque douces celles de Paterson. Comme dans certaines régions du Mexique, les comtés houillers de Las Animas et de Huerfano étaient des espèces de domaines féodaux qui appartenaient à la « Colorado Fuel and Iron Company », propriété de John D. Rockefeller. La compagnie possédait toutes les maisons, les écoles, les bars, les églises et les magasins ; elle employait tous les professeurs, les médecins et les membres de l'administration. C'est elle également qui désignait les magistrats, les shérifs, les fonctionnaires. En outre elle ignorait totalement les lois du Colorado concernant la sécurité, les salaires et les horaires des travailleurs. Le gouverneur de l'état lui-même le reconnaissait : à l'intérieur de ces deux comtés, la Constitution n'existait pas.

Dans de telles conditions, les réactions de la « CF & I » vis-à-vis de l'union des mineurs étaient prévisibles. Pendant l'été 1913, les dirigeants syndicaux qui apparurent dans cette région du Colorado furent considérés comme de dangereux révolutionnaires, et tantôt abattus, tantôt emprisonnés par les autorités locales. En septembre, lorsque les mineurs exigèrent que la « CF & I » se soumette aux lois en vigueur au Colorado concernant les salaires, les règlements de sécurité et le droit de vote, la milice de la compagnie se mit à brutaliser les ouvriers tandis que la direction en renvoyait un bon nombre. A la fin du mois, onze mille mineurs — 90 % des travailleurs — interrompirent le travail et se groupèrent dans des camps de fortune. Le plus important de ceux-ci, qui se trouvait à Ludlow, devint le point de mire de la compagnie. Lorsque des détectives, abrités dans leurs autos blindées, firent incursion dans le camp, les mineurs qui étaient armés ne furent pas longs à riposter. A la fin d'octobre, après qu'une dizaine d'hommes eurent trouvé la mort, le gouverneur décréta la loi martiale et dépêcha sur place la garde nationale qui ne se montra pas plus neutre que la milice de la compagnie. Les troupes protégeaient les briseurs de grève qu'on avait fait venir ; l'hiver fut très rude pour les mineurs et leurs familles, soumis à des harcèlements incessants : arrestations sommaires, courrier bloqué, perquisitions brutales dans les tentes. Les ouvriers ripostèrent en faisant exploser des bombes. Au mois d'avril, les deux compagnies qui surveillaient la région étaient constituées de gardiens d'usine enrôlés temporairement dans la garde nationale ; ces hommes étaient payés par la « CF & I », aussi le massacre fut-il directement l'œuvre de la compagnie. Sans aucun avertissement, elle fit placer à flanc de colline des mitrailleuses qui firent un véritable carnage dans le camp, avant que la milice n'y mît le feu. Vingt-six cadavres, hommes, femmes et enfants, furent retirés de l'endroit.

John, que cette histoire indignait, se rendit à Denver, où certains citoyens accusaient le gouverneur d'avoir participé à l'organisation du massacre. Il comprit tout de suite qu'il ne fallait pas attendre la moindre intervention du système politique ou judiciaire en place. Comme lors de la grève de Paterson, la plus grande partie des journaux locaux et nationaux déformaient les faits en attirant l'attention du public, non sur les événements de Ludlow, mais sur ses conséquences : les exactions de bandes de mineurs en colère qui avaient pris les armes et qui écumaient les environs, incendiant les propriétés de la compagnie et tirant sur les gardiens de mines. Les journaux du Colorado, ainsi que les magistrats, se faisaient l'écho de l'opinion des dirigeants de la compagnie qui attribuaient la violence aux « étrangers ignares » et proclamaient que l'attitude de la « CF & I » préservait un principe sacro-saint : le droit pour les Américains « de gagner leur vie sans avoir besoin de l'autorisation de l'U. M. W. [3] ». Reed, constatant une fois de plus la coalition du gouvernement, de la presse et des patrons, fit ce qu'il put pour venir en aide aux mineurs ; il

---

3. U. M. W. : syndicat des mineurs américains. (N.d.T.) Cité par G. HICKS dans son livre, *John Reed*, p. 142..

prit la parole lors de meetings où l'on faisait des collectes de soutien, et participa à un comité national qui comptait parmi ses membres le juge Ben Lindsey de Denver, George Creel et Upton Sinclair ; celui-ci luttait pour faire triompher la cause des grévistes. Mais l'arme véritable restait la plume ; aussi, John regagna-t-il rapidement l'Est, s'arrêtant en chemin à Chicago pour assister à un déjeuner organisé par la presse dans Hull House, où il lança un appel à un groupe de journalistes. Il se montra si passionné que son hôtesse, Jane Addams, n'oublia jamais ce discours qui montrait si bien « la grande compréhension de Reed, son ardeur et la confiance qu'il faisait à la lutte contre l'oppression [4] ».

La vie à Manhattan était trop mouvementée pour qu'il pût travailler en paix. Il en profita pour tenir la promesse qu'il avait faite à Woodman de venir à Morristown ; il y passa une soirée à raconter aux élèves — parmi lesquels se trouvait le fils de Mabel — une partie de ses aventures au Mexique. Puis, avec Mabel, il se rendit à Provincetown, à l'extrémité du Cap Cod, où elle avait loué une maison pour l'été. Ce tranquille petit village de pêcheurs était en passe de devenir le refuge des gens du Village — du moins ceux qui avaient assez d'argent pour y aller. Il y avait là beaucoup d'amis : les Hapgood, Susan Glaspell et George Cram Cook, Mary Heaton Vorse et Fred Boyd ; l'endroit offrait à la fois la possibilité de se distraire et de travailler. John limita ses mondanités ; il se contentait de prendre un verre le soir de temps en temps ; tous les jours, il allait nager un long moment, puis se mettait à écrire. Comme il était obligé de travailler en même temps à son livre sur le Mexique et à son article sur le Colorado, il demanda à Fred Boyd de l'aider. Fred lui fut très utile, particulièrement pour *La Guerre du Colorado* : en effet cet article, bien différent du reportage personnel que Reed avait fait sur Paterson, était un texte assez important qui se fondait sur les rapports officiels du gouvernement. L'aspect passionnel y faisait un peu défaut, mais était largement compensé par l'exposé implacable des faits.

John avait la tête pleine d'idées neuves ; le problème de l'intervention américaine au Mexique le tracassait. Il dénonça vigoureusement le projet d'intervention dans les *Masses,* dans le *Metropolitan* et le *New York Times.* Il confiait à ses amis

---

4. Jane Addams à Louise Bryant, 27 juillet 1932 (manuscrits J. R.).

qu'au cas où les Etats-Unis interviendraient, il irait rejoindre La Tropa pour combattre les Américains. Mais, lorsqu'à la fin d'avril les troupes américaines débarquèrent à Veracruz, ce ne fut pas l'intervention qu'il avait redoutée. Au lieu que l'armée américaine aille écraser Villa ou les constitutionalistes, les marines — sous prétexte d'une insulte au drapeau américain — se rendirent maîtres du principal port de Huerta et empêchèrent ainsi les envois d'armes allemandes de parvenir jusqu'au dictateur mexicain. La situation fut encore plus confuse lorsque Huerta et Carranza s'accordèrent pour condamner l'occupation de Veracruz, tandis que Pancho Villa déclarait qu'il accueillait favorablement l'intervention des forces américaines. Puis à la fin de mai, le président Wilson qui, en vertu de la législation, avait refusé de reconnaître Huerta puisqu'il avait pris le pouvoir en violant la constitution de son pays, déclara dans une interview au *Saturday Evening Post* qu'il entendait favoriser le gouvernement mexicain qui envisagerait un programme de réforme agraire.

Intrigué par cette nouvelle attitude qui concordait à peu près avec la sienne, John, qui espérait influencer les dirigeants des Etats-Unis dans leur politique vis-à-vis de ses amis révolutionnaires, profita de sa réputation croissante pour obtenir des interviews au sommet. A la mi-juin, il arriva à Washington et William Jennings Bryan le reçut chez lui. C'était un dimanche après-midi particulièrement étouffant ; le secrétaire d'Etat l'accueillit dans un cabinet encombré de vases orientaux, bourré d'immenses tableaux représentant d'obscurs rajahs et sultans, décoré de meubles somptueux et agrémenté de nombreux bustes de lui-même... Bryan portait une jaquette, des binocles auxquels pendait un ruban noir, et une cravate blanche ; il avait « une noble tête » et une belle crinière qui lui donnait tout à fait l'air d'un homme d'Etat. Il s'exprimait également comme un homme d'Etat, « posément, avec une assurance et une gravité impressionnantes ». En tant que pacifiste, il croyait à la concertation et détestait Huerta. Il défendit la politique de non-reconnaissance et exprima quelque sympathie pour les réformes de Villa. Mais dans l'ensemble, ses réactions étaient celles d'un citoyen du Nebraska peu au fait des réalités étrangères et ignorant tout de la révolution. A un moment donné, le secrétaire se pencha vers Reed et lui confia : « Je dois vous avouer qu'il y a un point sur lequel je ne puis comprendre les Mexicains. Vous savez, lorsqu'une faction capture un soldat appartenant à une autre faction, ils le collent contre un mur et le fusillent [5] ! » John se rendit compte que Bryan était malgré tout mieux informé des coutumes mexicaines que des conditions de travail au Colorado.

Le lendemain après-midi, Reed rencontra le président dans la pièce ovale. Wilson, en costume de flanelle blanche, se leva de son bureau et lui serra si chaleureusement la main que John se sentit immédiatement à son aise. Par les hautes fenêtres où des rideaux s'agitaient dans la brise tiède, on apercevait les arbres taillés et les impeccables massifs de fleurs du jardin ; mais lorsque le président se mit à parler, son visage haut en couleur était si expressif qu'il devenait impossible de regarder ailleurs. Sans faire aucun « effet », Wilson parlait d'une voix calme et régulière qui faisait paraître toutes choses « extrêmement importantes » ; il émanait de lui une force tranquille, une compréhension sincère, une grande autorité. Reed, qui ne cessait de prendre des notes, n'eut pas le temps de poser de questions ni d'exprimer son avis sur la situation mexicaine. C'est seulement en sortant qu'il se rendit compte que le président savait utiliser un journaliste à son propre avantage [6].

Après cette entrevue, Reed rumina longtemps sur le personnage étrange qu'était Wilson. Avec ses idéaux simplistes, « Chrétienté, Liberté et Fair-Play », il paraissait presque naïf, mais c'était la naïveté trompeuse d'un esprit puissant et complexe. Bien qu'il manifestât « une grande confiance dans le génie politique fondamental » de son pays, Wilson était loin d'ignorer les problèmes réels qu'affrontait la société. Le président savait que « la tyrannie industrielle » et « les minorités prédatrices » étaient la peste du pays, mais il pensait que tous ces problèmes pouvaient être résolus par les moyens politiques traditionnels. Wilson était le premier président, « depuis les dix qui l'avaient précédé, à s'intéresser davantage aux grands principes qu'à la politique » ; c'était sans doute le meilleur président qu'on pût espérer dans cette Amérique moderne. Mais John était bien obligé de se demander si cela suffisait. Il n'avait pas plus confiance dans les troupes fédérales, qui patrouillaient

---

5. Article de J. R. sur Bryan, resté inédit (manuscrits J. R.). Une version postérieure de cet article parut sous le titre de « Bryan en tournée », *Collier's*, n° LVII, 20 mai 1916, p. 11-12, 40-41, mais cette version ne fait pas état de leur première rencontre dans la maison de Bryan à Washington.

6. Cette citation ainsi que celle contenue dans les deux paragraphes suivants proviennent d' « Entretien avec le président », article inédit (manuscrits J. R.).

maintenant dans les pays miniers du Colorado, que dans les milices qu'elles avaient remplacées ; force lui était de se demander si un président, si dévoué, si idéaliste fût-il, pouvait maîtriser la violence du monde industriel.

Reed, satisfait de cette « interview extraordinaire », revint en hâte à Provincetown pour en mettre au point la rédaction [7]. Il fut stimulé par un mot qu'il reçut de la Maison Blanche. Wilson lui écrivait : « Je tiens à vous dire combien j'ai apprécié votre dévouement et votre courage dans toute cette affaire [8]. » John s'attacha à exposer la politique mexicaine du président Wilson ; celui-ci partait du principe traditionnel selon lequel l'Amérique s'opposait à la tyrannie et soutenait les révoltes populaires ; il se proposait d'aider le peuple mexicain à choisir ses propres dirigeants à condition qu'il respecte la Constitution. La non-reconnaissance de Huerta et l'occupation de Veracruz devenaient — avec quelques jongleries de vocabulaire — non pas ingérence dans les affaires mexicaines, mais seulement tentative pour s'opposer à un régime illégal. Le président, qui avait exprimé sa sympathie pour la réforme agraire, espérait que le gouvernement qui sortirait de cette révolution ne confisquerait pas les grands domaines, mais convenait que c'était là une affaire intérieure qui devait être réglée par les Mexicains eux-mêmes. Son attitude fondamentale s'accordait tout à fait avec le désir de John : « Personne ne devait chercher à profiter de la situation au Mexique, en aucune façon : ni les dictateurs militaires, ni les citoyens de ce pays, ni ceux de pays étrangers, ni d'autres gouvernements étrangers. »

Etant donné qu'on ne pouvait pas citer directement les propos du chef de l'Etat, il était difficile de rendre l'article vivant. Après une semaine de travail, Reed envoya une épreuve à la Maison Blanche ; on lui refusa l'autorisation de publier. Joe Tumulty, le secrétaire de Wilson, avait joint une lettre dans laquelle il faisait les suggestions suivantes : « Au cas où vous envisageriez de refondre votre article de façon à faire disparaître toute trace de rapport direct des paroles du président, et où vous vous contenteriez de décrire vos propres impressions sur cette interview, je pense qu'il serait possible d'en autoriser la publication. » Joe Tumulty, qui manifestement se souciait peu du style, ajoutait qu'il serait bon que

---

7. J. R. à Upton Sinclair, 18 juin 1914 (archives U. Sinclair, Lilly Library, Indiana University).

8. Lettre de Woodrow Wilson à J. R., 17 juin 1914 (manuscrits J. R.).

John introduise dans son texte des formules du genre : « Il me semble que, par exemple, en ce qui concerne... Il serait tout à fait disposé à admettre que, ... etc. [9] » S'efforçant d'utiliser ces circonlocutions maladroites, John se remit au travail. Lorsque l'article fut refait selon l'esprit de la Maison Blanche, il ne présentait plus aucun intérêt.

John n'en fut pas trop déçu. Provincetown était très agréable en été, la baie étincelait au soleil, les nuits étaient tièdes et étoilées, le port tranquille, où séchaient les filets des pêcheurs. Bobby Rogers, Lee Simonson et Bobby Jones, répondant aux invitations enthousiastes de John, vinrent le rejoindre pour passer là leurs vacances ; on buvait, on mangeait, on riait beaucoup. Ils traversaient les dunes de sable blanc jusqu'à l'océan, de l'autre côté du cap, se baignaient puis faisaient cuire leur déjeuner sur la plage ; là, ils pouvaient oublier tous les présidents, les grèves, les affaires étrangères et les révolutions.

Lorsque ses amis le quittèrent, John fut pris d'une véritable frénésie d'écriture. Après avoir terminé le manuscrit de son livre sur le Mexique, il fit cette dédicace à Copey : « En écrivant ces impressions du Mexique, force m'est bien de penser que je n'aurais jamais vu ce que j'y ai vu si je n'étais pas passé par votre enseignement... Vous écouter, c'est apprendre à voir la beauté cachée du monde visible ; être votre ami, c'est s'efforcer d'être intellectuellement honnête [10]. » Lorsque l'article sur Ludlow parut, on l'en félicita chaudement et John fut ravi d'apprendre qu'un marchand de journaux de Denver avait annulé une commande de cinquante exemplaires du *Metropolitan* pour protester contre ce qu'il estimait être des « mensonges invétérés ». Il se mit à écrire des poèmes en vers libres, acheva une histoire humoristique où il était question d'un capitaine au long cours nommé Grampus Bill qui se prenait très au sérieux ; il s'amusa à composer une pièce en un acte et une pantomime ; une fois de plus il esquissa un certain nombre de scènes en vue d'un roman sur le peuple fabuleux des Indiens du nord-ouest. Bien qu'il fût « complètement fauché », il refusa plusieurs propositions que lui fit Carl Hovey. La seule chose qui le tentait, c'était d'aller jusqu'à Mexico pour y accueillir Villa lorsque le général rebelle se serait emparé de la ville, ce qui ne devait pas manquer de se

---

9. Joseph Tumulty à J. R., 29 juin 1914 (manuscrits J. R.).
10. *Le Mexique insurgé*, Dédicace, p. 25 pour l'édition française.

produire. De là, John aurait aimé pousser jusqu'en Chine pour faire un reportage sur la révolution qui commençait.

Cet heureux séjour à Provincetown fut rendu encore plus agréable par l'amour qu'il éprouvait pour Mabel. Depuis son retour, les scènes orageuses avaient cessé, il n'y avait plus eu ni tentatives de suicide, ni menaces, ni récriminations ; Reed, dans une lettre qu'il envoya de Denver, exprimait ainsi son émotion : « Pour moi, tu es si belle ! Rien que ton âme est si belle et si présente ! Tu es ma vie[11]. » Maintenant qu'il était rentré, ils faisaient l'amour durant les douces nuits d'été. Pourtant, il ne se rendait pas compte que son sentiment n'était pas tout à fait partagé. Les raisons en étaient aussi compliquées que Mabel elle-même, qui plus tard devait rendre fous deux psychanalystes et qui jamais ne trouva l'amour durable dont elle prétendait avoir tant besoin. Mabel que la jeunesse, l'enthousiasme, l'énergie, la virilité de John attiraient, s'était en même temps sentie pour lui comme une mère, songeant souvent qu' « à côté d'elle, il était véritablement un enfant[12] ». Comme toutes les mères, elle jalousait un peu ses succès, car s'ils le rendaient plus attirant en tant qu'homme, ils le faisaient échapper davantage à son contrôle. Sans aucun doute, Mabel avait toujours exagéré la dépendance de John à son égard. Depuis le Mexique, il était de plus en plus évident qu'il pouvait se débrouiller seul. Un homme qui galopait avec Villa, qui était maintenant célèbre aux Etats-Unis et qui interviewait le président pouvait encore être un enfant, mais il devenait de plus en plus difficile de le faire croire.

Mabel, en tant que mère se sentait de plus en plus menacée ; mais elle se troublait aussi en tant que femme pour qui l'amour était un combat sans merci. En manière de représailles contre son voyage au Mexique, elle avait eu des liaisons avec plusieurs hommes, y compris le peintre Andrew Dasburg, ami de Reed. Très fière de cette conquête, Mabel s'arrangea pour que Marsden Hartley, dans une lettre à Reed, lui décrive une toile de Dasburg qu'elle avait inspirée. Comme cette lettre ne provoquait aucune réaction de jalousie, elle lui en écrivit une autre, lui parlant du charme d'Andrew, de son visage angélique, de sa force et de la lumière froide qui brillait dans sa chevelure. En réponse elle reçut de John une lettre qui ignorait ces commentaires et

---

11. Cité dans *Movers and Shakers*, p. 261.
12. *Ibid.*, p. 263.

proclamait : « J'écrirai nos deux noms sur le ciel en flammes [13]. »
Après son retour, elle se plaignit de ce qu' « il devenait de
plus en plus un héros pour tout le monde, et particulièrement
pour les femmes [14] ». Ayant remarqué un soir qu'une jeune
femme à l'allure émancipée dévorait Reed des yeux, Mabel lui
écrivit une lettre menaçante où elle l'avertissait d'avoir à se
tenir à distance.

Angoissée, craignant le pire pour leur liaison, Mabel cet été-là,
commença à prendre certaines précautions pour se garantir de
toute souffrance. Extérieurement, elle se montrait aussi affectueuse qu'auparavant, elle se donnait avec une passion qui
empêchait Reed de soupçonner quoi que ce soit. Elle ne manifestait aucune impatience, même vis-à-vis de Boyd ; cela n'était
pas dû à un surcroît d'amour, au contraire. John était bien habi-
tué à ses manifestations hystériques, mais il ne pouvait s'attendre
à ce lent déclin de l'affection. Il ne comprit pas que Mabel était
en train de lui dissimuler cette âme qu'il disait précisément
aimer.

Comme il ne soupçonnait aucun changement, il ne fut pas
surpris de voir Mabel s'apprêter à partir avec son fils et Neith
Boyce à la Villa Curiona pour y passer la deuxième partie
de l'été. Il avait prévu de faire à la mi-juillet le voyage à
Portland qu'il remettait depuis très longtemps. Ensuite, qui
pouvait savoir ce qu'apporterait le prochain automne ? Sans
doute un voyage au Mexique ou en Chine, un contrat pour
un livre de ballades mexicaines ; ou bien le moment serait venu
de se mettre au roman projeté depuis des années. Mabel reviendrait et leur amour continuerait au gré des soirées ; il y aurait
le théâtre, la bonne chère, l'alcool, les livres à écrire, les amis
et tous les combats pour la justice en Amérique, au Mexique
et dans le monde entier. C'étaient là des rêves un peu grandioses sans doute, mais naturels chez un homme jeune et gâté
par la vie.

Durant cet été 1914 à Provincetown, John goûta toutes les
joies possibles. Tout se rejoignait d'un seul coup : l'amour, l'art,
le métier, l'affirmation de sa personnalité. Mieux encore, il
sentait que la plénitude venait de l'intérieur de lui-même : cette
assertion de la sagesse populaire, qu'il avait vaguement comprise autrefois, s'avérait maintenant évidente. A Denver, il
avait rencontré une jeune violoniste qui lui paraissait trop

13. *Ibid.*, p. 256.
14. *Ibid.*, p. 261.

conventionnelle pour pouvoir devenir une brillante interprète. Il lui avait donné ce conseil : « Je lui ai dit que si elle pouvait acquérir une âme, alors elle deviendrait une véritable artiste. Mais, a-t-elle répliqué, je ne vois pas comment on peut acquérir une âme sans abandonner tous les idéaux et les principes moraux qu'on s'est fixé pour se tenir dans le droit chemin. Il n'y a pas d'autre moyen, lui ai-je dit. Il n'existe aucune loi à laquelle vous deviez obéir, aucune règle morale que vous soyez obligée d'accepter ; en fait vous n'avez à tenir compte de rien, en dehors de votre âme [15]. » Les idées de Mabel n'avaient pas déteint sur John, qui n'avait aucun penchant métaphysique ; il n'employait le mot « âme », comme le mot « foi », que pour exprimer le fait « qu'il s'était trouvé [16] ». Il possédait maintenant cette confiance en lui et cette « âme » qu'il avait cherchées si longtemps ; il se sentait libre de toutes les entraves et n'écoutait que son propre cœur.

15. *Ibid.*, p. 259-260.
16. *Trente ans, déjà.*

# Sur le front ouest

*C'est une période de profonde désillusion, d'amère déception pour ceux d'entre nous qui croyaient que les nations allaient enfin devenir adultes, qu'un jour les Etats-Unis du Monde permettraient l'épanouissement de toutes les idées merveilleuses dont cette terre abondait, pareille à un champ au printemps, et qu'on pourrait reconstruire la société humaine. Or voici que les nations se sautent à la gorge comme des chiennes — et sans plus de motifs. Ces beaux militaires nous offrent le spectacle sublime de toutes les nations d'Europe en train de s'armer pour se défendre contre les autres, spectacle de paniques mutuelles, de faux-fuyants, d'espionnage et de menaces. L'art, l'industrie, le commerce, la liberté de chacun, la vie elle-même sont grevés pour faire fonctionner cette monstrueuse machine de mort...*

*Ce militarisme est vraiment beaucoup plus fort que nous ne l'aurions jamais imaginé. Cela n'a plus rien à voir avec l'instinct primitif du guerrier. C'est devenu une science et les armées de conscrits européens en ont imprégné chaque foyer. C'est la seule chose que l'homme de la rue ne remette pas en question. L'acceptation tacite de la nécessité de cet armement gigantesque, qui n'est possible que grâce à l'impôt énorme prélevé par la bourgeoisie européenne, fait du militarisme l'événement le plus important de notre époque. Cette guerre semble être l'ultime expression de la civilisation européenne.*

John REED, « L'Angleterre mise au pas » (article inédit). Ce texte provient d'une première version d'un article que Reed modifia par la suite. La version définitive est restée également inédite.

Accablé de tristesse, Reed écrivit au début d'octobre 1914 ces lignes vengeresses et désespérées. Il était en Europe depuis deux mois pour couvrir ce qu'on appelait alors « la Grande Guerre », mais ce nouveau travail ne lui procurait aucun plaisir, aucune satisfaction. Les faits d'armes ne l'intéressaient pas tant qu'ils n'étaient pas ceux d'un combat social. Les batailles et les destructions ne pouvaient se justifier que si le but visé était une société meilleure, une défense de la liberté individuelle, uniquement si l'homme y trouvait l'occasion de se mettre à l'épreuve au service d'un idéal qui le dépassait. La plus grande guerre de l'histoire ne comportait aucun de ces éléments. Scientifique, impersonnelle, elle laissait peu de place à l'héroïsme. Ce conflit, qui n'était porteur d'aucun des idéaux que Reed admirait, lui semblait complètement absurde puisqu'il détruisait tous les mouvements intellectuels, artistiques et sociaux qui annonçaient pour l'homme la venue d'une ère nouvelle.

Reed et ses amis de la bohème étaient pour la plupart des pacifistes convaincus et le seul fait qu'il y eût la guerre les perturbait déjà beaucoup, mais ce qui les désemparait davantage c'était de constater que ce conflit n'était pas le résultat d'une crise de démence, mais « l'expression naturelle de la civilisation européenne ». L'Europe était considérée comme le berceau de la culture, non seulement à cause de ses monuments et de son histoire, mais parce que là-bas étaient nés les mouvements artistiques, philosophiques et politiques les plus importants :

l'impressionnisme, l'anarchisme, le socialisme, le naturalisme, le cubisme, le syndicalisme, ainsi que tous les héros dont les bohèmes vénéraient la mémoire : Wagner, Marx, Freud, Nietzsche, Rolland, Wells, Dostoïevsky, Shaw, Wilde, Baudelaire, Ibsen et Strauss. Pour eux, l'Europe représentait la culture, c'était un endroit où les artistes et les intellectuels étaient honorés et estimés. Vues à travers la légende dorée, la pauvreté et l'arriération du continent européen leur apparaissaient auréolées de gloire ; les paysans européens, à la différence des paysans américains, étaient vraiment des hommes de la nature, profondément enracinés dans leur sol ; quant aux misérables faubourgs ouvriers, ceux d'Europe étaient tout à fait pittoresques, charmants et animés. L'agitation sociale elle-même, les grèves et les révoltes étaient empreintes d'un charme révolutionnaire que les terribles spectres de la Commune avaient cependant quelque peu entamé. La guerre en Europe, c'était un peu comme une violente dispute entre parents ; elle plongeait les intellectuels et les artistes américains dans un grand désarroi ; il leur semblait qu'ils n'avaient plus de famille.

Bien que Reed partageât cette vision romanesque de l'Europe, il fut moins stupéfait lors de la déclaration de la guerre que la plupart des habitants du Village. Lorsque parvinrent les nouvelles de la mobilisation et des grands mouvements de troupe aux frontières, tous furent désespérés. A Provincetown, les estivants se rassemblaient tous les soirs devant le petit kiosque pour acheter les derniers journaux. Ceux qui comme Hapgood, Boyd et Dell étaient également intéressés par l'art et la politique passaient leurs nuits à boire et à discuter interminablement ; ils se demandaient quels secours ils pouvaient attendre des théories sur l'art et la société, dans ce monde brusquement devenu fou furieux. Harriet Monroe, qui se disait pourtant apolitique, eut l'impression que le monde s'écroulait, elle fut « totalement abasourdie » ; elle écrivait : « C'est la fin soudaine de tous les espoirs, la brutale négation du progrès ; c'est un ignoble anachronisme dans une civilisation de paisible industrie [1]... »

Lors de son séjour à Portland, le premier qu'il y faisait depuis deux ans, Reed s'attendait à ces nouvelles ; en effet Carl Hovey lui avait envoyé à la fin de juillet plusieurs télégrammes le prévenant que, dès le moment où le conflit éclaterait, le *Metropolitan* désirait faire de lui son correspondant de guerre exclusif.

---

1. Harriet MONROE, *A Poet's Life,* Macmillan, New York, 1938, p. 341.

Bien qu'on le reçût avec tous les égards dus à sa récente célébrité, qu'on l'invitât à des thés, des cocktails et des dîners, John trouva Portland plus morne que jamais. Un soir, pour sortir de cette atmosphère confinée, il se rendit au local de l'I. W. W., où Emma Goldman donnait une conférence ; il se lia d'amitié avec Carl Walters, un peintre qui soutenait financièrement *Les Masses*. Le club de l'Université lui proposa de faire un petit discours ; au lieu du speech anodin et inoffensif que tout le monde attendait, il se livra à une diatribe enflammée contre l'exploitation des travailleurs et défendit la lutte des classes, ce qui incommoda fort l'auditoire ; certains en vinrent à le traiter de grossier personnage pourri par New York et ses succès prématurés.

Dans le train qui le ramenait vers l'Est, John fit la connaissance d'un jeune Anglais impeccable, diplômé de l'Université, qui portait une moustache soigneusement taillée, des vêtements coûteux et observait une réserve toute britannique. Il regagnait son pays pour s'enrôler dans l'armée. Tandis que les paisibles champs du Middle-West défilaient par la fenêtre, le jeune homme exposa tranquillement son point de vue sur la guerre. L'Angleterre se battait pour honorer les traités qu'elle avait signés, conformément à sa politique étrangère qui, malheureusement, n'était pas « tout à fait conforme à ses vues ». Il ne manifestait ni sympathie pour les Français, ni haine particulière contre les Allemands ; en fait, s'il rentrait chez lui, c'était, disait-il, « parce que ma famille a toujours su défendre sa patrie ». A coup sûr c'était un représentant typique de la classe dirigeante anglaise : « Quatre-vingts kilos de chair solide, d'os robustes et de sang noble ; l'intérieur de sa tête ressemblait à un salon victorien rempli de colifichets, aux meubles tendus d'étamine et aux stores baissés. » Il partait se battre avec la même ardeur qu'il témoignait « le matin pour prendre un bain froid, dût-il remuer ciel et terre. Parce que c'était la seule chose à faire [2] ».

New York n'avait pas changé. Les rues, les cafés et les restaurants regorgeaient de monde comme auparavant ; seules les éditions spéciales des journaux, avec leurs titres énormes, indiquaient que l'Europe était en guerre. Le *Metropolitan* lui versa quinze cents dollars d'avance pour couvrir ses frais et le *World* lui promit « la plus grosse somme qu'on ait jamais payée

_____

2. « L'Anglais type : observations perplexes d'un correspondant de guerre », *Metropolitan*, n° XL, octobre 1914, p. 39-40. Cité dans F. DELL, *Daughter of the Revolution*.

ici » pour toutes les nouvelles exclusives qu'il pourrait arracher à la censure européenne [3]. A Washington, William Jennings Bryan lui donna une lettre dans laquelle il priait les diplomates américains d'assurer à John « toute l'assistance et les facilités possibles [4] ». De retour à Manhattan, il fut accueilli par Fred Boyd qui n'avait plus un sou et cherchait un moyen de rentrer dans son Angleterre natale. Reed lui paya la traversée, et en attendant l'heure de s'embarquer, ils discutèrent longuement de la situation. Fred, socialiste convaincu, ne se décourageait pas. Il pensait que les guerres capitalistes étaient prévisibles et il avait décidé de retourner en Angleterre pour participer aux soulèvements sociaux qui ne manqueraient pas de se produire à la fin du conflit. D'après lui, la capitulation des socialistes européens devant la poussée nationaliste n'était pas catastrophique. Ce n'était qu'une erreur momentanée ; très vite les partis ouvriers reviendraient à la solidarité de classe. Il déplorait ce massacre, mais il croyait néanmoins que la guerre avait ceci de bon qu'elle provoquerait la révolution tant attendue.

Reed, que cette analyse impressionnait, n'aimait guère se retrancher derrière des théories. Ce que disaient les journaux l'inquiétait davantage : on parlait des énormes bénéfices que les industriels américains tiraient de la guerre. Certains articles prenaient le parti des alliés et décrivaient leur lutte comme celle du « libéralisme engagé dans la Guerre Sainte contre la Tyrannie ». Dans un article qu'il fit pour *Les Masses,* intitulé « La guerre des marchands », il exprimait un point de vue qui reflétait celui de Boyd. Reed, laissant de côté le différend austro-serbe, qu'il qualifiait de « pure bagatelle », expliquait que le conflit européen trouvait son origine fondamentale dans des intérêts commerciaux. L'Allemagne, dont la puissance industrielle augmentait et qui cherchait des débouchés, était exclue depuis deux décennies par les vieilles puissances coloniales, la France et l'Angleterre, des marchés qu'elle aurait pu trouver en Asie Mineure et en Afrique du Nord. John déclarait exécrable le militarisme prussien et sa doctrine du « fer et du sang » qui s'opposait « absolument à la voie du progrès démocratique », mais il trouvait que « l'insolente hypocrisie des alliés réclamant une paix que leur gloutonnerie avait rendue impossi-

3. J. R. à Carl Hovey, 15 août 1914 (archives Gold).
4. William Jennings Bryan aux diplomates et aux consuls américains en Europe, 12 août 1914 (manuscrits J. R.).

ble », valait bien les « idéaux de brute » chers au kaiser. Dans « cette empoignade de boutiquiers concurrents », il ne restait plus qu'un seul espoir : « Nous, les socialistes, nous devons espérer... que de toute l'horreur de ces destructions naîtront des bouleversements sociaux lourds de conséquences. » L'article affirmait enfin que pour l'Amérique la seule attitude sensée consistait à dire : « Cette guerre ne nous concerne pas [5]. »

Lors de sa dernière nuit aux Etats-Unis, Reed dîna avec Boyd et Eddy Hunt sur la terrasse de l'hôtel Astor, d'où ils contemplèrent Broadway jusqu'aux premières heures du matin. Tous les trois partaient le lendemain : Fred pour l'Angleterre, Eddy pour la Hollande où il se rendait pour le compte de l'*American Magazine* ; quant à John, il partait pour Naples. On s'attendait à ce que l'Italie, qui n'était pas encore en guerre, honore son appartenance à la Triple Alliance en se rangeant aux côtés de l'Allemagne et de l'Autriche. Il espérait pouvoir assister aux premiers mouvements sur ce front, mais il allait également là-bas pour d'autres raisons. Mabel était restée à la Villa Curiona, renvoyant son fils aux Etats-Unis avec Neith Boyce ; elle avait télégraphié qu'elle comptait accompagner John au cours de ses reportages. Le temps passé et l'éloignement avaient sans doute ravivé sa passion ; elle l'attendait à Naples. A bord du paquebot italien, il y avait cent cinquante passagers de première classe, parmi lesquels des membres de la noblesse italienne, allemande et autrichienne, ainsi qu'un grand nombre d'officiers qui partaient rejoindre leurs unités dans leurs pays respectifs. Curieusement, ces hommes qui allaient bientôt se retrouver face à face sur le champ de bataille s'entendaient plutôt bien. Ensemble, ils bavardaient, buvaient et jouaient aux cartes dans les salons du bateau. En fait, nulle part ailleurs n'apparaissaient mieux qu'ici les liens qui unissaient les pays d'Europe. Les Autrichiens et les Italiens lisaient des romans français ; parmi les Allemands, l'un avait habité Paris durant la plus grande partie de sa vie, un autre avait fait ses études à Oxford ; une Française était née à Berlin, tandis qu'un marquis italien, diplômé de la Sorbonne, avait travaillé pour des journaux londoniens. John se rendit compte que « les distractions, la culture et la formation intellectuelle de tous ces passagers avaient au moins en partie une origine commune,

_____

5. « La guerre des marchands », article de J. R. paru dans *Masses,* septembre 1914, p. 16-17.

celle qu'ils s'apprêtaient précisément à détruire [6] » ; aussi s'efforça-t-il de leur faire dire les raisons pour lesquelles ils allaient se battre. Nulle part, il n'obtint de réponse satisfaisante. On en revenait toujours à une espèce de patriotisme borné qu'un officier allemand exprima parfaitement lorsqu'il lui répondit d'un air froid : « Vous parlez comme un civil. Pour tout homme qui porte un uniforme, celui qui porte un uniforme différent est un ennemi. *Voilà tout* [7] ! »

A bord du bateau, la discrimination existait, mais pas parmi les riches. Entassés sur le pont et dans les cales, il y avait « trois mille pauvres gens », pour la plupart des immigrants italiens venus en Amérique, et qui, dans un accès de patriotisme, avaient décidé de rentrer chez eux pour se faire mobiliser. Leurs futurs supérieurs, en habit de soirée, se penchaient sur les coursives du pont spacieux des premières classes pour observer au-dessous d'eux tous ces gens empilés dans la chaleur, la puanteur et la saleté des ponts inférieurs. Ceux qui allaient bientôt être leurs officiers, lorsqu'ils parlaient d'eux, les traitaient d' « animaux » ou de « vermine ». Un soir ils s'amusèrent énormément : les marins chassèrent la foule du pont avec des tuyaux d'arrosage. Reed croyait entendre « les grondements menaçants de centaines de voix en colère qui sortaient des entrailles du bateau » et se demandait combien de temps des hommes que leurs chefs traitaient comme des bêtes pourraient rester des patriotes. Il imaginait que la misère de ces hommes dans la cale « contaminait petit à petit le bateau comme une peste dont les miasmes commençaient à incommoder les délicates narines des nantis — présage de terribles événements à venir ».

Mabel, portant une longue robe blanche plissée, un chapeau à fleurs et une ombrelle brodée, attendait John sur le quai ; celui-ci dévala la passerelle, surexcité et hors d'haleine. Naples était le lieu idéal pour des retrouvailles : le bleu du ciel et de la baie, la blancheur éclatante du soleil et de la ville mettaient dans leur chambre toutes les couleurs de l'amour. Après avoir visité Pompéi l'après-midi, ils prirent le train de nuit pour Rome. Reed admira la ville mais l'humeur de la population l'intéressait davantage. A Rome, régnait une grande agitation ; les patrons de café raflaient les derniers journaux, l'argent

---

6. Les citations de ce paragraphe, ainsi que celles des deux suivants, sont tirées d'un article de J. R., « Une approche du conflit », *Metropolitan,* n° XLI, novembre 1914, p. 15-16, 65-69.

7. En français dans le texte. (N.d.T.)

semblait manquer et des régiments de soldats défilaient dans les rues ; dans les théâtres, les orchestres jouaient la *Marseillaise* aussi souvent que les hymnes italiens. Sur la place Saint-Pierre, où des dizaines de milliers de personnes attendaient l'élection du nouveau pape, on parlait davantage de la guerre que de la religion, et Reed « eut la vision d'une de ces choses sombres et terribles dont cette guerre était le signe : la fin de l'ère chrétienne [8] ».

Lorsqu'ils apprirent que les armées allemandes avaient traversé la Belgique et fonçaient sur Paris, John et Mabel prirent le train pour le Nord ; c'était le 2 septembre. Désespéré de constater que la grande masse, pourtant bien organisée, des ouvriers italiens semblait incapable de réagir contre la vague montante du patriotisme, John, qui de plus souffrait de dysenterie et de coryza, garda tout de même assez d'entrain pour décrire la façon dont ils furent « assaillis tout au long du parcours jusqu'à la frontière par la maffia des guides italiens, que le départ des touristes américains réduisait aux expédients les plus désespérés : chaque fois que nous quittions une ville, ses guides télégraphiaient à la suivante, si bien qu'au prochain arrêt nous étions accueillis par un chœur de voix suppliantes... — Voulez-vous visiter la ville [9] ? ».

Genève était la ville la plus gaie d'Europe, brillante et animée ; elle évoquait un peu Monte-Carlo à la belle saison. C'était un endroit où il était « de très mauvais goût » de parler de la guerre. Tous les gens frivoles s'y étaient donné rendez-vous. Ils avaient fui la France, l'Allemagne, l'Autriche et l'Angleterre : « Il y avait des douairières, avec leurs rangs de perles et leurs face-à-main, trônant dans de luxueuses automobiles ; de vieux élégants portant monocle et guêtres grises, la fleur à la boutonnière, qui faisaient nonchalamment des moulinets avec leurs cannes ; de jeunes " civilisés " aux épaules tombantes, aux joues roses et aux sourcils épilés ; de grandes filles aux têtes étranges accompagnées de chiens plus étranges encore, tondus de toutes les façons imaginables. » La nuit, tout ce monde se pressait au bord du lac, aux terrasses des cafés et des restaurants ; la foule envahissait les cercles de jeux et s'entassait dans les théâtres où l'on donnait des comédies musicales, tandis que dehors, les « petites femmes » des boulevards parisiens,

---

8. Article inédit, sans titre, daté du 18 septembre à Paris (manuscrits J. R.).
9. *Ibid.*

fraîchement expatriées, arpentaient les rues. Dans cette curieuse ambiance, la guerre semblait « une chose lointaine... à peine croyable ». Seul le manque d'argent, le fait que chacun vécût d'emprunts et d'expédients (les dandys avaient des cols sales et les élégantes des bas troués) montrait que cette vie dans la Suisse neutre était « vraiment la fin d'une époque [10] ».

Les journaux racontant que les Allemands étaient sur le point d'entrer à Paris, John et Mabel sautèrent dans le train (on disait que c'était le dernier), pour rejoindre la capitale. A Cernadon, juste après avoir franchi la frontière, ils furent arrêtés par une dizaine de wagons de troisième classe « bourrés de jeunes gens qui riaient et chantaient » ; c'étaient de jeunes recrues qu'on emmenait dans des camps d'instruction militaire. Les portes et les fenêtres des wagons étaient décorées de branchages et de feuilles de vigne. A côté de caricatures de Prussiens, on avait écrit à la craie des slogans victorieux : « Train express pour Berlin », ou bien : « Ce wagon est réservé à l'état-major prussien ». Après qu'on eut accroché les wagons de troupes, le train repartit à travers la campagne française dans l'après-midi gris qui tournait à la pluie. A chaque carrefour, à chaque gare, on voyait des femmes angoissées, des hommes âgés et des enfants qui agitaient doucement leurs mouchoirs. Au buffet de la gare de Bourg, leur dîner fut interrompu par l'arrivée d'un train exhalant une épouvantable odeur d'iodoforme, et qui s'arrêta doucement le long du quai. Des centaines de blessés dont les bras, les jambes, ou les fronts disparaissaient sous les pansements se penchaient par les fenêtres pour demander des cigarettes [11].

Cette nuit-là et durant toute la journée qui suivit, ils eurent l'impression de traverser un pays où les femmes avaient remplacé les hommes : c'était elles qui moissonnaient, conduisaient les charrettes et fermaient les passages à niveau. Sans cesse ils dépassaient et croisaient des convois militaires pleins de jeunes soldats qui chantaient en se rendant au combat, ou d'hommes silencieux qui en revenaient. Puis ils virent le long de la voie de gros canons gris qu'on avait installé derrière des tas de pavés ; en approchant de la capitale, ils aperçurent des régiments de soldats stationnés aux carrefours des routes principales. Ils

---

10. *Ibid.*, et article de J. R., « Avec les Alliés », *Metropolitan*, décembre 1914, p. 14-16.
11. *Ibid.*, et article inédit du 18 septembre 1914. Les citations des quatre paragraphes suivants proviennent également de ces sources.

atteignirent Paris par une magnifique matinée de septembre : « C'était l'un de ces derniers beaux jours de l'été, où les feuilles commencent à changer de couleur, où l'on sent dans l'air un soupçon d'automne, et où la ville semble se réveiller. » Ce jour-là pourtant, il n'y avait pas grande animation. Au sortir de la gare, ils découvrirent une ville-fantôme : longues enfilades de rues désertes, innombrables boutiques fermées qui avaient baissé leurs rideaux de fer ; les grands boulevards étaient presque morts, les grands cafés étaient fermés, seuls les patrons étaient à leur terrasse. Rue de la Paix, il n'y avait pas âme qui vive, et dans le silence les sabots du cheval de fiacre résonnaient sur les pavés. Partout on avait accroché les cinq drapeaux (français, belge, anglais, russe et serbe). On aurait dit « que la ville avait fêté outre mesure quelque grande réjouissance et puis avait eu une brusque indigestion ».

Ils s'installèrent dans un petit appartement de la rive gauche et se mirent à explorer la ville. Ils s'aperçurent que leur première impression était en partie fausse. Certes, beaucoup de gens avaient quitté la capitale, un grand nombre d'hôtels de luxe, de restaurants, de magasins avaient fermé leurs portes, mais les quartiers résidentiels restaient pleins de vie : dans les jardins du Luxembourg, un groupe d'enfants, dont certains portaient des brassards de crêpe noir, regardaient le spectacle de marionnettes. La nuit, le changement était plus évident : les cafés fermaient à huit heures, aucun théâtre ne fonctionnait, les rues se vidaient et « les boulevards illuminés, le gracieux collier de lumières qui autrefois soulignait les courbes de la Seine, les ponts et les Champs-Elysées — tout cela était sombre ». Des projecteurs balayaient le ciel à la recherche d'avions allemands, et dans les rues obscures, des régiments de soldats fatigués allaient et venaient dans des directions mystérieuses.

Tandis que Mabel passait au lit une bonne partie de son temps, Reed sortait ; il rencontra d'autres journalistes dans les cafés, et s'efforça d'interviewer des fonctionnaires réticents. L'humeur de la population le déroutait : loin de faire preuve du calme stoïcisme dont certains avaient parlé, les Parisiens semblaient plutôt apathiques. Alors que le gouvernement se bornait à publier des communiqués laconiques annonçant que « les alliés poursuivaient leur retraite stratégique avec un grand succès », les étrangers se demandaient entre eux : « Quand pensez-vous qu' " ils " vont pénétrer dans la ville ? », sans manifester ni colère ni volonté de résistance. Des troupes anglaises et françaises en déroute étaient arrivées en ville et le bruit courait que l'armée allemande n'était plus qu'à quinze kilomètres de Paris. Reed décida alors d'atteindre le front. Il était interdit aux correspondants de quitter Paris, mais lui et Robert Dunn du *New York Evening Post,* s'arrangèrent pour déjouer la surveillance des autorités françaises [12].

Le matin du 9 septembre, au plus fort de la bataille de la Marne, les deux Américains, qui avaient loué une voiture avec chauffeur, parvinrent à passer à travers toutes les chicanes et les troupes ; ils sortirent de Paris et se trouvèrent dans la campagne. Dunn, qui s'était fait faire un certificat médical selon lequel il souffrait d'une angine de poitrine, possédait un laissez-passer établi par la police, lui permettant de voyager vers le sud ; ils purent ainsi franchir beaucoup d'endroits gardés par des sentinelles. Dans le bois de Vincennes, ils obliquèrent vers le nord, espérant tomber sur les combats, mais les bataillons qu'ils croisaient sur les routes en bon état semblaient plutôt faire des manœuvres. Un peu plus loin, les grandes routes étaient désertes ; dans les petits villages, les maisons de pierre grise étaient toutes fermées et barricadées. A la fin de la matinée, ils découvrirent les premières traces de la guerre. Les quelque douze maisons du hameau de Courteçan avaient été bombardées, détruites et incendiées ; certaines brûlaient encore ; dans les rues jonchées de gravats, des paysannes leur racontèrent en pleurant que les Allemands étaient partis la nuit précédente.

Pendant le reste de la journée, ils parcoururent en auto de petites routes blanches bordées de peupliers. Des réfugiés, emportant leur mobilier empilé dans des charrettes à ânes, partaient dans toutes les directions ; personne ne semblait savoir où se trouvait le front. A Rozoy, en déjeunant dans une petite auberge, ils tombèrent sur trois journalistes anglais qu'on avait arrêtés parce qu'ils se trouvaient en zone interdite. Pourtant, les officiers qui les gardaient ne firent aucune remarque ni à Reed ni à Dunn. A la tombée du jour, ils étaient à Crécy ; là, les tommies anglais leur firent le récit de la retraite de Mons. Lorsqu'un soldat demanda si les Russes étaient déjà arrivés à Berlin, un caporal lui répliqua sèchement : « Je t'ai déjà dit qu'ils n'avaient pas encore franchi les Pyrénées. » Ils laissèrent repartir leur voiture sur Paris, et passèrent une nuit plutôt agitée ; sous les fenêtres de leur chambre d'hôtel, ils entendaient le vacarme des chevaux et des attelages. Ils apprirent par les

---

12. Article sans titre, inédit, daté de Paris le 22 septembre 1914 (manuscrits J. R.).

cris d'une estafette à motocyclette que la Seconde Armée avait franchi la Marne ; le front se trouvait désormais à plus de trente kilomètres au nord.

Puisque les combats se déroulaient trop loin pour qu'ils puissent s'y rendre à pied, Reed et Dunn décidèrent de se rapprocher du Quartier Général britannique pour essayer d'obtenir l'autorisation de faire le trajet dans un train militaire. Une voiture de l'état-major, occupée par deux lieutenants, les emmena finalement à Coulommiers ; là, un capitaine de gendarmerie les réprimanda vertement de s'être introduits dans une zone interdite aux journalistes et leur fit promettre de quitter la ville. L'après-midi, ils se promenèrent dans Coulommiers, et virent de belles maisons aux balcons ouvragés que les Allemands avaient bombardées ou endommagées avant de se retirer ; traversant le pont aux vieilles arches qui enjambe le Grand Morin, ils fraternisèrent avec des soldats anglais qui cherchaient en vain à boire du thé dans les cafés de la ville. Le soir, ils firent un maigre repas à l'auberge du « Mouton Blanc » en compagnie de quatre autres journalistes également consignés. Le jour suivant, on les remit aux gendarmes français qui, après avoir rempli de longs procès-verbaux, les firent monter dans un train plein de prisonniers allemands en partance pour Tours. Le lendemain, ils purent voir le préfet, qui leur proposa de les libérer en échange de leur promesse écrite qu'ils ne reviendraient plus dans la zone militaire. John, furieux, demanda : « Et que se passera-t-il si je refuse de promettre ? » — « Vous serez obligé de rester à Tours jusqu'à la fin de la guerre », lui fut-il répondu. Il signa le document.

De retour à Paris, les choses ne semblaient pas s'arranger. Mabel sombrait dans une étrange dépression, et le soir, lorsqu'ils faisaient l'amour, une grande tristesse s'emparait d'eux ; Mabel se mettait à pleurer et laissait les larmes sécher sur ses joues. Le jour, elle se traînait dans l'appartement, refusant de voir tous ses vieux amis. Reed, qui se promenait dans les rues, se sentait de plus en plus déprimé. Lorsqu'il devint évident que les alliés avaient arrêté l'avance allemande le long de la Marne et que la capitale ne serait pas assiégée, il y eut de quoi se montrer cynique. Les boutiques où l'on avait accroché des pancartes disant « Le propriétaire et les employés du magasin ont été mobilisés » rouvrirent soudain, et le propriétaire ainsi que les employés « réapparurent sans vergogne ». Le plus ennuyeux pour John, c'est que sa facilité pour écrire semblait avoir disparu. Il peina pendant des jours sur des articles pour le

*Metropolitan,* tâchant de rendre l'atmosphère de ce qu'il avait vu ; il déchirait les feuilles l'une après l'autre, raturait, reprenait, mélangeait les événements au point qu'ils n'avaient plus aucun sens, même pour lui. A la fin de septembre, il envoya à Hovey un certain nombre de feuilles qu'il désignait dans une lettre explicative comme « une espèce de journal ». Il espérait que rien n'en serait publié et avouait : « Je n'ai jamais rien écrit de pire » ; il accusait son rhume et sa dysenterie qui ne l'avaient pas quitté depuis l'Italie, ajoutant qu' « il n'avait rien vu qui vaille la peine d'être raconté [13] ».

Empêché de gagner le front, lassé de Mabel, il tournait en rond, essayant de trouver une solution au problème. Il décida de traverser la Manche, pour se rendre à Londres. A première vue, la capitale anglaise se ressentait moins de la guerre que Paris : « La grande ville grise offre toujours de grandes artères grouillantes de vie, que ce soit sur le Strand, dans Oxford Street ou à Piccadilly ; il y a toujours les longues files d'omnibus, de fiacres et de charrettes. Le matin, les employés se rendent dans la City coiffés de leurs chapeaux soigneusement astiqués et vêtus de leurs vestons élimés... Le soir, les restaurants et les théâtres regorgent de monde. On voit s'y presser une quantité apparemment inépuisable de charmants jeunes gens vêtus de smokings impeccables, accompagnés de femmes ravissantes... Les mêmes clochards quittent le caniveau pour ouvrir la porte de votre fiacre ; les mêmes vagabonds sont affalés sur les bancs de Hyde Park [14]. » Après quelques jours passés à discuter avec Fred Boyd qui n'avait guère le moral, et à observer les choses d'un peu plus près, le tableau s'était sensiblement modifié : l'Angleterre était autant que la France la proie de l'esprit militariste.

Derrière l'agitation fiévreuse de la métropole on en voyait partout les signes ; on avait collé sur les murs et sur les vitrines des magasins, des milliers d'affiches où l'on pouvait lire : « Le Roi et le Pays ont besoin de vous. » Piccadilly grouillait d'officiers en uniforme kaki ; des territoriaux en gris olivâtre campaient dans Hyde Park ; sur les marches de la National Gallery, des femmes offraient des plumes blanches aux civils ; John vit

---

13. J. R. à Carl Hovey, 25 septembre 1914 (manuscrits J. R.).
14. Les citations contenues dans ce paragraphe, ainsi que dans les cinq suivants, proviennent de son article intitulé « L'Angleterre mise au pas ». Cf. également « Notes sur la guerre », *Masses,* n° VI, novembre 1914, p. 14.

un camion rempli d'employés se diriger vers un centre de recrutement, portant une pancarte où l'on pouvait lire : « Harrod's lui aussi sert l'Empire ! » Les journaux ne manifestaient aucune opposition au conflit et les politiciens qui le désapprouvaient étaient réduits au silence. Lord Kitchener, beaucoup plus que le Parlement, dirigeait le pays. Il contrôlait le téléphone, le télégraphe, le courrier et censurait la presse. Il était l'idole de l'impérialisme, c'était « le type même du militaire glacé, impitoyable, efficace, un vrai Prussien ».

John ne fut pas trop surpris de constater que le commerce et la vieille aristocratie unissaient leurs efforts pour entretenir l'hostilité vis-à-vis de l'Allemagne : l'empire britannique, résultat de la cupidité et de l'ambition démesurées qui s'exerçaient depuis longtemps aux dépens des peuples colonisés, était tout à fait fidèle à sa politique. En revanche, la réaction du peuple était « extrêmement déprimante » : plus d'un demi-million d'hommes s'étaient portés volontaires au nom du patriotisme, « cet instinct stupide, si profondément enraciné... c'était le sacrifice pour un idéal, l'auto-immolation pour quelque chose qui les dépassait ». John était certes capable de comprendre la notion de sacrifice, mais ce qu'on pouvait admirer au Mexique lui semblait complètement absurde ici, où l'idéal était si vague qu'il n'avait pratiquement plus aucune signification. Lorsqu'on leur demandait pourquoi ils se battaient, les Anglais répondaient que c'était « pour détruire le militarisme prussien » ou encore « parce que la Belgique a été envahie », prétextes que les diplomates eux-mêmes répétaient sans conviction.

Que l'homme de la rue pût sacrifier sa vie pour un empire qui l'opprimait et qui exploitait les autres, il y avait là de quoi aggraver l'abattement de John. Il était encore plus dur de reconnaître que beaucoup de gens de gauche et d'artistes avaient embrassé la cause de la guerre ; les socialistes faisaient des discours où ils parlaient de la nécessité d'exterminer les Huns, des pacifistes de longue date faisaient de la propagande militariste, les leaders syndicalistes ne pensaient qu'à la victoire, et des gens comme H. G. Wells, Thomas Hardy et G. K. Chesterton invoquaient Dieu et l'histoire pour justifier la lutte contre le « despotisme prussien ». En France et en Italie, cela se déroulait à peu près de la même façon ; quelques voix s'étaient élevées pour protester contre la capitulation générale des intellectuels, des dirigeants des partis de gauche et des travailleurs. A Paris, John avait entendu des soldats qui se disaient socialistes, déclarer qu'ils se battaient pour aider la classe ouvrière prussienne à se libérer. Lorsqu'il répliquait que les Allemands prétendaient eux aussi combattre pour libérer les ouvriers russes, cela ne les convainquait jamais. John dut admettre à contrecœur que le patriotisme était plus fort que la conscience de classe.

L'Europe occidentale était devenue « un immense bourbier plein de sentiments guerriers, de vindicte, de mépris, de patriotisme ». D'un seul coup le désir de tuer réduisait à néant tout ce qu'il pouvait y avoir de bon dans l'homme, son intelligence, ses rêves, et son pouvoir d'amour ; « l'art, la littérature... les plaisirs, la famille, la politique », tout cela était « balayé et oublié ». Reed avait toujours été imprégné d'une culture cosmopolite, mélange à la fois plaisant et curieux de peinture, de liberté, de réformes, de socialisme et d'idées révolutionnaires qui avaient depuis toujours librement traversé l'Atlantique. Désormais, il pouvait froidement déclarer que « les Idées étaient mortes en Europe ». Le plus grave était encore que les réactionnaires français, anglais et italiens « profitaient de cette occasion pour écraser délibérément le libéralisme ». En même temps qu'on prônait l'extermination des Allemands, on suggérait de réduire le droit de vote et la libre expression, on souhaitait l'abandon de plusieurs réformes sociales acquises. Si cela pouvait se produire sur ce continent, n'était-ce pas l'annonce de ce qui pouvait arriver en Amérique au cas où la guerre traverserait l'océan ? Reed, en proie à l'humeur la plus sombre, s'assit devant sa machine à écrire et épancha sa bile : dans un article de trente pages, il brossait l'amer tableau de la situation générale en Europe, dénonçant particulièrement l'injustice et l'hypocrisie de l'empire britannique. L'Angleterre se posait « en championne de la vertu », elle qui, en fait, avait « écrasé les libertés plus que quiconque et fait couler plus de fleuves de sang dans le monde » que n'importe quel pays. Elle portait autant que l'Allemagne la responsabilité de la guerre actuelle. Reed fut soulagé de pouvoir donner libre cours à sa hargne, mais ce plaisir fut de courte durée. Continuellement déprimé, il se tourna vers Mabel, mais elle-même se sentait trop mal, elle était dans un état trop brumeux pour pouvoir l'aider ; cet état avait d'ailleurs plus à voir avec John qu'avec les malheurs du monde. Elle se rendait compte maintenant qu'elle ne pourrait jamais le posséder tout à fait. Les événements extérieurs le captivaient trop ; il avait besoin d'amour, mais ne pouvait s'en contenter pour vivre. Bien qu'elle le sût déjà, Mabel l'avait oublié pendant son séjour en Italie, et lorsqu'elle dut se l'avouer à nouveau, ce fut une rude épreuve que de passer seule des heures à l'attendre dans sa chambre d'hôtel. Autrefois il lui avait donné le goût de vivre, maintenant sa présence semblait la précipiter dans les ténèbres. A l'évidence la passion s'était évanouie, mais Mabel ne put se résoudre à l'admettre devant lui. Elle finit par décider de rentrer en Amérique, non sans forcer Reed à lui jurer fidélité et dévouement éternels. Les mots sonnaient bien creux, et Mabel fut triste de constater qu'apparemment il était soulagé d'apprendre qu'elle partait.

Son départ permit à John de laisser libre cours à son chagrin. En compagnie de Fred Boyd, ils burent continuellement jusqu'à Douvres et pendant toute la traversée. Arrivés à Calais, qui disparaissait dans le brouillard, des marins français les emmenèrent dans un établissement qui faisait office de café et de bordel ; là, ils louèrent les services de grosses femmes aux visages mous vêtues de combinaisons vulgaires, puis burent du champagne toute la nuit tandis que l'orchestre jouait la *Marseillaise* dans une salle remplie de militaires qui chantaient faux. C'était encore le meilleur remède. Lorsqu'on entendait, à travers les épaisses vapeurs d'alcool, les mêmes vieilles rengaines sur le kaiser, entrecoupées de malédictions contre la guerre, prononcées par des hommes qui bouffaient du Prussien, elles en devenaient presque drôles. Dans la lumière grise de l'aube ils traversèrent en chantant les rues silencieuses de la ville jusqu'à leur hôtel ; ils étaient enfin délivrés de leurs pensées morbides.

Peu après, il fit un voyage qui lui ouvrit d'autres horizons. En compagnie de Boyd et d'Andrew Dasburg, Reed se rendit dans la région située entre Esternay et Sézanne, qui avait été le théâtre de combats sanglants pendant la bataille de la Marne. « Il faisait un temps sec et frais, c'était une journée lumineuse » ; toutes les villes des environs étaient détruites, les champs étaient jonchés de gravats, de pièces d'artillerie, de lambeaux d'uniformes et d'armes qui rouillaient. Dans la campagne, l'automne faisait fleurir partout des crocus, et les paysans, une fois de plus, labouraient paisiblement leurs champs. C'était le spectacle de la vie qui reprenait le dessus, plus forte que la rage de détruire : « Car les labours et les semailles, le cycle des saisons — l'hiver glacé et le sang de la terre que le printemps réchauffe —, l'amour, la mort, le besoin de manger et la nécessité de se vêtir, voilà ce qui importe dans leur vie. C'est ainsi depuis des temps immémoriaux, malgré les vagues successives des Huns et des Wisigoths, malgré les ravages survenus lors de guerres maintenant oubliées. Les champs guériront eux-mêmes leurs blessures, mais encore plus patients qu'eux, les gens de ce petit village arriveront à leurs fins, grâce à leur rage de vivre [15]. »

Cet intermède paisible s'acheva brusquement lorsque la police arrêta les trois Américains : ils se trouvaient en zone militaire. On tamponna leurs passeports de telle sorte que désormais ils risquaient deux ans de prison si on les reprenait dans une zone interdite. De retour à Paris, Reed s'avéra toujours incapable d'écrire quoi que ce soit pour le *World* ou le *Metropolitan*. D'autre part ses affaires sentimentales ne s'arrangeaient pas. A la fin d'octobre, il reçut un télégramme de Mabel qui lui suggérait de mettre fin à leur liaison. Sans doute John l'avait-il pressenti car, bien qu'ils aient échangé une abondante correspondance — il y disait son chagrin et son désarroi ; elle répondait qu'elle ne voyait pas pourquoi ils ne pourraient pas rester bons amis — au même moment il s'éprenait de Freddie Lee, la femme du sculpteur Arthur Lee, dont il est fait mention dans *La Vie de bohème*. Freddie, grande amie de Mabel, était en convalescence après une diphtérie ; les Lee avaient accepté la proposition que Reed leur avait faite de quitter leur petit studio inconfortable et mal chauffé pour venir habiter dans son appartement. A vivre près l'un de l'autre, quelque chose passa entre eux qu'ils eurent vite fait d'appeler « amour ».

Il faisait bon tourner le dos au désespoir et à la guerre pour retrouver ce genre d'émotion. La nature précaire de leur liaison ne pouvait qu'y ajouter du piment. Arthur les quitta furieux, accusant John d'adultère. Ils craignirent un moment qu'il ne se livre à des violences. John fit part de ces dernières nouvelles à Mabel qui répondit par une lettre compréhensive. Freddie lui écrivit à son tour, lui rappelant le doute qu'elle avait émis quant à la possibilité du bonheur entre un homme et une femme. Maintenant, elle savait que c'était possible. Elle et Reed se sentaient attirés l'un vers l'autre par une sorte de « force vitale » ; sa manière d'être énergique lui plaisait. « Je sens maintenant en moi une grande force intérieure qui m'envahit. » Quant à Mabel, ajoutait Freddie, elle se montrait « plus compréhensive encore qu'une sœur [16] ».

John, tout occupé à dorloter Freddie qui n'était pas encore très vaillante et qu'il aidait à trouver le moyen de divorcer, ne prêta que peu d'attention à la guerre durant le mois de novembre, tandis que la menace allemande s'éloignait de Paris. A la fin du mois, il reçut une lettre de Steffens qui approuvait cette

---

15. « Avec les Alliés », p. 14.
16. *Movers and Shakers,* p. 299.

liaison : « Tout ce que je souhaite c'est que tout aille pour le mieux et pour toujours. » Mais sous cette gentillesse, perçait pour la première fois une ombre d'impatience : « Tu es dans les nuages. C'est bon d'être dans les nuages. C'est magnifique d'être amoureux. L'émotion que donne l'amour est la plus belle chose du monde. C'est évident. Et le fait que ça ne dure pas n'accorde ni le droit ni le pouvoir d'en dissimuler l'existence. Il peut arriver qu'un événement aussi agréable et même meilleur s'ensuive. A savoir le mariage. Mais ni toi ni moi, ni personne ne peut prévoir si les promesses de la première étape seront tenues au cours de la seconde. Aussi n'ai-je rien à en dire pour l'instant. »

Steffens consolait Reed de son manque d'inspiration, affirmant : « Que tu rates cette guerre n'a pas grande importance ; de toutes façons, tu es fait pour réussir. D'autre part, il n'y a pas vraiment de raison pour que tu échoues. » Il se moquait de l'affirmation de John selon laquelle rien ne valait la peine d'être écrit sur l'Europe, et lui reprochait gentiment de s'être lancé dans l'analyse politique avec son article sur l'Angleterre. Même au Mexique, « ton argumentation [...] ne valait pas tes descriptions et tes récits ». En fait, les Etats-Unis étaient sans doute le meilleur endroit « d'où l'on puisse avoir une vue d'ensemble sur le conflit ; c'est à New York qu'on a le plus de nouvelles de tous les horizons et le maximum de commentaires. Nous bénéficions d'une certaine perspective que tu n'as pas, que tu ne peux avoir ». Steffens se déclarait certain que John était toujours capable de bien écrire, et lui prodiguait ces conseils : « Fais confiance à tes yeux et à tes oreilles... Ce que tu peux voir et entendre à Paris, à Londres ou sur les champs de bataille me fascinerait à coup sûr si tu pouvais venir et me le raconter tranquillement. » Steffens, qui se disait lui-même « aveugle », lui expliquait qu'il ne pouvait comprendre les événements qu'intellectuellement, alors que John, lui, avait le don de la description : « Tu n'as pas atteint la sagesse, John ; pas encore. Mais tu sais voir et à coup sûr, tu sais écrire [17]. »

Incapable de suivre ce conseil, John ne répondit pas directement à Steffens, mais exposa toutes ses difficultés dans ses lettres à Carl Hovey. Le directeur du *Metropolitan,* très déçu par la production de John, s'était néanmoins arrangé pour extraire deux articles de la masse de documents qu'il lui avait envoyés ; il avait cependant rejeté l'article sur l'Angleterre, se plaignant

17. L. Steffens à J. R., 19 novembre 1914 (manuscrits J. R.).

de ce que son auteur « était de toute évidence incapable de saisir l'ensemble de la situation », comme il avait su le faire au Mexique. Reed reconnaissait que ses reportages étaient « très mauvais »; il en tenait la guerre pour responsable. Elle était si « horrible », c'était un combat « tellement sordide et peu exaltant, si dénué de sens pour lui qu'il le trouvait impossible à décrire ». Il avait, certes, écrit son article sous le coup de la colère, mais il jugeait essentiel d'insister sur ce que tous les autres correspondants passaient sous silence : le fait que la Grande-Bretagne n'était pas une innocente victime de l'Allemagne mais portait autant qu'elle la responsabilité de la guerre. En réalité, ce qu'il avait envie d'écrire, c'était une sorte de réflexion politique sur chaque pays, qui aurait fait l'objet d'une série d'articles où il aurait exposé « les racines historiques » du conflit [18]. Lorsque Hovey refusa cette proposition et demanda à John de rentrer en Amérique pour en discuter, John finit par accepter ce que Hovey l'avait toujours poussé à faire, une enquête sur la vie dans les tranchées. Comme il était interdit sur le front français, il dut chercher ailleurs les combats.

Cela s'intégrait bien dans les projets qu'il faisait avec Freddie. Le 1er décembre, ils avaient décidé de se marier ; Freddie, qui était née en Allemagne, désirait beaucoup revoir sa famille. John fit comprendre à son directeur que ses problèmes d'écriture résultaient de ses difficultés avec Mabel, « un fardeau qui a failli m'écraser pour de bon ». Il se déclarait maintenant « fort, en pleine santé, plein d'énergie, capable de voir et d'entendre » ; il se sentait « enfin libre comme il l'avait été au Mexique [19] ». Hovey avait confiance en lui ; il lui envoya six cents dollars pour payer les dépenses de Freddie. John, reconnaissant, lui promit ce qu'il lui avait refusé après son séjour au Mexique : deux ans d'exclusivité sur tout ce qu'il écrirait. Espérant qu'il trouverait en Allemagne matière à faire de bons articles, Freddie et lui partirent au début de décembre pour la Suisse, et de là pour Berlin.

Le voyage ne fut guère heureux et n'apporta aucune des satisfactions escomptées. A Paris, le mariage s'était déroulé comme en un rêve charmant et lointain, mais sur place, en présence de la famille de Freddie, l'idée du mariage devint en même temps bien réelle et parfaitement absurde. Leur amour

18. J. R. à Carl Hovey, 11 octobre et 15 novembre 1914 (archives Gold).

19. *Ibid.*, et lettres du 1er et du 4 décembre 1914 (archives Gold).

disparut peu à peu, après une série de scènes orageuses suivies de réflexions amères ; il se réfugia dans les bars de Berlin où il se mit à boire comme un trou en compagnie des autres correspondants de guerre ; ensemble, ils critiquaient la bureaucratie allemande qui les empêchait d'accéder rapidement au front. En attendant que les autorités organisent cette visite aux tranchées, Reed chercha à prendre contact avec les radicaux allemands. Après quelques difficultés, usant de ruse, il obtint un entretien avec Karl Liebknecht, l'un des rares députés socialistes du Reichstag à avoir voté contre le budget de la guerre en décembre. La rencontre eut lieu dans un misérable local du parti social-démocrate. Le leader socialiste avait les yeux cernés par la fatigue, mais son visage rond était avenant, et il émanait de sa personne une impression de tranquillité. Comme John l'interrogeait sur son opposition à la guerre, Liebknecht répondit simplement : « Pour un social-démocrate, il n'y a pas d'autre attitude possible. » Il était profondément convaincu que « la classe ouvrière internationale était opposée au conflit, malgré les capitulations temporaires qui s'expliquaient par les pressions qu'on avait exercées sur elle ». Lorsqu'il fut question de la révolution mondiale, il fit cette réponse assurée : « A mon avis, de la guerre il ne peut rien sortir d'autre [20]. »

Le calme optimisme de Liebknecht — que tout en Europe semblait contredire — était réconfortant, mais Reed était trop déprimé pour se laisser gagner par cette bonne humeur. Lorsqu'au début de janvier un officier de l'état-major allemand vint accompagner le groupe de correspondants au train qui partait pour la Belgique occupée, Reed s'efforça de laisser ses soucis derrière lui. Certains de ses compagnons étaient de vieux amis ; parmi eux, Robert Dunn et Ernest Poole, qui l'avaient aidé lors du spectacle sur Paterson ; au début, le voyage fut plutôt gai. Les Américains étaient traités royalement — en grande partie parce que le sénateur américain Albert Beveridge se trouvait avec eux ; ils étaient accueillis par des officiers prussiens extrêmement polis, vêtus d'uniformes impeccables. De Belgique, on les conduisit en France occupée. Dans des véhicules découverts, ils roulèrent le long de ce qui avait été des champs de bataille, tout en discutant aimablement sur ce que pourrait bien être le monde après la guerre. Dunn prévoyait une période de puritanisme, d'austères sacrifices, de pauvreté et de dur labeur ;

20. Article de J. R., intitulé « Déclaration de Karl Liebknecht », *Revolutionary Age,* 1ᵉʳ février 1919.

John n'était pas de cet avis : « Ce sera le socialisme. On fera bombance et il y aura du champagne à gogo pour tout le monde[21]. » Les journalistes, qu'on emmenait dans les meilleurs restaurants et les hôtels les plus luxueux, étaient pleins d'entrain. Reed désemparé masquait les véritables sentiments que lui inspirait la guerre en se livrant à des plaisanteries loufoques pour faire rire la compagnie. Se vantant de ses exploits amoureux, il raconta l'histoire d'Arthur Lee dont il fit un mélodrame où le mari furieux, pistolet au poing, le poursuivait dans les rues de Paris. Parfois, la colère reprenait le dessus : une nuit, John était tellement ivre qu'il se mit à faire un boucan épouvantable et cassa un certain nombre de fauteuils avant que ses amis ne parviennent à le calmer.

Ces brusques sautes d'humeur ne faisaient en quelque sorte que refléter la nature contradictoire de la situation en France occupée. Les correspondants de guerre étaient étroitement surveillés par des officiers qui se montraient déférents, parfois même amicaux ; on les mena dans des hôpitaux militaires parfaitement équipés, dans des écoles françaises qu'on avait rouvertes, dans de grandes villes comme Lille, ou dans de petits villages, dans des *Bierstuben* confortables et dans des palaces de grand luxe où ils furent reçus un soir à dîner par le Kronprinz Rupprecht de Bavière. Partout, on voyait des gares bombardées, des ponts détruits, des usines fermées dont les cheminées ne fumaient plus, des tranchées abandonnées dans les champs, des barbelés tordus et « de gros monticules de terre qui étaient tantôt des tas de betteraves, tantôt des tombes, il était impossible de distinguer les uns des autres ». Partout l'efficacité des Allemands était évidente, de même que leur détermination à demeurer dans cette partie de la France. Moins de deux mois après les grandes batailles, la reconstruction commençait. Ils virent des hôpitaux qu'on venait d'équiper à neuf, des usines électriques, des ponts en acier et en béton qu'on faisait venir des usines allemandes, des voies de chemin de fer en réparation et des rouleaux compresseurs qui refaisaient les routes[22].

Il était réconfortant de constater qu'ici le peuple français

---

21. Cité dans l'ouvrage de Robert DUNN, *World Alive*, Crown, New York, 1956, p. 214.

22. Ces citations, de même que celles qui suivent dans ce chapitre et qui ne font pas l'objet d'une note particulière, sont tirées de deux articles de J. R. intitulés, d'une part, « La France allemande », *Metropolitan*, mars 1915, p. 13-14, 81-82, et, d'autre part, « Dans les tranchées allemandes », *ibid.*, avril 1915, p. 7-10, 70-71.

faisait preuve d'un courage dont il manquait à Paris. Les journalistes, qui se déplaçaient dans des véhicules militaires, étaient souvent pris par la population pour des officiels allemands : « Quand nous roulions dans la campagne, la misère et la haine assombrissaient les visages de ceux qui regardaient passer notre convoi ; les journalistes qui se trouvaient dans les dernières autos pouvaient entendre les insultes qu'ils nous lançaient : cochons ! Boches ! » Reed fut aux anges lorsqu'il rencontra une prostituée qui mourait de faim parce qu'elle refusait de coucher avec les Allemands ; il put ainsi lui fournir du travail sans heurter ses sentiments patriotiques. Un jour, dans une minuscule boutique, une femme au visage osseux lui fit un grand sourire lorsqu'elle apprit qu'il était américain : « Oh ! Monsieur, dites-moi la vérité ! comment cela se passe-t-il à Paris ? Sont-ils découragés ? Est-ce qu'ils pensent un peu à nous autres, ici ? » De telles réactions le réconfortaient ; c'était « merveilleux » de voir « l'espoir et la foi » d'un peuple qui refusait d'admettre sa défaite en dépit de l'armée d'occupation qui le tenait sous sa coupe.

Les Allemands étaient plus difficiles à saisir ; ils faisaient preuve d'un curieux mélange d'enfantillage et d'efficacité, de politesse et de cruauté réglementaires. Dans les tavernes, Reed et Dunn étaient toujours bien accueillis par les militaires, et le prince Rupprecht, après un dîner très cérémonieux, leur fit part de l'intention qu'il avait de voyager aux Etats-Unis après la guerre. Près de Verdun, ils aperçurent l'état-major du kaiser, les gardes avec leurs cuirasses étincelantes et leurs casques à pointe, les princes et les officiers vêtus d'uniformes splendides, l'épée au côté, portant monocle et croix de fer : « C'était un véritable Empire, au sens médiéval du terme. Le spectacle de toutes ces altesses, de ces uniformes et de ces décorations était tout à fait extraordinaire. » Le pittoresque et l'amabilité de ces gens ne masquaient en rien le fait qu'ils faisaient partie d'une machine militaire qui fonctionnait « comme une horloge », d'une armée dans laquelle les soldats étaient entièrement soumis et obéissants à leurs supérieurs. Ces conquérants exploitaient systématiquement le pays occupé parce que, comme un officier le lui avait expliqué, « la France était riche ». Le résultat, il l'avait vu à Lille, c'était que les Allemands avaient mis la main sur tous les stocks alimentaires, les réserves d'essence, de textiles et de matières premières telles que le cuivre et le caoutchouc ; la population, jadis riche, était maintenant au bord de la famine.

Les soldats allemands pris chacun en particulier, ne montraient aucune animosité envers les Français ; quant aux officiers, ils se montraient souvent généreux et, de leurs automobiles, jetaient des pièces aux femmes et aux enfants dans la rue. Ils éprouvaient de la pitié pour « ces pauvres diables », mais leur raisonnement achoppait toujours sur la même phrase : « C'est la guerre. » Les officiers aussi bien que les conscrits répétaient exactement les mêmes explications, au point que Reed fut lassé d'entendre cette litanie de la part de gens dont l'humanité semblait totalement dépourvue de discernement. Une haine féroce aurait au moins justifié « subjectivement » ce qu'ils faisaient à la France, mais comme les alliés de leur côté, les Allemands montraient une obéissance aveugle aux ordres du Kaiser et de la nation : « Nous sommes engagés. Nous combattons pour la patrie. Savoir comment ou pourquoi cela a commencé ne change absolument rien. Chaque homme, chaque mark, chaque idée est au service de l'Empereur. »

De telles attitudes ne pouvaient qu'alimenter la colère de John, mais il espérait toujours que la situation serait différente sur le front. La brève visite qu'il fit dans un secteur calme de la grande tranchée qui allait de la mer du Nord jusqu'à la frontière suisse, fut à cet égard décevante. Se plaignant de ce qu'on les tînt à l'écart de l'action, Reed et Dunn demandèrent au sénateur Beveridge d'appuyer leur demande afin qu'ils puissent se rendre sur les lieux du combat. Cette demande fut acceptée le 11 janvier par le Second Corps d'Armée bavaroise. Après un séjour dans un camp de repos situé à l'arrière, près de Comines (avec douches, lits, bars et centres de loisirs), on emmena les journalistes au front, par un après-midi gris et nuageux, à quelques kilomètres au sud d'Ypres. En dehors des ambulances et des camions de l'armée, la campagne était déserte, « si profondément nettoyée de tout ce qui n'était pas la guerre, qu'on n'aurait jamais pensé qu'une paisible civilisation avait pu autrefois y fleurir ». Depuis des jours, ils entendaient au loin les roulements sourds de l'artillerie, et maintenant, tandis qu'ils traversaient un terrain creusé de cratères et qu'ils passaient dans des villages en ruines, le tonnerre des énormes canons se faisait de plus en plus fort. Un obus vint éclater à deux cents mètres, sur le quai de chemin de fer, au moment où ils descendaient du train ; ils s'enfoncèrent dans un champ boueux et s'engagèrent en pataugeant dans la direction des premières lignes.

Les soldats vaquaient tranquillement à leurs occupations,

manœuvrant leurs énormes machines de guerre. Des artilleurs fumant le cigare chargeaient les obusiers avec nonchalance, vérifiaient la culasse qu'ils refermaient d'un coup sec ; ils se bouchaient les oreilles pendant que le canon grondait ; une flamme et une fumée grise s'échappaient de la gueule de l'engin et un obus filait en hurlant vers une cible invisible. A côté, un opérateur de transmissions, dans un abri, mâchonnait un sandwich et lisait un roman tout en répétant les ordres qui lui parvenaient, causant de temps à autre dans son téléphone. L'obscurité vint, et les officiers, voulant dissuader les Américains de s'aventurer plus avant, leur racontèrent toutes sortes d'accidents mortels qui s'étaient produits dans le secteur. Après quelques moments d'hésitation, la curiosité l'emporta sur la peur. Tandis qu'une pluie sombre et tenace se mettait à tomber, deux soldats les conduisirent jusqu'à un petit monticule ; de là ils longèrent les murs de pierre d'une ferme et traversèrent un village en ruines. Ils étaient environnés « de toutes sortes de sifflements qui ressemblaient au bruit du vent dans les fils télégraphiques » et John comprit soudain qu'ils étaient sous le feu. Les balles s'écrasaient sur une palissade toute proche, soulevant des giclées de boue qui les éclaboussaient depuis la route ; à partir de ce moment « l'air ne fut plus qu'un tourbillon d'acier sifflant et vrombissant ».

Un colonel bavarois leur offrit à dîner dans une vieille ferme flamande, massive, où il avait installé son Quartier Général. La cuisine, avec son immense cheminée de pierre, servait de salle à manger ; au plafond les poutres énormes étaient noircies par la fumée, l'un des murs avait été troué par un obus et colmaté à l'aide de vieux chiffons. La nourriture était abondante : une soupe épaisse faite avec les légumes du potager, du bœuf en boîte, du fromage et du pain, le tout arrosé de vin blanc et de bière munichoise. Dans un coin, un soldat assis devant un central téléphonique répétait les messages à voix haute mais ce colonel étonnant n'y prêtait guère attention ; il ne s'occupait que de distraire ses invités en leur racontant des blagues de régiment. Des estafettes faisaient irruption dans la pièce, apportant les dernières nouvelles des tranchées ; tandis que leur hôte continuait à ouvrir des bouteilles de bière, les Américains entendirent les messagers faire état de percées catastrophiques dans les lignes qui auraient inquiété les plus braves. Lorsqu'un lieutenant vint les chercher pour les emmener au front, il n'y eut que Reed et Dunn pour le suivre, après avoir jeté des couvertures sur leurs épaules ; on glissa dans leurs poches quelques bouteilles d'alcool. Ils se retrouvèrent dehors, « dans la nuit zébrée, hurlante, emplie de chants lugubres [23] ».

Durant les quelques heures qui suivirent, ils firent l'expérience de la guerre dans toute son horreur, son angoisse, sa monotonie et ses multiples dangers. La pluie n'arrêtait pas de tomber, ils pataugeaient dans une boue qui semblait vouloir les engloutir ; ils en eurent jusqu'aux chevilles, jusqu'aux genoux, puis jusqu'aux cuisses, enfin jusqu'à la taille ; leurs manteaux, leurs manches, leurs visages en étaient enduits ; ils ressemblaient à des créatures sorties des entrailles de la terre. Ils purent, un bref instant, se mettre au sec dans une ancienne cave à vin où ils burent de la bière en compagnie d'un commandant qui connaissait les Etats-Unis pour y avoir fait une tournée comme pianiste de concert et qui possédait un piano à queue au milieu de son quartier général souterrain. Après quoi, ils furent à nouveau envahis par la boue ; ils jouèrent au poker et burent du champagne dans un petit abri, également souterrain, où « l'humidité suintait le long des murs boueux, où l'air était chargé de senteurs de terre humide » ; ils pataugèrent sur des kilomètres, progressant au fond de tranchées molles et zigzagantes ; ils glissaient et se rattrapaient comme ils pouvaient ; des mains secourables se tendaient parfois pour les en sortir. Sur la ligne du front les hommes silencieux, épaule contre épaule, s'abritaient derrière de minces plaques d'acier, percées de meurtrières pour laisser passer les fusils : « trempés sous la pluie battante, le corps écrasé contre la boue, ils restaient enfoncés dans l'eau brune jusqu'aux cuisses à tirer huit heures sur vingt-quatre ». Les deux armées lançaient des fusées éclairantes qui illuminaient le champ de bataille de lueurs fantasmagoriques et permettaient aux soldats de tirer en direction de parapets qui disparaissaient sous la boue à une cinquantaine de mètres devant eux, sans savoir jamais s'ils touchaient un ennemi. Dans la lumière grise, Reed et Dunn, chacun à son tour, observèrent derrière les meurtrières. A une quinzaine de mètres devant eux, gisaient les corps des soldats français tombés lors du dernier assaut, et qui s'enfonçaient lentement dans une terre luisante, pareille à des fonds sous-marins.

Un duel d'artillerie se déclencha — « au loin un éclair énorme déchira la nuit et le grondement terrifiant d'un gros obus qui éclatait nous perça les tympans et nous fit chanceler ».

---

23. Robert DUNN, *Five Fronts*, Dodd and Mead, New York, 1915, p. 186.

Profitant d'un moment d'accalmie, leur guide emprunta le Mauser d'un soldat et, un peu en manière de plaisanterie, le tendit à John. Sans réfléchir, Reed pris l'arme, la glissa dans une fente et appuya deux fois sur la détente. Dunn fit ensuite la même chose. Peu après l'artillerie se remit à gronder, le sol trembla et le vacarme des shrapnells couvrit le bruit des fusils. Ils se replièrent dans une tranchée plus petite et trouvèrent refuge dans un minuscule abri enfumé. La nuit fut longue ; ils passèrent le temps en fumant des cigarettes et en buvant de la bière ; il y eut là un curieux intermède : ils purent écouter au téléphone le commandant qui dans son Quartier Général jouait des valses de Chopin. Dans l'aube blafarde, ils revinrent en compagnie d'un régiment qui retournait à Comines pour les trois jours de repos réglementaires. Tandis que, plongés dans leurs réflexions, ils traversaient les champs paisibles, une troupe d'un millier de soldats les croisa ; c'étaient des hommes propres, secs, nourris, reposés ; ils chantaient un hymne militaire entraînant. Trois jours plus tard, ces mêmes troupes fraîches seraient harassées, couvertes de boue et repartiraient pour l'arrière. Ce cycle sans fin symbolisait le gâchis désespérant et toujours recommencé qu'était la guerre.

A Berlin, il eut le temps de ruminer tout ce qu'il avait pu voir. Désormais, son dernier espoir de trouver un sens à ce conflit avait disparu. Le danger encouru dans les tranchées l'avait impressionné ; il avait vécu et observé les événements, et il put écrire son meilleur article depuis cinq mois qu'il était sur le front Ouest. Pourtant l'intérêt de ces événements ne lui suffisait pas. Ce qu'il voulait c'était des actes qui aient un sens. Les Allemands, avec leur machine de guerre bien huilée, perdaient toute humanité. Certains soldats s'étaient montrés amicaux, mais leur gentillesse semblait surtout faite de résignation lugubre, ils manquaient complètement de l'énergie et de l'enthousiasme de la Tropa. En Allemagne comme en France et en Angleterre, la culture, l'éducation, la civilisation s'effaçaient pour laisser place à l'industrie de la mort.

Dans le calme de la capitale allemande, ces réflexions mélancoliques le rendirent peu à peu cafardeux et cette humeur ne fit que s'accentuer lorsqu'il comprit que sa propre existence n'avait plus guère de sens. Ses relations amoureuses ne lui apportaient plus aucune satisfaction. Sa liaison avec Freddie lui laissait un goût amer et le sentiment vague qu'elle n'avait été qu'un effort désespéré pour trouver un sens dans ce monde absurde. Lorsqu'il reçut une lettre — qui avait dû s'égarer —

de Hutchins Hapgood, où celui-ci essayait de le consoler de sa rupture avec Mabel, il se remit à boire comme un trou ; en refaisant surface, il constata que son amour pour elle était bien loin d'être mort. Le 16 janvier, il répondit à Hapgood : « Je vais bientôt rentrer aux Etats-Unis. Je t'en prie, n'en dis rien à personne. Je veux m'isoler quelque temps pour réfléchir et pour travailler... Je suis encore anéanti, mais je suis à nouveau capable de me saoûler. La liberté est décidément un bon remède pour devenir sobre [24]. »

Si la liberté rendait John sobre — et la guerre faisait de même —, c'était un genre de sobriété qu'il n'appréciait guère. Depuis cinq mois, ses seules échappatoires avaient été l'amour et l'alcool, et maintenant que l'amour avait disparu, son esprit était la proie d'une confusion permanente. En Europe, sa vie sentimentale avait été mise en pièces dans la tourmente, ses espoirs et ses craintes personnels et professionnels, sa philosophie, en avaient pris un sacré coup. Une seule chose était sûre : il n'y avait plus rien à apprendre des pays belligérants. Il était temps de rentrer, de se rétablir et de voir ce qu'on pouvait retirer de l'expérience.

Reed était profondément convaincu que rien ne justifiait la guerre. Steffens et Hovey avaient sans doute raison de penser que son analyse politique n'était pas la bonne — il s'en doutait d'ailleurs ; mais il y avait, dans la lettre que Steffens lui avait envoyée au mois de novembre, quelque chose qu'il ne pouvait admettre : l'idée que la distance donnait du recul et une optique juste, que l'imagination valait mieux que l'expérience, qu'on comprenait mieux la guerre à New York qu'en France, en Belgique, ou en Allemagne. Sans qu'il se le formulât vraiment, il n'arrivait pas à croire que l'intellect pût à lui seul expliquer, comprendre, ordonner, analyser et en fin de compte rationaliser, puisqu'il ignorait l'indiscutable témoignage des sens. Cela pouvait s'appliquer aussi bien à Liebknecht qu'à Steffens. John admirait le socialiste allemand, mais trouvait que les faits ne justifiaient pas son optimisme et qu'il se fondait trop sur la théorie abstraite. Il avait désapprouvé cette « guerre de marchands » dès son début, et néanmoins il s'était efforcé d'en rendre compte en adoptant le point de vue qu'on pouvait en avoir sur place. Résultat, il était déçu, car cette guerre « n'avait absolument rien de la spontanéité, ni de l'idéalisme

_____

24. Cité dans une lettre de H. Hapgood à M. Eastman, 14 janvier 1942.

de la révolution mexicaine. C'était une guerre d'industries, et les tranchées étaient des usines de mort : mort de l'esprit aussi bien que celle du corps, la seule mort véritable[25] ». Steffens et Liebknecht se plaisaient sans doute fort à faire des pronostics, mais ils donnaient tous les deux l'impression d'être des enfants qui parlent seuls dans le noir pour se rassurer.

John maussade, déprimé, fumait et buvait énormément, il était temps pour lui de retourner en Amérique. Il savait maintenant qu'en août 1914 le monde avait pris un tournant fatal et que plus jamais les choses ne seraient comme avant. Sa propre personnalité s'était lentement épanouie non sans difficulté, en temps de paix, au cours d'expériences audacieuses, sociales aussi bien qu'artistiques, à une époque où le simple mot de « révolution » évoquait encore le spectre de la violence. Tout cela avait changé. L'Amérique n'était pas encore atteinte, cependant les grands espoirs qui soutenaient la bohème avaient été suffisamment bafoués en Europe pour qu'on soit en droit de redouter ce qui pouvait arriver outre-Atlantique. Le monde en 1915 n'était pas le même qu'avant le conflit ; à coup sûr, il était pire. Ces changements avaient profondément affecté Reed, à la fois dans sa personne et dans sa profession ; le front occidental lui avait appris à connaître ses limites. Le manque d'intérêt pour ce conflit l'avait empêché de donner libre cours à ses émotions ; il s'était avéré incapable de dépeindre la bataille comme un glorieux spectacle et d'entourer la mort de cette aura romanesque qui avait éclairé ses descriptions de la guerre du Mexique. Il avait voulu analyser les raisons du conflit, et n'avait pas trouvé d'écho à son attitude passionnelle et radicale. Il n'était plus question de savourer la célébrité acquise avant la guerre, mais ce n'est pas cela qui le chagrinait. John se refusait à vivre dans le passé, il savait que seul comptait l'avenir, avec toutes les possibilités qui pouvaient s'offrir, même les plus inattendues. Il espérait que de retour chez lui, il saurait trouver un moyen de mettre ses talents au service du monde nouveau créé par la guerre.

---

25. *Trente ans, déjà.*

# New York

*Pygmalion, Pygmalion, Pygmalion*
*Une prairie à flanc de colline était amoureuse de*
                              *[Pygmalion...*

*Et lorsqu'il partit...*
*Il abandonna l'amour ;*
*O la souffrance du cœur pour l'amant disparu,*
*Quant tout est comme avant, et cependant si vide !*
*Son corps pâle écrasait les fougères de la vallée,*
*Et son chant joyeux mourait sur les routes loin-*
                              *[taines ;*
*Mais l'amour le poursuivit, voletant autour de lui*
                       *[pendant son sommeil,*
*Donna de l'audace à ses pas, de la force à sa main,*
*Un doux élan à ses pensées sereines.*
*Lui, qui n'avait besoin que de vivre, voulait désor-*
                       *[mais davantage ;*
*C'est ainsi qu'il revint enfin à ses chères collines.*


*Pygmalion, Pygmalion, Pygmalion...*
*Dans son orgueil, il disait : « Tu es sauvage et*
                       *[inanimée ! »*
*Il ne sentait pas la paisible chaleur de la terre*
*Ni les prodigieuses pulsations qui soulèvent douce-*
                       *[ment les collines...*
*Il arracha un roc brillant du sein de la prairie,*
*Et sut lui donner l'apparence charmante et palpi-*
                              *[tante*
*De son rêve, de sa vie, de toutes les femmes de la*
                              *[terre.*
*Elle était mince et blanche, fantasque et capricieuse*
*Etincelante au soleil, languide à l'ombre des nuages*
*Pâle à l'aurore, et rose à la fin du jour.*
*Il la considéra et soudain sentit le caractère inexo-*
                       *[rable et cruel*
*De la volonté de la nature : celle de l'herbe, du roc*
                       *[et des arbres en fleurs*
*Sans elle il se savait faible et insatisfait*
*Il savait qu'il abritait en lui sa propre perte*
*Lui, l'esclave d'une pierre inerte, froide au toucher*
*Qui aimait à la façon d'une pierre, qui aimait sans*
                       *[jamais un frisson...*

*Ses mains brûlantes et moites sur les flancs polis,*
                              *[et ses avides*
*Mains suivent les hanches froides, les seins glacés*
*Le ventre souple et rayonnant*
*« Galatée ! » un murmure naissant enflamme sa*
                              *[gorge*
*« Galatée ! Galatée ! » ses entrailles sont en feu*
*« Galatée ! Galatée ! Galatée ! » sa bouche contre*
                              *[la sienne...*

*Une roche, voilà ce qu'elle est : son cœur est celui*
                              *[de la colline,*
*Empli de tout ce qui l'entoure : plein de vent et*
                              *[d'abeilles*
*et d'immenses étendues d'air qui choient sans fin.*
*Le désespoir et le remords l'assaillent ; il sait qu'elle*
                              *[est*
*Hors d'atteinte, elle qui est née de sa volonté mais*
                              *[aussi de la colline.*
*Elle brille au loin comme un navire cinglant toutes*
                              *[voiles dehors*
*Dont la coque enfoncée semble être incrustée pour*
                              *[toujours dans la mer...*

John REED, poème extrait du recueil *Tamburlaine*, p. 18-20 ; cité par LUHAN, *op. cit.*, p. 358, 384-385.

Pendant le printemps 1915, John Reed tenta de retrouver un vieux mythe. Il est significatif qu'il soit retourné à la poésie, abandonnée depuis deux ans. Les événements extérieurs, les gens l'avaient peu à peu éloigné de son monde intérieur ; il s'était avant tout consacré à l'action et au journalisme. Si ces moyens d'expression lui suffisaient d'habitude, ils ne lui permettaient pas toujours de transmettre ses émotions les plus vives. Par moments, lorsque la confusion rendait la réalité aussi vague qu'un rêve, il avait encore besoin de la poésie comme d'une sorte de « soupape ». Après 1914, John n'écrivit que peu de poèmes, mais chaque fois qu'il en achevait un, c'était — à la différence de ses productions antérieures — l'expression d'un problème qui le concernait intimement.

Ses relations avec Mabel le jetaient dans un grand désarroi. Celle-ci lui échappait plus que jamais, lui donnant la preuve que l'amour entre un homme et une femme était un phénomène confus et mystérieux. John n'était pas Pygmalion ; il ne pouvait créer l'amour à partir de la terre. Sans Mabel, il se sentait étrangement vide, et ce manque était lié à quelque force naturelle dont l'origine le laissait perplexe. Cette spiritualité évanescente et ces liens mystiques qu'elle prétendait avoir avec une existence souterraine que la vie réelle masquait, lui avaient toujours paru tarabiscotés et ridicules ; c'étaient, pensait-il, les chimères d'un esprit troublé. Mais maintenant, John avait moins envie d'en sourire ; il était davantage porté à croire que « son cœur était le cœur de la colline », et il trouvait que si Mabel ressemblait à « Un navire cinglant toutes voiles dehors », c'était sur un océan bizarrement hors d'atteinte.

Lors de son retour en Amérique, à la fin de janvier, la première préoccupation de John fut d'essayer de reprendre leur liaison. Il avait renoncé à l'idée de s'isoler pour pouvoir travailler, et durant la traversée, l'idée de revoir Mabel l'avait obsédé. Il savait bien que son aventure avec Freddie n'arrangerait rien entre eux deux, Steffens lui ayant écrit que Mabel souhaitait voir John comme un ami, sans plus. Ce qui ne l'empêchait pas de la considérer toujours comme une femme idéale, douce, affectueuse et maternelle, capable de comprendre et de pardonner toutes les erreurs. A New York, sur un coup de tête, John acheta deux alliances ; dans son esprit ce geste préludait au mariage et les unirait tous les deux définitivement. Il projeta d'acheter un terrain et d'y construire une maison : il essayait de reconquérir son amour.

Il la retrouva dans une petite maison située sur les collines boisées qui dominent Croton, petite ville au bord de l'Hudson, à cinquante kilomètres de la capitale. Ne trouvant plus aucun attrait à la politique ou à l'activisme, Mabel avait décidé de dire adieu au vrai Reed et au Reed de la légende, « à ce garçon joyeux, impulsif, et adorable, au front rayonnant ; au mouvement ouvrier, à la révolution et à l'anarchie ». Elle se sentait des aspirations spirituelles et utilisait Croton comme une sorte de retraite loin des « agitations pernicieuses du monde ». Elle essayait de revenir aux forces essentielles et de retrouver par le contact avec la terre et les plantes, grâce au lent rythme des saisons, sa personnalité véritable. L'aventure avec Freddie l'ennuyait moins que la perspective de devoir encore une fois succomber au charme de Reed et donc, de dépendre de lui ; Mabel était bien décidée à « se contrôler [1] ». L'amitié et la curiosité la poussaient à revoir John, mais elle s'était juré de ne pas redevenir sa maîtresse.

Leur séjour à Croton fut à la fois charmant et tendu, paisible et tourmenté. Les montagnes sombres, l'hiver, le vent dans les branches nues des arbres et la pâle lumière du soleil qui baignait le fleuve au loin agirent sur son esprit à la façon d'un remède. La guerre était reléguée au rang de lointain cauchemar, ou de souvenir d'une autre vie. Ils se promenaient sur les

---

1. *Movers and Shakers,* p. 303.

chemins boueux et il lui racontait ses aventures ; ou bien, ils restaient assis l'un près de l'autre dans la petite maison aux pièces claires. John trouva Mabel ravissante, mais hors d'atteinte, tandis que lui semblait l'attirer à nouveau : « Le visage enfantin de Reed, aux traits ronds, pleins d'énergie, la lumière qui jouait sur son front, ses yeux noisette, son humour qui n'avait pas tout à fait disparu... tout en lui me semblait... précieux et digne d'être aimé. » Satisfaite de voir que l'ardeur de John n'était pas éteinte, elle dut se rappeler que leur bonheur était superficiel et que somme toute, comparé à la nature immense, « John était plutôt décevant ». Se resaisissant, elle fit la sourde oreille à ses propositions et feignit l'indifférence [2].

Reed tenta de forcer ses réticences en mettant maladroitement le mariage sur le tapis ; il sortit les alliances. Mabel, à qui le désir évident de John donnait plus de force, refusa avec tant de violence qu'une dispute s'ensuivit. Elle répétait : « Entre nous, c'est fini », tandis qu'il la harcelait de questions : « Mais pourquoi ? que s'est-il passé ? Qui y a-t-il entre nous ? » John refusait d'admettre que seule la « Nature » était en cause, et convaincu qu'elle se vengeait de son aventure avec Freddie, il dut attendre la fin d'un dîner interminable, espérant pouvoir saisir Mabel et renouer avec elle. C'est seulement lorsqu'elle l'eut mis à la porte (John descendit la route de Mount Airy jusqu'à la petite gare de Croton), qu'il comprit soudain que cette aventure romanesque n'obéirait pas aux lois du genre : il n'y aurait pas d'heureux dénouement.

Désemparé, il se mit à errer, tantôt à la rédaction des *Masses,* tantôt au Liberal Club ou dans les bars du Village. Il était heureux de se retrouver chez lui ; mais en même temps il se sentait perdu. Cette Amérique prospère et affairée lui paraissait irréelle. La guerre n'existait que dans les magazines, les journaux et les conversations, mais tout ce qu'on en disait semblait sans rapport avec ce qu'il avait vu en Europe ; lorsqu'il en discutait avec ses amis, les massacres eux-mêmes lui paraissaient lointains. Il lui fallut bien constater que les nouvelles qu'on donnait du conflit relevaient plus de la propagande que des faits. Les récits d'atrocités faisaient les gros titres, et des voix s'élevaient un peu partout qui poussaient à l'intervention aux côtés des Alliés. En même temps, aux Etats-Unis régnait une impressionnante liberté. La renaissance de la bohème se poursuivait : les manuscrits s'amoncelaient dans le bureau des *Masses*

---

2. *Ibid.,* p. 356.

et le contenu du journal témoignait d'une joyeuse insouciance. John ne se sentait guère à l'unisson, mais il comprenait parfaitement ses amis qui continuaient à agir malgré la guerre. Après tout, si l'Europe avait l'intention de se suicider, c'était aux Américains de faire vivre la culture.

Son malaise s'accrut lorsque son vieil ami Walter Lippmann s'avisa de critiquer assez vivement sa façon de vivre et son système de valeurs. Lippmann était devenu l'un des directeurs de la *New Republic,* journal qui avait fait son apparition pendant l'absence de Reed ; dans le numéro de décembre 1914, Walter avait écrit sur John un article tour à tour affectueux, ironique, moqueur, amusant, mais parfois assez méchant. En somme, c'était une réponse au portrait que John avait fait de lui dans *La Vie de bohème,* où il décrivait Walter comme quelqu'un de brillant mais de terriblement austère :

« Son esprit aiguisé va droit à la vérité ;
On dirait son visage impavide, mais quel œil !
Il y a là une vision de prophète !...
C'est notre maître incontesté ! Mais... il est aussi
De ceux qui veulent construire un monde, en lui ôtant toute
[gaîté
Qui veulent obliger le genre humain, moi compris,
A plier devant une logique toute mathématique [3]. »

La réplique de Lippmann confirmait le portrait que John avait brossé de lui ; elle marquait bien la différence entre deux catégories de révolutionnaires, ceux qui étaient sérieux comme Lippmann et les rigolos du genre de Reed.

Le titre, *John Reed, un héros de légende,* était déjà un peu lourd à porter : à vingt-sept ans, John était une célébrité dans le monde des arts. Les yeux plus gros que le ventre, faute d'un appui sûr et solide, il embrassait l'une après l'autre les causes à la mode, gardant pour lui ses expériences et donnant le ton à toute une génération. L'article rendait hommage aux victoires remportées à Harvard, à Paterson et au Mexique ; Walter parlait de ses frasques amoureuses et de sa manie de se faire arrêter ; lorsqu'il décrivait les rapports de John avec les *Masses,* il restait badin, mais pas toujours élogieux :

« Pendant quelques semaines, Reed s'efforça d'adopter le point de vue des *Masses.* Il se convainquit que tous les capita-

---

3. J. R., *La Vie de bohème,* p. 42.

listes étaient gras, chauves et obséquieux, que les réformistes n'étaient que des combinards peureux, que tous les journaux étaient pourris. [...] Il fit un effort pour se persuader que les classes laborieuses ne se composaient pas de mineurs, de plombiers, ni d'ouvriers en général, mais que le peuple était une immense et belle statue dressée sur une colline, regardant le soleil en face. [...] Il parlait de tout faire sauter avec une tolérance remarquable et s'avisa soudain qu'il existait une étroite relation entre les cubistes et l'I. W. W. Je crois même qu'il lui arriva de lire une ou deux pages de Bergson. »

Pour Walter cette attitude, presque celle d'un adolescent, manquait de sérieux ; ceci venait essentiellement de ce que « Reed était incapable de recul et s'en vantait ». En se lançant dans tout ce qui piquait son imagination, il avait pu devenir poète, écrivain, révolutionnaire, don juan, mais il était incapable de tenir longtemps un seul de ces rôles. Aussi amusant et aimable fût-il, une personne aussi légère présentait évidemment un danger pour la « civilisation », c'était un « indomptable » qui trouverait toujours « que l'ordre monotone de la vertu, dans quelque société que ce fût, était insupportable ». Le sociologue sérieux qu'était Lippmann concluait : « Il faudrait le modifier complètement pour qu'il puisse s'insérer dans la société. » Reed était un perfectionniste impénitent, et Lippmann avançait l'idée que si on voulait bâtir un monde idéal, John serait le premier à devoir être pendu [4].

La réaction de John devant cet article ne fut pas très surprenante. Il savait que sa vie était désordonnée, ses idées changeantes, ses engouements divers et son humeur souvent frivole. Mais son évolution ne s'était pas arrêtée là. Il croyait à un certain nombre de choses, et cette foi n'avait fait que grandir, au point qu'elle tenait maintenant dans sa vie une place importante. Son désir d'indépendance, d'aventure et de célébrité, qui l'avait rendu autrefois si égoïste, s'effaçait lentement ; il savait maintenant que son existence était étroitement liée à celle des autres, que sa propre libération passait nécessairement par la liberté du peuple, économiquement, politiquement et physiquement brimé par les institutions modernes. Cette idée lui était devenue si évidente sur le front occidental qu'elle l'avait empêché d'écrire et de soutenir la réputation acquise au Mexique. Un homme qui jouait au reporter héroïque aurait pu très facilement pondre une série d'articles à sensation ; mais, très hon-

---

4. W. LIPPMANN, *John Reed, un héros de légende*, p. 15-16.

nêtement, son dégoût pour ce conflit absurde l'en avait détourné. Par une ironie du sort, l'article de Lippmann parut à un moment où John adoptait un point de vue de plus en plus impopulaire sur la guerre.

Un fossé s'était maintenant creusé entre les deux hommes et les conséquences qui en résultèrent dépassèrent de très loin la querelle personnelle. Reed et Lippmann, hommes de caractères bien différents, avaient toujours eu vis-à-vis du monde une attitude opposée. La pierre d'achoppement, c'était ce fameux « recul ». Walter faisait ressortir fort justement que John se montrait fier de n'en avoir aucun ; Reed ne cherchait pas à le démentir, mais il ne pouvait admettre que cette qualité soit une vertu essentielle. Il se méfiait de ce « recul » autant que Lippmann le respectait, et cette divergence les avait entraînés sur des chemins différents. Lippmann, l'intellectuel, après avoir collaboré quelques mois avec le maire socialiste de Schenectady, avait abandonné l'action directe pour se consacrer à la théorie. Reed, le poète et l'aventurier, quittait peu à peu le domaine de l'art pour se lancer dans l'action politique. A l'inverse de Walter, ses décisions, ses actes ne découlaient jamais de la théorie, et ses convictions ne reposaient pas sur la déduction rigoureusement logique d'un ensemble de principes. Pour John la connaissance venait d'abord du cœur ; il se laissait guider par son intuition poétique, et si ses réactions émotives l'avaient fait quelquefois se fourvoyer, en fin de compte, il en revenait toujours à des vérités simples et directes, qui lui faisaient dire par exemple : « Cette guerre ne nous concerne pas. » Dans tous les conflits entre le cœur et la raison, c'était le premier qui tranchait.

John soupçonnait également l'origine de cet article. Lorsque Walter, l'année précédente, avait aidé à lancer le journal, il avait exigé que la *New Republic* ait une politique « socialiste », alors que le fondateur et rédacteur en chef, Herbert Croly, tête pensante du Nouveau Nationalisme de Théodore Roosevelt, considérait cette publication comme « radicale ». En fait, Walter croyait à une sorte de nationalisme progressiste et pensait que les intellectuels — les journalistes en particulier — étaient capables de trouver une solution aux problèmes sociaux. Les premiers numéros critiquaient la politique de la New Freedom de Woodrow Wilson, se montraient indulgents vis-à-vis des syndicats et, après une analyse détaillée de la situation, arrivaient à la conclusion que le parti socialiste n'avait plus rien de révolutionnaire ; sur la guerre, le journal n'avait pas de position bien arrêtée. Il suggérait de se préparer à toute éventualité, au cas où le pays y serait contraint, mais les rédacteurs refusaient de dire clairement si oui ou non les Etats-Unis devaient entrer dans la mêlée.

La *New Republic,* dont la politique manquait d'audace, déplaisait à Reed par son ton et certains de ses sous-entendus. Les rédacteurs, faisant preuve d'un calme olympien, semblaient considérer de très haut monde industriel, guerre, grèves et magouilles politiques ; ils dissertaient là-dessus avec une assurance imperturbable. Comme il savait que chez Lippmann cette attitude n'était pas très nouvelle, John se sentit insulté de ce qu'il l'ait adoptée pour critiquer sa façon de vivre ; il en vint à conclure que les rédacteurs utilisaient toutes leurs ressources intellectuelles pour éviter d'avoir à s'engager personnellement. Reed pensait que si l'on se disait radical, il fallait s'engager soi-même, physiquement aussi bien qu'intellectuellement. Il s'agissait davantage, pour lui, de sentir les choses, de les apprécier, de savoir souffrir ou rire avec les autres, que de faire une laborieuse analyse des événements. En condamnant le radicalisme passionné, Walter montrait seulement qu'il était dépourvu de véritable passion, et incapable de comprendre qu'on se libérait autant par le cœur que par l'esprit.

La *New Republic* avait à peu près la même attitude vis-à-vis de la bohème. Le journal ouvrait ses pages aux nouveaux mouvements intellectuels ; il publiait des œuvres de Amy Lowell, Robert Frost, Conrad Aiken, Van Wyck Brooks, Randolph Bourne et John Dos Passos ; un vieil ami de John, Lee Simonson, y défendait le cubisme et le futurisme ; H. K. Moderwell — ex-radical de Harvard — prônait la musique atonale d'Arnold Schönberg et considérait le jazz comme un art sérieux. Cette prise de position méritoire envers les nouveaux mouvements artistiques ne signifiait pas pour autant que le journal approuvait la bohème. Les articles « culturels » ne paraissaient qu'en dernière page, et les articles politiques avaient l'honneur des premières, signe que les problèmes sociaux étaient infiniment plus importants que les manifestations artistiques. Reed avait beau être d'accord sur cet ordre de priorités, il reprochait à la rédaction de la *New Republic* de pratiquer une sorte de discrimination. Ils n'avaient pas compris que l'engagement politique n'obligeait pas à être lugubre, qu'aimer la vie n'empêchait pas de la comprendre ; ils passaient à côté de l'essence même du radicalisme qui concernait directement le mode de vie, et où l'économie, les problèmes artistiques et politiques étaient étroitement imbriqués. En accordant à la politique une place privilégiée la *New Republic* ne se distinguait guère des progressistes qui considéraient la culture comme un vernis superflu ; en attribuant avec insistance aux intellectuels la capacité de trouver les solutions aux problèmes sociaux, le journal se coupait du grand courant d'émotion qui sous-tendait les actions révolutionnaires. Lippmann avait beau se considérer comme un « radical responsable » et se moquer des enthousiastes délirants, dans les faits il n'avait rien d'un radical.

En d'autres circonstances, l'article de Walter aurait sans doute laissé John indifférent, mais, déprimé déjà par la guerre et par ses problèmes sentimentaux avec Mabel, il passa de l'agacement à la colère. Il écrivit à Walter une lettre pleine d'amertume. Plutôt que de réfuter ses accusations, John contre-attaqua, accusant son ami de s'être vendu à un journal qui vivait des subsides de Willard Straight, diplomate-banquier dont les affaires se ramifiaient avec celles de J. P. Morgan et celles de Kuhn, Loeb et Cie. Lippmann répliqua par une lettre blessante où il mettait en doute les convictions de John, et lui annonçait que son propre engagement politique durerait davantage que le sien. John épingla cette lettre au mur de sa chambre comme pour se venger publiquement. Il la faisait lire à tout le monde pour bien montrer l'« amitié » que Walter lui portait. Quelques semaines plus tard, ils firent tous les deux quelques gestes de conciliation et s'adressèrent à nouveau la parole, mais dès lors leurs rapports furent totalement dénués de chaleur.

Durant cette période troublée ce n'était pas les occupations qui manquaient ; Reed éprouvait un violent besoin d'écrire. Avant tout, il acheva deux longs articles sur l'Allemagne, puis écrivit des récits dans lesquels il utilisait l'expérience acquise en Europe. Pour le *Metropolitan,* il bâtit une sorte de conte où il était question d'un timide coiffeur français de Lille qui coupait la gorge de l'amant de sa femme — un officier allemand — pour déclencher une révolte contre l'armée d'occupation. Mièvre et sentimentale, cette histoire n'échappe au mélo qu'à la fin : la ville vit grâce à l'argent allemand, et l'or étant plus fort que le patriotisme, les Français ne se soulèvent pas. Plus sérieux en revanche était ce portrait d'une prostituée, intitulé *Fille de la Révolution,* dont le modèle était de toute évidence une personne réelle qu'il avait dû rencontrer un soir avec Fred Boyd à la terrasse d'un café parisien. Marcelle, dont le grand-père, le père et le frère ont été dirigeants de différents mouvements syndicaux, se montre à la fois fière et honteuse de cet héritage.

Méprisée par sa famille à cause de sa profession, elle est dépeinte comme une femme à la recherche de la liberté — même si cette liberté s'éloigne passablement de l'idéal révolutionnaire — et qui adore les vêtements de prix, les bijoux, les parfums, le luxe. Comme les marxistes de la famille de Marcelle, un révolutionnaire pur et dur aurait condamné cet appétit de possession, mais John le trouvait, lui, très compréhensible. Il essaye de montrer là que la « liberté » appréciée par certains, d'autres la considèrent comme un esclavage ; chacun doit trouver sa propre libération.

A la mi-février, John accepta une proposition de Hovey : il s'agissait d'assurer le reportage d'une campagne pour le « Renouveau de la Foi », organisée à Philadelphie par Billy Sunday. Ce personnage défendait une version « militante, athlétique et populaire » de l'Evangile. John se promena dans la ville pendant deux jours, en compagnie de George Bellows qui était chargé de l'illustration. Il essaya de déterminer l'effet que pouvait produire l'évangélisme sur une population urbaine plutôt blasée. Il alla interviewer des ecclésiastiques, des industriels, des syndicalistes, et parvint même à franchir le cordon de gardes du corps qui entourait le pasteur Sunday pour échanger quelques mots avec lui. C'était un homme ouvert, chaleureux, un peu naïf, capable de dominer des foules de vingt mille personnes entassées dans un local fait de planches et de papier goudronné, « grâce à un enthousiasme et à une passion extraordinaires ». Il y avait certes des contradictions entre ce qu'il disait et ce qu'il faisait : il condamnait le luxe mais acceptait l'hospitalité de riches philadelphiens ; il dénonçait l'abus de l'alcool mais recevait les dons que lui faisaient les gros brasseurs de bière ; pourtant, d'une certaine façon sa foi transcendait ces contradictions. A la fin du prêche, lorsque des foules « de femmes hystériques, d'enfants, d'hommes de tous âges et de toutes conditions » vinrent se presser devant la tribune et que l'évangéliste se pencha hors de sa chaire pour crier « Alleluia ! », John fut convaincu que Sunday était parfaitement sincère. Pourtant, la sincérité n'était pas vraiment ce qu'il recherchait. Il décrivit Sunday comme un personnage plutôt sympathique, malgré toute la publicité qui l'entourait, mais il entendait surtout replacer cette manifestation dans son contexte social. Les membres du comité de soutien étaient des gens importants : « C'étaient des philadelphiens riches et respectables ; ils occupaient tous une fonction élevée. » Sur les quarante-quatre personnes qui figuraient dans ce comité, on comptait douze industriels, douze banquiers et quatre avocats d'affaires. L'un d'eux, Alba B. Johnson, président de la « Baldwin Locomotive Works » illustrait parfaitement la mentalité de ces donateurs. Johnson était à la tête d'une entreprise qui sous-payait ses employés, et mettait les syndiqués sur une liste noire ; il expliquait que le « Renouveau de la Foi » était nécessaire pour « réveiller la morale et faire oublier aux gens leurs soucis matériels » : « Vous savez... cette agitation sociale qui s'étend partout est due en grande partie à la cupidité des ouvriers... Billy Sunday leur parle du salut de leur âme ; quand un homme cherche à sauver son âme, il oublie son désir égoïste : celui de s'enrichir. Au lieu de s'agiter et d'exiger des augmentations de salaires, il s'efforce d'aider son frère plus pauvre que lui, celui qui est dans la misère [5]. » De même que les personnalités religieuses, les écrivains pouvaient être utilisés à certaines fins, de même l'évolution du *Metropolitan* amena Reed à s'interroger sur sa propre position. Ce journal mensuel était très largement ouvert aux romanciers, entre autres Rudyard Kipling, Joseph Conrad, Arnold Bennett et Booth Tarkington. En 1912, le *Metropolitan* avait embrassé la cause socialiste. Des articles concernant les questions économiques et politiques, écrits par Frederic C. Howe, Bernard Shaw et Steffens, commencèrent à se multiplier. Le ton très engagé des reportages de John sur le Mexique et sur le Colorado convenait si bien à l'esprit du journal qu'il n'avait pas cherché plus loin. En fait, le journal n'était pas vraiment socialiste ; il utilisait la popularité de ce mouvement politique pour augmenter son tirage. Dans la réalité, il y avait de quoi se montrer sceptique quant à ses orientations. Comme la *New Republic*, le *Metropolitan* était soutenu par un milliardaire, Harry Payne Whitney, marié à une Vanderbilt et associé en affaires avec la famille Guggenheim.

En 1915, ce journal s'éloignait complètement du mouvement radical. Il s'en vantait dans ses éditoriaux ; en dépit de son prétendu socialisme, les rentrées d'argent dues à la publicité augmentaient et servaient à soutenir les éléments les plus réformistes à l'intérieur du parti socialiste. H. J. Whigham, l'un des rédacteurs, se déclarait heureux de la révocation de Bill Haywood qu'on avait exclu du comité exécutif du parti socialiste. Il écrivait : « Le parti socialiste américain a finalement et définitivement coupé avec les partisans de la force brutale ;

---

5. J. R., « Les appuis financiers de Billy Sunday », *Metropolitan*, n° XLII, mai 1915, p. 9-12, 63-66.

ainsi il peut prendre place au milieu d'un vaste mouvement civilisé et constructif. [...] Le socialisme [...] devient dès lors le plus sûr rempart contre la lutte des classes [6]. » Lippmann et Hillquit continuaient à collaborer au journal, mais le premier se détachait du socialisme, tandis que l'autre expliquait à longueur de colonnes comment les partis socialistes européens qui avaient cédé à l'esprit patriote n'avaient pas malgré tout abdiqué leurs grands idéaux. En février 1915, comme pour atténuer ce socialisme déjà bien tiède, Théodore Roosevelt se mit à collaborer régulièrement au *Metropolitan*.

Le héros de son père commençait à représenter tout ce que John haïssait. Theodore Roosevelt, farouche partisan de la préparation à la guerre, exigeait la création d'une grande armée régulière et le service militaire pour tous. Ces mesures, non seulement rendraient le pays plus fort, mais s'avéreraient également d'un grand profit « pour tous nos jeunes gens qui sont dans la vie civile » ; elles aideraient à « accroître leur efficacité dans l'industrie ». En outre, cette puissance militaire nouvelle pourrait être utilisée pour pacifier le Mexique : c'était un autre des dadas de Roosevelt. Il attaquait ceux qui s'opposaient à l'intervention et profitait des meurtres, des viols, et des insultes au drapeau américain pour attaquer le héros de John et en faire le symbole de la barbarie : « Lorsqu'on défend Villa au nom de la liberté, de la justice et de la démocratie qu'il est censé représenter, si l'on donne à ces mots le sens qu'ils ont dans les pays civilisés, c'est exactement comme si l'on défendait un chef apache d'autrefois [7]. »

John finit par le rencontrer. En 1911, lorsqu'il l'avait vu pour la première fois, il avait été très intimidé ; maintenant, il se réjouissait de pouvoir affronter l'ex-président des Etats-Unis dans les bureaux du *Metropolitan*. Les deux hommes étaient combatifs et jamais à court d'arguments ; ils eurent vite fait de se chercher noise. La plupart du temps, les heurts n'étaient pas dramatiques. Un jour, Roosevelt déclara que Villa était non seulement un assassin mais aussi un bigame. « Eh bien, moi, je crois à la bigamie », lui répondit Reed. Roosevelt, en lui saisissant la main, répliqua gaîment : « Je suis heureux, John Reed, de constater que vous croyez à quelque chose. » Sachant que Theodore Roosevelt était très attaché aux conve-

6. Cité par G. HICKS, *John Reed,* p. 177.
7. *Ibid.,* p. 178.

nances, John s'amusait à attaquer les sacro-saintes institutions telles que le mariage et l'Eglise, et contemplait son aîné qui devenait cramoisi et se répandait en hurlements. Parfois leurs échanges viraient à l'aigre. Une fois John entendit Roosevelt raconter comment il avait fait fusiller un soldat à Cuba ; il lui lança : « J'ai toujours su que vous étiez un assassin. » Il y eut des insultes de part et d'autre, les voix montèrent, les poings se tendirent, et les rédacteurs durent intervenir pour les séparer [8].

Le journalisme, tout comme la politique, fait de bien curieux rapprochements. Dans *Les Masses,* John pouvait répliquer aux projets militaristes de T. R. ; il protestait contre « ce germe d'obéissance aveugle » que développe l'entraînement militaire ; il affirmait que le but de cette préparation « à toute éventualité » était forcément la guerre ; « On parle maintenant de mettre sur pied une grande armée permanente pour combattre les Japonais, les Allemands ou les Mexicains » ; il ajoutait froidement : « Pour ce qui me concerne, je refuse d'en faire partie [9]. » Cela évitait à John d'expliquer pourquoi il continuait à écrire dans un journal auquel T. R. collaborait ; en fait, il s'agissait de considérations pratiques. Le *Metropolitan* le payait cinq cents dollars par mois, et bien que le journal penchât de plus en plus vers la droite, il laissait à Reed assez de liberté et publiait ses articles sans trop de coupures. John aurait préféré travailler uniquement pour *Les Masses,* mais hélas, ce journal ne pouvait lui fournir un centime pour ses contributions.

John s'étant fait une réputation de correspondant de guerre, Hovey voulut le renvoyer en France. Ce projet devint presque irréalisable, lorsqu'à la fin de février Robert Dunn fit paraître dans le *New York Post* un compte rendu de la nuit qu'ils avaient passée dans les tranchées allemandes. A l'inverse de Reed, qui s'était bien gardé d'en faire mention dans son article, Dunn racontait la façon dont ils s'étaient tous les deux emparés d'un fusil : « Soyons maudits de l'avoir fait : nous avons tiré à deux reprises, au hasard, comme de véritables francs-tireurs... Que Reed ait pu le faire, avec la haine qu'il a toujours témoignée pour la violence et le militarisme, me paraît une excuse suffisante

---

8. Cité dans *ibid.,* p. 178-179.
9. Article de J. R. intitulé « La pire des choses en Europe », *Masses,* n° VII, mars 1915, p. 17-18. Repris par W. O'NEILL, *Echoes of Revolt,* p. 259.

sinon justifiée [10]. » Cet article fit un beau raffût. Le président de Princeton, le correspondant Richard Harding Davis et l'association des journalistes américains à Paris dénoncèrent cette violation des règles morales de la profession. A Paris, le journal *Le Temps* traita les reporters d'assassins, et le gouvernement français interdit formellement à Reed et à Dunn l'accès de son territoire. Hovey, qui ne se tenait pas pour battu, suggéra à Reed d'aller voir Jusserand, l'ambassadeur français, pour essayer d'arranger l'affaire. A Washington, Jusserand se montra amical et compréhensif ; il suggéra qu'une lettre de Theodore Roosevelt pourrait peut-être modifier l'attitude du gouvernement français. Non sans répugnance, Reed alla trouver son adversaire. Roosevelt dicta la lettre en sa présence, fit la demande appropriée et termina la missive par cette phrase : « Si j'étais le maréchal Joffre et que Reed tombât entre mes mains, je le ferais passer en cour martiale et le ferais fusiller [11]. »

Puisque de toute évidence il n'était plus question de se rendre sur le front occidental, John saisit l'offre que lui faisait Hovey de partir pour les Balkans. Il réserva sa place pour la fin de mars puis se rendit à Harvard, comme il voulait le faire depuis longtemps. Copeland, dans des lettres qui trahissaient une certaine ambiguïté vis-à-vis de son protégé, le pressait de venir le voir. Après avoir reçu le premier article sur le Mexique, Copey lui avait écrit : « C'est bien et même plus que bien », ajoutant dans un post-scriptum : « Vous êtes un écrivain-né. Je le savais depuis longtemps. Mais je pense que vous ne travaillez pas suffisamment votre style. » Plus tard, lorsqu'il lut la dédicace de John en tête du *Mexique insurgé,* il déclara : « C'est beaucoup plus que je ne méritais. » Il demandait à John de venir : « J'aimerais que nous puissions nous voir pour parler d'une façon plus satisfaisante » ; il manifestait la crainte qu'après toutes ses aventures, John ne le trouve un peu ennuyeux : « Peut-être ne vous souciez-vous guère que nous puissions parler ou non [12]. » Cette inquiétude n'était pas fondée, car Reed attachait toujours la plus grande importance aux critiques, aux éloges et à l'amitié de Copey. A la même époque il fit deux conférences dans les environs : l'une, au Temple

10. *New York Post,* 17 février 1915.
11. Cité dans une lettre de Boardman Robinson à John Stuart, non datée (manuscrit Hicks). Robinson était présent lors des entretiens avec Jusserand et avec Roosevelt.
12. Charles T. Copeland à J. R., 28 avril 1914 et 7 février 1915 (manuscrits J. R.).

Tremont à Boston, où il essaya vainement de convaincre son auditoire que les Allemands n'avaient pas l'exclusivité des atrocités et que l'Angleterre était pour une grande part responsable de la guerre ; l'autre eut lieu après un dîner avec les étudiants du *Lampoon* : il s'aperçut que la majorité d'entre eux étaient pro-anglais. De telles réactions ne laissaient que peu d'espoir de voir l'Amérique rester en dehors du conflit.

Deux semaines avant son départ, Mabel fit une nouvelle incursion dans sa vie. Elle apparut soudain, déclarant qu'elle l'aimait à nouveau, l'entraînant dans son appartement aux pièces crème de la Cinquième Avenue. Si mystérieux que pût être ce brusque changement d'attitude, John ne chercha pas à en comprendre les causes ; il avait vaguement espéré le retour de Mabel et n'entendait pas se tourmenter sur les raisons de ce revirement inattendu. Amoureux une fois de plus, il regardait l'avenir avec confiance ; lorsque Mabel consentit à porter son alliance, il se mit à parler mariage et à établir des plans pour la maison qu'il voulait faire construire ; il écrivit des poèmes où il était question de son désir de partager les rythmes enivrants dont elle se disait imprégnée.

Cependant, Reed ne voyait pas Mabel telle qu'elle était vraiment : « Il ne m'atteignit plus au tréfonds de moi-même comme il avait su le faire autrefois. » Ses propres motifs étaient tellement obscurs que plus tard elle devait inventer une histoire, disant que sa conduite n'avait été dictée que par son altruisme, ajoutant que si elle avait agi ainsi c'était pour sauver John d'une dépression nerveuse. En vérité, malgré les grandes déclarations qu'elle se plaisait à faire : « Mon esprit était totalement absorbé par la Nature et ne participait plus à la vie superficielle du corps », Mabel était encore capable d'éprouver du plaisir, et Reed avait été l'un des « révélateurs » de sa vie sexuelle et sentimentale. Sans aucun doute la curiosité, la nostalgie et la tendresse avaient leur part dans ce retour inopiné. Plus tard, elle devait admettre : « J'aimais Reed. J'étais heureuse de le voir content » ; content, il le fut, durant ces derniers jours qu'il passa à New York, et lorsqu'il partit, ils eurent tous deux beaucoup de chagrin. Mabel se rappelait ce départ comme « un long adieu passionné, plus vibrant que ceux qu'il m'avait faits lorsque je tenais vraiment à lui [13]. »

John s'embarqua sur le paquebot, en compagnie du dessinateur Boardman Robinson ; il ignora la foule qui se pressait

---

13. *Movers and Shakers,* p. 357.

sur le pont et s'enferma dans sa cabine. Avant que les remorqueurs n'aient poussé le navire dans l'Hudson, il était déjà en train de travailler à son poème intitulé *Pygmalion,* qui reflète sa perplexité vis-à-vis de Mabel. Bien qu'inachevé, il le glissa dans une enveloppe qu'il donna à poster au pilote ; durant le reste de ce voyage sans incident, il en tira une première version définitive. Le 3 avril, le bateau, sans trop se soucier des Anglais qui surveillaient la mer, atteignit la Méditerranée. La nuit, un petit vaisseau anglais s'approcha d'eux et leur demanda le nom et la destination du paquebot. Ce n'est qu'après un signal de Gibraltar, un éclair lumineux entre ciel et mer, qu'ils furent autorisés à poursuivre leur route tandis qu' « une lune ronde et pleine se levait sur l'Afrique et qu'ils voguaient sur une mer scintillante [14] ».

Une lettre de John à sa mère, datée du lendemain, donne une idée de son état d'esprit :

« Au fur et à mesure que j'approche de l'Italie, je me sens vraiment triste. J'en arrive à détester l'Europe. Après ce voyage, j'espère pouvoir rester un an en Amérique ; je ne veux plus retourner en Europe avant de vous y emmener Harry et toi, lorsque la guerre sera finie. Cependant, je suis sûr que l'Est sera différent et plus intéressant. Le Caucase ressemble un peu au Mexique, paraît-il, et je suis certain que les habitants vont me plaire. Franchir à cheval les cols par où Gengis Khan a envahi l'Europe, ce sera magnifique. Il faut croire que je suis déjà célèbre, car tout le monde à bord a lu mes ŒUVRES. Tous ici me considèrent avec un respect qui m'amuse beaucoup [15]. »

Ces deux mois passés en Amérique ne lui avaient pas fait oublier la guerre, mais lui avaient permis de la considérer plus objectivement et de retrouver un équilibre psychologique que son séjour sur le front occidental avait fortement ébranlé. Si désespérant qu'il pût être, ce conflit était un fait, il lui fallait vivre avec. Toutes les guerres avaient une fin, après tout, et voilà qu'il faisait l'expérience agréable de sa renommée. En Europe de l'Est, Reed allait encore une fois s'avérer un reporter consciencieux. En même temps, il donnait libre cours à son imagination, espérant que des aventures mystérieuses l'attendaient dans les Balkans, qu'il allait pouvoir renouer avec

---

14. Lettre de J. R. à Margaret Reed, 4 avril 1915 (papiers de la famille Reed).
15. *Ibid.*

les succès remportés au Mexique et que le charme de ces pays anciens et pittoresques lui ferait tout oublier.

Cette façon de pouvoir au même instant affronter la réalité et s'enfuir dans le rêve, montre qu'il avait acquis un nouvel équilibre, consolidé pendant son séjour aux Etats-Unis. Le heurt avec Mabel avait été sérieux, et pourtant, il découvrait non sans surprise que son absence ne lui causait pas un chagrin intolérable. Certes, il s'était réjoui de son retour ; son poème prouve qu'il se sentait plus fort, mieux armé pour faire face à la réalité, lorsqu'il se sentait en accord avec elle. Pourtant, il savait maintenant qu'il était capable de vivre sans elle.

# Europe de l'Est

*Cher Copey,*

*Les aléas du courrier (les facilités qu'on trouve ici, la neutralité de ce pays et cætera) m'obligent à revenir en Roumanie, dans ce qu'on appelle le « Paris des Balkans », bien que je déteste ce pays et ses habitants.*

*Imaginez un Paris miniature avec toutes ses caractéristiques essentielles : des cafés, des kiosques, des pissotières, une Académie plongée dans l'élaboration d'un dictionnaire, des peintres futuristes et des poètes pédérastes... des politiciens dont la réputation dépend du nombre des maîtresses qu'ils entretiennent, des journaux vendus, des revues cochonnes...*

*Le véritable Roumain se vante du fait qu'il y a à Bucarest, compte tenu de la population, plus de cocottes que dans n'importe quelle ville au monde. Ici on ne fait que baiser, boire et cancaner... Les officiers en uniforme rose saumon et bleu layette... sont assis au café toute la journée, occupés à déguster des glaces et des tartelettes ; ou bien, dans leurs fiacres, ils remontent et descendent la Calea Victoriei, faisant de l'œil à toutes les femmes... Il y a ici un roi d'opérette descendant des Hohenzollern, un joli petit trône, une cour, des aristocrates fin de race qui se disent issus des empereurs byzantins. Tout est perverti... C'est bourré de millionnaires enrichis par leurs puits de pétrole ou par d'immenses terres où les paysans usent leur existence pour l'équivalent d'un franc par jour...*

*Leur politique est aussi vaine que tout ce qu'ils touchent. Avec le consentement de la police, ils persécutent les Juifs ; ils vendent leurs secrets militaires et leurs ministres tantôt à l'Allemagne, tantôt aux Alliés... A l'heure actuelle, ils s'efforcent de vendre la vie des paysans (soldats à l'occasion), au plus offrant, pour le profit des capitalistes.*

*Si jamais j'ai vu un endroit mûr pour la révolution, c'est bien celui-là. Les paysans sont des gens très sympathiques et charmants, mais ils se font exploiter.*

*Chaque jour, je déteste davantage cette vieille Europe. Il n'y a décidément que l'Amérique.*

John REED, lettre à C. T. Copeland, datée du 8 août 1915.

En ce début d'août 1915, au terme de son séjour en Europe de l'Est, John Reed montrait beaucoup d'humour vis-à-vis de ses déboires et de son désarroi. Après avoir vu toutes sortes d'atrocités, de maladies, de souffrances, après avoir vu verser beaucoup plus de sang que sur le front Ouest, malgré les arrestations, les internements et les souffrances physiques qu'il avait lui-même endurés, John restait gai et s'avérait toujours capable de plaisanter. Dans ses descriptions, le ton et l'attitude sont profondément différents de ce qu'ils étaient à Londres : la même guerre, la même discrimination, une exploitation et un militarisme identiques le firent réagir d'une façon beaucoup moins négative. Les pays de l'Est, qu'on pouvait mépriser à cause de leurs aristocrates prétentieux, de leur décadence et de la tyrannie que la police y exerçait, permirent néanmoins à Reed de respirer plus librement. La guerre n'avait pas plus de sens qu'auparavant, mais ici on la faisait à une échelle plus humaine ; les impitoyables machines de guerre avaient disparu, et si les politiciens vendaient leurs armées, c'était autant par cupidité — attitude finalement plus rassurante — que par nationalisme outrancier. A beaucoup d'égards, l'individu comptait encore en Europe de l'Est, et s'il était incapable d'influencer la politique nationale, du moins l'inefficacité généralisée des régimes en place laissait-elle une part à l'intelligence et à l'initiative.

Boardman Robinson lui rendit le voyage plus agréable ; Mike, tel était son surnom, était chargé d'illustrer ses articles. Grand gaillard robuste aux sourcils broussailleux et à la longue barbe rousse, ce dessinateur âgé d'une quarantaine d'années était depuis longtemps abonné aux *Masses* ; il partageait les opinions politiques de John et son goût de l'aventure. Ces qualités — il avait en outre bon caractère — s'avérèrent précieuses car le voyage fut très différent de ce qui était prévu. Lorsqu'ils débarquèrent à Naples, tous deux s'attendaient à des événements décisifs : entrée en guerre de l'Italie, ultime résistance des Serbes, chute de Constantinople, avance des armées russes sur Berlin, combats héroïques entre cosaques et Turcs... En fait, ils ne virent presque aucune action militaire, car partout ils arrivèrent entre deux offensives. Cette malchance eut des aspects positifs. John qui trouvait que la guerre nivelait les hommes — « l'horrible égalité du combat les rend semblables » — s'aperçut que durant ces moments d'accalmie, il en apprenait davantage sur les gens, sur leurs mœurs et sur le pays [1].

Déçus par le calme de l'Italie, les deux compagnons s'embarquèrent pour la Grèce à Brindisi. Sur la mer Egée, l'histoire était omniprésente. Ils virent le cap Sounion, le temple en ruines de Poséidon qui baignait dans la lumière blanche, et çà et là, flottant sur la mer comme des nuages bleus, des îles entourées de brume dont les noms, l'Eubée, Délos, Mykonos, Skyros, évoquaient une civilisation depuis longtemps disparue. Le bateau jeta l'ancre dans les eaux boueuses du port de Salonique, au pied de la ville blanche aux murailles crénelées, aux dômes gigantesques, ornée de tours et de minarets. Aussitôt ils furent plongés dans l'ample rumeur d'un monde qui semblait échapper à l'histoire : c'étaient « les cris des porteurs arabes, le vacarme du bazar, les étranges chansons des marins d'Asie Mineure et de la Mer Noire qu'ils faisaient entendre en hissant leurs voiles latines sur des bateaux dont chaque extrémité portait des yeux, et dont la forme était plus ancienne que l'histoire ; un muezzin appelait les fidèles à la prière ; on entendait les ânes braire, des flûtes et des tambourins jouer une mélodie plaintive dans le quartier turc. Une armada de bateaux multicolores, maniés par des pirates à la peau brune et aux pieds nus, se bousculaient dans un tumulte de voix discordantes »...

Une fois à terre, la ville les plongea dans l' « extase » et Reed écrivit à Hovey pour lui prédire que « la matière ne

---

1. J. R., *La Guerre en Europe de l'Est,* Charles Scribner's Sons, New York, 1916.

manquerait pas [2] ». Salonique était le lieu où l'Est et l'Ouest se rencontraient, et dans ses ruelles pentues et tortueuses logeaient des colonies de Serbes, de Roumains, de Turcs, de Grecs, de Bulgares, d'Arabes et de Juifs ; chacun des groupes observait ses antiques traditions et tous se réunissaient pour discuter bruyamment de leurs affaires dans les innombrables bazars et cafés de l'ancienne Thessalonique : « C'est là qu'Alexandre avait lancé ses flottes. Elle avait été l'une des villes libres de l'empire romain, une métropole byzantine qui ne le cédait qu'à Constantinople, dernier bastion du vieux monde latin où les restes démantelés des croisés s'accrochèrent désespérément à l'Orient qu'ils avaient conquis puis perdu. Les Huns, les Slaves et les Bulgares l'avaient assiégée ; les Sarrasins et les Francs avaient déferlé sur ses murailles ocres, se livrant au massacre et au pillage dans le labyrinthe de ses venelles ; Grecs, Albanais, Romains, Normands, Lombards, Vénitiens, Phéniciens et Turcs s'étaient succédé à sa tête et les épîtres de saint Paul, qui y avait fait plusieurs visites, y avaient semé l'inquiétude [3]. »

La ville moderne était touchée par la guerre. En principe, la Grèce était neutre, mais en fait il n'en était rien. Des espions allemands, autrichiens, anglais et turcs apparaissaient çà et là et tramaient des complots, tandis que les renforts alliés à destination de la Serbie (artillerie française, russe et anglaise, munitions, avions) étaient débarqués au grand jour sur le port puis chargés sur des trains qui disparaissaient dans les montagnes du nord. Des missions médicales anglaises et américaines transitaient avant d'aller combattre les épidémies en Serbie ; la peste faisait rage dans les bas quartiers de la ville et l'on voyait sans cesse dans les rues de pitoyables processions funéraires. Reed et Robinson goûtèrent la « mastica » aux terrasses des cafés, marchandèrent dans les bazars, et se mêlèrent aux foules de réfugiés grecs qui arrivaient du Levant. Il y avait des officiers russes et serbes vêtus d'uniformes splendides, des prêtres orthodoxes, des femmes voilées, des pêcheurs sortis tout droit d'un conte des mille et une nuits, des porteurs arabes, des marchands coiffés de leur fez, des vendeurs de journaux en haillons, des hommes pieux coiffés d'un turban vert, des derviches tourneurs dans leurs amples robes, des paysans vêtus de cotonnades crème, des femmes brunes qui portaient sur la tête des jarres énormes. Les marchands, les soldats, les vendeurs les interpellaient dans

2. J. R. à Carl Hovey, 14 avril 1915 (archives Gold).
3. *La Guerre en Europe de l'Est*, p. 7-8.

un américain approximatif ; souvent des Grecs qui avaient vécu aux Etats-Unis les invitaient à boire avec eux. Ces hommes étaient venus défendre leur patrie menacée, pourtant ils projetaient tous de retourner en Amérique. Cette attitude paraissait étrange : ils étaient prêts à mourir pour un pays où ils refusaient de vivre ; une fois de plus, John fut stupéfait de constater la force de ce sentiment « aussi violent qu'irrationnel qu'on appelle patriotisme [4] ».

Leur étape suivante fut la Serbie qu'on surnommait « le pays de la mort » à cause de toutes les épidémies (petite vérole, diphtérie, choléra et typhus) qui y faisaient rage. Pour se prémunir, les deux Américains se frottèrent de la tête aux pieds avec de l'huile camphrée, s'aspergèrent les cheveux de kérosène et durent se bourrer les poches de boules de naphtaline. D'horribles vapeurs leur piquaient les yeux et leur brûlaient les poumons. L'employé de la « Standard Oil » qui les conduisait au train leur demanda en les quittant : « Désirez-vous que vos corps soient rapatriés par bateau, ou bien préférez-vous être enterrés ici ? » Leur train suivit lentement les méandres de la Vardar, traversa les champs de tabac et les plantations de mûriers de la Macédoine ; ils franchirent la frontière. En Serbie, les gens étaient très différents : on apercevait sur le quai des gares des hommes décharnés armés de fusils ; les toits des maisons s'écroulaient, dans les champs les récoltes pourrissaient et dans les villages en quarantaine on avait aspergé de boue chlorée les arbres et les fermes ; chaque porte ou presque était drapée de noir.

Pendant trois semaines, Reed et Robinson firent le tour d'un pays où la ruine, la maladie et la mort faisaient tellement partie du quotidien qu'on ne les remarquait plus. Nisz, la ville la plus importante de cette région montagneuse, était une grande agglomération boueuse ; les égouts étaient ouverts et fétides ; quant aux hôtels et aux restaurants, ils étaient d'une saleté repoussante. Le typhus avait ravagé la région ; partout des drapeaux noirs flottaient au vent. Ils visitèrent un hôpital : les malades logés dans des baraques gisaient sur des couvertures crasseuses et l'odeur de pourriture donnait la nausée. Le soir ils dînèrent en compagnie du médecin-chef et de son équipe ; après avoir bu de grandes quantités du vin rouge local, ils écoutèrent les jeunes médecins se vanter de leurs exploits et raconter la façon dont les Serbes avaient écrasé l'armée autrichienne ;

---

4. *Ibid.*, p. 15.

ils regrettaient amèrement que leurs alliés français et anglais n'aient pas fait la même chose aux Allemands : « Ce dont ils ont besoin, c'est de quelques Serbes pour leur montrer comment on fait la guerre. Nous autres, Serbes, nous savons qu'il suffit d'une chose : être prêt à mourir — alors, la guerre serait vite terminée [5] !... »

Belgrade, la vieille capitale, toute proche des canons autrichiens qu'on ne voyait cependant pas (ils se trouvaient dans les régions montagneuses au-delà de la Sava et du Danube), offrait le triste spectacle d'une ville bombardée. D'énormes trous béaient au milieu des rues de la ville basse, les toits des maisons avaient dégringolé sur les trottoirs ; les abris, les écuries, les hôtels, les magasins et les bâtiments administratifs avaient été touchés par les obus. Du palais royal, il ne restait qu'une carcasse et l'Université n'était plus qu'un tas de ruines informes. Ils discutèrent avec les soldats serbes dans les tranchées boueuses le long de la Sava ; ces hommes, « pas rasés, pas lavés, en guenilles », se moquaient des Autrichiens qui n'osaient pas attaquer, et hurlaient de joie lorsque des balles venaient rider la surface de l'eau. Voyageant en voiture à cheval, ils quittèrent le front et s'enfoncèrent dans l'intérieur du pays. Les routes n'étaient guère plus que des pistes qui reliaient entre eux de petits villages silencieux. Le pays était souvent ravissant et bien cultivé ; de hautes herbes et des fleurs sauvages poussaient sur les collines, et les prairies étaient émaillées de delphiniums et de boutons d'or ; dans les bocages, les pruniers, les pommiers étaient en fleurs et l'on voyait de gracieuses cigognes occupées à pêcher au bord des étangs argentés. Ce renouveau de la nature, cette vie qui se manifestait partout, faisaient un violent contraste avec le monde des hommes ; çà et là, la guerre apparaissait : de petites croix de pierre aux couleurs vives, ou d'autres, blanches, qu'on avait peintes sur les clôtures des maisons le long de la route.

Matchva, l'endroit le plus riche du pays, avait subi deux invasions successives. Les maisons étaient incendiées et détruites, on n'y voyait pas âme qui vive, l'herbe poussait dans les rues de la ville et la campagne environnante était jonchée de débris, de carcasses de wagons, de tas de fusils rouillés, de lambeaux d'uniformes, de képis, de havresacs et de cartouchières. A Chabatz, ville autrefois riche, les maisons avaient été mises à

---

5. *Ibid.*, p. 49.

sac : « Les envahisseurs avaient pris le linge, les tableaux, les meubles, jusqu'aux jouets d'enfants — et tout ce qui était trop lourd ou encombrant, ils l'avaient cassé à coups de hache... Dans les bibliothèques, les livres gisaient épars sur la poussière du plancher ; on avait même pris soin d'en arracher les couvertures [6]. » On fit à Reed le récit d'un certain nombre d'atrocités ; au début il se montra un peu sceptique. Pourtant, à l'inverse des « rumeurs incontrôlées » qui couraient sur des événements identiques soi-disant survenus en France et en Belgique, il put ici vérifier des faits, parfois de ses propres yeux. A la préfecture, se trouvaient des témoignages écrits sous la foi du serment, qui racontaient qu'à Yvremovatz on avait brûlé cinquante personnes dans une cave ; une photo prise à Lechnitza montrait plus d'une centaine de femmes et d'enfants enchaînés ensemble, dont les têtes avaient été coupées, puis posées côte à côte ; dans quarante-deux villages, la population avait été totalement massacrée. A Prnjavor, John se trouva devant une sorte de tas d'ordures long et bas ; un vieux paysan, d'une voix sans timbre, lui expliqua qu'il s'agissait d'une tombe commune où plus d'un millier de personnes avaient été enterrées vivantes.

Toutes ces horreurs, John les oublia presque lorsqu'il eut l'occasion de contempler le pire spectacle de toute la guerre. Un matin, Mike et lui, conduits par un sympathique jeune capitaine, sortirent à cheval de Losnitza et grimpèrent dans les montagnes où, l'hiver précédent, les armées autrichiennes et serbes s'étaient trouvées face à face pendant quarante-quatre jours, dans des tranchées distantes d'une vingtaine de mètres. La piste était raide et défoncée, et tandis que les chevaux montaient péniblement parmi les taillis, John appréciait « cet air calme et doré, lourd du parfum des pruniers, rempli du bourdonnement des abeilles ». Lorsque la pente devint trop abrupte, ils descendirent de cheval et conduisirent leurs bêtes à bout de souffle sur la piste parsemée de débris, à travers des arbres tailladés et lacérés, jusqu'au sommet pelé du Mont Goutchevo. Le spectacle était saisissant ; on voyait en contrebas la Drina qui scintillait et on découvrait au loin les montagnes vertes qui s'élevaient jusqu'à la Bosnie. Mais ce qui était là, tout près, était horrible. Entre les deux lignes de tranchées ennemies, s'élevaient d'énormes amas de terre d'où émergeaient les membres de plus de dix mille êtres humains : des crânes aux cheveux souillés, des os blancs où pendait de la chair pourrie,

---

6. *Ibid.*, p. 83.

des jambes ensanglantées attachées à de vieilles bottes militaires. Ils avancèrent au milieu d'une odeur nauséabonde : « Nous marchions sur les morts, ils étaient tellement serrés que nos pieds s'enfonçaient dans des gouffres de chair en décomposition, faisant craquer les os. De petits trous s'ouvraient soudain, grouillant d'asticots grisâtres... La plupart des cadavres n'étaient couverts que d'une mince couche de terre que la pluie avait en partie ôtée; beaucoup n'étaient pas enterrés du tout [7]. »

Un autre élément vint gâcher cette chevauchée à travers les montagnes des Balkans. A cause des mauvaises pistes et des chaos, John se mit à souffrir des reins. Comme il ne voulait pas révéler ses défaillances, il ne dit rien jusqu'au moment où la douleur devint si insupportable qu'il se mit à gémir. John ignora d'abord les questions de Robinson, puis il fut contraint d'admettre que ça n'allait pas du tout. Lorsque la souffrance devenait trop aiguë, il descendait de cheval et s'étendait sur le bas-côté de la route jusqu'à la prochaine accalmie. Lorsqu'ils poursuivirent leur voyage en chemin de fer, la douleur était devenue supportable mais le problème n'était pas pour autant résolu.

Malgré la maladie, malgré les spectacles affreux, ce voyage en Serbie fut pour John une belle aventure. Ce qui comptait avant tout dans ce pays, c'étaient les gens, dont la spontanéité et la vivacité lui rappelaient les Mexicains. Cela n'était pas vrai des « intellectuels » que le gouvernement leur donnait comme guides, des hommes que « leur élégance, leur cynisme et leur modernisme à l'européenne » semblaient couper des paysans pleins de vie qui donnaient au pays son véritable caractère. John aimait ce peuple qui savait danser et chanter, qui était capable de rire face aux pires catastrophes. Dans chaque régiment, il y avait toujours deux ou trois gitans qui jouaient du violon ou de la flûte. Le dimanche, tous les paysans revêtaient des costumes de couleurs vives et se retrouvaient sur la place du village pour danser une variante du « kolo », danse rapide et sauvage où les hommes lançaient très haut leurs jambes et improvisaient des bonds acrobatiques, tandis que la foule battait des mains sur des rythmes compliqués. Pour fêter la Saint-Georges, la ville de Nisz elle-même oublia ses malheurs ; les femmes parées de robes claires et les hommes habillés de neuf se rendirent dans les bois environnants pour y ramasser

_____
7. *Ibid.*, p. 98.

des fleurs, puis revinrent en ville où ils dansèrent, chantèrent et festoyèrent dans les rues longtemps après le coucher du soleil.

Les deux Américains que cette vitalité impressionnait furent conquis par l'hospitalité serbe. Dans la plupart des maisons, on les fêtait, on leur offrait du vin ; ils se faisaient l'effet d'être accueillis comme des princes. Un jour qu'ils étaient à court de tabac dans une petite ville perdue, on leur annonça d'abord qu' « ici les cigarettes valaient leur pesant d'or », puis un marchand ouvrit son coffre, leur tendit à chacun un paquet et ajouta : « Vous ne paierez pas, puisque vous êtes étrangers. » Lorsqu'ils pénétrèrent dans les ruines de Chabatz, affamés après une longue chevauchée nocturne, la propriétaire du café répéta avec insistance qu'il n'y avait rien à manger. Après avoir entendu Reed se plaindre dans une langue étrangère, elle leur apporta soudain quelques œufs en leur disant qu'ils n'étaient pas à vendre, « mais puisque les " gospodines " sont étrangers, nous leur en donnerons quelques-uns ». Ils comprirent mieux cette attitude lorsque Gaya Matitch, le postier d'Obrenovatz, leur expliqua qu'en Serbie, le fait qu'un étranger daigne entrer dans une maison était considéré comme un grand honneur. On les accueillait à bras ouverts : les enfants leur apportaient des plateaux de pommes, des prunes en bocaux et des oranges confites ; les soldats de l'endroit retiraient leurs bottes pour leur verser de l'eau sur les mains ; quant à leur hôte, il les attendait toujours avec une bouteille de raki. Avant leur départ, ils burent quelques verres d'un vin local un peu aigrelet, à la santé de l'hôte et de l'hôtesse. Matitch, désolé qu'ils ne puissent rester plus longtemps, se leva et s'écria : « Eh bien, je vais faire de vous mes " probatim " (mes frères de sang). C'est une vieille coutume serbe. » John était très fier : « L'un après l'autre, nous nous sommes pris par les coudes et nous avons bu ainsi enlacés, puis nous nous sommes embrassés bruyamment sur les deux joues. L'assistance manifestait sa joie en tapant sur la table. Voilà qui est fait : depuis ce jour, nous sommes les " probatim " de Gaya Matitch [8]. »

Cette scène, comme beaucoup d'autres en Serbie, lui rappelait le Mexique, et pourtant il y avait de petites différences. John eut un jour une conversation avec un capitaine d'artillerie qui avant la guerre avait été un responsable au sein du mouvement socialiste. Non loin d'Obrenovatz l'officier conduisit

---

8. *Ibid.,* p. 81-83.

John près d'une ligne de tranchées. C'était un grand homme bien bâti avec une longue barbe, des yeux tranquilles et francs ; depuis quatre ans qu'il était dans l'armée il n'avait guère eu l'occasion de parler politique. L'armée était tellement devenue sa vie que lorsqu'il pouvait retourner dans sa famille, il s'y ennuyait, et c'était un soulagement « quand le moment était venu de revenir ici, de retrouver ses amis, son travail, ses canons ». Ses convictions socialistes lui paraissaient appartenir à une autre existence ; le désir d'un monde plus juste lui semblait un rêve lointain et chimérique. Sa voix douce se brisa soudain, lorsqu'il saisit le bras de Reed, se tourna pour lui faire face et lui dit sauvagement : « J'ai perdu ma foi [9]. »

A Nisz, à force d'y réfléchir, John finit par comprendre pourquoi la Serbie ne ressemblait pas vraiment au Mexique : ici le peuple rêvait d'un empire, et ce rêve corrompait tous les esprits. Les mères avaient élevé leurs enfants en leur répétant : « Vive le petit vengeur de Kossovo ! » Bien que cette défaite du XIVe siècle ait été vengée, les Turcs chassés, bien que le pays fût libre depuis près d'un siècle, il y avait toujours le désir de voir la Serbie s'agrandir, annexer les Slaves de Hongrie, de Croatie, de Bosnie-Herzégovine et du Montenegro. Reed avait beau aimer les Serbes, il ne pouvait que redouter cet « instinct impérialiste » qui entraînait le pays dans des « conflits terribles ». Il n'éprouvait pas d'antipathie particulière pour les traditions nationales en tant que telles, mais il n'aimait guère ces ambitions qui conduisaient à des aventures militaires, interdisant tout espoir de paix internationale, la seule qui eût pu favoriser l'union des hommes contre les forces d'oppression sociale et économique.

Bucarest, ville chic et chère, ressemblait à un décor d'opérette, mais durant le séjour qu'il y fit à la fin de mai, John fut en général trop malade pour en profiter et pour savourer les plaisirs offerts par ses femmes « extravagantes ». En Serbie, un médecin lui avait déclaré que ses maux de reins n'étaient autre qu'un effet secondaire de la syphilis. Comme John protestait, affirmant qu'il n'avait pas contracté cette maladie, le praticien lui répliqua ironiquement : « Ne soyez donc pas si entêté. Tout le monde a la syphilis [10] », et comme John s'obstinait à nier, il

9. Article de J. R. intitulé « Le monde bel et bien perdu », *Masses*, n° VIII, février 1916, p. 5-6. Repris dans F. Dell, *Daughter of the Revolution*, p. 23-28.
10. Cité dans l'essai autobiographique inédit de Louise Bryant (manuscrits Hicks).

le mit à la porte. Un médecin roumain prit les symptômes plus au sérieux et lorsqu'un examen aux rayons X révéla des calculs dans le rein gauche, il le fit hospitaliser. Un régime strictement liquide et le repos forcé firent grâduellement disparaître la souffrance ; John travaillait dans son lit, mettant la dernière main à ses articles sur la Grèce et sur la Serbie. De chacun, il fit deux exemplaires qu'il expédia au *Metropolitan* par des voies différentes. Mécontent de son premier article, il expliqua à Hovey : « Je ne peux écrire bien loin de chez moi. » Heureusement les croquis de Robinson étaient « merveilleux » et Reed conseilla au directeur de supprimer du texte plutôt que des dessins. Quelques jours plus tard, il se sentait beaucoup mieux à la fois physiquement et moralement : « Mon troisième article est vraiment bon, c'est un des meilleurs que j'aie jamais écrits, et la matière en est entièrement nouvelle. Nous sommes les premiers à avoir fait ce voyage, les premiers à avoir vu Goutchevo, etc. Nous avons tous deux travaillé comme des fous sans perdre un instant. J'espère que vous serez satisfait [11]. »

C'étaient la mobilisation et les rumeurs de guerre imminente qui avaient attiré les deux Américains en Roumanie, mais au bout de quinze jours, il devint évident que le pays allait rester neutre. Lorsqu'à Bucarest, on apprit que les Russes effectuaient un grand mouvement de repli devant l'offensive autrichienne en Galicie, John fut trop impatient de partir pour écouter l'avertissement du médecin qui le prévint qu'il risquait sa vie en refusant de se ménager. Ils passèrent outre la déclaration de l'ambassadeur russe qui leur assura qu'il ne pouvait pas leur délivrer de laisser-passer pour aller sur le front et s'adressèrent au consulat américain. Un fonctionnaire des Affaires étrangères très arrangeant leur fournit une lettre qui les autorisait à séjourner officiellement en Russie pour y enquêter sur le sort de plusieurs citoyens juifs américains qui résidaient en Galicie et en Bucovine. John, qui trouvait trop courte la liste de ces citoyens, ajouta plusieurs noms, y compris celui de Walter Lippmann. Vêtus de costumes de velours, coiffés de chapeaux mous, n'emmenant avec eux que de petits bagages, ils prirent le train pour Dorohoï, terminus nord du chemin de fer roumain ; ils s'attendaient à être refoulés. Tandis qu'ils marchandaient pour se faire emmener en voiture jusqu'à la frontière, ils furent accostés par le chef de la police de la ville qui commença par les informer que

---

11. J. R. à Carl Hovey, 17 et 22 mai 1915 (archives Gold) ; et lettre du 24 mai 1915, *ibid.*, citée dans *Movers and Shakers*, p. 380.

la frontière était fermée, et finit par leur offrir de les aider à la franchir.

La Russie possédait un charme très particulier, une présence indéfinissable ; ils la sentirent au crépuscule, alors qu'un bac leur faisait traverser les eaux en crue de la Prout. Après avoir dérivé pendant un long moment, ils aperçurent devant eux la rive sombre et la silhouette géante d'un soldat qui se découpait sur le ciel rouge. Des descriptions littéraires, des lambeaux de conversation, des fragments de mélodie, des contes populaires à demi oubliés, l'image que se faisait un occidental de cette civilisation mystérieuse, splendide, sauvage, mi-européenne, mi-orientale, traversèrent l'esprit de John ; c'était « la Sainte Russie, sombre, magnifique, immense, contradictoire, inconnue ». Leurs premières expériences vérifièrent ces impressions. Une carriole les emmena dans une nuit sans étoiles, « un chœur de voix profondes entonna un chant triste et lent » et une prairie illuminée par les feux de camp apparut. Il y avait là des groupes d'hommes sombres, aux visages plats « aux yeux de Chinois et aux pommettes polies comme du bois de teck, vêtus de longs caftans et coiffés de curieux chapeaux de fourrure ». C'étaient des Turcomans, cavaliers des steppes d'Asie ; les descendants de « ce geyser bouillonnant qui avait déferlé sur l'Europe au temps des grandes invasions venues de Mongolie... Les ancêtres de ces guerriers avaient suivi Gengis Khan, Tamerlan et Attila. Leurs cousins étaient sultans à Constantinople et siégeaient sur le Trône du Dragon à Pékin [12] ».

Le capitaine Vladimir Madji, commandant de Novo Sielitza, reçut les deux « Amerikanski » avec une « générosité gargantuesque ». Chez lui, de même qu'à l'état-major, ils firent connaissance avec toute une exubérante population de domestiques, de grosses femmes et de soldats ; ils s'exprimaient comme ils pouvaient dans un curieux mélange d'allemand, de français, de russe et d'anglais. Très affairés, des officiers de liaison allaient et venaient, transportant des piles de documents, mais il ne semblait pas y avoir la moindre organisation ; on ne paraissait guère s'en soucier bien que le front ne fût qu'à une trentaine de kilomètres de là. On parlait de la situation militaire avec une franchise qui partout ailleurs aurait été qualifiée de haute trahison : en effet, à cause de la corruption, de la désorganisation généralisées, du manque de réserves, l'armée « reculait précipitamment », mais on espérait bien que l'année prochaine,

---

12. *La Guerre en Europe de l'Est,* p. 111-113.

elle avancerait à nouveau. C'étaient, disait le capitaine en souriant, les fluctuations inévitables de la guerre qui continuerait « aussi longtemps que l'Angleterre fournirait l'argent et que la terre donnerait des hommes ». Dans l'immédiat, la bonne chère semblait plus importante que la bataille : on servit d'abord des sardines, des harengs crus et fumés, du caviar, de la saucisse, de la tarama et des cornichons, puis d'énormes plats de polenta, du porc et des pommes de terre. Il y avait toutes sortes de boissons : du cognac, de la bénédictine, du kummel, des alcools de framboise et de prune et des vins de Bessarabie : on but et on parla tant qu'on put jusque fort tard dans la nuit ; comme Reed et Robinson harassés de fatigue quittaient la table encore très animée pour rejoindre leurs lits, leur hôte murmura : « Dormir est une façon vraiment ridicule de passer la nuit [13]. »

L'après-midi suivant, le général Baïkov, très aimable, leur délivra un laisser-passer qui leur permit de poursuivre leur route vers le nord. En compagnie d'un paysan demeuré et grimaçant qui conduisait un antique chariot, ils longèrent la Prout et traversèrent la Bucovine tandis que l'artillerie russe engageait un duel intermittent avec les batteries autrichiennes. Le soir, ils traversèrent une région où s'étaient déroulés de violents combats ; les hauts crucifix remplaçaient les croix slaves et les paysans ne parlaient que le polonais. Sur les collines, un grand nombre de soldats étaient occupés à creuser d'énormes tranchées et à poser des chicanes de fer barbelé. La nuit tombait lorsqu'ils atteignirent Zalezchik. Cette ville sur la rive du Dniestr, autrefois ravissante, avait été prise, brûlée et bombardée à trois reprises ; sa population vivait dans la terreur. Ils découvrirent errant parmi les ruines quelques habitants qui redoutaient particulièrement les soldats russes ; John apprit que la plus grande partie de la population juive — y compris les citoyens américains qu'ils recherchaient — avait été massacrée par les soldats du tsar. Ils dînèrent avec le commandant de la place qui les informa que seul le général Lichisky, à Tarnopol, pourrait leur délivrer un laisser-passer pour le front. Cet officier fort obligeant leur paya le voyage et les accompagna en personne jusqu'à leur wagon de troisième classe.

Ils mirent quatorze heures pour parcourir soixante kilomètres à travers « l'immense steppe galicienne, couverte de champs de blé ». Tarnopol était une vieille ville bien bâtie dont les rues grouillaient de soldats. Des régiments défilaient de leur pas lourd

---

13. *Ibid.*, p. 117, 120.

et cadencé, faisant entendre des « chants simples et beaux comme des psaumes hébreux ». Les paysans, géants barbus aux mains énormes, aux larges torses, chaussés de bottes, portaient des blouses brunes ; ils avaient « des visages rudes et impassibles qu'ils tournaient vers l'Ouest, dans la direction de ces combats invisibles dont la raison semblait leur échapper [14] ». Certains soldats portaient des uniformes splendides : il y avait des cavaliers en pantalons verts, armés de larges sabres ; des cosaques de l'Oural avec leurs bottes à revers aux bouts pointus et recourbés, vêtus de longs caftans et coiffés de hautes toques de fourrure ; d'autres, qui appartenaient à un corps mystérieux, avaient de grosses épaulettes dorées et la poitrine barrée de décorations. L'état-major fut stupéfait par l'arrivée des Américains. On n'avait jamais vu aucun journaliste dans ce secteur ; en vertu d'un décret militaire, l'endroit leur était formellement interdit. Après que des officiers subalternes leur eurent fait subir un long interrogatoire (on les prenait pour des espions allemands), Reed et Robinson furent reçus par le général Lichisky. Cet homme plutôt sympathique leur déclara qu'il n'avait aucun pouvoir pour leur délivrer un laisser-passer. Il leur offrit de séjourner à Tarnopol aux frais de l'armée. A l'en croire, il n'y avait que le prince Bobrinski, le gouverneur général de Galicie à Lvov, qui pourrait leur accorder la permission nécessaire.

A nouveau leur train traversa d'immenses champs de blé qui commençaient à mûrir. Les signes de « la plus profonde désorganisation » se manifestaient partout : il y avait des bataillons égarés çà et là sans nourriture, tandis qu'un peu plus loin on voyait pourrir des montagnes de vivres dans les entrepôts ; les locomotives sifflaient impatiemment pour se faire livrer le passage ; des trains supplémentaires fonçaient dans des directions opposées, tirant des wagons vides, tandis que des régiments à moitié armés s'entassaient sur le quai des gares, attendant un moyen de transport. On était loin du spectacle de la France occupée. Là-bas, « l'infaillible machine allemande » fonctionnait comme une horloge ; ici « on avait l'impression que des forces énormes étaient le jouet du hasard ; c'était une indifférence généralisée, un gâchis gigantesque [15]. » A Lvov, ancienne ville de la monarchie polonaise aux lugubres palais de pierre, la confusion battait son plein. Après s'être frayé un chemin

14. *Ibid.*, p. 150.
15. *Ibid.*, p. 159.

au milieu d'une foule de réfugiés, de soldats blessés et de civils qui discutaient dans les bâtiments de la chancellerie, ils se heurtèrent à la hiérarchie bureaucratique : les employés disparaissaient dans la profondeur de leurs bureaux et s'abstenaient de reparaître. Comme ils avaient eu l'idée d'approcher les sentinelles qui gardaient le quartier général du gouverneur, ils furent accostés par un jeune homme élégant qui parlait anglais et leur dit qu'il était le prince Troubetskoï : c'était l'aide de camp du gouverneur. Aussitôt, il leur apprit que les journalistes étaient interdits à Lvov et leur demanda comment diable ils avaient pu faire pour parvenir jusque-là ; Reed lui fit voir toute une collection de laisser-passer. Le prince soupira : « A quoi bon les règlements, lorsqu'on a affaire à des Américains ! » Il se dit tout à fait décidé à les aider, mais hélas, c'était impossible. Il n'était qu'un fonctionnaire civil, et seuls les militaires pouvaient délivrer des laisser-passer pour le front. Le mieux qu'ils avaient à faire, c'était de se diriger vers Cholm, où le général Ivanov, commandant en chef de la région sud-ouest, résoudrait sûrement leur problème.

Lvov est à moins de cent soixante kilomètres de Cholm, mais les aléas du chemin de fer russe obligèrent Mike et John à parcourir plus de cinq cents kilomètres, voyage qui dura deux jours à travers des forêts de pins et de bouleaux ; ils traversaient de petits villages aux maisons de bois délabrées et des gares minuscules où fumaient des samovars ; des paysans aux visages lourds fixaient le paysage d'un regard morne. A Rovno, ils furent obligés de changer de train ; ils en profitèrent pour se promener dans cette petite ville typiquement juive. Dans les rues s'entassaient des monceaux d'ordures qui dégageaient une odeur infecte ; il y avait des nuages de grosses mouches ; et devant de minuscules échoppes malodorantes, les commerçants tentaient d'attirer le client en vantant leur marchandise ; nulle part ailleurs en Russie, les Juifs n'avaient paru aux deux voyageurs si avilis et dégénérés qu'ici où ils étaient reclus à cause d'un antisémitisme féroce élevé au rang d'institution. Des hommes à la barbe clairsemée, au visage maladif, de vieux rabbins dans leurs longs manteaux noirs, des jeunes filles prématurément vieillies, des femmes ridées portant des perruques crasseuses jetaient sur les deux étrangers des regards haineux. Dans les conversations, Reed avait entendu de nombreux Russes, à Zalezchik et Tarnopol, parler des Juifs comme de « traîtres » ; dans ces deux villes, il avait pu réunir les preuves de leur massacre par les cosaques. En voyant les conditions dans lesquelles ils vivaient depuis des siècles, exclus du reste de la population, John comprenait aisément leur manque de patriotisme. Méprisés et persécutés, ils n'avaient aucune raison de se montrer loyaux envers la Russie.

Cholm se révéla aussi encombrée, misérable et décrépite que toutes les autres villes russes. Ils allèrent loger dans le « meilleur » hôtel de la ville qui était plutôt défraîchi. Le lendemain, un officier au crâne rasé vint les informer qu'ils avaient été signalés comme espions allemands. Conduits dans les bureaux de l'état-major, ils produisirent le laisser-passer de Troubetskoï et firent part de leur désir de se rendre sur le front. Un des officiers qui parlait anglais leur dit : « Très bien. Mais nous devons d'abord téléphoner au grand-duc : simple formalité... Nous aurons une réponse d'ici deux ou trois heures au plus [16]. » Le même soir, l'officier chauve pénétra dans leur chambre, s'inclina, leur expliqua que le grand-duc n'avait pas encore répondu, leur prit tous leurs papiers et les pria de ne pas quitter l'hôtel. Lorsque des cosaques vinrent se poster dans les couloirs, il devint évident qu'ils étaient bel et bien prisonniers. Ils rédigèrent une vigoureuse protestation qu'ils adressèrent au général Ivanov. Un colonel vint alors leur expliquer que leur cas était grave : non seulement Cholm était une ville interdite aux journalistes, mais elle abritait l'état-major d'Ivanov, de sorte qu'en y pénétrant ils violaient un secret militaire. Certes, c'était Troubetskoï qui les avait envoyés ici, mais son indiscrétion ne justifiait pas la leur.

Pendant deux semaines, Reed et Robinson furent prisonniers dans leur chambre d'hôtel qui mesurait quatre mètres sur cinq, au troisième étage, juste sous les toits. Les fenêtres ouvraient sur une arrière-cour sale et l'on apercevait au-delà les toits rapiécés et les petites rues pavées et grouillantes du ghetto. Le soleil de juin était très chaud. Comme la chaleur augmentait, ils durent se mettre en sous-vêtements, souffrant d'être épiés par la foule silencieuse qui s'amassait en bas. « D'horribles odeurs » montaient du quartier juif, se mêlant aux effluves des latrines contiguës. N'ayant rien à lire, ils se procurèrent un jeu de cartes et jouèrent tellement au bridge que par la suite John déclarait que la simple vue d'une carte lui donnait envie de hurler. Pour passer le temps, Robinson dessinait les plans de la maison de campagne de John et faisait des croquis de leurs gardes. Reed écrivit des poèmes, fit des projets de romans, et

---

16. *Ibid.*, p. 177.

élabora d'innombrables et impossibles plans d'évasion. Ensemble, ils tenaient des discours à la population assemblée dans la rue, courtisaient les femmes de l'hôtel, chantaient des chansons paillardes, faisaient les cent pas et passaient des heures à composer des messages insultants qu'ils adressaient au tsar, à la Douma, au Grand-Duc et au général Ivanov. La curiosité de leurs gardiens, des cosaques à demi sauvages dont les sabres sans manche, recourbés et pointus, incrustés de pierreries semblaient redoutables, se transforma en une sorte de camaraderie bon enfant. Pourtant les heures se traînaient ; la chaleur, la puanteur et l'ennui en firent une épreuve « abominable [17] ».

Le premier jour, on leur avait permis de télégraphier à l'ambassadeur des Etats-Unis à Petrograd, après quoi toutes leurs demandes de communication leur avaient été refusées. Reed, qui redoutait que ce message ne se soit perdu dans « les méandres insondables du système de transmissions russe », fut très surpris lorsque le huitième jour, un postier en grand uniforme pénétra dans leur chambre porteur d'un télégramme de l'ambassade qui disait : « Vous avez été arrêtés parce que vous avez pénétré dans la zone militaire sans autorisation. Le ministère des Affaires étrangères nous a fait savoir que vous allez être dirigés sur Petrograd [18]. » C'était tout. Six jours passèrent encore. Le septième, tard dans la nuit, un lieutenant vint les libérer. A l'état-major, on leur rendit leurs papiers. Mi-furieux, mi-plaisantant, John s'empara de son passeport qui ne lui avait assuré aucune protection et griffonna sur la couverture : « Je suis un espion allemand et autrichien. Je fais ça pour de l'argent [19]. » Comme ils manifestaient toujours le désir de se rendre sur le front, on leur assura qu'il n'y avait qu'à Petrograd qu'ils pourraient y être autorisés. Ils demandèrent un laisser-passer pour qu'on ne les arrête pas en route, mais le lieutenant déclara que ce n'était vraiment pas nécessaire ; personne ne les ennuierait. Ils insistèrent, et non sans peine, il consentit à en établir un. Ils avaient été bien inspirés. Au cours de leur voyage jusqu'à la capitale, ils furent arrêtés plus d'une douzaine de fois par la police militaire.

A Petrograd, la confusion créée par la présence de Reed et

---

17. Lettre de J. R. à Carl Hovey, 4 juillet 1915 (archives Gold). Un exemplaire dactylographié de cette lettre originellement manuscrite figure dans les manuscrits J. R.
18. Cité dans *La Guerre en Europe de l'Est*, p. 196.
19. Cité dans *Movers and Shakers*, p. 385.

de Robinson arriva aux oreilles des autorités américaines. Toujours vêtus de leurs costumes de velours maintenant quelque peu défraîchis, ils aspiraient à un « véritable confort » ; ils prirent une chambre à sept dollars par jour dans le luxueux hôtel Astoria où résidait également l'ambassadeur américain George T. Marye. Au déjeuner, John se hâta vers sa table et reçut un accueil glacial. Marye, petit homme méticuleux à la voix sèche, portant lunettes et moustache blanche, déclara : « Le meilleur conseil que je puisse vous donner, c'est de quitter la Russie immédiatement par le chemin le plus court [20] », puis il se mit en devoir d'exposer ce qu'il savait de leur affaire. Les militaires, extrêmement surpris de voir arriver des journalistes à Cholm, et qui avaient vu la liste des Juifs établie par l'ambassade de Bucarest, en avaient conclu que Reed et son compagnon étaient en contact avec des éléments subversifs et antirusses. Ils n'avaient échappé à la cour martiale et à une exécution probable que grâce à un échange de notes et de télégrammes entre l'ambassade à Petrograd, le ministère russe des Affaires étrangères, le secrétaire d'Etat américain Robert Lansing et Carl Hovey. Tout cela avait donné beaucoup de travail aux fonctionnaires de l'ambassade et rendait Reed et Robinson très suspects. Marye lui-même, qui connaissait l'histoire des coups de feu tirés dans les tranchées allemandes, semblait soupçonner que s'ils se promenaient si près du front ce n'était pas dans un but très avouable.

Puisqu'ils n'avaient plus aucun espoir de se rendre sur les lieux du combat, le problème devint celui du départ. En Russie, il fallait une autorisation officielle pour le moindre déplacement ; or, le premier secrétaire de l'ambassade américaine, un individu snob et déplaisant, ne leur fut d'aucun secours. Ne cachant pas qu'il les tenait pour des individus suspects, il ordonna aux deux amis de ne pas quitter leur hôtel et d'y attendre que le gouvernement les expulse du pays et les dirige sur Stockholm. Reed protesta, disant qu'il devait retourner à Bucarest ; pour toute réponse, le secrétaire les congédia. Le lendemain, John fit irruption chez Marye et lui expliqua que le secrétaire leur avait interdit de partir. Peu sûr de lui, l'ambassadeur répliqua : « Ah, vraiment ? Mais, vous savez, j'aimerais beaucoup vous voir sortis de ce pays, M. Reed ; vous me causez le plus grand embarras [21] ! » On ne fit aucun effort pour

_____

20. *La Guerre en Europe de l'Est,* p. 198.
21. J. R. à Carl Hovey, 4 juillet 1915 (archives Gold).

leur procurer le laisser-passer qui leur aurait permis de partir. Piqué par ces affronts personnels, Reed enrageait de constater la négligence, la couardise et l'incompétence des fonctionnaires de l'ambassade. Il revint voir Marye, lui demanda d'intervenir et comme l'ambassadeur se montrait hésitant, John menaça d'exposer tous les faits dans le *Metropolitan*. Cela n'eut pas plus d'effet. Robinson se vengea en faisant une caricature de Marye vêtu d'un costume ridicule moitié militaire, moitié diplomate, et qui montrait du doigt une pancarte fixée au-dessus de l'ambassade, où l'on pouvait lire : « Les Américains à l'étranger n'ont pas besoin d'aide. » Robinson, qui était né au Canada, se rendit à l'ambassade britannique où le premier secrétaire fort obligeant lui assura que le gouvernement russe ne pouvait pas les refouler aussi brutalement vers Stockholm. Le diplomate offrit de les recommander tous les deux ; il envoya immédiatement une note au ministère des Affaires étrangères et promit que l'ambassadeur George Buchanan prendrait lui-même l'affaire en mains. Satisfait d'être aidé par la diplomatie efficace de « la fière Albion », John ne se priva pas de faire savoir à Marye combien « il avait honte de son propre pays ».

Deux semaines plus tard, après avoir fait le siège des ambassades et houspillé les fonctionnaires, « attendant quelque chose, et n'obtenant pas le moindre espoir », les deux compagnons étaient assez déprimés. Comme le séjour semblait devoir se prolonger, ils abandonnèrent leurs vieux costumes, se vêtirent de pied en cap et organisèrent un voyage de trois jours à Moscou, où ils purent savourer le parfum « barbare » de la vieille ville impériale. Lors de leur retour à Petrograd, ils déménagèrent à l'hôtel d'Angleterre, moins cher que l'Astoria, et se mirent à explorer la ville. Bâtie sur des plans gigantesques, la capitale était immense, avec « des enfilades de bâtiments officiels et de casernes à perte de vue, de larges avenues et des places monumentales ». Les palais situés sur la rive de la Néva étaient encore plus impressionnants, ornés de « coupoles et de clochetons fantastiques ». L'été, les soirées étaient tièdes et les rues, les cafés, les théâtres de plein air, les parcs d'attractions se trouvaient envahis par une foule de gens qui circulaient en criant, riant et chantant. La religion était omniprésente. Les églises étaient bourrées nuit et jour, et les jours de fête, on voyait de longues processions défiler derrière des prêtres portant des icônes. Leurs visages exaltés et leurs chants émouvants témoignaient d'une foi qui était pour les Russes « une source d'énergie spirituelle, une bénédiction divine sur les entreprises de la nation et une sorte de communion mystique avec Dieu [22] ».

Grâce à Negley Farson qu'il avait connu au Village, John put pénétrer dans la société de Petrograd. Farson, qui représentait maintenant plusieurs firmes d'armement, était ici depuis près d'un an, tâchant de profiter de la vénalité des fonctionnaires russes. C'était un conteur inépuisable, très bien renseigné sur le régime. En écoutant ce qu'il disait et ce que d'autres hommes d'affaires occidentaux racontaient, les deux journalistes découvrirent toute l'ampleur de la corruption qui régnait dans le pays. Les ventes les plus ordinaires ne se concluaient pas sans pots-de-vin, et dans certains cas, la corruption atteignait des proportions vraiment gigantesques : des vaisseaux de guerre avaient été payés mais pas construits ; dix-sept millions de sacs de farine, assez pour remplir trente et un trains de marchandises, s'étaient évanouis dans la nature ; des pièces d'artillerie achetées à la France finissaient par échouer au Brésil ; des millions d'obus trop gros pour les canons russes, abandonnés sur le front, avaient été récupérés par les Allemands. Les noms des personnes impliquées dans ce genre d'histoire étaient ceux des plus hauts officiers de l'armée et de la grande noblesse. Le tsar lui-même ne semblait pas concerné, mais on savait bien que la cour était un nid d'intrigues, où les devins, les charlatans, la tsarine, le sinistre moine Raspoutine et les conseillers réactionnaires se disputaient le pouvoir et masquaient au despote la réalité des événements.

Les appartements russes étaient très agréables ; c'étaient en quelque sorte des salons continuellement ouverts, où la famille, les amis et les étrangers entraient et sortaient toute la nuit durant. Il y avait toujours un samovar qui bouillait, les placards débordaient de vivres et d'alcools variés ; on se réunissait par petits groupes pour rire, discuter, raconter des histoires et jouer aux cartes. Tous les sujets sans exception étaient abordés. Les gens adoraient parler de leurs états d'âme, de leurs relations sexuelles, de psychologie, de mysticisme, de littérature, de politique, d'art, et de tous les rapports qui pouvaient exister entre ces domaines. C'étaient les problèmes sociaux surtout qui intéressaient John, particulièrement les rumeurs de grève et les soulèvements de paysans dont la presse ne faisait jamais mention. En discutant avec quelques intellectuels qui se disaient affiliés à des partis clandestins, Reed eut l'impression qu'ils s'intéressaient plus aux mots qu'aux faits, à la théorie qu'à l'action. Au terme d'une longue soirée, il confia à Farson : « Ce n'est

---

22. *La Guerre en Europe de l'Est,* p. 241.

pas encore ça », lui expliquant que d'après lui, seuls des révolutionnaires professionnels pouvaient mener à bien la révolution, non pas des « dilettantes [23] ».

Les deux Américains étaient soumis à une étroite surveillance de la part du gouvernement. En fait, ils étaient en liberté surveillée, et constamment filés par des hommes des services secrets qui ressemblaient à Charlot avec leurs souliers à clous, leurs chapeaux melon et leurs cannes à pommeau d'argent. Leur rendre l'existence impossible devint un des passe-temps favoris de Reed et de Robinson. Tantôt ils s'asseyaient dans leur chambre d'hôtel et jetaient sans se montrer des bouteilles vides en direction du petit groupe qui stationnait sous leur fenêtre ; tantôt ils montaient dans un fiacre qu'ils quittaient en marche pour se mettre à courir chacun dans une direction opposée. Un jour, ils entrèrent chez un armurier et s'enquirent à voix haute du prix des mitrailleuses, de la dynamite et des fusils ; une autre fois, ils s'arrangèrent pour se trouver derrière un de ces détectives, et passèrent plusieurs heures à le suivre. Ils apprirent bientôt que ce qu'ils considéraient comme un sport était pris très au sérieux par les citoyens russes. Le pays était littéralement ratissé par les espions de la police dont la tâche avait souvent pour résultat d'expédier en Sibérie les opposants, les Juifs, les libéraux et autres « indésirables ».

Au bout de trois semaines, lassés de Petrograd, ils soudoyèrent un fonctionnaire de la police pour obtenir un visa de sortie. Un soir, sans prévenir, ils partirent, changèrent de fiacre plusieurs fois et grimpèrent dans un train qui partait pour Bucarest. Le lendemain matin, un policier pénétra dans leur compartiment et les ramena sans ambages vers la capitale, où un haut fonctionnaire leur lut un arrêté qui leur enjoignait de partir pour Vladivostok. L'horaire de chemin de fer indiquait qu'aucun train ne partait pour Vladivostok d'ici le lendemain. Cela n'impressionna pas la police qui leur déclara qu'ils devaient néanmoins partir. Une fois de plus, le personnel de l'ambassade américaine refusa de leur venir en aide, mais l'ambassadeur anglais se rendit au ministère des Affaires étrangères où il déposa une note de protestation. Deux jours plus tard, un décret officiel leur permit de partir pour la Roumanie. Redoutant qu'on ne changeât d'avis, ils prirent le premier train qui partait pour le Sud. Au poste-frontière de Vilna, quatre soldats fouillèrent

---

23. Cité par Negley Farson, *Way of a Transgressor*, Literary Guild, New York, 1936, p. 186.

leurs bagages de fond en comble ; ils se mirent en devoir de découdre les doublures de leurs vêtements et celles de leurs valises, puis finirent par confisquer toutes leurs notes et leurs dessins. La perte n'était somme toute qu' « un mince tribut à payer pour échapper aux griffes de l'armée russe [24] ».

Au début, ils furent heureux de se joindre aux foules élégantes de Bucarest qui peuplaient l'hôtel High-Life, le Jockey Club, les innombrables cabarets, les terrasses des cafés et les restaurants chics où des officiers poudrés venaient s'asseoir en compagnie de leurs maîtresses outrageusement fardées pour savourer des imitations d'opérettes françaises. Reed et Robinson, que ce spectacle fatigua rapidement, demeurèrent bientôt dans leur chambre à l'Athénée Palace pour y terminer leurs articles sur la Russie. Dans le courrier qui les attendait, il était de plus en plus question de l'entrée en guerre des Etats-Unis ; John en fut horrifié : « Je crois que je deviendrai fou si, nous aussi, nous nous mêlions à cette absurdité. Chaque fois que je vois un soldat, je me sens de plus en plus dégoûté et furieux [25]. » Les deux compagnons, lassés de voyager, n'avaient plus qu'une envie : rentrer chez eux. Mais Hovey, déçu de n'avoir pas reçu de reportage direct sur les combats, continuait à exiger qu'ils se mettent en quête d'histoires. Il les inonda de télégrammes tour à tour suppliants et prometteurs, de telle sorte qu'ils remirent leur départ au mois d'octobre, espérant d'ici là pouvoir saisir sur le vif un engagement quelconque.

Les Dardanelles, où les Turcs résistaient à la pression des Anglais, semblaient promettre beaucoup. Robinson, qui avait un passeport canadien, ne put s'y rendre et Reed dut faire seul le voyage. A la fin d'août, il était à Constantinople et tout de suite il succomba au charme de cette ville. Il admira les voiliers de la Corne d'Or, les mosquées d'albâtre éblouissant avec leurs immenses dômes, les minarets élancés, les palais byzantins, les rues étroites peuplées de prostituées, de voleurs, de bandits et de vendeurs de cartes postales obscènes. Dans la foule, se côtoyaient les femmes voilées, les Arabes enturbannés du désert, les porteurs arméniens, les marchands ambulants et les policiers casqués ; les souvenirs laissés par Mohammed le Conquérant et par les sultans légendaires faisaient de cette ville le spectacle le plus varié, le plus pittoresque qu'il eût jamais vu. Après s'être plaint, dans sa dernière lettre de Bucarest,

24. *La Guerre en Europe de l'Est*, p. 205.
25. J. R. à Sally Robinson, 1er août 1915 (archives Gold).

d'être « vraiment dégoûté de tout », et s'être déclaré prêt à rentrer immédiatement, John fut enthousiasmé à l'idée d'entreprendre un voyage de six semaines dans le Caucase : « Personne n'y est jamais allé ; ce sera un récit de combat dans le désert sans équivalent au monde. Et puis, quelle bonne occasion de connaître le pays et le peuple turc [26] ! » Reed marchanda de l'ambre au Grand Bazar, s'entretint avec des personnalités gouvernementales et même avec un prince ottoman, goûta à l'opium et au haschich ; il se promenait sans fin dans ces rues grouillantes de gens et de vie ; au bout de deux semaines il devint évident que les autorités turques ne lui permettraient jamais de se rendre sur le front. Après s'être retrouvés à Bucarest, Reed et Robinson pénétrèrent en Bulgarie au mois de septembre.

Le contraste avec la population roumaine ultra-sophistiquée les frappa dès qu'ils traversèrent le Danube. Les garde-frontières avaient de « bonnes têtes de montagnards rudes et francs », les voix avaient l'intonation rauque « des langues slaves » et ils se sentirent soulagés d'être à nouveau « dans un pays d'hommes ». Sofia, la capitale, était une petite ville simple, « aux bâtiments laids mais pratiques, aux rues propres, pavées de briques » ; John eut l'impression de se retrouver chez lui. Mise à part la présence d'une mosquée ou d'une ruine byzantine, « cet endroit aurait pu ressembler à quelque ville nouvelle du nord-ouest Pacifique [27] ». Comme la Serbie, la Bulgarie comportait une toute petite minorité d'hommes très riches, le reste de la population étant composée de paysans ; à cette différence près cependant qu'ici, épargnées par la guerre, les zones de culture étaient prospères. Pourtant les Bulgares, si simples et innocents fussent-ils, étaient gouvernés par des politiciens ambitieux, avides de profits personnels et de gloire nationale. Au milieu du mois, la mobilisation commença ; le pays se joignit à l'Allemagne et à l'Autriche pour attaquer la Serbie ; à cause du passeport de Mike, les deux compagnons n'eurent plus qu'à se réfugier de l'autre côté de la frontière, à Nisz.

Cette fois, la Serbie ne se montra pas très accueillante. Les deux premiers articles parus dans le *Metropolitan* avaient beaucoup déplu aux autorités gouvernementales, et le bruit courait que John et Mike seraient expulsés du pays dès que commencerait la guerre imminente contre la Bulgarie. Epuisés, ils se dirigèrent vers Salonique. Après six mois de voyage, Reed jeta

---

26. J. R. à Carl Hovey, 16 et 25 août 1915 (archives Gold).
27. *La Guerre en Europe de l'Est*, p. 310-311.

sur la Grèce un regard moins amène. La Macédoine n'était plus un pays enchanté. Ses habitants « abrutis, inamicaux... dépourvus de caractère », n'étaient plus qu' « un ramassis de changeurs de monnaie et de commerçants avides ». Les dirigeants se réclamaient de Périclès et d'Alexandre le Grand pour communiquer au peuple leur fièvre expansionniste. Finalement, au début d'octobre, ils s'embarquèrent pour les Etats-Unis. Le lendemain de leur départ de Salonique, ils croisèrent douze transports de troupes britanniques qui s'y rendaient : c'était l'avantgarde du corps expéditionnaire allié. A la même époque, l'Allemagne, l'Autriche et la Bulgarie lançaient une offensive simultanée qui devait en deux mois rayer la Serbie de la carte.

Durant plusieurs mois encore, Reed vécut avec ses souvenirs de l'Europe de l'Est, tout en essayant de rendre compte de son expérience là-bas. Aux sept longs articles qui parurent dans le *Metropolitan,* il ajouta assez de commentaires pour avoir de quoi faire un livre. C'est au mois d'avril 1916 que Scribner's publia *La Guerre en Europe de l'Est.* Contrairement au livre sur le Mexique, dont le contenu avait été réorganisé pour produire un effet plus dramatique, ce nouveau volume était un récit strictement chronologique. Reed y présentait les faits de la même façon que dans ses reportages. On ne pouvait guère parler d' « objectivité » au sens qu'on donne à ce terme lorsqu'il s'agit de journalisme : John avait expliqué sa méthode à Mike, un jour où celui-ci, à Bucarest, s'était écrié après avoir lu un de ses chapitres : « Mais cela ne s'est pas passé comme ça ! » Pour toute réponse, Reed s'était emparé de quelques croquis de son compagnon et lui avait répondu : « Cette femme n'avait pas un fardeau aussi volumineux... Cet homme n'avait pas une barbe aussi longue... » Mike rétorqua que la précision photographique ne l'intéressait pas, qu'il désirait seulement rendre une impression. « Exactement, lui dit John, c'est ce que j'essaie de faire moi aussi [28]. »

Malgré des passages très intéressants, l'absence de structure dramatique fait de *La Guerre en Europe de l'Est* un livre moins passionnant que *Le Mexique insurgé.* Rempli de portraits et de descriptions de paysages, truffé d'anecdotes poignantes ou drôles, il s'agit plus d'un livre qui reflète une expérience, que d'une véritable création artistique. Cela s'explique assez bien. A l'époque où il était au Mexique, John sentait en lui un désir de s'affirmer qui avait pu se fondre dans une cause à la fois plus

---

28. Cité par G. Hicks, *John Reed,* p. 197-198.

vaste et plus chargée de sens ; il avait donc pu s'exprimer sans entraves. Il en allait autrement pour les Balkans : John n'était plus aussi impatient de mettre son courage à l'épreuve. En outre, il n'y avait pas de Pancho Villa pour incarner un mouvement, ni de peuple dont il eût pu embrasser totalement la cause. Il s'était contenté de faire (et de bien faire) son métier de journaliste dans des conditions difficiles, s'autorisant parfois à user d'imagination, mais restant la plupart du temps fidèle aux faits [29].

*La Guerre en Europe de l'Est* manque sans doute de ressort dramatique, mais elle reflète parfaitement les opinions de Reed à cette époque: les paysans et les travailleurs sont glorifiés, les intellectuels sophistiqués présentés comme suspects, les politiciens et les riches traités avec le plus grand mépris. Parfois la réalité entre en conflit avec ces principes. Ecœuré par « les ambitions territoriales illimitées » (expression qui revient souvent sous sa plume) des pays balkaniques, John aurait aimé en faire porter la responsabilité uniquement sur les dirigeants corrompus. Cependant, l'honnêteté l'oblige à faire état d'une attitude identique chez les paysans illettrés. Cela, il aurait bien voulu le dissimuler, mais c'était difficile, et l'ouvrage donne l'impression que les ambitions impérialistes ont largement contaminé la population. C'est sans doute la raison principale pour laquelle, malgré tout leur charme, Reed ne put jamais se solidariser avec les Serbes ou les Bulgares, ni faire sienne leur cause.

Sans doute, comme au Mexique, la révolution pouvait-elle être une façon de transformer la triste réalité pour en faire quelque chose qui ait un sens, mais en Europe de l'Est, l'espoir d'un soulèvement était bien mince : la Turquie était « pourrie » :

---

29. Assez paradoxalement, *La Guerre en Europe de l'Est* fut mieux accueilli que *Le Mexique insurgé,* mais se vendit beaucoup moins bien. Les critiques en 1916 étaient sans doute plus habitués maintenant à lire des récits d'atrocités, tandis que le public s'intéressait davantage aux combats essentiels (du point de vue des Etats-Unis), ceux du front occidental. Le fait aussi que l'auteur n'attire pas l'attention du lecteur sur un personnage révolutionnaire comme Villa indisposa sans doute moins la critique. Le *Literary Digest* du 23 septembre 1916 déclarait : « Il faut rendre justice à cet ouvrage : jamais encore on n'a aussi bien parlé d'une des plus terribles phases de cette guerre. C'est de l'histoire écrite au jour le jour, mais de très belle façon. » *L'Indépendant* disait : « Il faudrait tout un chapitre pour rendre hommage à la somme de documents que John Reed a réunis. L'auteur nous présente une succession de portraits singuliers, d'où émergent des personnages pittoresques qui restent gravés dans la mémoire du lecteur. »

c'était un empire décadent ; la Roumanie était mûre, mais sa paysannerie était tenue en esclavage ; en Grèce, le patriotisme sentimental paraissait plus fort que le désir de changement ; quant à la Serbie et à la Bulgarie elles avaient bien des velléités égalitaires, mais l'expansion territoriale les intéressait bien davantage que les réformes. Un seul pays faisait exception : la Russie. Là, se mêlaient le passé, le présent et le futur possible dans une sorte d'énorme chaudron où bouillonnaient les idées. Malgré les absurdités du système militaire, la détention à Cholm et les tracas de toutes sortes qu'il avait subis à Petrograd, John écrivait : « La Russie ne fait pas mentir sa légende... C'est un pays surprenant et passionnant [30]. » Quelques mois plus tard, il essayait de définir à la fois le pays et les gens :

« Les Russes paraissent avoir pour leur pays l'amour qu'ont les Grecs pour le leur : ils aiment leurs grandes plaines, leurs profondes forêts, leurs fleuves larges, l'immensité du ciel, [...] les églises incrustées d'or et de pierres précieuses, [...] le cruel vent du nord, la gaîté sauvage, la sombre mélancolie, tous les mythes et toutes les légendes qui font la Russie. [...] Cette immense population, brassage de races barbares, brutalisées et dominées depuis des siècles, qui n'a à sa disposition que les moyens de communication les plus rudimentaires, qui n'a conscience d'aucun idéal, a réussi à trouver une profonde unité nationale — (unité de sentiments et de pensée) — ainsi qu'une civilisation originale qui ne cesse de se développer. Puissante et forte, elle a su s'infiltrer dans l'existence quotidienne des plus lointaines tribus d'Asie ; elle a traversé les frontières jusqu'en Roumanie, en Galicie, en Prusse orientale, malgré les efforts déployés pour enrayer sa progression. Elle fascine les gens parce qu'elle est la façon de vivre la plus agréable, la plus libre. Les idées russes sont les plus drôles qui soient, la pensée russe est la plus éprise de liberté, l'art russe le plus exubérant. La nourriture et la boisson russes ont toute ma préférence ; quant aux Russes eux-mêmes ce sont sans doute les êtres les plus intéressants.

« En Amérique, nous sommes possesseurs d'un grand empire, mais nous vivons comme s'il était aussi peuplé que l'Angleterre... Nos rues sont étroites et nos villes congestionnées. Dans nos maisons, nous sommes serrés les uns à côté des autres et dans nos appartements, entassés les uns sur les autres. Chaque famille est une cellule fermée, repliée sur elle-même, fanatiquement " privée ". La Russie est également un grand empire mais les

---

30. J. R. à Fred Bursch, 14 juin 1915 (manuscrits J. R.).

gens y vivent comme s'ils le savaient. A Petrograd, la largeur des rues atteint quatre cents mètres ; certaines places ont plus d'un kilomètre de diamètre et certaines façades font plus de huit cents mètres. Constamment les maisons sont ouvertes : les gens passent leur temps à se rendre visite, à n'importe quelle heure du jour et de la nuit. On mange, on boit, on parle : jamais rien ne s'arrête. Chacun fait exactement ce qu'il a envie de faire et dit ce qu'il lui plaît de dire. Il n'y a d'heure ni pour se lever, ni pour se coucher, ni pour manger, de même qu'il n'y a pas de façon conventionnelle d'assassiner quelqu'un, ni de faire l'amour. Beaucoup de gens trouvent que les romans de Dostoïevski ressemblent aux chroniques d'un asile d'aliénés; mais cela vient, je crois, du fait que les Russes ne se sentent pas contraints par toutes les traditions et les conventions qui règlent le comportement dans le reste du monde [31]. »

Cette description — une parmi beaucoup d'autres — montre à quel point John Reed fut fasciné par la Russie, à quel point elle correspondait à l'image qu'il se faisait d'une grande société : immense, primitive, puissante, variée, spontanée, romantique, pittoresque et libre ; une sorte de Greenwich Village agrandi aux proportions d'un continent, possédant une paysannerie robuste capable de lui donner une saveur authentique ; bref, un endroit où l'on pouvait aimer, jouer, boire, parler et vivre hors de toutes les conventions. Certes, il était conscient des éléments qui s'opposaient à cette liberté : la tyrannie policière et militaire, l'injustice sociale, la corruption et l'inefficacité du régime tsariste, l'antisémitisme exprimé même par des gens qui se disaient libéraux. Mais tout cela pouvait changer ; John fit état des révoltes de travailleurs, des mouvements politiques clandestins et des soulèvements paysans. Ceux-ci, disait-il, montraient qu'il existait dans la société russe de profonds courants souterrains qui pourraient bien modifier son avenir. « Y aurait-il un feu puissant et destructeur qui ronge les entrailles de la Russie [32] ? » s'interrogeait John. Le temps seul pourrait fournir une réponse, mais si un pareil embrasement devait se produire au grand jour, on pouvait déjà compter sur John Reed pour aller attiser les flammes.

31. *La Guerre en Europe de l'Est*, p. 208-211.
32. *Ibid.*, p. 232.

# Provincetown

*La mort vient ainsi, je le sais :*
*Souple et froide comme la neige ;*
*L'une après l'autre, d'impalpables couches de brume*
*Lentement boivent la lumière, doucement feutrent*
         *[les bruits.*

*Mous comme les voiles que l'on étouffe*
*Les souvenirs palpitent et s'effacent dans l'éther*
*Le jour n'est plus qu'une nuit grise ; le soleil fatigué*
         *[et pâle*
*Lourdement grimpe dans un ciel voilé.*

*Détaché des choses de ce monde*
*Je dérive ou crois dériver*
*Dans l'univers vaporeux et vague qui rampe et*
         *[masque*
*Une allée d'arbres majestueux : on dirait des pachy-*
         *[dermes à genoux.*

*Ta voix, autrefois tendre et argentine*
*Est devenue si creuse et lointaine ;*
*Ton visage lumineux s'assombrit*
*Bien que nous nous tenions par la main, je suis seul.*

*Voici que l'amour, la tendresse*
*Qui font de l'existence une fête*
*Viennent troubler mon repos ainsi que les visions*
         *[enfouies*
*Des foudres de jadis sur les collines de la tempête.*

*Naguère, j'ai baisé les pieds*
*De dieux innombrables ;*
*Mais, dans le néant où je suis, point de dieu*
*Si ce n'est moi, narcisse frileux.*

*Si cruelles et si déchirants*
*Sont les lumières et les bruits !*
*Pourtant, je sais qu'au-delà de la brume il n'y a rien*
*Que le glas solitaire qui sonne sur les flots gris de*
         *[l'océan...*

John REED, « Brouillard », *Scribner's*, n° LXVI,
août 1919, p. 228 ; repris dans *Liberator*, n° III,
décembre 1920, p. 4.

John, qui d'habitude ne se souciait guère de la mort, y songea suffisamment durant cet été 1916 pour composer ce poème à la fois simple et résigné. Quoi qu'il en dise ici, l'époque n'était pas particulièrement triste. Il ne pensait plus à la guerre, tout entier à la passion qu'il éprouvait pour une nouvelle femme ; au Cap Cod, il était entouré de ses amis qui formaient une sorte de communauté d'artistes ; tout le monde savourait la mer et le soleil. Si des jours aussi heureux laissaient place à l'idée de la mort, c'est que sans doute une telle plénitude fait prendre conscience à l'homme de ce qu'il risque de perdre.

Fatigué de voyager, affaibli par ses douleurs aux reins, dégoûté de la guerre, du nationalisme, des conflits mondiaux, John, en 1916, fit une tentative pour s'établir. Lorsqu'il se sentait seul, lorsqu'il avait besoin d'aide, de compagnie ou de tendresse, il ne cherchait plus à s'évader comme auparavant. De toute façon, son métier de journaliste l'obligeait à voyager, à être toujours sur la brèche. Il devait pour cela trouver une certaine stabilité intérieure. Pour la première fois, John se mit à ménager ses forces, à économiser son énergie pour s'occuper de ses problèmes personnels.

Avant tout, il s'agissait d'en finir avec Mabel. En quittant les Etats-Unis, John avait demandé à Hovey de faire suivre les lettres qu'il lui adresserait, et souvent, au cours de ses périgrinations, il avait pris le temps de lui écrire. Voyant qu'elle ne répondait pas, il commença à soupçonner ce qu'une lettre d'Hutchins Hapgood lui confirma : une fois de plus, elle avait changé d'avis. Au mois de juillet, à Bucarest, il reçut une lettre ; lorsqu'il l'ouvrit, une alliance en tomba. Hutchins Hapgood expliquait que « sa longue passion pour lui était morte », qu'elle était décidée à considérer John comme un bon ami, mais redoutait qu'avec lui une relation non sexuelle soit impossible ; elle refusait de le revoir s'il exigeait ce qu'elle ne pouvait lui donner. Hapgood prévenait Reed qu'il était vain d'espérer « un renouveau de cette vieille passion — illusion éternelle » ; il essayait d'atténuer le choc en donnant à son jugement une tournure impersonnelle : « La connaissant bien, je sais qu'elle est incapable de recommencer une expérience, d'éprouver à nouveau un sentiment qui a disparu [1]. »

Bien qu'il s'y attendît un peu, cette nouvelle le bouleversa. A des milliers de kilomètres de distance, Mabel, plutôt qu'une femme véritable, était un symbole de sécurité, de tendresse et d'amour. John, désemparé, céda à la colère et alla jeter son alliance dans un canal, puis il écrivit une lettre assez ambiguë. Il demandait à Hutchins de mettre la main sur toutes les lettres que Mabel lui avait écrites et de les détruire, mais en même temps il se déclarait tout à fait prêt à accepter l'amitié qu'elle lui proposait désormais. Trois mois plus tard, ces bonnes dispositions avaient disparu : il se rendit tout droit chez elle.

Mabel l'attendait de pied ferme, d'autant plus sûre d'elle que sa récente liaison avec le peintre Maurice Sterne, artiste à la culture vaste et cosmopolite, faisait paraître Reed « bien commun ». Dès son arrivée, elle se retrancha derrière les principes de John : « Tu m'as toujours dit que pour pouvoir vivre sa vie, on devait être libre. Je ne vois pas pourquoi nous ne pourrions pas rester amis [2]. » Mabel habitait maintenant Finney Farm, un vaste domaine à Croton. Elle lui offrit de s'installer au troisième étage pour travailler. John logeait dans une pièce qui donnait sur des vergers et des collines parées de leurs belles couleurs d'automne. Ce fut pour découvrir un peu plus tard que Sterne avait établi ses quartiers dans une petite maison attenante à la demeure principale. Cette situation s'avéra intenable. Aux avances de John, Mabel répondait par des suggestions pratiques : il avait besoin d'un endroit pour écrire, elle trouvait agréable de l'avoir près de lui, et d'autre part, qu'il fût là ou ailleurs, ses relations avec Sterne n'en seraient pas

---

1. *Movers and Shakers,* p. 383.
2. *Ibid.,* p. 418.

modifiées. Cette attitude réaliste convainquit enfin John qu'elle ne l'aimait plus ; il put trouver le courage de partir. En fait, cette rupture définitive aurait dû se produire beaucoup plus tôt : c'est pourquoi elle ne lui fut pas trop pénible.

De retour à Manhattan, Reed eut affaire avec d'autres problèmes, d'ordre familial cette fois. Depuis son retour, il avait été submergé par des lettres de détresse en provenance de Portland. Margaret mêlait les conseils maternels aux plaintes sur son état de santé ; elle le suppliait de venir la voir, tandis que son frère Harry n'avait que de mauvaises nouvelles financières à lui annoncer. Grâce à ses articles pour le *Metropolitan,* il put leur envoyer plusieurs centaines de dollars et, au début de décembre, il prit le train pour l'Ouest. Immédiatement, il se demanda pourquoi il avait entrepris ce voyage. Il écrivait à Sally, la femme de Mike : « Cela fait vingt-quatre heures que je suis ici et c'est vraiment insupportable. Ma mère est très gentille, très affectueuse, mais sa façon de voir les choses n'a pas évolué d'un pouce. Je crois que j'ai eu tort de m'imposer cette période d'inactivité, après les sept mois que je viens de passer. Je voudrais être à New York [3]. »

Quelques jours plus tard, son humeur avait changé du tout au tout ; à la hâte, il rédigea cette lettre d'explications : « Ce petit mot pour vous annoncer que je suis à nouveau amoureux ; je crois enfin avoir trouvé la femme de ma vie. Je n'en suis pas encore tout à fait sûr, évidemment. Elle a deux ans de moins que moi, elle est vive, courageuse, directe ; elle a un charme fou... Elle est prête à toutes les aventures ; elle professe le plus grand mépris — elle a bien raison — pour le conservatisme et le *statu quo.* Elle refuse de s'attacher à quelqu'un et qu'on s'attache à elle... Elle a fait de la publicité avec succès, puis elle a abandonné, alors qu'elle s'était fait un nom ; elle a travaillé pendant cinq ans pour un quotidien, où elle s'est fort bien débrouillée. Elle s'est ensuite dirigée ailleurs, car elle désirait autre chose. Dans le vide intellectuel qui règne ici, dans ce pays sauvage, elle est devenue (comment, c'est ce que je ne peux comprendre) une véritable artiste, une femme originale et joyeuse, une poétesse et une révolutionnaire [4]. »

Elle s'appelait Louise Bryant et possédait effectivement la plupart des qualités que John lui attribuait. Elle avait un charme indéniable : élancée, les cheveux sombres, des yeux gris-

---

3. J. R. à Sally Robinson, 5 décembre 1915 (manuscrits J. R.).
4. *Ibid.*, 18 décembre 1915 (manuscrits J. R.).

verts, un regard vif, une expression tour à tour mutine, perplexe, parfois perverse. En réalité, elle avait quatre ans de plus, et passablement moins de succès professionnels, qu'elle ne disait. Louise était une femme passionnée, insouciante, indomptable ; mais cette attitude masquait son ambition profonde de se faire un nom. Chez elle comme chez John, le mépris du train-train avait une conséquence : elle était totalement incapable de se fixer quelque part ; elle refusait de se lier, ce qui était une façon d'avouer qu'elle avait beaucoup de mal à rester fidèle. Ses goûts et ses rêves ressemblaient tellement à ceux de John, que pour lui, aimer Louise, c'était un peu aimer un autre soi-même.

Comme elle refusait d'en parler, le passé de Louise resta toujours quelque peu mystérieux. De toute évidence, elle avait eu une enfance malheureuse : tantôt elle ne faisait pas mention de ses parents, tantôt elle inventait des histoires fantaisistes sur le sang noble qui courait dans les veines de ses ancêtres, ou sur leur immense fortune. On connaît d'elle quelques faits précis : elle était née à San Francisco en 1885, peu avant la mort de son père, le journaliste Hugh Mohan. Sa mère se remaria avec un conducteur de locomotive, Sheridan Bryant ; elle passa son enfance à Wadsworth (Nevada), qu'elle quitta pour aller suivre des cours à l'université de Reno ; elle s'inscrivit ensuite à l'université d'Oregon. Sur le campus Eugene, elle se fit remarquer par son indépendance : Louise fut l'une des premières filles à se mettre du rouge aux lèvres en public ; elle joua dans les pièces qu'on montait sur le campus et prit la tête des manifestations des suffragettes. Plus tard, elle ne fit rien pour cacher une liaison tapageuse avec le fils d'une grande famille. Après avoir obtenu son diplôme et exercé quelques mois comme professeur, elle se rendit à Portland, décidée à se faire un nom dans le journalisme. Elle visait un poste dans un quotidien du genre de l'*Oregonian,* mais elle dut d'abord être rédactrice de mode dans un hebdomadaire de potins mondains, le *Spectator.* A la fin de 1909, peu de temps après son arrivée à Portland, sa situation financière s'améliora : elle avait réussi à se faire « enlever » par un élégant dentiste, Paul A. Trullinger, qui appartenait à une famille de riches pionniers.

Louise n'était pas femme à s'installer confortablement dans le mariage. Malgré la ravissante maison que son mari avait fait construire dans le nouveau quartier chic de la ville, sur les bords de la Willamette, elle tint à conserver son studio dans le centre ; elle se considérait avant tout comme une journaliste et une artiste. Trullinger, selon les critères de Portland, était connu comme un homme aux idées larges, mais il avait trop peu de culture pour satisfaire Louise ; aussi, se mit-elle en quête d'aventures. Le vent de changement, l'esprit d'innovation qui avaient donné naissance au nouveau Greenwich Village avaient eu des répercussions dans la plupart des villes du pays : Louise fit la connaissance d'un groupe de jeunes gens que l'art et les mouvements révolutionnaires passionnaient. A partir de 1912, *Les Masses,* où l'on pouvait lire les sketches satiriques écrits par le « prince » de la bohème locale, C. E. S. Wood, devint leur journal favori. Louise qui avait très envie d'écrire dans ce journal, mais qui manquait encore un peu de métier, réussit à vendre un si grand nombre d'abonnements que Max Eastman, à New York, finit par connaître son nom. En 1915, le *Blast,* journal anarchiste de San Francisco dirigé par Alexander Berkman, publia certains de ses poèmes et de ses dessins.

Bien avant qu'ils ne se rencontrent, Louise connaissait Reed de réputation. Elle le voyait comme une sorte de héros à l'existence palpitante, comme un homme « qui se souciait fort peu de savoir à quelle heure vous vous étiez couché ou levé [5] ». Elle apprit qu'il devait venir chez le peintre Carl Walters à qui elle demanda de le lui présenter, mais par hasard, le jour même où ils devaient se voir, John et Louise se rencontrèrent dans une rue de Portland. Il correspondait tout à fait à sa vision du « prince charmant » : il était beau, brillant, charmeur, il parlait de guerres lointaines et de mouvements d'avant-garde, mais il paraissait en même temps sympathique et accessible. Comme il souffrait d'un gros rhume, il accepta la proposition que lui fit Louise d'aller dans son studio pour y boire du lait chaud au miel ; il pourrait en même temps jeter un coup d'œil sur ses poèmes. Ce soir-là, lorsqu'ils arrivèrent chez les Walters, le peintre et sa femme eurent l'impression qu'ils étaient déjà épris l'un de l'autre.

Cette passion eut beau être soudaine, Reed maintint pendant des années le jugement qu'il porta à l'origine : « Je crois qu'elle est la première personne que j'aie jamais aimée sans aucune restriction (sans les critiques que je n'osais pas formuler d'habitude). Elle avait une personnalité si vivante que je ne sentais pas le désir d'y modifier quoi que ce soit [6]. » Par

---

5. Louise Bryant, dans son essai autobiographique resté inédit (manuscrit Hicks).
6. J. R. à Sally Robinson, 18 décembre 1915 (manuscrits J. R.).

la suite, John devait toujours affirmer que c'était ses qualités exceptionnelles qui l'avaient séduit. Au cours des longues heures qu'ils passèrent ensemble dans son studio, il lui arrivait de se sentir vulnérable. Eprouvant le besoin de se confier, il trouva chez Louise ce qu'il n'avait jamais trouvé chez aucune femme : il pouvait lui parler des défaillances qu'il dissimulait d'ordinaire. Après sa longue période de solitude, John se sentait faible, à la limite de l'épuisement ; il redoutait qu'un autre « combat » ne parvienne à le terrasser complètement. Louise avait beaucoup de mal à le croire. Aveuglée par l'image qu'elle s'était faite de lui, elle n'arrivait pas à prendre ses confidences très au sérieux : « Quel homme merveilleux ! Nulle part ailleurs il n'existe une âme aussi libre, aussi sensible et aussi forte [7] ! »

Ils passèrent ensemble deux semaines idylliques, puis John reprit le train pour l'Est. Ils échangèrent des lettres passionnées. Louise, après avoir mis son mari au courant et scandalisé la bonne ville de Portland, débarqua à New York et s'installa au 43, Washington Square South, dans un vaste appartement qui ressemblait fort à celui de *La Vie de Bohème*. Elle savait partager ses divertissements les plus simples ; ils se baladaient dans Manhattan, sur le Bowery, dans le Lower East Side, à Chinatown, à Yorkville ; prenaient le ferry pour se rendre à Staten Island. New York vu par ses yeux redevenait neuf pour lui. Ils dînaient au Brevoort ou chez Polly, allaient danser au « Liberal Club », boire de la bière au « Working Girls Home » ou au « Golden Swan », discutaient politique et poésie avec Eastman ou avec Dell à la rédaction des *Masses,* ou bien se rendaient dans Greenwich Avenue pour y assister à une partie de base-ball. Partout, la beauté de Louise, sa fraîcheur, son enthousiasme faisaient sensation ; les gens du Village trouvaient qu'elle était la compagne idéale de leur enfant chéri. Quelques amis intimes cependant ne partageaient pas cette admiration. Certains, tels les Robinson, la trouvaient superficielle et ambitieuse ; ils redoutaient qu'elle ne se serve de Reed que pour se faire un nom.

Au début du mois de février, *Collier's* envoya John en Floride pour y interviewer William Jennings Bryan. Au Palm Beach, il se sentait très seul : « Ma petite chérie, je suis de plus en plus triste et chagrin lorsque je pense qu'une fois de plus, je ne pourrai pas coucher dans notre lit de voluptés et de plaisirs. » Dans ses lettres, il regrettait son absence et se plaignait de la

_____

7. Louise Bryant à J. R., 23 juin 1917 (manuscrits J. R.).

cruauté des sudistes, des ségrégationnistes, de ceux qui « jettent des pièces de monnaie lorsque nous nous arrêtons dans une gare, pour que les nègres les ramassent à quatre pattes dans la poussière. Il faut voir comment les blancs hurlent de rire en contemplant les empoignades des noirs [8]... » Bryan était vigoureux, cordial, souriant, semblable à l'homme que John avait rencontré en juin 1914. Six mois plus tôt, il avait démissionné de son poste de secrétaire d'Etat à la suite d'un désaccord avec le président Wilson concernant les notes adressées à l'Allemagne après le naufrage du *Lusitania ;* depuis, il faisait des tournées de conférences, luttant contre l'effort de guerre américain. Reed ne pouvait que tourner en dérision ses propos démagogiques et bien pensants ; dans son article il le présentait comme un homme aimable mais vaniteux, ignorant tout des courants de pensée modernes. Ce n'est, semble-t-il, qu'après réflexion que John ajoutait : « Quoi qu'on en puisse dire, Bryan a toujours été du côté de la démocratie [9]. »

Lorsqu'il revint à New York, on eût dit que les événements faisaient exprès d'empiéter sur sa vie privée. Dans tout le Village on ne parlait plus que d'une chose (une de celles qu'un « démocrate démodé » comme Bryan ne pouvait comprendre) : le contrôle des naissances. C'était sans doute le problème le plus significatif : il montrait clairement le fossé qui séparait les progressistes des jeunes radicaux. Elevés selon les vieux principes, obsédés par l'idée de force nationale, les progressistes, particulièrement ceux du genre de Theodore Roosevelt, étaient partisans des familles nombreuses. Pour les gens du Village, c'était une affaire à la fois personnelle et sociale : le contrôle des naissances était un moyen simple de soulager les travailleurs accablés par leur progéniture. Margaret Sanger était l'objet de nombreux procès pour avoir tenu dans certains journaux « des propos lubriques, pornographiques et obscènes » ; elle s'était en fait contentée de donner certaines informations sur le contrôle des naissances. Auparavant socialiste, Margaret avait peu à peu réduit les problèmes sociaux à celui de la limitation des naissances ; depuis qu'elle l'avait aidé lors du spectacle de Paterson, Reed était devenu son ami. Pour lui rendre la pareille, il organisa un dîner au Brevoort où l'on fit une collecte en sa faveur,

8. J. R. à Louise Bryant, 10 février et 16 février 1916 (manuscrits J. R.).
9. Article de J. R., « W. J. Bryan en tournée », *Collier's*, n° LVII, 20 mai 1916, p. 47.

puis il écrivit un article où il défendait vigoureusement son action. Avant tout, c'était un problème de classe : les femmes riches savaient déjà comment éviter les grossesses, tandis que les pauvres se voyaient contraintes, par un jeu de sanctions morales ou religieuses, de continuer à faire des enfants : « De cette façon, il y aura un grand nombre de gens affamés et sans emploi pour alimenter le marché du travail... sans compter un nombre égal de soldats pour grossir les rangs de toutes les armées du monde [10]. » Lorsque Sanger fut acquittée, ce fut Emma Goldman qu'on traîna en justice pour avoir donné des conférences sur le même sujet. A nouveau Reed rédigea une protestation, il se rendit à des meetings de soutien, mais Goldman fut condamnée à quinze jours de prison.

Un événement plus important (du point de vue national) se produisit au mois de mars, lorsque les entreprises de Pancho Villa donnèrent lieu à l'intervention des Etats-Unis au Mexique. A la suite de la coalition victorieuse qui avait renversé Huerta en août 1914, Villa s'était brouillé avec Carranza, et après plusieurs défaites militaires, il s'était de nouveau réfugié à Chihuahua. En octobre 1915, le président Wilson avait reconnu Carranza *de facto* et décidé l'embargo sur les armes destinées à Villa ; celui-ci, furieux, jura de se venger. Le 10 janvier 1916, ses hommes capturèrent et abattirent dix-sept ingénieurs américains qui se rendaient à Chihuahua pour y rouvrir une mine. La presse en fit grand cas. Le 9 mars, quatre cents éclaireurs de Villa traversèrent la frontière et pénétrèrent en plein jour à Columbus (New Mexico) ; au cours d'une violente fusillade, ils tuèrent quinze américains. En 1916 (année électorale), Wilson allait sans aucun doute envoyer des troupes pour essayer de capturer Pancho Villa.

Reed ayant bâti sa réputation de journaliste sur la révolution mexicaine, on écoutait volontiers son opinion sur ces événements. Il demeurait fidèle à Villa et ne voyait pas de preuve formelle que le général fût complice du massacre ou du raid ; il se déclarait convaincu que ces « deux crimes odieux » étaient l'œuvre des « gros capitalistes américains qui avaient tout à gagner d'une intervention au Mexique [11] ». Dans ses interviews comme dans ses articles, John affirma qu'il n'y avait aucune raison pour intervenir ; il développa ces arguments en termes

10. Article sans titre et inédit de J. R. (manuscrits J. R.).
11. Article de J. R., « Villa, un héros de légende », *Masses,* n° IX, mai 1917, p. 32.

clairs dans les colonnes de l'*American*. Contrairement à l'opinion reçue, disait-il, les Mexicains n'étaient pas des gens paresseux et des pitres, mais des soldats redoutables que les années de lutte avaient aguerris ; ils étaient animés d'une haine violente à l'égard des gringos, ceux des firmes américaines qui les exploitaient depuis si longtemps. Quant au nord du Mexique, c'était une contrée aride, au climat très pénible, et au relief mouvementé qui jouait en faveur des habitants : « L'infanterie sera harcelée par des bandes de guerilleros et desservie par un réseau de chemin de fer insuffisant ; elle aura toutes les peines du monde à trouver de l'eau et de la nourriture sur place. J'estime que ce sera une tâche quasiment impossible de mettre la main sur Francisco Villa [12]. »

Aucun argument ne pouvait apaiser l'indignation qui soulevait la presse et le Congrès. Le 16 mars, six mille hommes sous les ordres du général Pershing traversaient la frontière. Pour la plus grande joie de Reed, ils ne parvinrent pas à capturer Villa. Le 12 avril, à Parral, à trois cents kilomètres du Rio Grande, une bande de villistas fit feu sur un détachement de soldats américains : au cours de la mêlée qui s'ensuivit, quarante Mexicains et deux Américains furent tués. Des deux côtés, les ultras réclamèrent la guerre à outrance. John préconisait le repli, plutôt que l'intensification des combats. Aux amis, il confiait son désir d'aller rejoindre ses camarades de naguère pour combattre l'armée américaine ; en fait c'était une fanfaronnade : John se sentait impuissant face à cet accès de patriotisme outragé. La situation au Mexique était menaçante, mais c'était peu de chose en regard du danger que représentait l'intervention probable des Etats-Unis en Europe. Ce printemps-là, la guerre s'étendait partout. Elle s'était infiltrée peu à peu, contaminant le club de Harvard où Reed avait donné une conférence sur les Balkans ; l'esprit guerrier avait même atteint Sing-Sing, où John était allé distraire les prisonniers en faisant des allusions ironiques à ses propres expériences carcérales ; à Madison Square Garden aussi, on parlait de guerre dans la fumée des cigares, le soir où George Bellows et lui avaient assisté au combat qui opposait Jess Willard et Frank Moran. Au mois de décembre, John avait écrit dans le *World* de New York un article où il prédisait qu'un échec sur tous les fronts conduirait à la paix en 1916. Au cours de ce même mois,

---

12. *New York American*, 13 mars 1916 ; cf. également le n° du 16 avril 1916.

après avoir demandé au Congrès de voter un gigantesque programme de défense nationale, le président avait pris la tête d'un énorme défilé de gens qui réclamaient l'intervention. Des défilés identiques eurent lieu dans d'autres grandes villes et les voix des dirigeants militaristes à tout crin, tels Theodore Roosevelt et le général Leonard Wood, se firent de plus en plus fortes, réclamant une armée toujours plus puissante. Certes, les pacifistes, les isolationnistes, les gens de gauche et les germanophiles s'opposaient à cette propagande ; il y eut même une chanson intitulée : « Je n'ai pas élevé mon enfant pour en faire un soldat », qui devint un « tube ». En fait, il y avait peu d'appels au calme. L'expérience européenne avait montré comment les gens de l'opposition pouvaient se transformer rapidement en supporters enthousiastes de ces longues colonnes d'hommes en uniforme.

Reed, qui devenait un conférencier très demandé, se mit à utiliser la tribune du club d'études sociales de l'université de Columbia, du Labor Forum et de l'Intercollegiate Socialist Society pour y dénoncer les préparatifs de guerre. Dans un numéro des *Masses* spécialement consacré à l'effort de guerre, il fit en première page un article qui commençait ainsi : « Un bon conseil à suivre de nos jours : lorsque vous entendez les gens parler de patriotisme, jetez de fréquents coups d'œil à votre montre. » Il en venait ensuite aux arguments essentiels : certaines gens, dans leur propre intérêt, s'efforçaient de semer la panique dans le pays et de lui insuffler une « humeur héroïque ». Les coupables ? Roosevelt avec son idéal de puissance nationale digne des Prussiens ; la plupart des chefs militaires ; mais par-dessus tout les présidents des grosses firmes qui entendaient tirer des commandes d'armements de confortables bénéfices. John citait des rapports du Congrès pour montrer comment la National Security League, la Navy League et d'autres organisations favorables à la guerre étaient en fait dirigées par les propriétaires des plus grandes industries de l'acier, du cuivre, du nickel, de constructions navales, de blindage et de munitions, lesquelles étaient étroitement solidaires des banques de Wall Street. Il donnait les noms des directeurs de ces firmes : Hudson Maxim, J.-P. Morgan, Henry C. Frick, T. Coleman Du Pont, Elbert H. Garry, Frank A. Vanderlip et Jacob H. Schiff ; il y ajoutait même le propriétaire du *Metropolitan,* Harry P. Whitney. Outre les commandes de guerre, ces gens comptaient fonder un véritable empire américain grâce au surplus de richesses produit par le travail sous-payé. De cela, l'ouvrier devait absolument tirer la leçon : « Il ferait bien de se rendre compte que son ennemi, ce n'est ni l'Allemagne, ni le Japon : son véritable ennemi, c'est ce 2 % de la population américaine qui détient 60 % des richesses nationales, cette clique de " patriotes " dénués de scrupules qui l'a déjà dépouillé de tout ce qu'il avait et qui projette maintenant d'en faire un soldat pour défendre son butin. Nous conseillons aux ouvriers de se préparer à se défendre contre cet ennemi. Voilà quels sont nos préparatifs de guerre [13]. » Bien qu'il collaborât de temps en temps au journal, Reed ne jouait plus un rôle très actif dans *Les Masses*. Il assistait rarement aux conférences de rédaction, et négligea même de se rendre à une importante série de réunions politiques qui eurent lieu en mars et en avril ; ces réunions montrent combien la menace de guerre commençait à troubler la bohème. Le journal, ouvert à toutes les tendances de la gauche, était coupé en deux : d'un côté les rédacteurs qui insistaient sur l'art et la vie de la bohème, de l'autre, ceux pour qui le socialisme était prioritaire. Vu la gravité des événements, Max Eastman avait trouvé bon d'ajouter des légendes sous certains dessins pour souligner leur contenu politique. Un groupe de dessinateurs dirigé par John Sloan, à qui cette méthode déplaisait, essaya de couler le directeur en raison de son attitude « dictatoriale » et de ses tentatives pour « embrigader » un journal qui devait être entièrement libre. Un vote fut décidé, et Reed qui savait parfaitement que *Les Masses* ne pourraient survivre sans les talents d'organisateur d'Eastman, donna délégation à Floyd Dell pour voter en sa faveur. Eastman obtint la majorité des voix et plusieurs dessinateurs mécontents démissionnèrent du journal.

Le fait qu'il ne se soit pas rendu à cette importante réunion prouve qu'au cours du printemps 1916, John était avant tout préoccupé par ses problèmes personnels : soucis d'argent, de famille et de santé, auxquels s'ajoutait l'éternelle question de l'écriture. Harry avait beaucoup de mal à régler les affaires de famille ; John devait maintenant faire vivre sa mère et sa grand-mère, et subvenir, occasionnellement, aux besoins de l'oncle Ray ; il caressa un moment l'idée de faire venir sa mère à New York. Mais, sachant que sa liaison avec Louise offusquait Margaret, il avait abandonné cette solution, et continuait d'envoyer plusieurs centaines de dollars à Portland tous les deux

---

13. Article de J. R., « A la gorge de la république », *Masses*, n° 23, juillet 1916, p. 7-8, 10-12, 24.

mois. Gagner de l'argent, cela voulait dire écrire des articles commerciaux, accepter les contrats de *Collier's* ou du *Metropolitan,* à un moment où, de nouveau, de terribles douleurs dans les reins l'affaiblissaient énormément[14]. Lassé des problèmes nationaux qui lui paraissaient insolubles, John souhaitait changer d'air et prendre le temps d'écrire pour lui tout seul.

Certes, il était devenu un journaliste de tout premier plan, cela ne faisait plus aucun doute. Mais quant à savoir quelle sorte d'écrivain il était, nouvelliste ou romancier, la question restait ouverte, et à vingt-huit ans, il ressentait le besoin de savoir à quoi s'en tenir. Son voyage en Russie l'avait amené à se plonger dans la lecture des grands classiques : Tourgueniev, Tolstoï et Dostoïevski. Ben Huebsch lui avait procuré un exemplaire de *L'Arc-en-Ciel* de D. H. Lawrence, qu'il désirait publier en Amérique. Ce roman le convainquit du fait que, malgré les différences de culture, la littérature anglaise pouvait être aussi riche que la russe : « Ce livre est comme la vie de notre race, embellie c'est certain, mais vraie cependant. C'est le seul livre, à ma connaissance, qui ose dire que les relations humaines se font sans Dieu, que la passion n'est qu'humaine, qu'elle n'a rien de divin, que la divinité elle-même est un produit de l'esprit des hommes[15]. » Reed recommanda chaudement la publication de cet ouvrage ; il savait que sa propre production lui était très inférieure. Depuis le mois de novembre, il avait écrit une demi-douzaine de nouvelles que *Les Masses,* le *Metropolitan* et le *New Republic* avaient publiées ; il s'agissait de tranches de vie présentées de l'extérieur, d'une sorte de littérature qui différait peu du journalisme. Aucune de ces histoires n'innovait par rapport aux précédentes. John se montrait incapable de rendre certains états ou certaines émotions. De même que pour ses poèmes, il manquait à la fois de technique et d'intuition, ce qui limitait sa description de la condition humaine. La seule façon de mettre à l'épreuve ses talents d'écrivain, c'était de prendre le temps pour travailler réellement. Bobby Rogers, qui enseignait l'anglais au M.I.T., partageait les mêmes doutes sur

---

14. La publication de *La Guerre en Europe de l'Est,* en avril 1916, n'améliora guère sa situation financière. Une lettre de *Scribner's* du 11 septembre 1916, informait Reed qu'on en avait vendu 1 000 exemplaires aux Etats-Unis et 500 à l'étranger ; l'éditeur mettait cette mévente sur le compte des événements du Mexique et de la préparation des élections ; en outre, les livres de guerre se vendaient mal.

15. Lettre de J. R. à Ben Huebsch, citée dans *Mémoirs of Ben Huebsch,* Oral History Collection of Columbia University, p. 316-321.

ses possibilités de création et en souffrait ; il sut très bien formuler les problèmes de John. A plusieurs reprises, au début de 1916, il le poussa à entreprendre une œuvre marquante : « Nous savons tous ce dont tu es capable dans tes reportages. Dieu lui-même le sait... Pourquoi n'accoucherais-tu pas d'un roman ou d'un long poème (même s'il est impubliable) dans lequel tu ferais une sorte de synthèse ? La synthèse, c'est la seule chose qui compte ; les instantanés les plus beaux ne sont après tout que des instantanés... Toi qui as vu toute la terre et tous les océans, pour ne pas parler de New York, je serais heureux qu'avec tous ces instantanés, tu te mettes à composer un véritable tableau [16]. »

C'est avec ce projet que John et Louise décidèrent de quitter New York. Au Village la vie était beaucoup trop mouvementée pour qu'on puisse travailler tranquillement ; en outre elle ne leur laissait pas assez de temps pour vivre ensemble. Ils envisageaient de passer l'été dans la tranquille petite ville de Provincetown ; là-bas peut-être il arriverait à écrire le roman qui depuis des années le hantait.

Avant qu'ils ne fussent vraiment installés, il partit faire un reportage de trois semaines pour le *Metropolitan,* travail qui devait payer les vacances d'été. En compagnie du caricaturiste Art Young, il se rendit à Chicago et à Saint-Louis où se tenaient les conventions nationales, puis à Détroit pour y interviewer Henry Ford. Ce fut un voyage mouvementé, éreintant et qui s'avéra en fin de compte assez décevant. Les conventions démocratique et républicaine étaient de véritables mascarades, car les investitures de Charles Evans Hughes et de Wilson avaient été décidées des mois auparavant. Elles ne manquaient cependant ni de pittoresque, ni de spectaculaire : bien dans l'esprit américain, c'était un véritable « cirque national » avec fanfares, foules en délire, slogans, chants, drapeaux, bourrage de crâne, délégués ivres et flots d'éloquence. A Chicago, Reed arborait une chemise d'ouvrier à col ouvert et un élégant costume de tweed sur lequel il avait accroché un badge socialiste. Il se moquait de toutes les réunions, et posait sans cesse la même question : « Croyez-vous vraiment que ces conventions servent à quelque chose ? » Certains journalistes très choqués le trouvèrent provocateur et agressif. Le poète Orrick Johns, qui le vit à Saint-Louis, jugea qu'il avait l'air d'un joyeux luron :

---

16. Bobby Rogers à J. R., 11 janvier 1916 (manuscrits J. R.) ; cf. également la lettre du 15 février 1916, *ibid.*

« on eût dit un grand enfant avec ses cheveux bouclés » ; au cours d'un déjeuner dans un grand hôtel, il fit rire toute la table en caricaturant l'allure de certains délégués et en imitant leurs discours complètement creux [17].

A ses yeux, aucune de ces deux conventions n'avait d'importance ; en revanche, celle du parti progressiste, qui se tenait à Chicago en même temps que la convention républicaine, l'intéressait. Une nouvelle fois, les militants qui luttaient avec acharnement pour la justice sociale depuis 1912 sous l'égide de Bull Moose, se retrouvaient. Il y avait là des hommes et des femmes pleins d'enthousiasme, prêts à se battre, et qui venaient de partout : des grandes métropoles, des petites villes, des villages, des fermes, des ranches : « Toute leur vie, ils ont combattu seuls contre des forces énormes pour rétablir les droits des 60 % de la population... ceux qui possèdent 5 % des biens. » Lorsque John, devant la tribune de l'auditorium de Chicago, constata leur adoration pour Theodore Roosevelt, il fut tenté de ricaner. C'était des chants hystériques, des hymnes de résurrection, où s'exprimait leur croyance à la possibilité d'un « assainissement » du système politique. John songea que « c'était pourtant parmi ces gens que se trouvait l'espoir d'une évolution pacifique des Etats-Unis ». Pour eux, « Teddy » était une sorte de surhomme : « Il incarne la démocratie, la justice et le droit des pauvres gens. » Ce qu'ils ignoraient, c'est que Roosevelt était maintenant entièrement acquis au militarisme et aux idées de puissance nationale. Lorsqu'il refusa l'investiture progressiste et suggéra, l'air méprisant, de faire élire à sa place, Henry Cabot Lodge, un conservateur falot, le progressisme en tant que cause était bien mort. John commenta l'événement sans indulgence : « Quant à la démocratie, nous ne pouvons qu'espérer qu'un jour, elle cessera de mettre sa confiance dans les grands hommes [18]. »

Pourtant la confiance qu'il avait dans certains individus était à peine ébranlée. Bien avant de faire sa connaissance, John éprouvait de la sympathie pour Henry Ford, l'homme dont le nom était synonyme d'industrie automobile. Ford était un partisan farouche de la cessation des hostilités, et il avait souscrit

---

17. Orrick JOHNS, *Time of our Lives : the Story of my Father and Myself*, Stackpole Sons, New York, 1937, p. 236.

18. Article de J. R. intitulé « Roosevelt les a bradés », *Masses*, n° VIII, août 1916, p. 19-20, 26 ; repris par W. O'NEILL, *Echoes of Revolt*, p. 138-139, et par J. STUART, *The Education of John Reed*, p. 159-165.

au fameux « Peace Ship Voyage To Europe ». A l'inverse de la plupart des industriels américains, il jugeait nécessaire de bien traiter ses employés ; il avait été le premier à payer un salaire journalier de cinq dollars ; il avait institué le contrôle médical, l'assurance et la participation aux bénéfices pour les ouvriers. A Detroit, ville noyée dans les fumées industrielles, qui s'étendait le long de la rivière, son usine aux trente-trois mille ouvriers et sa « miraculeuse » chaîne de montage où l'on assemblait une automobile en vingt-quatre minutes, faisaient grosse impression. Ford se montra tour à tour charmant et renfrogné, faisant preuve d'un curieux mélange d'intuition et d'idées préconçues. Reed qui ne vit tout d'abord en lui que l'idéaliste, lui fit part d'un projet qui lui tenait à cœur : créer un nouveau quotidien qui soutiendrait le mouvement pacifiste. L'avocat Amos Pinchot lui avait donné une lettre d'introduction ; John essaya de vendre à Ford son idée, mais l'industriel rusé déclara que pour le moment il n'était pas acheteur. Reed continua à espérer jusqu'au milieu de l'été, après quoi, il déclara finalement qu'il avait surestimé Ford : ce n'était après tout qu' « un ignorant [19] ».

Après l'agitation des villes du Middle West, Provincetown offrait un calme réparateur. Cet ancien port de pêche à la baleine, qui s'étendait sur cinq kilomètres mais n'avait guère que la largeur de deux rues, était peuplé d'Américains de vieille souche et de pêcheurs portugais immigrés dont le teint hâlé et les vêtements de couleurs vives mettaient une touche exotique dans ces rues sablées, aux trottoirs en planches et aux maisons coiffées de bardeaux. De plus en plus courue l'été, la ville allait bientôt être envahie par les gens du Village, mais John et Louise, qui avaient été les premiers à venir s'y installer, purent passer seuls quelques jours dans une petite maison blanche face à la baie. Trois semaines de séparation n'avaient fait qu'accentuer le besoin qu'ils éprouvaient l'un de l'autre. Sans lui, la vie était apparue à Louise vide et « absurde », et l'éloignement avait prouvé à John « combien il l'aimait [20] ». Comme en juin la vie redevenait douce ; ensemble, ils savouraient le soleil, faisaient de longues promenades dans les dunes, nageaient dans les eaux calmes de la baie et le soir avaient de longues conversations.

Une telle paix ne pouvait pas durer. Aucun d'eux n'était fait

---

19. J. R. à Amos Pinchot, 14 juillet 1916 (archives Pinchot, Library of Congress).

20. Louise Bryant à J. R., 8 juin 1916, et J. R. à Louise Bryant, 18 juin 1916 (manuscrits J. R.).

pour la solitude et les événements ne manquèrent pas qui vinrent à la traverse cet été-là. La situation au sud du Rio Grande atteignit un point critique le 21 juin, lorsqu'un affrontement entre les troupes américaines et mexicaines fit douze morts parmi les Américains. La presse tout entière cria vengeance, suivie aussitôt par le Congrès : la guerre à outrance paraissait inévitable, et de toutes parts on offrit à Reed des contrats pour couvrir ces événements. Les directeurs de journaux firent appel à sa vanité et à son portefeuille. Le directeur du *Wheeler News Syndicate* le comparait à Richard Harding Davies, à Cuba, et proclamait que « personne au monde n'était mieux placé que lui pour parler du Mexique ». Il ajoutait : « Cette guerre sera pour vous le moyen d'occuper une place magnifique dans notre littérature nationale. » Carl Hovey n'était pas moins élogieux : « Voici l'occasion d'être LE correspondant de cette guerre... C'est une affaire trop importante pour que tu risques de la manquer [21]. »

Auparavant, il n'aurait pas hésité un instant à accepter. Mais à l'époque, John se souciait davantage de sa vie personnelle que de sa carrière : il refusa toutes les offres. Il n'était pas fermé pour autant à toutes les distractions, et durant cet été 1916 à Provincetown, elles ne manquèrent pas. Dans cette colonie d'écrivains, de peintres et d'acteurs, ce furent les « Provincetown Players » qui attirèrent l'attention ; selon certains critiques, c'est cette troupe qui a donné naissance au théâtre américain moderne. Trois hommes jouèrent un rôle essentiel dans sa formation : John Reed, Eugene O'Neill et George Cram Cook. Cook surtout.

Tour à tour romancier, critique, fermier et instituteur, corpulent, grisonnant avant l'âge, « Jig », tel était son surnom, se passionnait pour la Grèce antique, ce qui devait plus tard l'amener à finir ses jours parmi les bergers de ce pays. Pour l'heure, le théâtre seul l'occupait. Ecœuré par les productions commerciales de Broadway, il s'était brouillé avec la jeune troupe des « Washington Square Players », après qu'elle lui eut refusé une pièce en un acte, *Suppressed desires,* qu'il avait écrite avec sa femme Susan Glaspell ; cette pièce tournait en ridicule le freudisme simplifié qui faisait alors fureur au Village. Durant l'été 1915, pour s'amuser, un groupe d'amis avait joué cette pièce ainsi qu'une autre de Neith Boyce, *Constancy,*

---

21. J. N. Wheeler à J. R., 26 juin 1916, et Carl Hovey à J. R., 28 juin 1916 (manuscrits J. R.).

comédie qui s'inspirait de l'aventure de John et de Mabel. Pour ces deux œuvres, qu'on avait jouées dans le cottage de Hapgood, l'engouement fut tel qu'on réclama des représentations supplémentaires ; Jig demanda à Mary Vorse de leur prêter une vieille maison de pêcheur, toute délabrée, bâtie sur un embarcadère, pour qu'ils puissent y donner les spectacles suivants.

Pour Cook, l'expérience aurait pu s'arrêter là. Incapable d'apprécier les pièces pour elles-mêmes, il concevait le nouveau théâtre comme une sorte de mission. Il entendait fonder un genre de communauté, une espèce de ville utopique qui aurait pris modèle sur Athènes, où les écrivains, les comédiens et les décorateurs auraient travaillé ensemble en dehors de tout circuit commercial. Resté à Provincetown après le départ des estivants, il avait écrit un manifeste qui déclarait : « Un homme seul est incapable de bâtir une pièce. Le véritable théâtre est né d'un sentiment identique qui animait les membres d'un même clan. Il s'agit d'une chose que tout le monde partage, et que seuls certains peuvent exprimer pour les autres [22]. » Durant le printemps 1916, il espéra vivement pouvoir fonder un tel clan, et déploya tant d'énergie qu'il parvint à convaincre les autres du bien-fondé de ses projets.

Trois ans plus tôt, Jig avait été enthousiasmé par le spectacle de Paterson qui lui avait montré « ce que pouvait être le théâtre [23] ». Puis, en 1914, Reed était revenu du Mexique fasciné par un « miracle » qu'il avait vu représenté lors d'une fiesta à El Oro, dans le nord de la province de Durango. C'était un spectacle traditionnel, transmis depuis des générations, joué devant des spectateurs qui le connaissaient par cœur et participaient complètement à ce conte où la vertu triomphait du vice. Une telle œuvre était bien l'expression d'une foi et d'une éthique partagées par un groupe, et le récit qu'en faisait Reed avait donné des idées à Cook.

John se lança à corps perdu dans le projet théâtral. Pour cela, il n'avait pas à se forcer beaucoup : son existence était elle-même théâtrale : il aimait parler fort et gesticuler, il avait toujours gardé sa façon de ramener en arrière ses cheveux indisciplinés et de remonter ses pantalons ; il aimait s'habiller de façon excentrique et son enthousiasme, ses positions politiques,

22. Cité dans Susan GLASPELL, *The Road to the Temple,* Frederick A. Stokes, New York, 1927 p. 252.
23. *Ibid.*, p. 250.

ses va-et-vient dans tous les pays, son allure de grand reporter faisaient de lui un acteur pour qui le monde était une scène. De fait, John avait toujours aimé le théâtre, depuis les pièces qu'il montait, enfant, dans le grenier de Portland, jusqu'aux spectacles montés à Harvard, au « Dutch Treat Club », et enfin à celui de Paterson. Ses tentatives pour écrire lui-même des pièces avaient tourné court, mais son intérêt pour le théâtre n'avait pas faibli. *Entrez, Dibble,* qu'il avait beaucoup remaniée, se trouvait maintenant entre les mains d'un agent littéraire et une autre pièce en un acte, *Moondown,* devait être bientôt jouée par les « Washington Square Players » ; au printemps, il avait promis à un comité de théâtre populaire d'écrire un certain nombre de pièces faciles à monter sur des sujets qui intéresseraient les ouvriers.

Au mois de juin, la petite troupe dirigée par Cook, faisant preuve de beaucoup d'optimisme, annonça quatre programmes différents pour la saison et se mit à vendre des abonnements au prix de deux dollars et demi les deux séances. Quatre-vingt-sept personnes leur achetèrent des billets ; ils récoltèrent ainsi deux cent dix-sept dollars cinquante qui leur permirent de faire les travaux de menuiserie et d'électricité. Jig et ses amis remirent en état la vieille maison de pêcheur, y installèrent des lumières, des bancs et une scène de trois mètres sur quatre. A partir du 1er juillet, une « fièvre théâtrale », suivant l'expression de Hapgood, s'empara de Provincetown. On sciait, on clouait, on peignait des décors, on répétait, on mettait en scène, on écrivait, on corrigeait des manuscrits. La première représentation, prévue pour le 15 juillet, comprenait *Suppressed Desires* de Neith Boyce et une pièce de Reed intitulée *Freedom,* aimable satire des mœurs romantiques. La seconde représentation comportait une œuvre de Louise, ce qui fit dire à quelqu'un : « Ce n'est pas parce qu'elle couche avec Reed qu'on doit jouer sa pièce [24]. »

C'est à ce moment qu'Eugene O'Neill fit son apparition, tel un personnage sortant de la coulisse. Fils d'un acteur célèbre, O'Neill était un bel homme grand, mince et brun qui partageait avec Reed le goût de la pègre. Après un court séjour à Yale, puis à Harvard, il avait navigué un peu partout, avait parcouru l'Amérique latine et avait même été chercheur d'or. C'était un homme tourmenté que ses penchants morbides conduisaient à

---

24. In Louis SHEAFFER, *O'Neill : Son and Playwright,* Little and Brown, Boston, 1968, p. 346.

boire comme un trou ; pendant deux ans, il avait fréquenté les environs du Village. O'Neill se sentait plus à son aise en compagnie des truands qu'avec les comédiens ; son meilleur ami, Terry Carlin, était un anarchiste de Greenwich Village qui aimait se vanter de n'avoir pas travaillé un seul jour de sa vie. C'était lui qui avait emmené Gene au Cap Cod. O'Neill, intrigué par cette nouvelle troupe de théâtre, mais désireux de garder ses distances, s'était installé avec Carlin dans la coque d'un vieux bateau échoué sur la plage voisine de Truro.

Carlin, venu en ville pour emprunter de l'argent, fit savoir au groupe que son compagnon avait « une malle bourrée de pièces » ; on invita Gene à venir les faire lire. O'Neill, nerveux et timide, arriva chez Cook avec le manuscrit de *Bound East For Cardiff ;* le comédien Freddy Burt commença à lire le texte, tandis que Gene faisait les cent pas dans la pièce voisine. Immédiatement, on reconnut en lui un très grand auteur et lorsque la lecture fut achevée, Glaspell s'écria : « Nous savions tous à qui nous avions affaire [25]. » Le jour de la première de la pièce d'O'Neill, le 28 juillet, tout était au point. C'était une histoire de marins, et la mer était là, toute proche ; les vagues venaient s'écraser sous la cabane et éclaboussaient le public par les trous du plancher ; la brume enveloppait le port, exactement comme la pièce le voulait, et de temps en temps on entendait le tintement triste d'une cloche de l'autre côté de la baie. Lorsque le rideau tomba sur l'histoire de ce marin, qui meurt en se lamentant de n'avoir jamais connu la vie à terre, les applaudissements furent si nourris que la petite jetée trembla littéralement sur ses bases.

La découverte d'O'Neill fit de cette saison un véritable succès, mais l'apport de gens tels que John et Louise ne doit pas être sous-estimé pour autant. Louise joua le rôle principal dans la seconde des pièces d'O'Neill, *Thirst,* et Reed, lui, écrivit une brève farce, joua le rôle de la mort dans la pièce de Louise, *The Game ;* il consacra tellement de son temps à la troupe, qu'arrivé au 15 août, il écrivait : « Comme un imbécile, j'ai travaillé si dur pour leur théâtre que me voici de nouveau complètement épuisé. Mais je suis bien décidé à me reposer un peu maintenant [26]. » John, plein d'entrain et d'enthousiasme, se plaisait dans cette atmosphère surexcitée, dans ce groupe de camarades tendus vers le même but. Le matin il écrivait, puis

25. *The Road to the Temple,* p. 254.
26. J. R. à Amos Pinchot, le 9 août 1916 (archives Pinchot).

il allait sur la plage, profitait du soleil et nageait longuement dans l'eau fraîche ; le soir, on répétait et on discutait sans fin sur le théâtre ; ce fut, selon les mots de Glaspell « un été magnifique... travailler et jouer était une seule et même chose [27] ».

Cette ambiance plaisait tellement à Reed qu'il envoya des invitations à quelques-uns de ses amis. Bientôt la maison fut pleine d'invités : Fred Boyd, Marsden Hartley, Dave Carb et Bobby Rogers ; tous restèrent la plus grande partie de l'été. La grande véranda devint une sorte de salon plein de monde jour et nuit, si bien que John, pour pouvoir écrire, fut obligé de louer une autre maison. Aux heures des repas, il y avait foule. Louise n'étant pas très portée sur les travaux domestiques, un grave problème se posa qui fut résolu lorsque Hippolyte Havel, furieux de voir que Paula Holliday mettait en pratique ses théories sur l'amour libre en s'offrant une brochette d'amants, leur proposa ses services de cuisinier. Havel, un as du fourneau, ne dominait pas toujours l'indignation qui fondait ses principes politiques, si bien qu'à table on ne s'ennuyait pas. Un jour, son mépris pour les théoriciens révolutionnaires lui fit dire à Reed : « Tu n'es qu'un phraseur socialiste ! » La réplique ne se fit pas attendre : « Et toi, tu n'es qu'un anarchiste de cuisine ! » ; cette appellation lui resta pour toute la saison.

Bien qu'il eût un endroit tranquille pour écrire, Reed s'apercevait que son projet de roman lui échappait. Il dépensait trop d'énergie au théâtre pour pouvoir venir à bout d'un travail de longue haleine ; cependant la beauté du paysage l'inspirait. Il acheva *Brouillard,* son poème sur la mort, et un autre, *Une dédicace,* qui rendait hommage aux théories de Max Eastman. Après avoir terminé ses articles sur Ford et sur les conventions, il ne pouvait guère se permettre de s'arrêter, car sa famille était en proie à de nouvelles difficultés financières. Reed fit des travaux alimentaires ; il écrivit même pour *Collier's* un feuilleton en quatre épisodes, dans lequel il mettait en scène des financiers, des truands, des anarchistes, un héros sans reproche et une charmante héroïne ; l'histoire se terminait ainsi : « Ils vécurent heureux et eurent beaucoup d'enfants. » Pour le *Metropolitan* il écrivit également deux contes populaires, assez laborieux. Lorsque l'argent était trop long à venir, John devait supplier Hovey : « Pour l'amour de Dieu, Carl, faites virer ces cinq cents dollars à ma banque lundi prochain. Je suis complètement fauché et si ma famille n'a pas l'argent d'ici-là, ce

---

27. *The Road to the Temple,* p. 256.

sera une véritable catastrophe [28]. » Il écrivit encore d'autres textes du même genre que le feuilleton ; cela devait contrarier ses penchants les plus profonds, car les trois histoires suivantes étaient tellement mauvaises qu'elles ne trouvèrent jamais preneur.

Le manque de temps pour écrire sérieusement ne gâcha pas trop cet été. Reed se montrait plein d'attentions pour O'Neill qui lui, restait un peu sur ses gardes. Il insista pour que Gene et Carlin, qui logeaient maintenant dans une cabane de l'autre côté de la route, viennent prendre leurs repas chez lui. John admirait l'expérience de Gene, mais il fut surpris de découvrir que son nouvel ami se montrait volontiers cynique en parlant du peuple et de ses échecs révolutionnaires. Cependant, dès qu'il était question de révolution, O'Neill faisait preuve d'une imagination débordante. John, que cette contradiction étonna, n'insista pas : après tout, l'amitié était plus importante que la politique. Il le prouva de nouveau à la fin d'août en appuyant la proposition d'Edward Hunt qui souhaitait faire une édition posthume des œuvres d'Alan Seeger. Leur ancien camarade, qui s'était engagé comme volontaire dans l'armée française, venait de trouver la mort sur le front occidental [29]. Reed se souvint que Seeger rêvait de faire de son existence « une épopée » ; il songea qu'il y était parvenu. Les premières années passées au Village, où Alan faisait irruption dans leur appartement, tel un fantôme errant, ne vivant que pour la poésie lyrique et adoptant des attitudes romantiques et désespérées, semblaient bien lointaines et innocentes. Un jour, dans Union Square, Seeger s'était agenouillé devant sa dame et, au nom de l'amour, lui avait juré de quitter son emploi pour se consacrer à elle. On était loin du chevalier qui tue le dragon, mais John se rappelait cela comme

---

28. J. R. à Carl Hovey, 7 septembre 1916 (archives Gold).
29. L'évolution de Seeger, si on la compare à celle de Reed, offre un contraste intéressant. Tous deux commencèrent par se considérer comme des poètes, mais Seeger était un artiste beaucoup plus sérieux, qui jouait à fond son rôle d'inspiré (tout le monde disait toujours qu'il avait l'air d'un poète). Ils avaient en commun l'horreur de la vie bourgeoise et la soif d'aventures. Lorsque la guerre éclata, Seeger habitait Paris ; il s'enrôla en septembre 1914. Il n'avait aucune antipathie particulière pour les Allemands, mais selon lui, cette guerre devait être l'aventure la plus extraordinaire du siècle ; en tant que poète, il ne pouvait donc se dispenser d'y participer. En fait, Seeger paraît bien avoir été ce que Lippmann et d'autres voyaient en Reed : une sorte de tête brûlée, avide d'aventures de toutes sortes. L'intelligence et la lucidité de John l'empêchèrent de sombrer dans cet aventurisme.

un geste émouvant, car « c'était la seule chose qu'il eût à lui offrir [30] ».

Les nouvelles de Seeger furent pour John à l'origine d'une série de réflexions sur la mort. Tandis qu'il marchait sur les sentiers sablonneux du cap, Reed songeait à l'état du monde, à toutes ces destructions qui engendraient la haine et la violence. Il avait aimé son rôle d'écrivain engagé : autrefois les combats lui procuraient un certain plaisir. A présent, l'incertitude continuelle, la nature sans cesse changeante des hommes, les catastrophes qui s'amoncelaient, tout cela brisait ce que l'humour, la jeunesse et l'entrain avaient jusqu'ici préservé. Il avait soudain envie de s'installer quelque part. Il versa un acompte pour l'achat d'une petite maison humide aux planches disjointes, située à Truro, et il chargea un charpentier de l'endroit de la remettre en état pour l'année suivante.

La renommée des Players commença à s'étendre bien avant la fin de l'été : un journaliste de Boston, en vacances à Provincetown, leur avait consacré un article très élogieux dans le *Sunday Globe*. Parmi les photos qui l'accompagnaient, il y en avait une de Louise sous laquelle on pouvait lire une notice biographique remplie des exagérations habituelles (on y disait entre autres qu'elle avait travaillé cinq ans pour l'*Oregonian*). Jig, qui avait projeté d'emmener sa troupe à Manhattan, y était cette fois bien décidé et Reed l'y encouragea. Le 4 septembre, on tint une grande assemblée, dans le théâtre installé sur la petite jetée ; la discussion s'ouvrit sur les vociférations de Hutchins Hapgood qui criait : « L'organisation, c'est la mort. » Néanmoins, Cook fut élu président et l'on forma un comité qui comprenait Reed, Eastman et Burt, ceux-ci chargés d'établir une sorte de statut. Le lendemain soir, ils avaient mis au point un texte qui définissait leur projet commun : « Il faut encourager les auteurs américains à écrire des pièces qui présentent un véritable intérêt artistique, littéraire et dramatique, face aux spectacles qu'on monte à Broadway. Ces pièces devront être jugées sans considération de leur valeur commerciale, puisque nous ne visons pas les bénéfices [31]... » A l'origine, vingt-neuf personnes faisaient partie de l'association, parmi lesquelles on trouvait Dave Carb et Bobby Rogers. On fit une collecte qui fournit la somme de 320 dollars. Cook partit aussitôt pour New York en quête d'un théâtre.

---

30. J. R. à Edward Hunt, 25 août 1916 (manuscrits J. R.).
31. Cité dans *O'Neill : Son and Playwright*, p. 358-359.

Durant le mois de septembre, John et Louise demeurèrent à Provincetown. La plupart de leurs amis étaient maintenant partis ; l'air frais qui soufflait de l'Atlantique annonçait l'approche de l'automne. Ils continuaient à nager, ils allaient se promener jusqu'à leur maison de Truro ou s'asseyaient sur les vieilles jetées vermoulues, où jadis les baleiniers déchargeaient leurs prises. Ce fut une période d'angoisse. Reed, qui n'avait jamais si bien senti la plénitude de ces instants, aurait voulu arrêter le cours du temps, pouvoir souffler un peu et profiter de la vie. Pour la première fois, il considérait le passé avec une certaine nostalgie, pour la première fois il appréhendait ce qui pouvait advenir. Il avait besoin de repos ; c'était une des raisons pour lesquelles il avait pris de si longues vacances ; il espérait calmer ainsi ses horribles douleurs dans les reins. L'été n'ayant pas été particulièrement calme, à plusieurs reprises il avait eu des crises atroces. Il n'était plus question de retarder l'intervention chirurgicale que les médecins prescrivaient avec de plus en plus d'insistance.

Ils rentrèrent le 1er octobre et tombèrent en plein dans les préparatifs du prochain spectacle. Cook avait loué un vieux local au 137, MacDougall Street, la porte à côté du Liberal Club ; les premières représentations devaient avoir lieu dans moins d'un mois. D'ici là, il fallait entreprendre d'importants travaux de rénovation, discuter avec les inspecteurs sur la sécurité du bâtiment, assister aux réunions, aux répétitions, vendre des abonnements ; tout cela prenait beaucoup de temps à ceux qui avaient bien voulu s'en occuper. Souvent, le soir, tout le monde se retrouvait dans l'appartement de Reed pour tenter de résoudre les nombreux problèmes qui se posaient. En principe, les décisions étaient prises d'une manière démocratique, mais il était fréquent que Reed imposât ses décisions. Un jour, il menaça de tout lâcher si l'on ne montait pas *Lima Beans* d'Alfred Kreymborg ; la troupe fut obligée de s'incliner. On adopta également la devise que John proposait d'inscrire sur la porte du théâtre : « Ici on a dompté Pégase ».

Pour George Cram Cook, comme pour d'autres membres de la compagnie, l'activité des Players était la préoccupation essentielle ; pour Reed, une fois revenu en ville, ce n'était pas le cas. A Manhattan, il y avait trop d'univers et d'individus différents qui réclamaient son attention. Tantôt il fallait écrire une longue lettre de protestation contre les méthodes policières, après avoir vu un vagabond se faire maltraiter sans raison ; tantôt, la situation financière plus que précaire des *Masses* incitait John à faire le tour de ses « connaissances » pour leur demander de l'argent. Il expliquait que si ce journal disparaissait, « il n'y aurait plus alors aucun organe où ils pourraient exprimer ce qu'ils avaient à dire [32] ». Il accepta un contrat du *New York Tribune* qui l'envoyait à Bayonne (New Jersey) pour enquêter sur la répression que subissaient les ouvriers en grève de la Standard Oil. Son compte rendu fut si impitoyable qu'on adressa des protestations officielles au journal et qu'on exigea qu'un autre journaliste fût envoyé sur place (celui-ci fit un rapport identique sur les brutalités exercées par la compagnie et par la police). Une fois de plus, la guerre vint se rappeler à son souvenir. Dans *Les Masses,* Reed défendit le pacifisme militant de Bertrand Russell, emprisonné pour avoir critiqué le système de recrutement en Angleterre. Les patriotes du genre de Theodore Roosevelt traitaient les pacifistes de lâches, mais John, qui avait vu en Europe ces millions d'hommes prêts à se faire tuer, jugeait que l'héroïsme militaire était « la plus commune de toutes les vertus ». Il ajoutait qu' « il fallait plus de courage pour faire ce qu'avait fait Russell que pour se battre dans les tranchées ». Un si grand nombre d'intellectuels (Wells, Anatole France, Gilbert Murray et Peter Kropotkine) avaient embrassé la cause du nationalisme que l'exemple de Russell était un des rares à donner encore un peu d'espoir « en ces jours de plus en plus sombres [33] ».

Pendant cet automne d'année électorale, le problème de la guerre débouchait inévitablement sur la politique. Reed, qui ne croyait plus guère au système en place, ressentait encore le besoin de jouer les citoyens responsables : « Je ne crois pas qu'il puisse sortir quoi que ce soit de durable d'une action strictement politique, mais je ne veux pas non plus que ce pays devienne un enfer dans les quatre années à venir. » Puisque Benson, le candidat socialiste à la présidence, n'avait pas l'envergure suffisante pour qu'on puisse songer à lui sérieusement, et que le candidat républicain Hughes se montrait désespérément conservateur, Reed, faute de mieux, se résigna à défendre Wilson. L'un des thèmes de la campagne électorale du président était qu'il fallait maintenir le pays en dehors du conflit : c'était alléchant ; quant à son programme national, il n'y avait pas trop à y redire. Très loin d'être l'homme idéal,

---

32. J. R. à Amos Pinchot, 22 septembre 1916 (archives Pinchot).
33. Article de J. R., « Un pacifiste héroïque », *Les Masses,* novembre 1916, p. 10.

Wilson, disait-il, faisait l'affaire « car les seuls vrais principes qu'il a (il en a tout de même quelques-uns) jouent en notre faveur [34] ». Au mois d'août Reed, Steffens, Fred Howe, Hapgood, Cook et Glaspell s'étaient joints à un groupe d'écrivains qui appuyaient la candidature de Wilson. Il signa un appel demandant aux socialistes de ne pas gâcher leurs voix pour Benson, et écrivit un article, destiné aux syndicats, dans lequel il soutenait Wilson. Il le fit un peu la mort dans l'âme ; en revanche, c'est avec beaucoup de joie qu'il défendit le juge de Denver, Ben Lindsey. Celui-ci était l'objet de violentes attaques de la part des conservateurs, pour avoir soutenu les mineurs de Ludlow et s'être embarqué dans le « Peace Ship » de Ford. Plus tard, le juge devait attribuer aux articles de Reed un pouvoir décisif au cours de cette campagne électorale. Dans le courant d'octobre, John et Louise quittèrent New York pour aller à Croton dans la maison de Mike et de Sally Robinson. Plusieurs habitants du Village y avaient maintenant acheté des résidences secondaires, et lorsque John se remit à parler d'habiter loin du tourbillon de New York, Louise s'empressa de faire chorus. Elle se montrait pour lui pleine d'ambition et s'inquiétait de la tendance qu'il avait à « perdre son temps avec les gens du Village » ; elle jugeait que Croton était « un endroit calme, paisible et gai ». « Je pense que ce serait merveilleux de pouvoir travailler ici, sans être dérangés, et de pouvoir aller nous distraire en ville. Il n'est pas possible que nous différions sans cesse notre véritable travail [35]. » Au début de novembre, John versa un acompte de deux mille dollars pour un petit cottage entouré d'un vaste jardin clôturé, qu'il fit hypothéquer pour 1.750 dollars [36].

Il paraît surprenant que John Reed, habituellement sans attaches, libre comme l'air, ait acheté deux maisons en l'espace de trois mois. Mais à cette époque, John était terriblement secoué : les différents médecins consultés lui avaient fait craindre le pire. L'opération était absolument indispensable ; John devait entrer à l'hôpital John Hopkins à Baltimore le 12 novembre.

---

34. J. R. au Parti socialiste, 13 octobre 1916 (archives du Parti socialiste, Duke University Library).
35. Lettre de Louise Bryant à J. R. du 9 décembre 1916 (manuscrits J. R.).
36. La maison qu'il acheta était celle que Mabel avait louée auparavant, celle dont elle l'avait chassé en février 1915. Cette coïncidence fut sûrement due au nombre limité des maisons disponibles à Croton plutôt qu'à un quelconque désir inconscient de ne pas s'éloigner de Mabel.

Il lui parut sans doute nécessaire de mettre de l'ordre dans ses affaires. Son sens pratique, plus que sa morbidité, lui fit mettre la maison de Croton au nom de Louise. Là-dessus, et ce fut une surprise pour tout le monde, le matin du 9 novembre, ils se rendirent à Peekskill où ils se marièrent à la mairie. La cérémonie n'avait pas grande signification, mais John tenait à faire de Louise son héritière légale.

Brusquement, tout arrivait à la fois : un mariage, deux maisons, il fallait résoudre de vieux problèmes et affronter un avenir qui menaçait d'être bref. Pendant toute la première semaine de novembre, John se consacra aux Provincetown Players. Cinq soirs de suite, il joua dans *The Game,* qui inaugurait le théâtre ; ensuite, avec *Bound East for Cardiff,* ce fut la première représentation d'O'Neill à New York. Sans être un triomphe, ce fut un début prometteur. Pour Reed c'était la fin. Cinq jours plus tard, il entrait à l'hôpital ; ses œuvres futures devaient être jouées par les Players après son opération, mais il ne devait plus jamais faire partie de la troupe.

Un autre événement (à la fois début et conclusion) survint avant qu'il n'entre à l'hôpital. L'éditeur Frederick Bursch accepta de publier un recueil de ses poèmes, qu'il avait intitulé *Tamburlaine* et dédié à sa mère. Cet ouvrage comportait vingt-cinq poèmes, dont certains dataient d'Harvard. John le décrivait ainsi, dans un avant-propos daté du 1er novembre : « C'est à la fois mon premier ouvrage de poésie et une sorte de gerbe de souvenirs de jeunesse : cela ressemble à ce que les exécuteurs testamento-littéraires réunissent laborieusement après la mort des poètes célèbres. Je préfère ne pas leur laisser ce soin. » Le ton était enjoué, mais Reed signifiait clairement que ce serait là son dernier livre de poésie. En cet automne 1916, à l'âge de vingt-neuf ans, John essayait de mettre les choses en ordre. Comme le montre son poème *Brouillard,* il pouvait regarder la mort en face. Son angoisse, son désarroi ne venaient pas de la mort mais bien de la vie, de la difficulté qu'il avait à comprendre comment son évolution personnelle pouvait se relier aux gigantesques perturbations du monde extérieur. Alors qu'il débordait d'amour pour Louise et qu'il avait redécouvert les joies simples de la nature au Cap Cod et à Croton, il lui fallait se demander combien de temps il lui restait à vivre. Un de ses plus récents poèmes, dédicacé à Eastman, délivrait un message assez explicite :

« Il y avait un homme qui prisait avant tout la sérénité

Et pourtant ne pouvait rester en repos
A cause des terribles plaintes de l'humanité malheureuse
Enchaînée et aveugle
Trop exploitée pour accéder à la beauté et trop lasse d'avoir
                                                        [faim
Pour être inspirée.
Depuis sa haute colline paisible et ventée, en trébuchant, il
                                                        [descendit
Jusqu'en ville,
Où l'attendaient les yeux d'un enfant, puis l'amertume, le
                                                [mépris cinglant
Des vieilles choses
Et la mainmise cruelle de la vieillesse et de la mort sur la vie :
Alors, avec son souffle
Il attisa le noble feu qui couve dans le cœur
Des opprimés [37]. »

Comme tant d'artistes sensibles, déchirés entre leur vie privée et publique, Reed se rendait compte qu'il lui fallait choisir. Le rêve de la beauté sereine, de « la béatitude éthérée des poètes dans leurs jardins clos » avait pris naissance dans l'imagination d'un enfant chétif et malade. Enfoui peu à peu, au fur et à mesure que sa personnalité s'affirmait, voilà que le vieux rêve refaisait surface. Pendant des années, John avait refusé de son imagination la part la plus authentique ; maintenant qu'il l'acceptait, il s'avérait capable d'écrire des choses plus sérieuses et plus profondes qu'il ne l'avait jamais fait auparavant. Pourtant ce même progrès qui libérait son imagination impliquait certains devoirs qu'il était difficile d'ignorer. Ainsi que le montre la fin de son poème, la paix ne serait pas la récompense d'avoir soulevé les opprimés, non plus qu'une période tranquille propice à la création, mais quelque chose de plus grand :

« La vision d'une splendeur nouvelle dans l'esprit des hommes
Semblable au rêve d'un dieu,
Et le joyeux fracas des trompettes dans l'étrange
Vacarme du Bouleversement [38] ! »

37. J. R., « Une dédicace : à Max Eastman », *Tamburlaine*, p. 14.
38. *Ibid.*

# Croton

*J'ai vingt-neuf ans, et je sens qu'une période de ma vie s'achève ; c'est la fin de ma jeunesse. Parfois il me semble que pour le monde entier aussi la jeunesse s'achève ; à coup sûr, la Grande Guerre nous a fait quelque chose à tous. Mais c'est également une nouvelle phase de l'existence qui s'annonce ; le monde dans lequel nous vivons est si changeant, si coloré, si plein de significations que je ne peux m'empêcher d'imaginer les événements à la fois terribles et splendides des temps à venir. Durant les dix dernières années, j'ai parcouru la terre, avide de vivre, de combattre, d'aimer, d'entendre et de goûter tout ce qui s'offrait à moi. J'ai parcouru toute l'Europe jusqu'aux frontières de l'Est ; je suis allé au Mexique où m'attendaient bien des aventures ; j'y ai vu des hommes se faire tuer, se faire massacrer, j'ai vu des vainqueurs triomphants, des hommes pleins d'idées, d'autres bourrés d'humour. J'ai vu changer une civilisation, je l'ai vue s'élargir, devenir plus douce, et j'ai fait ce que j'ai pu pour y participer. Je l'ai vue également vaciller et s'écrouler sous les coups sanglants que lui porte la guerre. [...] Je ne suis pas encore tout à fait las d'observer, mais je sais qu'un jour je le serai. Ma vie future ne sera pas ce qu'elle a été. Aussi, je veux m'arrêter un instant et regarder en arrière pour faire le point...*

John REED, *Trente ans, déjà, op. cit.* (Toutes les citations qui, dans ce chapitre, ne font pas l'objet d'une note particulière sont tirées de cet essai.)

Durant ce printemps 1917, John se sentit pour la première fois attiré par l'autobiographie. Ce fut une période assez brève pendant laquelle son humeur s'accorda à celle du pays : tout allait de mal en pis. Les décisions prises à Washington et à Berlin à propos des droits des pays neutres, et la volonté d'utiliser les sous-marins au cours de cette guerre, avaient rendu inévitable l'entrée de l'Amérique dans la guerre mondiale ; la date, le lieu et les circonstances exactes restaient seuls à déterminer. John, qui pressentait tout cela plus qu'il ne le savait, constatant que les choix se limitaient, jugea important d'essayer de comprendre quelle sorte de relation l'unissait à ce sombre courant de l'histoire.

L'essai qui résulta de ces réflexions (*Trente ans, déjà*) est, bien dans sa manière, plus descriptif qu'analytique ; il raconte l'histoire d'un enfant peureux qui s'efforce de devenir un homme. L'essentiel du livre traite de sa vie de collège : années d'enfance et d'adolescence à l'Académie, à Morristown, puis à Harvard. La dernière partie raconte ses premiers succès à New York, l'éveil de sa conscience politique à Paterson et l'épanouissement de sa personnalité d'écrivain au Mexique. Tout l'ouvrage est empreint d'une certaine exagération : depuis l'adolescence, « une énergie débordante me fit me livrer à toutes sortes d'exercices physiques et intellectuels, sans que je me fixe dans aucune direction particulière : j'avais néanmoins la certitude de devenir un grand poète ou un grand romancier... J'étais de plus en plus actif et instable ; j'avais de plus en plus d'ambition... Je m'éparpillais dans une centaine de voies différentes ; la vie devenait une sorte de cinéma passionnant ; je n'y pensais que sous forme de flashes et je la concevais uniquement comme une suite d'émotions et de sensations. » Maintenant qu'il allait sur la trentaine, John, affaibli par son opération et désemparé par la guerre, sentait que les choses avaient changé : « J'ai perdu une bonne part de ma vitalité excessive, et avec elle le bonheur tout simple d'être en vie... Il me semble que j'ai compris certaines choses, mais à d'autres égards j'en reviens à mon point de départ : au royaume de l'imaginaire... »

Si la plus grande partie de ces mémoires se lit comme une sorte de conte héroïque, certains passages dénotent un goût, qui est nouveau, pour l'introspection. A présent John comprenait la raison de ses changements d'humeur : ils expliquaient sa conduite passée et son état d'esprit actuel : « Je dois me retrouver. Certains semblent trouver de bonne heure le chemin qui leur permet d'évoluer naturellement sans trop de heurts et d'arriver à ce qu'ils doivent être. Moi, je n'ai aucune idée de ce que je ferai dans un mois. Chaque fois que j'ai essayé de devenir quelqu'un de précis, j'ai échoué ; c'est seulement en me laissant porter par le vent que j'ai pu me trouver, et endosser gaîment un nouveau rôle. » Cette façon de considérer qu'il avait « des rôles à jouer » fait penser aux critiques que Lippmann lui avait adressées deux ans plus tôt. Mais, sous l'acteur, Reed sentait qu'il y avait en lui quelque chose de plus vrai, une disponibilité permanente et un inépuisable besoin d'écrire : « J'ai découvert que je suis vraiment heureux quand je travaille dur à quelque chose que j'aime. Je ne me suis jamais acharné bien longtemps sur ce qui me déplaisait ; mais maintenant j'en serais incapable quand bien même je le voudrais ; d'ailleurs, il y a fort peu de chose dont je ne tire quelque plaisir, même s'il ne s'agit que de la nouveauté d'une expérience... J'aime la beauté, le risque, le changement, et maintenant je les apprécie davantage dans mon esprit que dans le monde extérieur. » La beauté, la guerre la détruisait ; elle n'offrait guère d'occasion de se lancer dans des entreprises qui auraient eu un sens ; c'était une période d'attente : « Il faut attendre que tout cela se termine, que la vie s'arrange de telle sorte que je puisse trouver ce que j'ai à faire. »

Cette attente, ponctuée de souffrances intolérables, commença à l'hôpital John Hopkins où il dut rester un mois. Au début, il y eut le supplice des examens cytoscopiques réitérés : « Toute une foule d'inconnus qui allaient fourrer leurs doigts dans mes entrailles. » A la suite de l'ablation de son rein gauche le 22 novembre, la douleur fut aiguë pendant deux semaines, le laissant « exténué, cafardeux, mal en point et languissant après [son] cher amour [1] ». Les lettres d'amis lui souhaitant un prompt rétablissement arrivaient par douzaines ; c'était un réconfort, mais il y eut surtout deux réconciliations qui lui rendirent plus supportable ce séjour à l'hôpital. La première eut lieu avec Carl Binger que Reed avait « trahi » à Harvard ; Carl était maintenant médecin et appartenait à l'équipe de l'hôpital. Au début ses visites mirent John mal à l'aise ; il avait honte. Mais comme ni l'un ni l'autre ne faisait mention du passé, John commença à se sentir pardonné. Il se réconcilia également avec Lippmann qui fit tout exprès le voyage jusqu'à Baltimore. John, extrêmement touché, oublia tellement leur brouille que, dans son essai autobiographique, il attribua presque exclusivement à Walter le mérite de la « Renaissance de Harvard ».

Les visites, les lettres, la correction des épreuves de *Tamburlaine,* les tentatives pour écrire des nouvelles, rien de tout cela ne pouvait lui faire oublier l'absence de Louise. Elle était venue le 21 novembre, et restée jusqu'à ce qu'elle sache que l'opération avait réussi. Puis elle était repartie à New York pour s'occuper du déménagement à Croton. Elle lui écrivait de petits mots tendres : « Depuis que tu es parti, tout le monde te réclame, mais les autres semblent tellement stupides... Chacun ici te demande et te regrette » ; elle se plaignait de ce que leurs amis, pour éviter qu'elle ne se sente trop seule, débarquent à toute heure du jour et de la nuit, les bras chargés de bouteilles au point que « la pièce est imprégnée d'une horrible odeur d'alcool [2] ». Après avoir fait état d'un certain nombre de consultations chez les médecins, le 7 décembre Louise lui apporta une nouvelle qui le terrifia : « Tout le côté gauche de mon bassin (ovaire, etc.) semble enflammé et infecté. Les médecins pensent que cela vient peut-être de ta maladie. » Reed horrifié demanda à connaître toute la vérité et menaça de venir à New York sur un brancard s'il n'obtenait pas de réponse satisfaisante ; il se sentait à la fois blessé et désespéré : « Ma chérie, si tu te sentais si mal, pourquoi avoir attendu si longtemps

1. J. R. à Louise Bryant, 13 et 29 novembre 1916 (manuscrits J. R.).
2. Louise Bryant à J. R., trois petits mots datés l'un du Thanksgiving Day, l'autre de dimanche après-midi, le dernier sans date (manuscrits J. R.).

pour consulter un médecin ? Ce n'était pas une chose à faire. »
Il l'assurait que sa maladie n'était pas contagieuse, et s'inquiétait
de l'éventualité d'une opération : « C'est terrible d'enlever les
ovaires... Cela ne te rend-il pas incapable d'avoir des enfants ?
Je n'ai jamais entendu dire que cette opération se pratiquait,
sinon sur les chiens, les chats et les chevaux [3]. »

En fait, il apparut que l'intervention chirurgicale n'était pas
nécessaire ; à la mi-décembre, ils étaient tous deux en convalescence à Croton. La vie à la campagne leur convenait. Louise,
lasse du Village et de ses commérages, s'était fâchée avec la
troupe en apprenant qu'on ne l'avait pas choisie pour faire
partie du comité directeur des « Players ». Elle trouvait New
York trop bruyant et trépidant pour qu'on puisse y avoir des
conversations intimes d'une certaine importance : « Et cela, c'est
la meilleure façon d'être proches l'un de l'autre, c'est ce dont j'ai
envie. » Elle était d'avis qu'il était « tout à fait impardonnable »
de gaspiller son énergie pour les gens du Village plutôt que de
la réserver pour un « véritable travail [4] ». Reed était d'accord.
Peu à peu il retrouvait ses forces ; en y songeant, il découvrit
que revoir Manhattan n'était pas si urgent : « En ville, je n'ai
de temps que pour les sensations et l'aventure, alors que maintenant j'ai besoin de calme pour réfléchir ; de cette façon je
pourrai tirer de la plénitude de mon existence quelque chose de
beau et de fort. » Il faisait bon être à nouveau près l'un de
l'autre, à moins d'une heure « du tourbillon où l'on pouvait
plonger, dans cette marée humaine, dans ces grondements et ces
lumières ; et l'on pouvait ensuite revenir ici pour décrire ce qu'on
avait vu, sous le soleil et le vent frais, au pied de ces collines
paisibles ».

Leur départ de la capitale coïncida avec la retraite stratégique opérée par la plupart de leurs amis. La vie au Village
manquait trop d'intimité. Fait plus grave encore, à cause de tous
les articles qui lui avaient été consacrés, on était en train de
« découvrir » le Village. Depuis quelques années, les journalistes avaient exploré l'endroit comme s'il s'était agi d'une terre
étrangère, pondant des articles qui trahissaient leur condescendance amusée vis-à-vis des mœurs indigènes. En 1914, le *Dial*
avait décrit l'endroit comme une sorte d'îlot hors du monde,
d'appendice de l'univers estudiantin, possédant sa vedette de

3. J. R. à Louise Bryant, dimanche de décembre 1916 (manuscrits
J. R.).
4. Louise Bryant à J. R., 2 et 9 décembre 1916.

football (Bill Haywood), son journal humoristique (*Les Masses*), son playboy errant (John Reed). Deux ans plus tard, le *Literary Digest* se montrait sarcastique et venimeux ; il décrivait les membres du Liberal Club comme un ramassis de fous, de juifs et de bohémiens [5]. Malgré ces commentaires plutôt malveillants, les articles attirèrent un nombre croissant de jeunes Américains que fascinaient l'originalité du Village et son absence de conventions. Rapidement, le Village devint conforme aux désirs et aux moyens financiers des nouveaux venus qui l'envahissaient.

Le premier guide de Greenwich Village fut publié en 1917. Cet ouvrage écrit par Anna Chapin, qui n'y avait jamais habité, présentait les lieux avec une sympathie mêlée de condescendance. L'auteur ne décrivait pas les gens du Village comme des individus sans moralité, mais comme des jeunes gens qui adorent arborer « des chevelures bizarres et des vêtements incongrus », tâchant par là de montrer « au monde prosaïque combien ils sont différents [6] » ! Tout comme les enfants, ils étaient malins, spontanés, affectueux, artistes, irresponsables, mais en fin de compte sympathiques et plutôt inoffensifs. Elle citait des endroits où l'on pouvait dîner, comme le sous-sol du Brevoort, Bertolotti's et Polly's ; elle recommandait également un grand nombre de nouveaux restaurants et salons de thé pour leur atmosphère typiquement « bohème ». Certains Villageois aux dents longues, subodorant toutes les possibilités qu'on pouvait tirer de cet univers artiste, avaient aménagé des greniers ou des caves. Le déguisement des serveuses, la décoration sans goût et les noms volontiers espiègles trahissaient la fraîche origine de ces établissements : il y avait le « Will O' The Whisp », le « Mad Hatter's », le « Samovar », le « Mouse Trap », le « Wigwam », le « Crumperie », le « Polly Woge », le « Black Parrot » et le « Salon de thé d'Aladin ». Des boîtes de nuit s'étaient également ouvertes dans les environs, telles le « Pirate's Den », dont la porte était en forme de cercueil et les serveurs affublés de grands sabres. Partout s'ouvraient de petites boutiques où l'on vendait des tableaux, des soieries, des sandales, des bijoux, des vêtements artisanaux et des ouvrages de poésie, le tout à des prix qu'aucun des véritables habitants du Village n'aurait pu payer. Le comble

---

5. « Greenwich Village », *Dial,* n° LVII, 1er octobre 1914, p. 239-241 ; « Disillusioned by Bohemia », *Literary Digest,* n° LIII, 16 septembre 1916, p. 688-693.
6. Anna Alice CHAPIN, *Greenwich Village,* Dodd and Mead, New York, 1917, p. 211-213.

de cette exploitation commerciale fut atteint par le « Grenier de Bruno », situé au 58 Washington Square South, où pour la somme de 25 cents les visiteurs pouvaient contempler des hommes barbus et des femmes vêtues de blouses bouffantes en train de déclamer des poèmes, de gratter une guitare, de gâcher de la couleur sur des toiles, ou tout simplement de se pavaner en discutant d'art, de sexe, bref de tout ce qui était susceptible d'offusquer ou d'exciter le badaud.

Les Villageois plus anciens déploraient ces singeries, mais en même temps ils contribuèrent à développer le phénomène. Personne, plus que Floyd Dell, ne détestait cette commercialisation, lui qui fuyait tous les vieux repaires à mesure qu'ils étaient envahis par une foule de curieux qui faisaient grimper les prix en flèche. Les nouveaux venus « écarquillaient les yeux, ricanaient et faisaient des commentaires à voix haute... Cela ne les gênait pas le moins du monde de faire intrusion au milieu d'une soirée ; ils se présentaient et exigeaient qu'on leur fasse les honneurs des lieux ». Lorsqu'on l'eut, un jour, accosté pour lui demander s'il était vraiment un Villageois heureux, Dell résolut d'éviter tous ces nids à touristes. Mais bientôt apparut une nouvelle catégorie de Villageois qui, tout en proposant quelques ratas accompagnés de boissons frelatées, en profitaient pour vendre de mauvais spectacles et de la poésie médiocre aux nigauds : « Il était assez saumâtre de devoir supporter ces professionnels et de se rendre compte que des personnages de ce genre étaient censés nous représenter [7]. » Malheureusement, les initiatives de Dell lui-même contribuèrent à faire du Village un haut-lieu touristique. Comme le Liberal Club avait besoin d'argent, Dell suggéra d'organiser un grand bal masqué qu'il intitula « Fête Païenne ». Cet événement, qui devait se reproduire tous les ans, s'adressait ouvertement aux gens de l'extérieur : on lui avait fait une énorme publicité ; il attira au Webster Hall toute une troupe de bourgeois accourus pour contempler peintres et intellectuels vêtus de costumes exotiques, réduits au strict minimum, en train de danser le ragtime. Ce fut un succès, mais les touristes n'en furent que plus nombreux.

Cette commercialisation ne réjouissait guère John, mais ce ne fut pas la raison essentielle de son départ pour Croton. Grâce à ses voyages, il n'avait été qu'un Villageois occasionnel, et puis, en ce début de 1917, il regardait ailleurs, cette fois vers l'Extrême-Orient. Depuis l'automne précédent, il projetait

7. F. Dell, *Homecoming*, p. 234.

un reportage sur la révolution qui se déroulait en Chine. Maintenant le voyage était possible, puisqu'en janvier les médecins l'avaient jugé tout à fait guéri. Louise obtint un contrat du *New York Tribune,* et le *Metropolitan* faisait déjà de la publicité sur le reportage à venir : « Il [John] va nous rapporter le reflet de ce pays mystérieux et pittoresque ; grâce à lui nous pourrons connaître ses millions d'habitants et les forces gigantesques qui sont à l'œuvre là-bas. » Reed se munit de toutes sortes de lettres d'introduction, y compris une du secrétaire d'Etat Robert Lansing ; il releva les noms de ses condisciples de Harvard qui se trouvaient alors en Orient et se procura une liste de socialistes chinois et japonais. En février il était prêt à s'embarquer ; Louise exprimait ainsi leur commune excitation: « La Chine promet d'être pour nous deux une aventure merveilleuse [8]. »

A la fin de janvier, l'ambassadeur allemand à Washington avait informé le gouvernement américain qu'à partir du 1er février, les sous-marins de son pays couleraient les navires des pays belligérants comme ceux des pays neutres, dans une vaste zone qui s'étendait tout autour des pays alliés. Pour toute réponse, Woodrow Wilson rompit les relations diplomatiques avec l'Allemagne. En dépit de sa déclaration conciliante : « Nous sommes les amis sincères du peuple allemand et nous avons le profond désir de rester en paix avec le gouvernement qui le représente », le chemin vers la guerre venait d'être irrévocablement tracé. Deux jours plus tard, Carl Hovey ajournait le voyage de Reed en disant qu'il était absurde de dépenser de l'argent pour des reportages sur la Chine « avant qu'on y vît plus clair ». Le directeur, qui espérait évidemment voir Reed retourner en Europe, lui écrivait : « Pouvez-vous suggérer quelque chose qui concernerait la situation présente et pourrait remplacer ce voyage annulé [9] ? »

John lui confia ce qu'il pensait du « combat de chiens enragés qui se déroulait en Europe », et ce fut tout. Il sentait que le socialisme déjà bien tiède du *Metropolitan* était en train de virer au patriotisme ; il devinait que ses jours y étaient comptés. Peu à peu il s'énerva et en fit un problème personnel : un jour, au rédacteur H. J. Whigham, il lança : « Vous et moi, nous nous disons amis, mais en réalité nous ne le sommes pas puisque nous ne croyons pas aux mêmes choses ; le temps viendra où nous

8. Louise Bryant à J. R., 9 décembre 1916 (manuscrits J. R.).
9. Carl Hovey à J. R., 5 février 1917 (manuscrits J. R.).

ne nous adresserons plus la parole [10]. » Malgré cela, il n'y eut pas de rupture immédiate avec le journal. Après qu'on eut demandé à Art Young de mettre un peu d'eau dans son vin, Reed fignola un article dans lequel il faisait l'éloge du syndicalisme et traçait en regard un portrait de Samuel Gompers qui démontrait l'incapacité du vieux président réformiste de l'A.F.L. (American Federation of Labour). Cet article, aussi perspicace et convaincant que les précédents sur Bryan, Ford et Sunday, lui fut refusé. En cette époque de crise, le respect des dirigeants du syndicat faisait partie des tabous nationaux.

Tandis que les pacifistes entamaient leur ultime combat contre l'entrée en guerre des Etats-Unis, Reed, d'humeur morose, demeurait à Croton. Il comprenait les efforts de l' « American Union Against Militarism », du « Women's Peace Party » et de nouvelles organisations telles le « Comité pour le Contrôle démocratique », organisé par des amis, Amos Pinchot, Randolph Bourne et Max Eastman ; cependant, il ne pouvait s'empêcher de penser que ces tentatives étaient vouées à l'échec. On aurait beau organiser des manifestations dans toutes les villes d'Amérique, submerger de lettres les tribunes libres des journaux et de pétitions les halls du Congrès, exiger des embargos et des référendums et même brandir la menace d'une grève générale, cela ne changerait rien. Une toute petite minorité de la population, les Roosevelt, les anglophiles, les superpatriotes et les bellicistes enragés, était sur le point d'obtenir ce qu'elle cherchait. Dans son essai autobiographique, John avait fait une promesse solennelle : « Si les Etats-Unis, sous n'importe quel prétexte, se trouvent forcés par les patriotards et les marchands de canons à entrer dans ce chaos stupide, moi, je ne me battrai pas. » Puis, se rendant compte qu'à la suite de son opération, on ne pouvait pas le mobiliser, il avait rayé cette phrase. Il allait devoir trouver d'autres façons de manifester son opposition.

Mais un problème plus urgent se posait : celui de l'argent. Le *Metropolitan* lui avait payé cinq cents dollars pour chacun de ses articles ou chacune de ses histoires ; le dernier avait paru au mois de janvier. Avec les honoraires médicaux, les traites mensuelles pour ses deux maisons et les continuelles demandes d'argent de la part de sa famille, le moment était plutôt mal venu de se trouver sans emploi. Quelques œuvres refusées

---

10. Cité dans l'article de Julian Street paru dans le *Saturday Evening Post,* n° CCIII, 13 septembre 1930, p. 8-9, 65-68, sous le titre « A Soviet Saint : the Story of John Reed ».

(histoires humoristiques, ou récits de fiction) avaient grand besoin d'être réécrites mais John n'était pas d'humeur à s'y mettre. Il se sentait de plus en plus étranger à la politique suivie par les rédactions des grands journaux ; pire, il était également à court d'idées. Lorsqu'un gros bonnet du syndicat de la presse manifestait de l'intérêt pour un sujet qui eût pu lui convenir, il ne trouvait rien à écrire. La guerre seule importait, et rien de ce qu'il voulait écrire sur ce sujet ne pouvait être accepté. Très vite, John fut à court d'argent liquide. Il dut se résigner à mettre au mont-de-piété la montre en or de son père, puis, en mars, à vendre sa maison de Truro. Réglant le solde, Margaret Sanger lui remboursa son versement. Faute de cinq cents dollars, à cause de la guerre, un beau rêve s'écroulait.

Le monde se refermait et John ne pouvait continuer plus longtemps à faire l'autruche. Au début de mars, la Maison Blanche adopta un décret concernant l'armement des vaisseaux marchands, qui fut férocement discuté au Sénat par une douzaine de progressistes. Le président dénonça « ce petit groupe d'hommes entêtés qui ne représentaient aucun courant d'opinion sinon le leur », et déclara que de toutes façons il ferait installer des canons et des équipages militaires sur les cargos. Le 18 mars, on apprit que trois bâtiments américains avaient été coulés dans l'Atlantique. Les groupes favorables à l'intervention lançaient appel sur appel pour que l'on déclare la guerre, et ceux qui jusqu'alors étaient restés neutres les rejoignaient ; Wilson convoqua le Congrès le 2 avril pour une session extraordinaire « afin d'y recevoir communication concernant de graves problèmes de politique nationale ». Sachant que cela signifiait la guerre, mais espérant un miracle de dernière minute, les pacifistes et les radicaux affluèrent en masse dans la capitale.

Contraint d'affronter ce qu'il redoutait depuis si longtemps, John éprouva le besoin de mettre un peu d'ordre dans ses idées. Le résultat de ses réflexions fut un article destiné aux *Masses,* où se mêlaient l'ironie, le dégoût et la lassitude résignée : « La guerre c'est la folie généralisée, la torture pour ceux qui entendent dire la vérité, les artistes bâillonnés, les réformes abandonnées, de même que toutes les améliorations sociales. Déjà en Amérique on qualifie de traîtres les citoyens qui s'opposent à l'entrée de leur pays dans la mêlée européenne ; quant à ceux qui protestent contre la violation de nos maigres droits à la libre expression, on les considère comme " des fous dangereux "... Ce pays va être pendant de nombreuses années un des pires endroits pour les hommes épris de liberté. » Pour expliquer pourquoi ce président, élu six mois auparavant grâce à son slogan « Lui a su nous éviter la guerre », y entraînait maintenant son pays, Reed déclarait que la neutralité n'avait jamais été qu'un leurre. Les Etats-Unis, complices des violations accomplies par les Anglais, avaient tenu les Allemands pour uniques responsables des moindres incidents. La raison de cette attitude partisane était bien simple, écrivait Reed (se servant de l'argument utilisé au Congrès par les sénateurs progressistes tels La Follette et Norris) : « Nous avons expédié par bateaux, et nous continuons à le faire, du matériel de guerre en énormes quantités à destination des Alliés ; nous avons également souscrit à leurs emprunts. » Ce n'étaient pas les électeurs qui voulaient la guerre, mais les spéculateurs, les banquiers et les industriels. En cas d'affrontement, ils seraient les plus forts. S'adressant au bon sens populaire, il terminait son article sur cette phrase qui n'était plus maintenant qu'un vœu pieux : « Ce n'est pas notre guerre [11]. »

John était à Washington le soir du 2 avril. Renonçant à utiliser le laisser-passer que Robert La Follette lui avait donné pour entrer au Sénat, il se rendit à un meeting contre la guerre. Juste avant que son tour ne vienne de prendre la parole, un homme pénétra dans la salle, grimpa en toute hâte à la tribune pour annoncer que le président avait déclaré l'état de guerre. David Starr Jordan, président de la séance, déclara qu'il était prêt désormais à défendre la nation, mais Reed se dressa, monta à la tribune et s'écria : « Cette guerre ne me regarde pas, et je ne la défendrai jamais. Ce n'est pas ma guerre et je ne m'en mêlerai pas [12]. » Il resta à Washington pour se joindre à un groupe composé de libéraux, de radicaux et de pacifistes, qui voulait manifester devant la Maison Blanche contre les projets de censure proposés dans une loi contre l'espionnage. Quelques jours plus tard, il revint au Congrès pour y critiquer la mobilisation. Il déclara au Comité chargé des Affaires militaires : « Je ne crois pas à cette guerre... Jamais je ne la soutiendrai » ; il fut interrompu et attaqué par deux députés [13]. Cela augurait

---

11. « La Guerre, pour qui ? », article de J. R., *Masses*, n° IX, avril 1917, p. 11-12.
12. Cité par Hicks, *John Reed*, p. 233.
13. Chambre des représentants, comité consacré aux affaires militaires : « Session consacrée au volontariat et à la conscription », 65ᵉ séance, première session, 7-17 avril 1917, Washington, Imprimerie d'Etat, 1917, p. 31-33.

mal de l'avenir. A New York, les artistes, les intellectuels et les radicaux se trouvaient plongés dans le plus profond désarroi. Leurs réactions à l'entrée en guerre de l'Amérique étaient très diverses. Walter Lippmann, ainsi que d'autres rédacteurs de la *New Republic,* qui penchaient depuis des mois pour l'intervention dans le conflit, expliquaient que si les intellectuels libéraux et progressistes arrivaient à diriger cette entreprise, un monde plus sain sortirait du conflit. En revanche, des gens comme Van Wyck Brooks et James Oppenheim, de *Seven Arts,* ainsi que Jig Cook se retranchaient derrière des arguments curieux, disant que l'art seul comptait et qu'il fallait veiller à ce qu'il continue de vivre. Entre ces deux positions, se trouvaient tous ceux qui devaient décider entre leurs convictions personnelles et leur patriotisme. Il leur fallait choisir entre idéalisme et facilité, entre ce qu'il en coûtait de s'opposer à la politique de leur pays et la sécurité que procurait l'acquiescement. Les choix des individus, comme ceux des organisations furent difficiles et souvent inattendus. Les militants de l'I.W.W. (qui regagnait du terrain parmi les mineurs et les bûcherons de l'Ouest) ne prirent jamais position officiellement, tandis que le Parti socialiste, beaucoup moins audacieux d'habitude, qualifia immédiatement la déclaration de guerre de « crime contre le peuple des Etats-Unis », et déclara : « Nous ne donnerons jamais de notre plein gré une seule vie ni un seul dollar [14]. » Lorsque les membres du Parti se réunirent et adoptèrent cette position à 90 %, des leaders éminents comme Upton Sinclair, William E. Walling, Charles Edward Russell et Allan Benson quittèrent le parti pour participer à l'effort national. Parmi les collaborateurs des *Masses* — en majorité opposés à la guerre — il y eut quelques divergences. Walling et Benson avaient parfois écrit dans les colonnes du journal, tandis qu'un autre rédacteur, George Creel, se voyait nommé à la tête du comité gouvernemental chargé de l'Information. L'anarchiste George Bellows, qui faisait des caricatures féroces contre la guerre, en vint rapidement à dessiner des affiches prônant la victoire des Alliés ; le peintre Horatio Windslow se porta volontaire pour l'entraînement des officiers et Floyd Dell, qui avait été poursuivi en justice pour avoir fait l'éloge des objecteurs de conscience, finit par s'engager.

De Portland, Margaret fit part à John de ses sentiments

---

14. Cité par James WEINSTEIN, *The Decline of Socialism in America, 1912-1925,* Vintage Books, New York, 1969, p. 125.

patriotiques : « Je suis très choquée d'entendre dire du fils de C. J. qu'il se moque éperdument de son pays et de son drapeau... Etant donné la situation actuelle, quiconque est contre son pays fait le jeu de l'ennemi... Je ne tiens pas à ce que tu te battes pour nous — Dieu m'en est témoin — mais je ne veux pas que tu te battes contre nous, ni avec des mots ni avec ta plume ; je ne peux pas ne pas t'avertir que si tu le fais... je mourrai de honte... Tu te rendras sûrement compte que la plupart de tes amis et des gens qui partagent ton opinion sont d'origine étrangère ; bien peu sont de véritables Américains [15]. » Furieux, John répondit par une lettre qui fit fondre sa mère en larmes. Harry, qui allait partir pour un camp d'entraînement d'officiers, lui écrivit aussitôt, expliquant qu'à la maison les choses étaient déjà assez pénibles et que ce n'était vraiment pas le moment de se montrer ombrageux : « Sois honnête et reconnais au moins une chose : notre mère et moi avons toujours eu jusque-là le plus grand respect pour tes opinions, même si nous ne les partagions pas [16]. » Reed dut l'admettre, et après s'être calmé un peu, il écrivit une lettre conciliante, à laquelle il joignit un chèque de cinquante dollars.

Il était plus facile d'aplanir les différends avec la famille qu'avec la société. Invisible mais présente, la guerre rendait mélancolique une bohème déjà gangrénée par l'argent. Les gens étaient nerveux et susceptibles ; les discussions entre amis dégénéraient en violentes disputes et l'on était parfois surpris de voir certaines personnes vous expliquer gravement qu'après tout, mieux valait se soumettre. La pire crainte de John devint réalité, lorsque des vigiles se mirent à surveiller les meetings organisés par la gauche et que le gouvernement entreprit des poursuites contre tous les réfractaires. Durant la première semaine de juin, John se rendit à une réunion organisée par la Ligue contre la conscription, à Hunt's Point Palace, pour aider à protéger Emma Goldman et Alexander Berkman contre des perturbateurs qui avaient menacé d'intervenir. Des gens spécialement appointés se mirent à bombarder le podium avec des ampoules électriques ; ils interrompaient les discours par des huées et des cris et les policiers lorsqu'ils s'avancèrent, feignirent de ne pas les voir, alors qu'à l'extérieur de l'auditorium, ils n'avaient pas hésité à disperser une foule d'ouvriers. Après trois réunions identiques, Goldman et Berkman furent arrêtés et accusés, en

15. Margaret Reed à J. R., 5 avril 1917 (manuscrits J. R.).
16. Harry Reed à J. R., mardi, sans mois, 1917 (manuscrits J. R.).

vertu de la loi d'exception du 18 mai, d'avoir fomenté « une conspiration qui visait à encourager les gens à la désobéissance ». Au procès, Reed faisait partie des témoins de la défense ; l'accusation insista sur l'aspect révolutionnaire de l'entreprise, plus que sur les infractions contre la loi du 18 mai, et s'arrangea pour faire vibrer la fibre patriotique des jurés. Le verdict ne surprit personne : les deux anarchistes furent condamnés aux peines maximum, deux ans de prison et dix mille dollars d'amende.

La liberté de John, elle aussi, se réduisait peu à peu du fait que les patrons des journaux ne se montraient pas particulièrement accueillants pour les journalistes hostiles à la guerre. Cette même société qui autrefois avait tout promis lui ôtait maintenant ses moyens d'existence, à moins qu'il ne fût prêt à renier ses convictions. John tint bon, et à la fin de mai, le *Mail* de New York lui proposa un article par jour [17]. Le *Mail* lui laissait le libre choix des sujets et autorisait les réflexions personnelles. Reed, rendant compte d'une exécution à laquelle il avait assisté à Sing-Sing, expliqua que le meurtre, qui avait eu lieu à la suite d'une tentative de vol, n'était guère surprenant dans une civilisation où l'argent signifiait « privilèges et liberté ». Dans un article sur la fameuse loi d'exception, il prédisait qu'à New York on verrait plusieurs milliers d'hommes préférer « aller en prison plutôt que de se faire enrôler [18] ». Dans deux articles, au début de juin, il fit une description ironique de l' « Alley Festa », sorte de carnaval qui se déroula pendant toute une semaine dans MacDougall Alley ; cette fête rassemblait les membres du Gotha, et les bénéfices étaient destinés à aider certaines organisations dans les pays alliés : « C'est la dernière fois qu'on a vraiment ri à New York. Dans quelques mois, on publiera la liste des soldats tombés au champ d'honneur... Nos rues vont peu à peu se remplir de sinistres personnages en uniformes, qui s'appuieront sur les nurses de la Croix-rouge ; on verra des hommes sans bras, sans mains, des hommes au visage démoli, d'autres qui sautilleront sur leurs béquilles, toutes sortes d'estropiés...

---

17. Un groupe financé secrètement par de l'argent allemand avait acheté le *Mail*, l'année précédente, pour tenter (assez vainement) de lutter contre la gigantesque propagande organisée dans tous les Etats-Unis en faveur des Alliés. Reed l'ignorait sûrement ; quant au journal lui-même, il n'était pas spécialement pro-allemand, mais manifestait un patriotisme un peu moins enragé que les autres quotidiens.
18. *New York Mail*, 25 mai-1er juin 1917.

« Alors, New York ne rira plus. L'Europe, elle, a cessé de rire depuis longtemps... Ces gens riches et confortablement installés sont bien les seuls qui puissent encore s'amuser à New York — même maintenant, avant la bataille, avant le désastre, en sursis. Les pauvres gens qui n'avaient pas droit au spectacle ne peuvent plus s'amuser, eux... La police non plus ; les acteurs et les actrices, les chauffeurs de toutes ces somptueuses limousines, tous ces gens-là ont oublié comment il faut faire pour être gai. La vie est trop épuisante, trop rude... Si j'étais peintre comme Weir Mitchell, je ferais un tableau de toute cette débauche de luxe et d'extravagances, au-dessous de laquelle on verrait les poings tendus de l'humanité souterraine grondante et désespérée, crever le béton de MacDougall Alley. Hélas, j'en suis incapable. Il n'y a pas de poings sanglants. C'est le festin de Balthazar, mais sans la fameuse inscription sur le mur [19]. »

Frustré et déprimé par les événements, Reed se réfugia dans l'intimité, près de Louise. Tous deux étaient assez volages et leurs relations s'en étaient souvent ressenties. Néanmoins cet amour paraissait plus durable qu'aucun des précédents, et assez solide pour que John puisse écrire : « Du moment que Louise est avec moi, je me fiche de ce qui peut arriver. » Lorsque l'amour devient une sorte de refuge, il est toujours menacé. Pour un homme qui cultive l'amitié et bâtit sa vie sur l'intimité, cela peut réussir mais ce n'était guère dans le caractère de John. Certes, il se montrait accueillant et souvent généreux, mais il n'avait jamais été particulièrement réceptif aux états d'âme des autres. L'amour tenait une place assez secondaire dans ses préoccupations, à telle enseigne qu'il lui consacrait seulement quelques lignes à la fin de son essai autobiographique : « Dans ma vie, comme dans la plupart je présume, l'amour joue un rôle considérable. J'ai eu des aventures, j'ai connu le bonheur et les désaccords ; il m'est arrivé de blesser profondément et d'être profondément blessé. » Ce ton désinvolte reflète l'attitude qu'il avait dans la vie. Louise avait beau être « la personne dont il se sentait le plus proche », cela ne l'empêchait pas pour autant d'avoir d'autres aventures. Lorsqu'elle les apprit, les insultes, les cris de douleur, les torrents de larmes et les hurlements de rage remplirent la petite maison jusqu'à ce que la porte violemment claquée montrât à John que le chaos et le désordre du monde contaminaient même sa vie privée.

_____

19. _Ibid._, et 13 juin 1917 ; cf. également le numéro daté du 7 juin 1917.

Jamais encore, Reed n'avait eu à faire face à une situation aussi compliquée. Très vite, il sut que Louise s'était rendue tout droit à Provincetown pour y retrouver Eugene O'Neill. Mais ce qu'il ignorait, c'est que durant l'été précédent, elle avait eu une liaison avec Gene, et que sa rage en apprenant l'infidélité de John était en proportion de la lourde culpabilité qu'elle portait elle-même. Il ne connut jamais toute la vérité, même lorsqu'on le mit au courant des relations de Gene et de Louise. Elle s'était sentie attirée par Gene dès qu'elle l'avait vu ; c'est elle qui lui avait fait des avances, balayant les réticences d'O'Neill en lui racontant qu'à cause de ses reins John était impuissant et qu'ils vivaient tous deux comme frère et sœur ; à Provincetown, toute la troupe savait qu'elle s'échappait pour aller rejoindre Gene dans les dunes ; pendant que John à l'hôpital se tourmentait pour la santé de Louise, elle était dans les bras de Gene, tantôt à New York, tantôt à Croton.

Etant donné les mœurs du Village, cette situation épineuse n'était pas rare : il était plus facile de vitupérer tous les principes de la vieille morale et de défendre la liberté sexuelle, que d'affronter les conséquences que cette attitude impliquait. En dépit de leurs théories sur l'amour libre, il était assez rare que les femmes aient vis-à-vis du sexe autant de désinvolture que les hommes ; souvent, après avoir essayé un certain nombre de partenaires, elles cherchaient à se marier. Les couples les plus révolutionnaires, où chacun avait ouvertement des aventures au dehors, s'avéraient aussi désastreux que les mariages de jadis, ceux que la bohème méprisait. John et Louise apprenaient à leurs dépens que les nouvelles théories entraînaient des désagréments tout à fait traditionnels.

Reed, essayant de penser à autre chose, se mit à jardiner pendant toute une semaine, puis il se décida à envoyer un télégramme à Provincetown. Il disait simplement : « Les arbres fruitiers sont en fleurs » ; ce message toucha Louise, elle revint aussitôt [20]. Leur intimité reprit, mais trop souvent le passé se glissait à nouveau entre eux, et bientôt des scènes continuelles leur rendirent impossible la vie commune. Pour rompre ce cercle douloureux, Louise saisit la proposition qu'on lui fit de se rendre en Europe comme correspondante. John désemparé, à la fois triste et soulagé, l'aida à se procurer une carte de presse au « Wheeler News Syndicate » ; le samedi 9 juin, il alla l'accom-

---

20. Cité par Louise Bryant dans son essai autobiographique (manuscrits Hicks).

pagner au bateau. La distance et le temps viendraient peut-être à bout d'un problème que les mots ne pouvaient pas résoudre.

De retour au Village, où il avait loué un nouveau studio, il trouva ce billet : « Je t'en prie, John, crois-moi : je vais essayer de toutes mes forces de me ressaisir là-bas ; je veux à mon retour être capable d'agir comme une personne raisonnable. Je sais que j'ai sans doute tort sur tous les points. Mais je sais aussi que j'ai souffert et c'est la raison pour laquelle j'ai agi comme une folle... Je t'aime tant... C'est terrible d'aimer ainsi. » John répondit aussitôt, se chargeant de tous les torts : « Dans cette lamentable histoire, c'est toi qui t'es conduite humainement, c'est moi qui avais tort. Je t'ai toujours aimée, ma chérie, depuis notre rencontre, et je suis sûr de t'aimer toujours. Crois-moi, ce que j'éprouve dépasse de très loin ce que j'ai jamais ressenti. S'il y a une chose que je ne puis plus supporter, mon amour, c'est de te blesser. » Il décida de retourner à Croton, mais il trouva la maison vide si « horrible » qu'à minuit, il reprenait le train pour New York [21]. Il ne put trouver le sommeil et marcha dans les rues jusqu'à l'aube.

Au cours des sept semaines qui suivirent, Reed, pour la première fois de sa vie, vécut des moments où il lui était égal de vivre ou de mourir : « Une sorte d'amertume irrépressible courait dans mes veines, j'avais dans la bouche un goût de cendre. » Son métier, les meetings contre la conscription, les articles pour *Les Masses,* aucune de ces activités ne parvenait à donner un sens à sa vie ni à calmer les tourments provoqués par la séparation. Il ne pouvait rester en place, partout il s'ennuyait, il se sentait déprimé et lugubre, souffrait d'insomnie et ne pouvait supporter le temps chaud et moite ; fuyant ses amis, il passait des heures à ruminer dans sa chambre, ou bien il partait pour Croton, et écrivait à Louise des lettres déchirantes dans lesquelles il s'accusait de tout : « Maintenant, je comprends quelle cruelle déception, quelle désillusion tu as dû éprouver. Tu pensais trouver un héros : tu n'as découvert qu'un pauvre type qui a trop vite fait de perdre son auréole. » Parfois, il en arrivait à croire que cette douleur était utile, car elle l'aidait à progresser : « Ma chérie, dans cette solitude, j'en viens à comprendre certaines choses ; j'ai eu comme un choc en découvrant combien j'ai pu changer, combien je suis loin du jeune poète enthousiaste qui écrivait sur le Mexique. » En fait,

21. Louise Bryant à J. R., 9 juin 1917, et J. R. à Louise Bryant, 11 juin 1917 (manuscrits J. R.).

il s'était laissé aller, et il lui paraissait évident à présent que « tous ces événements étaient les signes de sa dégradation ». La guérison n'était pas pour demain, mais il la souhaitait de toutes ses forces : « Je voudrais tant revenir à la poésie, à la douceur, par un chemin ou par un autre [22]. »

C'était une décision courageuse, mais la voie du bonheur n'était pas évidente. Il fallait faire face au quotidien. John, qui soutenait l'un des objectifs du *Mail,* la création d'un impôt sur les gros bénéfices, se rendit à Washington pour y chercher de la documentation. Au début le changement d'air lui fit du bien : « Je ne crois pas qu'il y ait à l'heure actuelle un endroit au monde aussi passionnant que cette ville ; c'est un défilé incessant de délégations en uniforme, de gens bardés de décorations et de sabres ; c'est un véritable spectacle que d'assister à la réception au Sénat de tous ces ambassadeurs. » Après un bref entretien avec le président Wilson, John eut la satisfaction de refuser trois offres d'emploi : deux de la part de journaux de Washington, la troisième de George Creel, qui voulait l'engager dans sa commission de censure. Il prit la parole dans plusieurs réunions de suffragettes, et retrouva avec joie Steffens, retour d'un voyage en Russie qu'il avait entrepris pour le compte de l'administration. Au début, lorsque John lui raconta ses chagrins d'amour, Steffens se montra très compréhensif : « Je lui ai dit que je me suis conduit comme un imbécile et un goujat ; il m'a simplement répondu que cela arrivait à beaucoup de gens. » Mais après plusieurs dîners avec John, Steffens ne tarda pas à manifester son ennui ; John ne cessait de ressasser ses problèmes personnels ; il retomba dans une profonde mélancolie. Peu à peu, son travail pour le journal devint une « corvée désespérante » ; il fallait subir d'interminables discussions politiques et effectuer des recherches statistiques fastidieuses. Son indifférence croissante lui fit commettre quelques bourdes : il lui arriva de compter parmi les défenseurs du projet un sénateur qui était mort depuis six mois. Dégoûté de Washington, il retomba dans « sa nervosité, son désespoir et son insatisfaction [23] ».

De retour à New York, il se rendait parfois là où ils allaient ensemble, mais lorsque ses amis faisaient allusion à Louise, il se sentait encore plus malheureux. Si John ne sombrait pas tout à fait, c'était à cause du travail quotidien, mais il se plaignait

---

22. J. R. à Louise Bryant, 10 et 15 juillet 1917 (manuscrits J. R.).
23. *Ibid.,* 25 juin et 24 juillet 1917 (manuscrits J. R.).

des tâches qu'on lui imposait : « Il me faut attendre une maudite actrice [...] que je dois interviewer sur son maudit mariage avec je ne sais trop quel maudit lauréat » ; heureusement, il y avait plus intéressant : des expéditions dans les bars clandestins sur les quais d'Hoboken, un reportage sur une série de meurtres commis par un gang qui voulait s'assurer le monopole de la viande kascher, une brève campagne organisée pour exiger de la municipalité la construction d'une piscine populaire dans Central Park.

A cause des aléas de la guerre, ce n'est que le 5 juillet qu'il reçut les premières lettres de Louise, aussi angoissées que les siennes : « Je ne peux supporter cela plus longtemps. C'est trop horrible, trop absurde ! Là-bas tu es plongé dans le désespoir, ici moi je suis complètement découragée. La seule chose qui me soutienne, c'est l'espoir d'être avec toi — si nous pouvons à nouveau être heureux. Sinon... je suis écœurée de tout... Il m'arrive d'être physiquement malade, mais je ne cesse de souffrir en esprit. Je ne peux pas continuer ainsi !... Je suis dans une solitude horrible que je n'arrive pas à supporter. J'aimerais beaucoup mieux mourir... Je t'aime tant... Tu es tout ce que je possède. » Elle détestait l'esprit belliqueux qui régnait en France ; elle devait rendre compte de l'arrivée sur le continent des premières troupes américaines, mais elle n'avait aucun cœur à l'ouvrage. Leur séparation n'aurait de sens que si elle faisait revivre leur amour : « Il fallait que cela arrive ; je ne parle pas de cette lamentable histoire en particulier, mais il fallait que quelque chose se produise pour que nous puissions nous trouver... Jamais je ne pourrais aimer quelqu'un d'autre. Je veux que pour toi, tout soit beau et agréable. Sache qu'avant tout, tu es merveilleux. » Redoutant qu'il ne finisse par connaître les moindres détails de sa conduite, Louise se répandait en accusations contre elle-même. Elle promettait d'être « une meilleure compagne... plus gentille et plus compréhensive ». Elle alla même jusqu'à proposer de se sacrifier : « Je ne veux pas qu'à cause de moi tu sois incapable de faire ce que tu veux. Je suis une sotte, une maudite sotte mais crois-moi, je t'en supplie, plutôt que d'être un obstacle sur ton chemin je préfère disparaître tout de suite [24]. »

Ces aveux mettaient Reed à la torture, il se sentait à la fois « soulagé, épris, honteux, plongé dans un torrent d'émotions

24. Louise Bryant à J. R., 24 juin, 5 et 8 juillet 1917 (manuscrits J. R.).

contradictoires ». Il lui avait promis de rester chaste pendant son absence et il lui raconta qu'il avait refusé de faire l'amour avec une jeune fille de Washington : « J'ai tenu bon, je lui ai dit la vérité. » Cette anecdote l'amena à faire une sorte d'examen de conscience : « Peut-être y a-t-il en moi quelque chose qui ne tourne pas rond. Il est possible que je sois un peu fou ; l'autre jour, j'ai éprouvé un désir très violent. Je ne peux te dire à quel point aussitôt je me suis senti ignoble, méprisable. J'ai essayé de me comprendre, j'ai essayé de savoir comment ces choses naissent. Je te l'ai déjà dit, ma chérie, tout cela m'a terriblement affecté. La plupart du temps, je me sens affreusement fatigué, je n'ai plus aucune ambition, aucune initiative. Je me sens triste et vieux. Je n'arrive pas à en comprendre les raisons.

« Mais je comprends pourquoi les gens se réfugient dans le vice, lorsqu'ils se sentent perdus — je le sais — je peux me l'imaginer. Cela a failli m'arriver.

« Vois-tu, mon cher amour, autrefois j'étais quelqu'un de libre, je ne dépendais de personne. J'étais aussi indépendant qu'on peut l'être. Puis des femmes sont venues, qui délibérément ont entrepris — comme elles le font toujours instinctivement — de rompre cette carapace, de faire de l'artiste un être humain qui dépend des autres. Elles y sont parvenues, si bien que, maintenant, sans compagne, je ne suis plus qu'une moitié d'homme, stérile. (Cela dit, ma chérie, cela ne sert à rien de le nier. C'est ainsi et je ne le regrette pas : j'aime mieux être un homme qu'un artiste).

« Ces dernières années, la plupart du temps je me suis réprimé. Je n'ose pas me laisser aller. Je me sens toujours au bord de quelque chose de monstrueux. Ce n'est pas aussi terrible que ça en a l'air ; cela signifie seulement que je n'ai jamais aimé personne qui m'ait permis de m'exprimer pleinement, librement, personne qui ait voulu me faire confiance.

« Je suppose que tu as raison : si on laissait faire la nature, je crois que cela gâcherait tout. En fait, j'en suis parfaitement convaincu. Par ailleurs, j'admets volontiers que ma nature ne peut guère inspirer confiance... J'ai eu quatre ou cinq de ces aventures qui t'ont fait tant de mal. Et pourtant, ma chérie, il faut que tu arrives à me faire confiance jusqu'à un certain point, sinon notre vie commune ne sera qu'une comédie.

« Autrement dit, tu dois admettre que je suis faible (si c'est le cas) ou, en quelque sorte, différent, et bien que je ne veuille rien faire de ce que tu m'as interdit, tu dois accepter une certaine différence dans mes sentiments et dans ma façon de penser. Il serait intolérable pour nous deux que tu te croies chargée de diriger et de censurer mes pensées et mes actes, comme tu l'as fait autrefois, comme tu le fais dans ta lettre où tu me demandes de ne pas boire [25]. »

Cette humeur ne dura pas ; deux jours plus tard, il la regrettait : « Que prouve ce soudain accès de repentir ? Tu sais bien que ni moi ni personne (à condition de se connaître un peu) ne peut éternellement renoncer aux tentations. Cette longue absence, ma chérie, ne me fait pas t'aimer davantage : c'eût été impossible. Je sais, je savais depuis toujours que tu étais mon seul amour. Je n'avais pas besoin de ton départ pour le savoir. » La semaine suivante, un télégramme lui annonça que Louise arrivait dans deux semaines. A nouveau il s'accabla de reproches : « Ne te blâme pas pour ce qui nous est arrivé. J'en porte l'entière responsabilité. Je crois que je vais un peu mieux à présent ; je suis sûr en tous cas de ne rien vouloir faire qui puisse te blesser [26]. » Les dernières lettres de Louise indiquent des sentiments identiques. Pensant sans doute que John faisait allusion à O'Neill lorsqu'il écrivait « Ce n'est pas la peine de poursuivre si tu me préfères quelqu'un d'autre », elle lui déclarait : « Je n'aime personne d'autre. Cela, j'en suis absolument sûre. Je n'aime que toi. » Elle jugeait que l'atmosphère du Village était en grande partie responsable de leurs ennuis : « Elle démolirait tout le monde, sans exception. » Elle avait profondément souffert, disait-elle, mais il suffirait de « quelques jours passés ensemble » pour qu'elle se sente « heureuse et sereine [27] ». Leurs dernières lettres débordaient du désir d'être à nouveau seuls tous les deux ; mais pour Reed ces vœux ne pouvaient masquer la réalité ; il avait accumulé les dettes et il était continuellement à court d'argent frais ; il se rendait compte que cette solitude à deux serait impossible.

Le fait de savoir que Louise allait revenir semblait avoir mis fin à ce besoin d'introspection. Un peu calmé, John avait encore de terribles accès de désespoir. L'été lui avait paru très « éprouvant », et il prévoyait que « cela risquait fort d'empirer encore pendant quelque temps ; mais, du moment que tu seras là, ajoutait-il, cela n'aura plus autant d'importance [28] ». Il se

25. J. R. à Louise Bryant, 5 juillet 1917 (manuscrits J. R.).
26. *Ibid.*, 7 et 18 juillet 1917 (manuscrits J. R.).
27. Louise Bryant à J. R., 17 juillet 1917.
28. J. R. à Louise Bryant, 15 juillet 1917 (manuscrits J. R.).

sentait moins coupable et se félicitait d'avoir pu tenir son vœu de fidélité. En revanche la situation du pays l'inquiétait. Au mois de juin il avait reçu une lettre du caricaturiste Bob Minor, qui saluait « ses résultats remarquables dans deux sphères différentes : celle des autres gens, dont il avait réussi à forcer le respect, et celle des gens comme eux, que son amour-propre lui avait fait choisir [29] ». Un tel compliment était certes agréable, mais il ne lui parut pas entièrement mérité. Alors que d'autres luttaient farouchement contre la guerre, il lui eût été difficile de prétendre que ses articles pour le *Mail* étaient autre chose qu'un semblant d'opposition. Après avoir assisté au premier jour de l'élégante course de Saratoga, au début d'août, il s'était rendu à une réunion spiritualiste qui se tenait pendant trois jours à Lily Dale ; les participants lui parurent les gens les plus heureux et les plus aimables qu'il ait jamais vus. Leur réflexion justifiait leur détachement de ce monde, elle expliquait trop leur joie pour qu'on puisse l'ignorer. Trois jours après son retour, il écrivait son dernier article pour le *Mail*.

Pour compenser ces travaux alimentaires, Reed consacrait beaucoup de temps aux *Masses* ; tous les mois, il écrivait un article de fond, ainsi que plusieurs petits textes. Sans relâche, il insistait sur les liens entre le commerce et la guerre, et ne craignait pas d'attaquer toutes les couches de la société. Il accusa Samuel Gompers d'encourager les travailleurs à soutenir le conflit et décrivit les grands projets de ceux qu'il appelait « les cinquante gros bonnets » qui entendaient participer à l'effort national en réduisant le nombre de leurs résidences, le nombre de leurs maîtres d'hôtel et celui des plats servis à leur table : « Voilà un courageux programme que sans aucun doute on s'empressera d'imiter dans le Lower East Side. » Le numéro d'août décrivait « Le Militarisme à l'œuvre » ; l'article de John commençait ainsi : « Nous avons toujours dit que si le militarisme s'installait, il se produirait un certain nombre d'événements dans ce pays. Le militarisme est là. Les événements en question sont en train de se produire. » Il décrivait ensuite le boycott systématique organisé par les gens des services secrets pour perturber les meetings pacifistes, les incidents du mois de juin à Hunt's Point Palace et les attentats contre les sièges du parti socialiste. Le même numéro des *Masses* reproduisait un article du *New York Tribune* dans lequel un médecin faisait état de la fréquence des troubles mentaux chez les soldats. Reed

29. Robert Minor à J. R., 31 mai 1917 (manuscrits J. R.).

s'était contenté d'y ajouter un titre de son cru : « Préparez une camisole de force pour votre fils [30]. »

Beaucoup d'abonnés aux *Masses* ne virent jamais ce numéro d'août. Le 5 juillet on avertit le journal que le « Post Office Department » l'avait déclaré « inacheminable, en vertu du décret (anti-espionnage) du 5 juin 1917 », puisqu'il s'immisçait dans la conduite de la guerre. Comme la direction des postes se refusait à indiquer, en raison de son statut et de son règlement intérieur, quelles parties précises du journal avaient enfreint la loi, l'avocat Gilbert E. Roe convainquit le juge fédéral L. Hand, à New York, de déposer une plainte contre le directeur des postes, en arguant du fait qu'il n'y avait pas eu infraction contre le décret. Le ministère des postes, en guise de réponse, fit confirmer par le juge C. M. Hough de Vermont l'ordre de ne pas acheminer le journal. Résultat : le numéro d'août ne fut vendu que dans quelques kiosques de Manhattan.

Tout comme les autres rédacteurs, Reed fut exaspéré et sa colère transparaissait à chaque ligne de l'article qu'il écrivit pour le numéro de septembre : « En Amérique, le mois qui vient de s'achever a été le mois le plus sombre pour les hommes libres de notre génération. Manifestant une ignoble apathie, notre pays accepte un régime de tyrannie judiciaire, de répression bureaucratique et de barbarie industrielle. » Les preuves ne manquaient pas : la condamnation de Berkman et de Goldman, l'interdiction de dix-huit périodiques de gauche, malgré l'échec des projets de censure contenus dans la loi contre l'espionnage ; le saccage du siège du Parti socialiste de Boston par une bande de soldats et de marins ; les émeutes raciales dans l'est de Saint-Louis, au cours desquelles trente Noirs avaient trouvé la mort ; le régime de terreur institué en Arizona où les vigiles traquaient les ouvriers et leurs familles, les entassaient dans des fourgons à bestiaux et les abandonnaient au milieu du désert ; le procès de l'anarchiste Tom Mooney, condamné sur des preuves inexistantes, pour avoir voulu commettre un attentat pendant un défilé militariste ; l'arrestation de plusieurs suffragettes qui faisaient les piquets devant la Maison Blanche. Tout cela se résumait très simplement : « En Amérique la loi est l'instrument tout-puissant et exclusif du grand capital ; tous les recours constitutionnels possibles ne

---

30. « Le " Sacrifice " des gens de la haute », article de J. R., *Masses*, n° IX, juillet 1917, p. 29 ; « Le militarisme à l'œuvre », *ibid.*, août 1917, p. 18-19.

valent pas la poudre qui permettrait de l'expédier en enfer [31]. »

John n'avait pas mâché ses mots, mais après tout ce n'était que des mots dans un journal d'audience limitée, audience qu'il risquait même de ne pas pouvoir toucher. Voilà qu'il se trouvait confronté de nouveau à un vieux problème : écrire et agir. Le dilemme était décidément difficile à trancher. Au début de l'été, l'amie de Floyd Dell l'avait en plaisantant traité de couard puisqu'il ne s'était pas fait arrêter. Le mot l'avait tout de même suffisamment marqué pour qu'il en fasse mention dans une lettre à Louise, ajoutant que peut-être il devrait semer le désordre et aller en prison. Elle l'avait mis en garde contre de tels agissements : « Tu es trop précieux pour gâcher tes forces... Tu en auras besoin d'ici quelque temps pour accomplir de grandes, de très grandes choses ; ce serait trop dommage de te trouver hors circuit sur un coup de tête, alors qu'on a et qu'on aura tant besoin de toi [32]. »

Cette foi d'une amante égoïste rejoignait celle de Bob Minor et la confiance que ses amis lui témoignaient. Reed était une sorte de héros, qui provoquait l'émulation. Sachant obscurément qu'il agissait autant pour les autres que pour lui-même, John tenta de faire une sorte de synthèse de tous les rapports qu'il entretenait avec la guerre. L'article qui en résulta fut accepté par le *Seven Arts,* journal idéal pour se faire entendre. Lancé en 1916 par Waldo Frank, Van Wyck Brooks et James Oppenheim, soutenu par un généreux mécène, c'était à bien des points de vue le magazine littéraire le plus important de l'avant-garde, représentant en quelque sorte l'essence de l'esprit du Village d'avant-guerre. Dans le premier numéro, figurait une lettre de Romain Rolland qui donnait le ton ; il confiait aux Américains le soin de garder l'art vivant et les rédacteurs du journal en avaient fait une sorte de mission. Laissant la politique à la *New Republic* et le mélange esthético-révolutionnaire aux *Masses,* ils évitaient de traiter les problèmes sociaux. Ils avaient publié les dernières œuvres de Robert Frost, Carl Sandburg, Amy Lowell, Sherwood Anderson, Theodore Dreiser, John Dos Passos et Maxwell Bodenheim. Au cours de l'été 1917, les énormes pressions exercées par le gouvernement rendirent inévitables certains changements de politique. Dans le numéro de juin figurait un article de Randolph Bourne intitulé : « La guerre et les intellectuels », qui contenait de très vives attaques contre

---

31. « Un mois entier de liberté », *ibid.*, septembre 1917, p. 5-6.
32. Louise Bryant à J. R., 4 juillet 1917 (manuscrits J. R.).

l'attitude pragmatique de Lippmann et de John Dewey dans la *New Republic,* attitude qui consistait à dire qu'une guerre américaine soutenue par les intellectuels était plus noble, plus juste et plus bénéfique que les conflits d'autrefois. R. Bourne, lui, faisait partie de l'équipe de rédaction de *Seven Arts* ; en acceptant l'article de Reed, les rédacteurs faisaient un pas supplémentaire vers l'engagement politique.

Dans son article intitulé « Cette guerre impopulaire », le ton était calme et l'argumentation sans emphase. Il reprenait tous les thèmes qu'il avait utilisés depuis deux ans ; c'était la réflexion d'un écrivain qui se penchait sur ses expériences avec une sorte d'innocence, de douloureux étonnement devant un monde devenu fou furieux. Reed admettait qu'il était parti en Europe en 1914 avec la conviction que « la classe dominante avait délibérément, cyniquement poussé les peuples à se battre ». Mais ce qu'il avait observé sur tous les fronts n'avait fait que confirmer cette idée. L'un après l'autre, les pays s'étaient engagés dans la guerre, sans que jamais aucun gouvernement daigne prendre l'avis de son peuple. Une fois engagés, des millions d'hommes se sentaient concernés, ne serait-ce que par des désirs de défense ou de revanche. Pourtant ils n'y trouvaient aucun intérêt, et la plus grande partie d'entre eux étaient prêts à déposer les armes. Or voici que l'Amérique s'y mettait. Dans ce pays, l'homme de la rue avait une sorte d'inclination naturelle pour la neutralité. Il se souciait bien peu des théories abstraites, ou des droits maritimes ; il avait réélu Wilson qui s'était fait le champion de la neutralité. Puis, comme en Angleterre, en Bulgarie, en Turquie, en Roumanie, en Russie, en Italie et en Allemagne, on ne lui avait pas demandé son avis pour savoir s'il voulait oui ou non porter un fusil. Bientôt, les soldats américains tués en Europe allaient convaincre le citoyen moyen qu'il était essentiel de se battre pour la « démocratie ». Mais qu'était-ce que cette démocratie qui envoyait les gens se faire tuer sans « leur demander leur avis » ? Ce problème dépassait la politique, il y avait là quelque chose de plus puissant que la volonté des dirigeants élus. « La puissance politique sans la puissance économique fait de la démocratie une véritable imposture [33]. »

A la fin de l'été 1917, John Reed avait fait sienne cette inter-

---

33. « Cette guerre impopulaire », article de J. R., *Seven Arts,* n° 1, août 1917, p. 397-408 ; repris par John Stuart, *The Education of John Reed,* p. 166-174.

prétation quasi marxiste de la guerre mondiale et de ses conséquences sur les peuples ; aucune autre ne pouvait expliquer tous ces bouleversements, toutes ces souffrances, ce chaos qui gagnait le monde entier. Ces idées lui étaient venues de ses lectures, et de ses conversations avec certains radicaux du Village. Mais les théories abstraites n'avaient guère d'emprise sur John. Ce qu'il apprenait, c'était avant tout ce qui pouvait le toucher et ses expériences des trois années précédentes n'avaient fait que confirmer les idées qu'on lui avait exposées. Au printemps, il avait cru — tout en en doutant — au caractère inéluctable de la lutte des classes et de la révolution : « Je souhaite de tout mon cœur que le prolétariat arrive à se soulever et à faire valoir ses droits ; sinon je ne vois pas comment il pourra les obtenir. Le secours de la politique est si long à venir ; d'année en année, les possibilités d'opposition, pacifique et d'action légale diminuent. Pourtant, je ne suis plus aussi sûr que la classe ouvrière soit capable de faire la révolution, pacifique ou autre ; les ouvriers sont tellement divisés, il y a entre eux beaucoup d'hostilités et de rancunes ; ils sont mal dirigés et on ne leur montre pas où se trouve le véritable intérêt de leur classe. »

John avait vu des gens de gauche, des intellectuels et des anti-militaristes, répondre à l'appel du patriotisme en Europe comme aux Etats-Unis ; il aurait pu devenir cynique et douter de la volonté de changement existant chez le citoyen moyen ou dans la société. Cependant, il ne montrait pas d'amertume : « Je ne peux abandonner l'idée que c'est de la démocratie que naîtra un monde nouveau, plus généreux, plus courageux, plus libre, plus beau. » Au printemps, il avait voulu participer au coup d'envoi de la bataille, alors qu'il était accablé de soucis personnels et affaibli par son opération. La suite avait été plutôt sombre : « Quant à moi je ne sais quelle sorte d'aide je peux apporter. Je ne le sais pas encore. Tout ce que je sais actuellement, c'est que mon bonheur se fonde sur la misère des autres ; je mange parce que d'autres ont faim, je suis vêtu quand d'autres vont presque nus l'hiver dans des villes glacées. J'en souffre, cela trouble mon repos et me fait écrire de la propagande alors que j'aimerais beaucoup mieux m'amuser. »

Depuis qu'il avait écrit ces lignes, certains bouleversements s'étaient produits sur la scène internationale. Au mois de mars, en Russie, la révolution avait commencé. Elle avait tout d'abord été l'affaire des bourgeois plus que des prolétaires, mais au cours des mois suivants les soulèvements avaient fourni la preuve que les partis de gauche étaient encore actifs en Russie, et qu'ils essayaient d'entraîner le pays vers le socialisme. A des milliers de kilomètres de distance, avec l'écran qu'interposait la censure militaire, il était impossible de savoir exactement ce qui se passait. Aussi Reed, au cours de cet été 1917, ressentait-il de plus en plus l'envie d'aller sur place. Cela pour des motifs aussi bien personnels que professionnels. Sa réputation d'écrivain s'était faite sur une révolution, il pressentait que cette autre pourrait le combler. Chose plus importante, en Russie la classe ouvrière promettait de s'emparer d'un pays capitaliste ; enfin, elle pouvait contribuer à mettre fin à ce sinistre conflit.

Dès le 15 juillet, John alla nager tous les jours à la piscine du Harvard Club, et pendant les week-ends, il jardinait à Croton jusqu'au moment où, vigoureux et hâlé, il put fièrement annoncer à Louise : « Tu seras surprise de voir comme je suis solide à nouveau [34]. » Il se retapait à la fois pour recevoir Louise et, sans trop le savoir, pour entreprendre « les grandes choses » qu'elle avait prévues. Il arrivait enfin au bout de ce long tunnel, de cette période solitaire où il avait tant attendu.

34. J. R. à Louise Bryant, 18 juillet 1917 (manuscrits J. R.).

Petrograd

*Si l'on me demandait quel est, à mon avis, l'élément le plus caractéristique de la révolution russe, je dirais que c'est l'extrême simplicité de son déroulement. Comme l'âme russe telle qu'on la découvre dans Tolstoï ou dans Tchékov, comme le cours de l'histoire russe elle-même, cette révolution semblait douée de ce caractère patient et inéluctable qu'ont les grands phénomènes naturels, l'érosion des montagnes, ou les marées. La révolution française, par ses causes et par sa structure, m'a toujours paru une création essentiellement humaine ; elle est née d'une longue réflexion et avait quelque chose d'un peu théâtral ; la révolution russe, au contraire, apparaît comme une sorte de force de la nature...*

John REED, « Introduction », fragment inédit, daté de Christiania, 18 mars 1918 (manuscrits J. R.). Ce texte fait partie des brouillons du livre sur la révolution que J. R. voulait écrire ; en fait, il ne s'en servit pas dans *Dix jours qui ébranlèrent le monde* (Boni and Liveright, New York, 1919), qu'il écrivit près d'un an plus tard. Les citations des quatre paragraphes suivants proviennent également de ce premier jet.

Quatre mois après que le parti bolchévique eut pris le pouvoir en Russie et mis sur pied sa monumentale entreprise de réorganisation sociale, John Reed commentait les événements dont il avait été le témoin à Pétrograd. En réalité, il n'avait pas attendu si longtemps pour écrire sur la révolution. Dès son arrivée en Russie, en septembre 1917, jusqu'à son départ en février 1918, tout ce qu'il avait vu, de même que ses opinions, ses remarques, avait été consigné dans des carnets, puis dactylographié à l'aide de sa machine à écrire portative. Les comptes rendus qu'il fit des réunions, des discours, des proclamations, des interviews, des décisions prises, des mouvements de troupes, des soulèvements et des échauffourées, furent écrits à un rythme inouï par un homme qui allait partout, et qui partout s'efforçait de voir, de sentir, de comprendre, de décrire et d'expliquer les étapes complexes de cette transformation sociale. Bloqué momentanément en Norvège, à Christiania, au milieu de mars, il connut soudain un répit qui lui permit de réfléchir posément à la signification de tous les événements qu'il avait vécus.

Reed écrivait pour un public hostile par principe à l'athéisme et au collectivisme des Bolchéviks, mais tout de suite il sut trouver les images qu'il fallait pour dépeindre ces grandes forces naturelles, et il y ajouta un arrière-plan historique suffisant pour montrer que la révolution d'Octobre était la conséquence naturelle d'une série de facteurs indiscutables : il expliquait que le peuple russe, démocrate et communautaire dans l'âme, n'avait jamais répondu aux idées libérales importées d'Europe occidentale, celles qui avaient en revanche fasciné l'intelligentsia et provoqué pendant un siècle une série de mouvements révolutionnaires voués à l'échec et conduits par des membres de la petite bourgeoisie. Le peuple, lui, à la fois passionné, gai et superstitieux, opprimé et fataliste, avait parcouru lentement son propre chemin, se livrant parfois à des orgies d'une violence inattendue, brûlant des châteaux, tuant des nobles, massacrant les prêtres. C'est la puissance de l'église qui l'avait en partie tenu en mains, mais au cours de ces dernières années la spiritualité du peuple s'était de plus en plus laïcisée ; il s'était converti à de nouvelles forces spirituelles, telles que le socialisme. Après les révolutions de 1905 et de février 1917, pendant que les intellectuels discutaient et tâchaient d'arriver à un compromis avec le gouvernement, la « pression » du peuple montait tout doucement, annonçant un changement. Il se produisit en novembre ; la guerre, la famine, la corruption, l'effondrement complet des structures administratives, tout cela ouvrit la route aux Bolchéviks. Comme à un changement de saison, un bouleversement s'était produit dans le pays tout entier, d'abord « une tempête, puis du vent et... une soudaine éclosion de bourgeons rouges ». Les dirigeants qui essayaient de temporiser furent renversés, tandis que Lénine et Trotsky, eux, s'étaient maintenus en nageant avec la marée, « la foule », qui était le véritable « héros de la révolution ».

Ce nouvel ordre social avait pour certains un aspect terrifiant. La plus grande partie de l'intelligentsia russe, effarée par « le spectacle de tout ce peuple poursuivant farouchement sa propre route, jusqu'au bout », s'était retranchée dans l'opposition, tandis que le reste du monde observait ces événements sans les comprendre. Devant les exactions populaires — expropriations, annulation des dettes internationales, et refus de poursuivre la guerre — la réprobation n'était guère de mise, puisque les critères moraux dépendaient étroitement d'un système de valeurs établi : « Il est difficile pour la bourgeoisie, particulièrement pour la bourgeoisie étrangère, de comprendre les idées qui ont soulevé le peuple russe. Il est beaucoup plus facile d'affirmer que ce peuple n'a aucun sens du Patriotisme, du Devoir, de l'Honneur ; qu'il refuse de se soumettre à la Discipline, qu'il ne sait pas apprécier les Privilèges de la Démocratie ; bref, qu'il est incapable de se gouverner lui-même. Il se trouve qu'en Russie tous ces critères, ceux des Etats démocratiques bourgeois, ont été bouleversés par l'apparition d'une idéologie nouvelle. Le patriotisme existe bien, mais en tant que foi dans la fraternité internationale de la classe ouvrière ; le sens du devoir existe également, et les hommes lui sacrifient leur vie, mais il s'agit d'un devoir rendu à la cause révolutionnaire ; quant à l'honneur, c'est un honneur différent fondé avant tout sur la dignité de l'homme et sur son bonheur, et non pas sur ce qu'une aristocratie frivole, qu'elle fût de naissance ou d'argent, avait jugé convenable pour un gentilhomme ; la discipline existe, c'est une discipline révolutionnaire... Or, le peuple russe s'avère non seulement capable de se gouverner lui-même mais aussi d'inventer une forme de civilisation entièrement nouvelle. »

Sa foi de converti ne lui masquait pas les problèmes gigantesques que devait affronter le régime : « Isolée comme elle l'est, exemple unique dans l'univers, il est fort probable que la révolution russe ne pourra défier l'hostilité du monde entier. » Peu importait. C'était l'occasion pour l'imagination du poète de prendre son essor, d'aller au-delà des conséquences immédiates pour méditer sur les événements glorieux qu'un peuple venait de vivre : « Qu'elle survive ou qu'elle périsse, qu'elle devienne méconnaissable sous la pression des circonstances, cette révolution aura montré que les rêves peuvent devenir vrais. » Si ces rêves étaient avant tout ceux des « masses laborieuses », il ne fait aucun doute que Reed les faisait siens ; sa prose devenait lyrique et enthousiaste ; sa lassitude physique disparut, il fut plongé dans une sorte d'extase, et ses craintes, ses doutes firent place à la joie. La révolution, c'était un rêve qui se réalisait, et l'homme, comme le poète, fut emporté dans un tourbillon visionnaire.

Pour Reed, de même que pour la Russie en proie aux troubles, c'était un rêve de longue date. Depuis son enfance, le romanesque, l'aventure, l'héroïsme avaient enflammé son imagination, alimentant cette longue recherche d'un sens à trouver pour toutes les grandes entreprises des hommes. Ce désir d'héroïsme avait rejoint une conscience politique de plus en plus vive, à laquelle il était maintenant indissolublement lié. Il gardait certains souvenirs littéraires profondément ancrés en lui : les Indiens parcourant des forêts mystérieuses, les grands voiliers à quai avec leurs cargaisons d'épices ; à cela se mêlaient l'engagement politique de son père, le souvenir des cités grouillantes de l'Est, de leurs logements entassés, la foule sombre des immigrants, le ciel du désert sur lequel se détachaient les sombreros de ses compagnons, la boue des tranchées, les charniers des champs de bataille ; en 1915, toutes ces images s'étaient trouvées réunies en Russie, pays dont l'originalité était suffisamment évidente pour l'avoir frappé malgré l'horreur que lui inspirait son régime autoritaire.

La Russie était un curieux pays pour les Américains, et John était loin d'être le seul à projeter sur lui ses fantasmes. Dans la bohème, se développait un véritable culte de tout ce qui était russe : Nijinsky, Tchékhov, Stravinsky, Diaghilev et Dostoïevski étaient adulés non seulement pour leur génie, mais aussi pour la façon dont ils exprimaient cette force mystérieuse qu'on appelait l' « âme slave ». On appréciait la Russie, considérée comme l'exact contraire de l'Amérique matérialiste, à cause de son étrangeté, de sa passion, de sa spiritualité. Les théoriciens politiques ne partageaient pas cette façon de voir les choses : le régime autocratique, les pogroms et la corruption du régime tsariste leur paraissaient au plus haut point répréhensibles. Pourtant, cet engoûment commença à faire son chemin et certains dirigeants américains l'utilisèrent dans leurs discours, après que la révolution de février 1917 eut renversé le tsar et mis en place un Gouvernement provisoire qui promettait l'avènement d'une constitution à l'occidentale. En effet, ce soulèvement, survenu au moment opportun, rendait plus facile l'entrée des Etats-Unis dans le conflit, car désormais la guerre mondiale pouvait passer pour être le combat entre la démocratie et l'autocratie. Les journaux libéraux favorables à l'intervention n'étaient pas seuls à utiliser cet argument ; W. Wilson, dans le discours sur la guerre qu'il avait prononcé devant le Congrès, avait entonné le même refrain, ce qui avait poussé John à réagir, et à dire que l'autocratie « n'était pas du tout l'apanage des Russes, ni par son origine, ni par son caractère, ni par son but ».

Les premières réactions de Reed à la révolution de février furent mitigées. Il y voyait l'œuvre de « la noblesse provinciale aux penchants libéraux, des hommes d'affaires, des professeurs, des journalistes et des officiers » ; il redoutait ce que souhaitaient précisément les dirigeants américains, c'est-à-dire que le Gouvernement provisoire ne reprenne le pays en mains et prolonge la guerre mondiale [1]. Son opinion se modifia bientôt, lorsqu'il devint évident qu'existait un autre pouvoir politique représenté par les conseils des travailleurs et les représentants des soldats, qu'on devait bientôt connaître sous leur nom russe de « soviets ». Lorsque le *New York Times* y fit référence en

---

1. « La chute de la Bastille russe », *New York Tribune*, 25 mars 1917.

les qualifiant de « révolutionnaires extrémistes, et de syndicalistes qui ressemblaient aux agitateurs de l'I.W.W. », son intérêt s'accrut, et lorsqu'au mois de juin, l'agitation des soviets qui demandaient une paix séparée provoqua la démission de deux ministres conservateurs au sein du Gouvernement provisoire, John se reprocha d'avoir mal jugé cette révolution : « Nous n'en avons vu que la façade... La réalité c'était le soulèvement du peuple russe depuis si longtemps contrarié... Quant à son but, c'est de bâtir sur la terre une nouvelle société pour les hommes ». Les soviets, « les véritables artisans de la révolution dans cette Russie Nouvelle [2] », étaient ceux qui pourraient la réaliser.

Steffens, qui rentra de Russie à la fin de juin, fit à John toutes sortes de récits vécus et précis des soviets, les décrivant comme des assemblées où l'on pouvait discuter démocratiquement et prendre des décisions ; il fit même mention d'un parti très discipliné, le parti bolchévique, dont le but était de pousser la révolution plus avant. John l'écouta, mais n'eut pas de réaction immédiate, du moins pas avant que Louise ne décide de rentrer aux Etats-Unis. A son retour, la première semaine d'août, elle fut accueillie par un mari qui ne parlait plus que d'une chose, partir en Russie. Pour elle, il était facile d'obtenir un contrat auprès d'un journal, mais Reed qui, l'année précédente, était l'un des correspondants les mieux payés des Etats-Unis, ne pouvait espérer trouver un journal prêt à embaucher un extrémiste farouchement opposé à la guerre. Les Masses et le quotidien socialiste de New York, le Call, lui fournirent sa carte de presse ; hélas, aucun des deux n'avait assez d'argent pour lui payer le voyage. Le problème fut résolu quand Eastman et son ami Eugene Boissevin parvinrent à convaincre un mécène de donner deux mille dollars pour lui payer son séjour.

Avant d'obtenir son passeport, Reed dut régler le problème du service militaire. Le 14 août, il se présenta devant la commission de recrutement de Croton, et après avoir subi un examen médical, il fut déclaré apte. Le lendemain, après avoir pris connaissance du certificat de néphrectomie délivré par l'hôpital John Hopkins, la commission le dispensa de ses obligations militaires. Puis le bureau des passeports le convoqua pour un interrogatoire spécial. En réponse à un appel lancé

---

2. J. R., « La paix russe », *Masses,* n° LX, juillet 1917, p. 35 ; et « Trop de démocratie », *ibid.,* juin 1917, p. 21.

par les soviets, une conférence internationale pour la paix, organisée par les socialistes, devait se tenir à Stockholm, aussi le département d'Etat refusait-il de délivrer des passeports aux représentants du Parti socialiste américain. Les fonctionnaires du gouvernement, incapables de faire une distinction entre les diverses tendances de la gauche, obligèrent Reed à jurer solennellement qu'il ne représenterait pas le parti socialiste. Cette conférence l'intéressait évidemment, mais comme il n'était ni membre, ni délégué du Parti, il fit sans difficulté ce qu'on lui demandait. Le dernier article qu'il écrivit avant de s'embarquer sur le paquebot danois « United States », se fondait sur les informations que Louise avait collectées outre-Atlantique. John y faisait état de la lassitude qui se manifestait en France vis-à-vis de la guerre ; il la reliait aux bouleversements qui étaient en train de se produire en Russie, et terminait par cette prédiction : « De grands et terribles événements se préparent en Europe, des événements que seule l'imagination d'un poète aurait pu concevoir [3]. »

Leur bateau quitta New York pour Halifax où ils furent bloqués pendant une semaine par les autorités anglaises qui fouillèrent le navire, à la recherche de marchandises de contrebande. John, qui craignait que les lettres des radicaux américains destinées aux socialistes étrangers ne lui fussent confisquées, les cacha sous le tapis ; lorsqu'un groupe de marins se présenta, il sut les empêcher de fouiller sa cabine en partageant avec eux une bouteille de whisky. Curieusement, le voyage fut très gai ; l'orchestre du bord jouait sans discontinuer et les passagers s'habillaient pour dîner. Parmi ceux-ci, il y avait des Scandinaves, un groupe d'étudiants qui devaient aller travailler dans la succursale d'une banque américaine à Petrograd, un grand nombre de Juifs, exilés politiques, qui retournaient chez eux, et des hommes d'affaires américains qui espéraient décrocher en Russie des marchés intéressants. On parlait peu de la guerre. En revanche, tout le monde se passionnait, très diversement, pour la révolution ; ce fut un jeune aristocrate russe qui émit l'opinion la plus originale : « Le peuple russe, dit-il, possède un instinct artistique. Il l'a prouvé de magnifique façon. Il a accompli ce que les Français appellent la " grande geste "... C'est la seule chose qui m'intéresse dans la vie. Que sont le

3. « Nouvelles de France », *ibid.*, octobre 1917, p. 5-6, 8.

ballet, l'opéra, et toutes les folles extravagances des gens riches, auprès de cette épopée [4] ? »

Après avoir débarqué en Norvège, à Christiania, John et Louise montèrent dans un train bondé qui mit dix-huit heures pour arriver à Stockholm où ils apprirent que la conférence sur la paix avait été ajournée. Au siège du Bureau international du Parti socialiste, ils firent la connaissance de Camille Huysmans, le secrétaire général, un homme au visage mince et tiré, à la moustache en bataille, qui avait l'air exténué. Il leur assura calmement mais fermement qu'en dépit des démarches entreprises par les Etats-Unis, la France et l'Italie pour empêcher les délégués d'y assister, la conférence aurait bientôt lieu. Au moins, les responsabilités étaient-elles clairement définies : « Ce sont les gouvernements qui empêchent les partis socialistes d'envoyer ici leurs représentants officiels. [...] Maintenant enfin, ce sont les peuples qui veulent la paix ; il n'y a plus que les gouvernements pour vouloir continuer la guerre. »

Le siège du Parti socialiste était plein de délégués de tous les pays d'Europe, tous remplis d'enthousiasme et d'espoir, faisant de grands projets pour la construction d' « un monde nouveau ». Panine, un délégué du Conseil des Ouvriers et des Soldats russes, expliqua à Reed les origines spontanées des soviets en 1905 et leur récente renaissance en 1917 ; pour John, c'était une histoire « infiniment plus captivante et séduisante que celle des Romanoff ». Paul Axelrod, dont les grosses lunettes et la barbe en broussaille le faisaient ressembler à un savant allemand un peu fou, ne tarissait pas de nouvelles sur les mouvements révolutionnaires qui se produisaient en Europe centrale. Tous deux affirmaient que la révolution russe irait plus loin dans la voie du socialisme. C'étaient d'heureuses nouvelles, car cela signifiait qu'ici, comme dans leur pays, « les plus grands jours étaient à venir [5] ».

En attendant que le consulat russe leur délivre leurs visas, John et Louise visitèrent Stockholm. Cette jolie ville bâtie sur des canaux, et que le commerce de la guerre avait enrichie était gaie et animée ; c'était un terrain neutre où se rencontraient les citoyens des pays belligérants, un rendez-vous d'espions, de conspirateurs, de profiteurs de toutes sortes, et l'endroit où se

4. « Lettre de John Reed », *ibid.*, n° X, novembre-décembre 1917, p. 14-15.
5. « La Scandinavie en temps de guerre », article inédit daté du 7 septembre 1917 (manuscrits J. R.).

tenaient les conférences secrètes des nationalistes de l'Europe de l'Est. Dans les cafés et les restaurants, on voyait des Turcs, des Russes, des diplomates anglais et allemands, des Sud-Américains, des Polonais, des Finnois et des Tchèques ; on pouvait y entendre tous les bruits qui couraient sur les événements de Russie. Le 10 septembre, les journaux annoncèrent que Riga en Latvie était tombée aux mains des armées allemandes. Reed, qui craignait qu'on ne ferme la frontière, demanda à Panine d'accélérer les visas. C'était possible, ce fut fait ; l'après-midi même, « de par la volonté du Soviet [6] », ils montèrent dans un train qui se dirigeait vers le Nord. Dans leur wagon, il y avait toutes sortes de voyageurs : un grand général, maigre et silencieux, qui revenait au pays après avoir passé deux ans en Angleterre, plusieurs autres officiers, un anarchiste à la barbe grise qui rentrait en Russie après trente-huit ans d'exil, une demi-douzaine d'élèves aviateurs, un général et trois adjudants britanniques. La campagne suédoise rappela à Reed le Nord-Ouest des Etats-Unis, avec ses collines plantées de pins et de sapins, les rivières rapides qui charriaient des troncs, les maisons en bois, les champs pierreux avec des meules de foin et des granges peintes en rouge. Dans le port de Haparanda, juste au-dessous du cercle arctique, les autorités fouillèrent leurs bagages et leur confisquèrent tous leurs vivres. Ils s'embarquèrent sur un petit bateau qui, leur faisant franchir un coin de la Baltique, les mena en Finlande ; les lugubres hangars en ferraille qui bordaient les quais, et les clochers d'église, rien n'indiquait qu'ils se trouvaient maintenant dans un pays où avait lieu un gigantesque bouleversement social.

Brusquement, la révolution apparut. Les soldats russes avaient arraché sur leurs uniformes les boutons de cuivre à l'effigie de l'empereur, et cousu des bandes rouges sur leurs vestes ; les sentinelles n'avaient pas l'air très affairées ; l'une d'elles fumait et ne fit pas un geste pour saluer son supérieur. Dans la gare de chemin de fer, les gardes se reposaient sur leurs chaises ; un groupe de civils crasseux se tenait dans la salle des bagages pour veiller à ce que les officiers ne touchent pas de pots-de-vin, et refusèrent tout traitement de faveur pour le général. Dans la salle d'attente, des affiches annonçaient que deux jours plus tôt, le général Lavr Kornilov avait commencé sa marche sur Petrograd pour renverser le Gouvernement provisoire d'Alexandre Kerensky. Personne ne savait ce qui s'était passé depuis, et

---

6. « Arrivée en Russie rouge », article inédit (manuscrits J. R.).

tout le monde s'assemblait pour en discuter. Les officiers se déclaraient favorables à l'idée d'un homme fort capable de restaurer « la loi et l'ordre » ; ils étaient contredits par les simples soldats. Ceux-ci, quelques mois plus tôt, ignoraient tout de la politique, mais maintenant, les poches bourrées de tracts, ils parlaient de liberté et de démocratie. Tous écoutaient attentivement avec une soif d'apprendre qui était pathétique.

Un train russe emmena John et Louise, à travers des champs immenses, jusqu'au sud de la Finlande ; on traversait des petites villes tranquilles aux solides maisons de bois. A chaque gare, de nouvelles rumeurs les accueillaient : Kornilov s'était emparé de Petrograd, Kerensky avait été assassiné, les Bolchéviks s'étaient soulevés et les rues de la capitale n'étaient plus que des fleuves de sang. En entendant les commentaires des voyageurs aisés qui se montraient favorables à Kornilov, Reed se rendit compte que la révolution russe était devenue « une véritable lutte des classes ». En effet, la bourgeoisie qui avait contribué à renverser le tsar, mais qui préférait l'ordre à un bouleversement supplémentaire, soutenait maintenant la contre-révolution. John imaginait Petrograd aux mains des Cosaques et priait, pour que la révolution n'échoue pas.

La nuit fut longue ; il pleuvait à verse. A chaque arrêt, on bouclait les wagons, tandis que des civils munis de brassards rouges examinaient les papiers des passagers, jetant des regards insolents sur les officiers de haut rang. Le jour suivant, peu après qu'on eut quitté le port d'Abo, les soldats révolutionnaires se montrèrent ouvertement hostiles. Par petits groupes, ils s'assemblaient devant les wagons et collaient leurs visages contre les vitres en murmurant haineusement et en traitant les passagers de « bourgeois ». Reed avait l'impression de revenir en arrière dans le passé : « Je me faisais l'effet d'un voyageur anglais qui aurait pris la diligence de Boulogne à Paris en 1793 pendant la Terreur et qui, s'arrêtant pour changer de chevaux à un petit relai de poste, aurait vu les visages hirsutes et cruels de la milice jacobine collés à sa fenêtre. » A Viborg, cette Terreur devint réalité. Une foule énorme s'était entassée dans la gare pour discuter des événements récents. Un général en chef avait en effet refusé d'envoyer ses troupes défendre Petrograd contre les attaques de Kornilov ; les soldats, après avoir fait irruption dans les locaux de l'état-major, avaient traîné plusieurs officiers dans les rues et les avaient noyés dans le canal.

Même ici (on n'était pourtant qu'à 120 kilomètres de Petrograd), les nouvelles concernant la capitale étaient aussi contradictoires que sensationnelles. Ne sachant pas qui était maître de la ville, certains passagers effrayés quittèrent le train ; John et Louise restèrent à bord et le convoi s'éloigna poussivement, tiré par une locomotive qui fonctionnait au bois, crachant de gigantesques gerbes d'étincelles. Ils ne virent plus grand-chose avant leur arrivée en gare à l'aube. Ils parvinrent à Petrograd en compagnie de deux soldats dans une voiture de l'état-major. La ville leur sembla sombre et calme. Aucun bâtiment ne brûlait, il n'y avait ni cosaques dans les rues, ni ruisseaux de sang dans les caniveaux. En fait, les forces du général Kornilov sapées par la propagande révolutionnaire, s'étaient évanouies. La révolution était toujours en vie.

En cet automne 1917, la fièvre régnait à Petrograd où les institutions vieillies d'un système politique et économique hors d'usage étaient peu à peu dépassées par les forces naissantes d'un nouvel ordre. Des rafales de vent soufflaient depuis le golfe de Finlande ; au crépuscule, le brouillard envahissait les rues, la pluie tombait d'un ciel gris et on pataugeait dans la boue. La ville était sombre et froide ; le mazout manquait et l'on coupait l'électricité de minuit jusqu'à l'aube. La nourriture manquait elle aussi : la ration quotidienne de pain était tombée à un quart de livre, et dans les quartiers ouvriers on voyait se former de longues files de gens qui faisaient la queue pour acheter du lait, du sucre, de la viande et du tabac ; il était bien rare qu'ils réussissent à se les procurer. Contraste frappant, les théâtres, l'opéra et les spectacles de ballets étaient combles chaque soir ; des galeries exposaient des peintures d'avant-garde et de jeunes officiers élégants, chamarrés d'or, portant des épées somptueuses allaient et venaient dans les salons des hôtels. Partout, on ne parlait que de l'avance des armées allemandes et des problèmes d'approvisionnement.

Plus de six mois après l'abdication du tsar, la question du pouvoir n'était pas résolue, car deux pôles d'autorité coexistaient. D'une part le Gouvernement provisoire, qui détenait sa légitimité de la dernière Douma, de l'autre les soviets, particulièrement le soviet de Petrograd qui occupait une position stratégique, et le Comité central des soviets. Ces organisations spontanément formées de travailleurs, de paysans et de soldats, et entièrement dévouées à la cause socialiste, comprenaient des délégués mencheviks, des révolutionnaires socialistes, des Bolchéviks, ainsi que plusieurs autres groupes dissidents. Les soviets avaient la confiance des ouvriers et exerçaient une influence considérable sur les simples soldats de l'armée ; leur importance s'était encore accrue après le démantèlement de la police tsariste, survenu en février ; dans les communautés urbaines, c'étaient les ouvriers et les soldats qui s'occupaient du maintien de l'ordre.

Dans cette situation, la pression des masses jouait un rôle déterminant. Des théoriciens socialistes soutenaient en principe qu'il fallait que le capitalisme se développe davantage avant que la Russie puisse devenir un état collectiviste, aussi les dirigeants des soviets, malgré leur méfiance à l'égard des démocrates « bourgeois », avaient-ils décidé de laisser fonctionner quelque temps le Gouvernement provisoire. Le peuple réagissait autrement. Les ouvriers et les paysans, lassés des prix qui ne cessaient de monter, des rations qui diminuaient, ne supportant plus la répartition inégale des terres, se soulevaient spontanément, de sorte que les socialistes, même les plus à gauche, avaient beaucoup de mal à les rattraper. C'était toujours la guerre qui déclenchait tout. Au mois de juin, sous la pression populaire, les ministres de la Guerre et des Affaires étrangères avaient dû démissionner. Après quoi, l'offensive en Galicie qu'on avait entreprise en grande partie pour donner satisfaction aux Alliés, avait échoué lamentablement ; durant la première semaine de juillet, les ouvriers et les soldats étaient descendus dans les rues, tirant des coups de fusil, pillant les magasins, les maisons, et assiégeant le quartier général des soviets pour exiger que ses dirigeants prennent le contrôle du pays. Les Menchéviks et les socialistes hésitèrent ; le Parti bolchévique s'associa à ces manifestations juste à temps pour qu'on les lui reproche, lorsque les troubles furent réprimés.

Une polarisation encore plus grande, qu'un compromis apparent vint masquer, résulta de ces journées de juillet. Le prince Lvov démissionna, et ce fut Alexandre Kerensky, un socialiste modéré, qui prit sa place. Le nouveau cabinet, qui comprenait une majorité de ministres socialistes plutôt conservateurs, obtint le soutien des soviets, à la condition qu'il hâte les négociations de paix et entreprenne les réformes sociales que ses prédécesseurs avaient négligées. En même temps, le gouvernement Kerensky s'efforçait d'anéantir le Parti bolchévique en soutenant que ses dirigeants étaient des agents de l'Allemagne. On supprima les journaux et la plupart des chefs du parti furent emprisonnés, à l'exception de Lénine qui parvint à passer en Finlande. Cette répression n'eut pas les effets escomptés. Dans toutes les villes industrielles du pays, le Parti continua à se renforcer, tandis que le nouveau cabinet s'avérait incapable d'accomplir les moindres réformes sociales. Lorsque Kornilov se souleva avec l'appui évident de la bourgeoisie, les soviets vinrent à l'aide de Kerensky et formèrent un comité de lutte chargé de s'opposer à la contre-révolution. Dans ce comité figuraient des délégués bolchéviques qui firent immédiatement approuver la création d'une milice armée composée d'ouvriers, la Garde rouge. La contre-révolution fit long feu. En revanche, il demeurait plus de dix mille hommes armés par les Bolchéviks, entièrement dévoués à leur cause et qui représentaient la force la plus sûre dans la capitale russe.

Lors de leur arrivée à Petrograd, juste après l'échec de Kornilov, les Reed s'installèrent à l'hôtel d'Angleterre dont les employés se rappelaient bien les escapades de John avec Robinson deux ans plus tôt. Il écrivit aussitôt à Mike: « La vieille ville a bien changé ! On trouve la joie là où avant régnait le malheur, et inversement. Il y a tant à écrire que je ne sais par où commencer ; mais c'est toute une histoire que j'aurai à faire connaître. [...] Le Mexique semble dépassé par le pittoresque, le tragique et la grandeur qui se manifestent ici [7]. » Sa connaissance des événements récents était un peu fragmentaire, mais il eut vite fait d'en apprendre assez pour pouvoir décrire la situation avec une remarquable clairvoyance : « Cette révolution a maintenant purement et simplement instauré la lutte des classes prévue par les marxistes. Les " bourgeois libéraux ", c'est ainsi qu'on les nomme, Rodzianko, Lvov, Miliukov et consorts, se sont définitivement rangés aux côtés des éléments capitalistes. [...] Les révolutionnaires romantiques et intellectuels, à l'exception de Gorki, [...] scandalisés à la vue d'une véritable révolution, se sont rangés parmi les Cadets, ou ont abandonné. Les vieux de la vieille — du moins la plupart d'entre eux — tels Kropotkine, Brechkovskaya, et même Alladdine ne manifestent aucune sympathie pour le présent mouvement. En fait ce qu'ils souhaitaient, c'était surtout une révolution politique ; celle-ci s'est produite ; la Russie est une république, et d'après moi pour toujours, mais ce qui survient maintenant, c'est une révolution économique qu'ils ne comprennent pas ou dont ils ne veulent pas. La conquête de l'Empire allemand leur paraît désormais la chose la plus importante qui soit... A travers la tempête d'événements qui déferlent sur la Russie, l'étoile bolchévique se lève calmement [8]. »

---

7. J. R. à Mike Robinson, 17 septembre 1917 (manuscrits J. R.).
8. J. R. à Sally (Robinson ?), 17 septembre 1917 (manuscrits J. R.).

Heureusement, pour obtenir des informations, Reed n'en était pas réduit aux quelques bribes de russe qu'il connaissait. A la suite de l'amnistie prononcée après la révolution de février, un grand nombre de révolutionnaires émigrés étaient rentrés d'exil. Il en connaissait certains, et parmi eux, Bill Chatoff, membre de l'I. W. W. Il fit la connaissance des autres : Mikhaïl Ianicheff, de Detroit ; V. Volodarski, qui appartenait au Parti socialiste américain ; Samuel Voskoff, l'un des organisateurs du syndicat des charpentiers de New York ; Boris Reinstein, membre du Parti des travailleurs socialistes de Buffalo ; Jake Peters, qui venait d'Angleterre. Qu'ils fussent anarchistes ou socialistes, la plupart s'étaient joints aux Bolchéviks de Petrograd. Ils se montrèrent accueillants pour John que son « exubérance, son amour de la vie, ses frasques [9] » rendaient sympathique. Un seul lui battit froid : Alexandre Gumberg, de New York. Gumberg, qui était le frère d'un Bolchévik important, servait d'intermédiaire entre les milieux les plus révolutionnaires et les gens de l'ambassade américaine. Il était très bien informé, mais il avait la dent dure et s'accrocha plus d'une fois avec Reed.

Albert Rhys Williams, un Américain, de quatre ans l'aîné de Reed, fut également pour John une bonne source d'informations, et ils devinrent rapidement bons amis. Après avoir fait ses études dans des universités anglaises et allemandes, il avait été ordonné prêtre, avait prêché un « évangile social » et apporté son soutien à Eugene Debs dès 1908. Il avait ensuite quitté son église de Boston pour devenir correspondant en Europe au début de la guerre, et il se trouvait maintenant en Russie depuis le mois de juin pour le compte du *New York Post*. Les deux hommes s'étaient déjà vus quelquefois en Amérique et Williams avait été conquis par Reed : « Je l'appréciais pour ses qualités que les critiques chicaneurs considéraient comme des défauts, aussi bien que pour ses qualités reconnues. C'étaient des défauts charmants, si c'en était... J'aimais surtout ses talents de comédien, ses farces, sa fantaisie et son humour [10]. » Williams, qui était rejeté par la plus grande partie des autres correspondants et par les membres de la colonie américaine, fêta ce compagnon de cœur.

En effet, tous deux étaient vraiment sur la même longueur

---

9. Albert Rhys Williams, *Journey into Revolution : Petrograd, 1917-1918*, Quadrangle, Chicago, 1969, p. 53.
   10. *Ibid.*, p. 36.

d'ondes. Déjà engagés politiquement aux Etats-Unis, la guerre avait durci encore leurs positions. Ils étaient tous deux épris de romanesque et d'aventure et manquaient de véritables connaissances sur le marxisme ; ils étaient prêts à accueillir une révolution qui impliquât un vrai changement ; ils désiraient la fin de la guerre et souhaitaient une redistribution des pouvoirs politique et économique. Williams, qui observait les événements de Russie depuis trois mois, était convaincu que seul le programme bolchévique, à savoir la paix sans annexion, la confiscation des domaines et du pouvoir au profit du prolétariat et de la paysannerie, était capable de faire réussir la révolution. Il confia à John l'intérêt qu'il trouvait à collaborer avec les Bolchéviks : « La justice sociale qu'ils désirent est celle que nous voulons, toi et moi. Ils la veulent plus passionnément que n'importe quel autre parti d'ici : ils la veulent tout de suite [11]. »

Reed n'avait guère besoin d'être convaincu. L'admiration qu'il avait toujours portée aux hommes d'action le prédisposait en faveur des Bolchéviks. Néanmoins, deux questions embarrassantes se posaient : seraient-ils capables de réaliser leur slogan (« Tout le pouvoir aux soviets »), et de mener à bien la révolution ; d'autre part, serait-il lui-même à la hauteur, était-il prêt à s'engager vraiment ? Comme il ne pouvait répondre à la première question, John s'inquiétait beaucoup de la seconde. Son humeur changeante se manifestait souvent dans la conversation. Une fois, en se promenant avec Williams, il lui demanda ironiquement : « Crois-tu que nous franchirons jamais le pas ? Ou bien sommes-nous condamnés à être toute notre vie des humanistes, des dilettantes ? » Il lui arrivait d'ajouter amèrement : « Ici, on s'enflamme facilement. Nous allons nous prendre pour de grands révolutionnaires. Mais de retour chez nous ? » Cette question demeurait sans réponse pour la bonne raison que Williams en était au même point. Conscient de ses propres doutes, il expliquait que les changements d'humeur de Reed, qui passait de la gaîté à la fureur, résultaient « de l'hésitation normale d'un jeune Américain sur le point de se fixer un but plus difficile qu'aucun de ceux qu'il s'était fixés jusqu'alors [12]. »

Le fait d'avoir pris parti n'empêchait pas John de se montrer curieux ; au contraire, il n'en avait que plus envie d'aller voir ce qui se passait. En compagnie de Williams, et souvent aussi de Louise et de Bessie Beatty, une correspondante du *Bulletin*

---

11. *Ibid.*, p. 35.
12. *Ibid.*, p. 41-42.

de San Francisco, ils partaient à la découverte de la ville. Les gens riches et les bourgeois regrettaient nettement le bon vieux temps. Dans l'appartement où Louise et John avaient emménagé pour économiser de l'argent, le soir, les propriétaires en bavardant manifestaient l'espoir que les armées allemandes surviendraient pour restaurer « la loi et l'ordre ». Un soir qu'ils dînaient chez un riche commerçant, chez qui l'on servait le thé et le caviar dans une argenterie somptueuse, les élégants convives prouvèrent à dix contre un qu'ils préféraient le kaiser aux Bolchéviks.

John préférait fuir de telles gens, franchir la Néva couleur d'acier et se rendre au quartier Viborg, dans les taudis et les appartements misérables, situés près des usines d'armement et des manufactures, dans lesquelles tous les soirs des orateurs tenaient des discours. L'hostilité ouverte que leur manifestaient certains habitants du quartier pouvait même être parfois une source de plaisirs. Comme Reed et Williams lui demandaient son avis dans un russe approximatif, un ouvrier pauvrement vêtu les dévisagea, cracha avec mépris une graine de tournesol et grommela : « C'est peut-être votre guerre, mais ce n'est pas la mienne. Vous êtes des bourgeois, moi je suis ouvrier. » Le 30 septembre, au Cirque moderne, un grand amphithéâtre lugubre, John se trouva face à six mille travailleurs ; il était sur l'estrade, aux côtés de Bill Chatoff, qui avait organisé une réunion pour protester contre l'incarcération d'Emma Goldman et d'Alexander Berkman en Amérique. Ils adoptèrent une motion qui sommait le gouvernement des Etats-Unis de faire cesser une répression digne du régime tsariste, et qui saluait « tous ceux qui dans la libre Amérique luttaient pour la révolution sociale [13] ».

La participation de Reed à ce meeting fit un beau raffut au sein de l'ambassade américaine. L'ambassadeur, David R. Francis, ex-gouverneur du Mississipi, qui n'appréciait que les cigares, le whisky et le poker, avait une haine toute particulière des radicaux. Il apprit bientôt de « sources sûres » que John avait été « cordialement accueilli par les Bolchéviks, qu'il avait apparemment avertis de sa venue [14] ». Outré de voir que Reed avait de telles fréquentations, l'ambassadeur crut aussitôt ce

---

13. Cité par David R. Francis, *Russia from the American Embassy*, Charles Scribner's sons, New York, 1921, p. 166.
14. David R. Francis au secrétaire d'Etat, 1er octobre 1917 (papiers David R. Francis, Missouri Historical Society, Saint Louis, Missouri).

qu'on lui dit : que John avait fait courir le bruit que Berkman allait être exécuté. Francis, câblant à Washington pour en savoir davantage sur Goldman et Berkman, en profita pour demander des informations sur John. Un policier à la solde de l'ambassade, profitant de la foule qui se pressait sur la Perspective Nevski, fit les poches de John ; on trouva dans son portefeuille une lettre de Camille Huysmans, secrétaire du Bureau de l'Internationale socialiste, qui fournit la preuve que John était bien « un personnage suspect » à surveiller de près [15]. L'un des hommes de main du diplomate put bientôt lui rapporter une conversation au cours de laquelle Reed avait montré qu'il savait reconnaître un agent secret quand il en voyait un. John, au cours de cette même conversation, s'était déclaré socialiste et adepte de la « théorie marxiste » ; il avait insisté sur le fait que les diplomates étrangers se mêlaient beaucoup trop de « la politique intérieure du pays ».

Cela voulait dire que si les Bolchéviks arrivaient au pouvoir, « la première chose qu'ils feraient serait d'expulser tous les corps diplomatiques, et surtout les personnes qui avaient partie liée avec les ambassades [16] ».

Se faire voler, être filé, être l'objet de la surveillance et de l'hostilité des diplomates américains, c'étaient de menus ennuis en ces temps de prodiges. Au début d'octobre, pour voir un peu plus de pays, Reed accompagné de Williams et de Reinstein fit un voyage de cinq jours sur le front de Latvie. Dans la douzième armée, la situation était aussi agitée que dans la capitale. Certaines unités avaient perdu jusqu'à 60 % de leurs effectifs, pour cause de décès autant que de désertion. Quant aux hommes qui restaient, ils étaient sous-alimentés et mal équipés. Au milieu des obus allemands qui éclataient alentour, les soldats se réunissaient par petits groupes pour leur demander ce qui se passait à Petrograd. Dans chaque régiment, il y avait deux autorités distinctes (d'une part la hiérarchie habituelle, de l'autre le soviet des soldats) qui s'affrontaient avec un égal

---

15. Dans les lettres qu'il adressa au Département d'Etat, de même que dans tous ses rapports, l'ambassadeur ne cessa d'affirmer que Reed avait « perdu » son portefeuille qui fut ensuite déposé au Consulat. Mais Negley Farson dans son livre intitulé *Way of a transgressor*, soutient que John fut volé, ce qui paraît plus vraisemblable puisque John était suivi et qu'on prenait la peine de demander des renseignements sur lui aux Etats-Unis ; il paraît en effet curieux qu'il ait perdu des papiers, qui se seraient ensuite miraculeusement trouvés entre les mains des fonctionnaires américains.

16. Cité par D. R. Francis, *Russia from the American Embassy*, p. 169.

mépris. Les soviets étaient maintenant les plus forts, mais s'étant engagés à poursuivre la guerre, ils se trouvaient débordés par leur base. Un dimanche après-midi, malgré l'interdiction de l'état-major et du soviet, un meeting pour la paix se tint en arrière des lignes. Sous un ciel balayé par un vent glacé, au milieu des grondements de l'artillerie lourde, des milliers de soldats en uniforme brun écoutèrent cinq heures durant des discours qui condamnaient la guerre, le Gouvernement provisoire et l'impérialisme des Alliés. Reed, très impressionné, fit le commentaire suivant : « Jamais encore au cours de toute l'histoire on n'a vu une armée en guerre tenir une réunion pour la paix au beau milieu de la bataille [17]. »

A Petrograd, le Gouvernement provisoire sombrait dans l'oubli. Kerensky, dont on disait qu'il était gravement malade, sujet à des crises d'hystérie et toxicomane, improvisait fébrilement des cabinets, des alliances et des combinaisons pour tâcher de conserver le pouvoir jusqu'à l'élection de l'Assemblée constituante, prévue pour le mois de novembre. A la fin de septembre, une conférence démocratique s'était tenue, qui avait rassemblé douze cents représentants de tous les partis et de tous les groupes ; elle avait donné naissance à un Conseil de la République plus restreint, qui se réunit en octobre. Ces deux organisations étaient mort-nées. Loin des couloirs somptueux du Palais Marinski où se réunissait le Conseil, c'était le peuple russe qui prenait les décisions. Les soldats désertaient les tranchées, les paysans s'emparaient des terres, les ouvriers prenaient le contrôle des usines ou se mettaient en grève et les soviets glissaient de plus en plus à gauche. En septembre, pour la première fois, le soviet de Petrograd avait élu une majorité de Bolchéviks, et il en fut bientôt de même à Moscou. Des douzaines de soviets à travers le pays tout entier, de la Sibérie à l'Oural, du bassin du Donetz jusqu'en Finlande, bombardaient le Comité central de pétitions exigeant qu'il prenne le pays en mains ; quant à la flotte de la Baltique, elle réclamait la démission de Kerensky.

Le Comité central, qui était sur le point de prendre le pouvoir, se montrait indécis. Ses membres avaient été élus lors du Premier Congrès des soviets au mois de juillet ; il était constitué d'une majorité de Mencheviks et de socialistes révolutionnaires ; ces deux groupes étaient partisans de n'arrêter la guerre que sur la base d'un accord international. Ils approuvaient

17. J. R., « Une visite dans les rangs de l'armée russe », *Liberator*, n° 1, mai 1918, p. 28-34.

tacitement la conduite de Kerensky, et conscients du durcisse-
ment qui se produisait dans les usines et les casernes, ils auraient
préféré oublier leur promesse de réunir un second Congrès des
soviets. La pression qui s'exerçait sur le Comité central ne
venait pas cependant des seuls Bolchéviks, mais d'un nombre
croissant de socialistes révolutionnaires, qui s'étaient séparés de
leurs compagnons jugés trop conservateurs et avaient pris le
nom de Révolutionnaires socialistes de gauche ; ils partageaient
la politique et la stratégie des Bolchéviks. Finalement le Comité
central dut capituler ; on décida des élections et on choisit le
2 novembre comme date du prochain Congrès.

Les imprimeries se mirent à fabriquer une énorme quantité
de tracts et les orateurs des partis se rendirent dans les usines,
dans les ateliers, les garnisons et les tranchées ; partout on tint
des débats, dans les théâtres, dans les écoles, les clubs et les
casernes ; dans les rues, les carrefours se transformaient en
tribunes publiques, et le destin de la Russie se trouvait dans
les mains d'un personnage : un petit homme presque chauve,
et d'apparence très simple, Vladimir Ilitch Oulianov, qu'on
connaissait sous le nom de Lénine. Depuis son retour de Suisse
en avril, le fondateur du bolchévisme n'avait cessé d'affirmer,
malgré les objections de certains de ses compagnons les plus
proches, que la Russie était prête pour la révolution socialiste.
Après les journées de juillet, il avait dirigé le parti depuis la
Finlande, et dès la fin de septembre, il avait écrit lettre sur
lettre au Comité central bolchévique pour appeler à l'insurrection. Le 20 octobre, Lénine vint habiter un appartement du
quartier Viborg. Trois jours plus tard, douze membres du Comité central du Parti se réunirent en secret et leur chef leur
répéta que le temps était venu d'appliquer le slogan : « Tout
le pouvoir aux soviets. » Le groupe fut d'accord ; deux voix
seulement allèrent contre cette décision, celles de Gregori
Zinoviev et de Lev Kamenev. La résolution adoptée faisait
état de la puissance croissante des Bolchéviks, de la décision
probable de Kerensky de livrer Petrograd aux Allemands et du
danger d'un virage à droite, pour faire de « l'insurrection armée
[...] l'ordre du jour ».

Durant les deux dernières semaines d'octobre, les débats et
les discussions remplirent la presse du parti ; on apprit la naissance de mouvements indépendants et séparatistes, ceux
d'Ukraine, de Pologne et de Finlande, et le bruit courut qu'un
soulèvement bolchévique était imminent à Petrograd. Tandis
que les socialistes modérés dénonçaient ces projets, Kerensky et

les autres membres du Gouvernement provisoire proféraient des menaces ; quant aux ambassades étrangères, affolées, elles télégraphiaient pour demander des instructions. Reed, plein d'espoir et d'enthousiasme, écrivait à Mike Robinson : « Il semble que l'affrontement soit proche [18]. » Il citait l'une des phrases de Lénine : « Si nous ne prenons pas le pouvoir maintenant, l'histoire ne nous le pardonnera pas », et se la répétait avec délices en se baladant dans la ville, bloc-notes en main, se rendant compte qu'il vivait un événement unique.

Les catégories sociales qui allaient s'affronter étaient partout clairement définies. Stepan Georgevitch Lianozov, qu'on surnommait le Rockfeller russe, expliquait dans une interview que « la révolution était une maladie » et prédisait que les puissances étrangères interviendraient pour la soigner [19]. Au sein du Conseil de la République, le fossé entre la gauche et la droite se creusait d'heure en heure, scindant les Socialistes révolutionnaires en deux partis distincts. Les dirigeants de la droite exigeaient une plus grande discipline dans l'armée, tandis que le groupe de gauche rejoignait les Bolchéviks en réclamant la cessation immédiate des hostilités. Le directeur d'un journal bourgeois confiait à Reed dans les couloirs du Palais Marinski : « Ce dont la Russie a besoin, c'est d'un homme fort » ; pendant ce temps, Kerensky tenait à la tribune des discours qui frisaient la démence, attaquait les Bolchéviks, défendait sa propre politique et finissait par éclater en sanglots. John et Louise, qui avaient réussi à obtenir un entretien avec le premier ministre, le rencontrèrent dans la grande bibliothèque d'acajou du Palais d'Hiver. Le visage de Kerensky, gris, bouffi, aux yeux profondément cernés, était celui d'un homme malade, mais son esprit était intact et il montra une assez grande lucidité vis-à-vis des problèmes qui se posaient au pays : l'armée refusait de se battre, le peuple était las de la guerre ; la révolution n'était pas seulement politique, elle était également économique, ce qui impliquait « un profond remaniement du système de classes » ; enfin et par-dessus tout, il affirma que « la révolution n'était pas terminée : elle ne faisait que commencer ». Il ne manquait à Kerensky, qui leur parut honnête et sincère, qu'une qualité essentielle : il ne montrait pas « dans ses projets la véritable fermeté qu'un dirigeant de la révolution russe aurait dû avoir [20] ».

---

18. J. R. à Boardman Robinson, 16 octobre 1917 (manuscrits J. R.).
19. Cité dans *Dix jours qui ébranlèrent le monde*.
20. « La Russie rouge et Kerensky », *Liberator*, avril 1918, p. 18-19.

Le vrai pouvoir de décision se trouvait ailleurs. Cela fut net lors d'un meeting qui se déroula dans l'usine d'armement d'Oboukovski Zavod, et au cours duquel un soldat s'écria : « Je demande aux camarades américains de faire savoir à l'Amérique que les Russes n'abandonneront la révolution qu'à leur mort » ; aussi claires étaient les déclarations d'Anatole Lounatcharsky, un intellectuel, qui affirmait que les soviets devaient absolument prendre le pouvoir : Petrovski, un Russoaméricain, se montra aussi catégorique lorsqu'il déclara solennellement, en détachant ses mots : « Voici venu le temps des actes et non plus celui des mots [21]. » Lorsqu'on manquait un peu de détermination, Reed se montrait prêt à lancer des encouragements. Un soir, après avoir pris le thé et le bortch à l'hôtel Astoria, Samuel Voskoff, épuisé par les discours qu'il avait tenus dans les usines et les casernes, s'abandonna à un pessimisme inhabituel : « Nous sommes trop peu nombreux. J'ai souvent l'impression que nos voix sont trop faibles au milieu d'un pareil ouragan. On ne peut arrêter un ouragan. » John lui tapota l'épaule et lui lança : « Alors, il faut hurler avec lui, tovaritch [22] ! »

John, qui faisait la navette entre les usines et le Palais Marinski, passant des longues files d'attente du quartier Viborg aux cafés élégants de la Perspective Nevski, concentra son attention sur l'Institut Smolny. C'est dans cet endroit, loin du centre de Petrograd, dans ce qui avait été autrefois un collège chic réservé aux jeunes filles de l'aristocratie, que se tenait l'essentiel de l'opposition au Gouvernement provisoire. L'Institut abritait maintenant le soviet de Petrograd et le Comité central de tous les congrès russes des soviets. C'était un beau bâtiment, peint en jaune pâle, qui comportait trois étages ; en ce mois d'octobre, la fièvre y était à son comble. Dans la pénombre de ces couloirs voûtés, on voyait passer des soldats et des ouvriers ployant sous d'énormes paquets de journaux et de proclamations. Dans les petites pièces claires, là où autrefois de délicates jeunes filles étudiaient le français, les partis de gauche discutaient, les comités débattaient de la ligne à suivre, et au cours des discussions, le ton montait. John et Louise, en arpentant les couloirs, tâchaient d'extorquer des informations à Kamenev ou aux amis comme Chatoff, pour avoir un aperçu des événements qui se déroulaient en coulisse. Ils prenaient leurs

---

21. Cité dans *Dix jours...*
22. Cité dans A. R. Williams, *Journey into Revolution*, p. 59.

repas dans le sous-sol et, sur des tables en bois, partageaient la soupe aux choux, les montagnes de kacha, les tranches de pain noir avec « des hordes de prolétaires affamés, baffrant, complotant et lançant des blagues énormes ». Le 30 octobre, on les fit pénétrer dans une petite chambre sous les combles où ils purent s'entretenir avec Léon Trotsky, président du soviet de Petrograd. Tout en ingurgitant un énorme repas, il discourut calmement pendant une heure, condamnant le Gouvernement provisoire, s'inquiétant d'une contre-révolution possible, affirmant que les soviets étaient les plus parfaits représentants du peuple et prédisant simplement : « C'est la lutte finale... Nous allons achever l'œuvre que nous avons à peine commencée en mars [23]. »

Durant la première semaine de novembre, l'ouverture du nouveau Congrès des soviets fut ajournée cinq jours de suite. L'administration municipale semblait s'être effondrée et les journaux du matin étaient remplis de récits de vols et de meurtres. Le soir, dans les rues mal éclairées, des flots de gens allaient et venaient, des discussions s'improvisaient aux carrefours et de mystérieux individus faisaient circuler des rumeurs contre les Juifs et les Bolchéviks. L'Institut Smolny était maintenant défendu par des gardiens en armes qui se tenaient devant ses portes et exigeaient des laissez-passer. A l'étage, dans la vaste salle blanche, autrefois salle de bal, ornée de délicates colonnes et de chandeliers en cristal, le soviet de Petrograd siégeait nuit et jour. Les travailleurs, les soldats, les dirigeants parlaient jusqu'à épuisement, s'endormaient sur le plancher et se relevaient pour hurler leur approbation lorsqu'on les appelait à passer aux actes. Dans le centre de la ville, les cercles de jeux de grand luxe fonctionnaient du crépuscule à l'aube, les rues étaient pleines de prostituées, et dans les cafés on parlait de complots monarchistes, d'espions allemands, de combines pour faire passer en contrebande des denrées de marché noir, et d'insurrection bolchévique inattendue.

Lorsque la révolution se produisit, ce fut d'une façon que personne n'avait prévue. On attendait de la violence, des combats sur les barricades, des crépitements de mitrailleuses, des voitures blindées dans les rues, des tireurs embusqués sur les toits et des ruisseaux de sang dans les caniveaux. Or, malgré les préparatifs mouvementés, malgré la fébrilité du Gouver-

23. Cité dans *Dix jours...*

nement provisoire, le changement s'opéra dans un calme et dans un ordre presque complets, comme s'il se fût agi d'un simple transfert de pouvoir ; seule une partie de la population fut au courant de ce qui s'était passé avant que les affiches et les proclamations n'annoncent les nouvelles. En dépit des menaces de Kerensky, aucune troupe ne se rangea du côté du Gouvernement provisoire, si ce n'est quelques compagnies de junkers (élèves-officiers) et le célèbre mais inefficace bataillon de la mort composé de femmes. Les cosaques se tinrent à l'écart, la garnison de Petrograd opta pour les soviets et, le 6 et le 7 novembre, tandis que les gens se rendaient au travail, mangeaient au restaurant, assistaient à des ballets, faisaient les courses dans les grands magasins ou racontaient des histoires à leurs enfants, un ordre social était en train de disparaître, un nouvel ordre était né.

John, Louise et Williams, pourtant proches de certains dirigeants, ne virent que des fragments de ces divers événements. Le soir du lundi 5 novembre, après être allés au cinéma, ils se rendirent à l'Institut Smolny. Dans la pièce n° 10, au troisième étage, le Comité militaire révolutionnaire siégeait sans interruption. Vieux d'une semaine, créé pour défendre la ville et arracher le pouvoir aux officiers de la vieille garde dans les garnisons de Petrograd, ce comité chargé de l'insurrection était en grande partie composé de Bolchéviks. Tard dans la soirée, le président du comité (un révolutionnaire socialiste de l'aile gauche, âgé de dix-huit ans) apprit à John que la forteresse Pierre et Paul, un des points stratégiques, s'était déclarée pour les soviets. Puis, à trois heures du matin, alors qu'ils franchissaient le porche où l'on avait placé deux mitrailleuses, Bill Chatoff frappa l'épaule de Reed et s'écria : « Cette fois nous y sommes ! Kerensky a voulu envoyer ses junkers pour boucler nos journaux... Mais nos troupes ont détruit les imprimeries du gouvernement et nous avons envoyé des détachements chargés d'occuper les rédactions des journaux bourgeois [24] ! »

Le mardi 6 novembre fut une journée fébrile et confuse. Des groupes de soldats armés de baïonnettes patrouillaient dans les rues, mais personne ne savait s'ils étaient au service du Gouvernement provisoire ou à celui des soviets. John se trouvait au Palais Marinski lorsque Kerensky réclama les pleins pouvoirs pour arrêter l'insurrection, et il vit le Conseil ignorer sa requête.

24. *Ibid.*

A l'Institut Smolny, le vieux Comité central tenait une session finale mouvementée. Trotsky monta à la tribune, salué par une vague d'applaudissements ; son visage pâle et anguleux était plein d'une ironie malicieuse ; il déclara que l'insurrection était « le droit de tous les révolutionnaires ». Tandis qu'il parlait, les Gardes rouges et certaines unités de l'armée régulière sous les ordres du Comité militaire révolutionnaire s'étaient mis en marche. Ils s'emparèrent des stations de chemin de fer, de l'Agence télégraphique, du Téléphone, de la Banque d'Etat, de la Poste centrale et d'autres bâtiments officiels. Lorsque Reed apprit ces derniers événements, il était quatre heures du matin, et le pouvoir du Gouvernement provisoire n'existait plus qu'au Palais d'Hiver.

Quand John et Louise se réveillèrent le lendemain, Kerensky avait quitté la ville et les troupes avaient dispersé les membres du Conseil de la République. Le canon de midi tonna depuis la forteresse Pierre et Paul, et ils remarquèrent des soldats postés devant l'entrée de la Banque d'Etat qu'on avait bouclée. « De quel bord êtes-vous ? Vous marchez avec le gouvernement ? » leur demanda Reed, « Il n'y a plus de gouvernement, Dieu soit loué [25] ! » lui répondit l'un deux avec un large sourire. Tous les accès à la grand-place, devant le Palais d'Hiver, étaient bloqués par des sentinelles, mais, en montrant leurs passeports américains et en criant « Service commandé ! », ils parvinrent à se frayer un chemin à travers les barrages. Ils trouvèrent à l'intérieur du Palais désert un jeune officier qui faisait nerveusement les cents pas devant la porte de Kerensky et qui leur annonça que le premier ministre était parti pour le front. Ils suivirent des couloirs sombres et silencieux, et débouchèrent sur des galeries qu'on avait transformées en chambrées ; des matelas crasseux jonchaient le sol et les junkers indécis allaient et venaient dans une atmosphère qui sentait le tabac et la sueur. Quelque part dans les profondeurs du Palais, siégeait le cabinet du Gouvernement provisoire, mais personne ne savait précisément où.

Tard dans l'après-midi, lorsqu'ils quittèrent le Palais, ils rencontrèrent dehors des soldats qui trouvaient qu'on n'attaquait pas assez rapidement. Tout autour de la place du Palais, les rues étaient sombres, mais dès qu'on avançait sur la Perspective Nevski, on voyait les vitrines illuminées des magasins et

25. *Ibid.*

les enseignes lumineuses qui éclairaient la foule. Des gens bien vêtus, en manteau de fourrure, montraient le poing aux soldats postés aux carrefours, et de temps en temps, on voyait passer des véhicules blindés sur le boulevard. Oubliant les places qu'ils avaient prises pour un ballet, John et Louise montèrent dans un taxi qui les conduisit à l'Institut Smolny. La grande façade était brillamment illuminée ; dans la cour, on faisait tourner les moteurs des automobiles et des motocyclettes ; une énorme auto blindée grise obstruait le porche ; un peu partout, on avait allumé des feux de joie autour desquels se pressaient des groupes de Gardes rouges. A l'intérieur du bâtiment, dans les couloirs, il y avait foule ; on voyait des ouvriers en blouse noire, fusil à l'épaule, des soldats en uniforme brun, et des dirigeants bolchéviks aux visages épuisés et anxieux qui transportaient d'énormes serviettes. La réunion du soviet de Petrograd, qui avait duré quatre jours venait de s'achever. Non seulement ils avaient manqué la déclaration de Trotsky : « le Gouvernement provisoire a cessé d'exister », mais aussi la première apparition publique que Lénine faisait depuis quatre mois, et au cours de laquelle il avait dit : « Maintenant commence une nouvelle ère dans l'histoire de la Russie, et cette troisième révolution russe doit enfin conduire à la victoire du socialisme. »

Une fois le transfert de pouvoir pratiquement opéré, il ne restait plus qu'à jouer un dernier acte symbolique : la prise du Palais d'Hiver. A dix heures quarante, dans une salle remplie bien au-delà de sa capacité, le vieux Comité central se réunit pour ouvrir le second Congrès des soviets. Le scrutin donna quatorze voix sur vingt-cinq aux Bolchéviks pour le nouveau presidium. Tandis que les nouveaux dirigeants, à l'exception de Lénine, montaient à la tribune, des coups de canon résonnèrent dans la salle. C'était le croiseur « Aurore » ancré sur la Néva, qui tirait des obus à blanc sur le Palais d'Hiver ; les troupes qui l'escortaient, soutenues par des marins de la base de Cronstadt, étaient prêtes à passer à l'action. Pendant que la canonnade se poursuivait, un gros remous se produisait dans la salle. Les Menchéviks, les Socialistes révolutionnaires de droite et les membres de la Ligue juive se levaient en signe d'opposition au Comité militaire révolutionnaire et aux Bolchéviks, et demandaient que soient ouvertes des négociations immédiates avec le Gouvernement provisoire pour mettre fin aux combats. Criant pour se faire entendre alors que la foule surgissait de partout, ils furent interrompus par des cris furieux ; on les traita de « kornilovistes » et de « contre-révolutionnaires ». Au milieu d'un énorme charivari où se mêlaient les applaudissements, les injures, les huées et les menaces, cinquante modérés se levèrent et sortirent, escortés par la voix méprisante de Trotsky qui rugissait : « Laissez-les partir ! Ils ne représentent qu'un rebut, qui sera balayé dans les poubelles de l'histoire ! »

John, Louise, Beatty, Williams et Gumberg s'en allèrent eux aussi. Après s'être procuré des laissez-passer auprès du Comité militaire révolutionnaire, ils descendirent le perron du Smolny et grimpèrent en frissonnant à l'arrière d'un camion bourré de soldats. Tout en cahotant vers le centre de la ville, ils jetaient à pleines brassées dans les rues des tracts qui proclamaient la fin du Gouvernement provisoire. Leur camion s'arrêta à une barricade, devant la place du Palais, où un cordon de marins en armes contenait plusieurs centaines d'hommes et de femmes ; c'étaient les délégués qui venaient de quitter le Congrès, les anciens ministres du Gouvernement provisoire et les membres de la municipalité, dont certains accompagnés de leurs femmes. Brandissant leurs papiers officiels, ils tentaient d'atteindre le Palais d'Hiver, mais les marins refusaient de les laisser passer. Après avoir échangé des propos assez vifs et parlé de mourir pour le régime, les notables se retirèrent en silence.

Grâce à leurs laissez-passer du Comité militaire révolutionnaire, les cinq Américains purent franchir le cordon ; on avait disposé, sur la place plongée dans l'obscurité, un énorme canon de campagne et plusieurs compagnies de soldats. Ils arrivaient juste à temps. Quelques balles sifflèrent dans les ténèbres, puis ils entendirent une voix qui criait : « C'est fini ! Ils se sont rendus ! » Ils se trouvèrent soudain emportés dans une foule qui surgissait de toutes les rues avoisinantes, bondissant par-dessus les barricades bâties à la hâte, et se pressant vers les fenêtres brillamment éclairées et les portes grandes ouvertes du Palais. A l'intérieur, le chaos régnait : dans les corridors, dans les bureaux somptueux, dans les galeries, des soldats hirsutes et des Gardes rouges, se trouvant soudain plongés au milieu d'un luxe fabuleux, oubliaient toute discipline ; cela tournait à l'émeute. Certains remplissaient des caisses, roulaient les tapis, décrochaient les rideaux, les tentures, sortaient la vaisselle en porcelaine et en cristal, tandis que d'autres s'emparaient de statuettes, débarrassaient les chambres à coucher des couvertures et des courtepointes, ou éventraient les fauteuils de cuir. Les Américains s'arrêtèrent pour voir passer un groupe de soldats qui escortaient une demi-douzaine de civils à la mine déconfite ; c'étaient les membres du cabinet du Gouvernement provisoire.

Ils poursuivirent leur marche et arrivèrent à la chambre d'or et de malachite où l'on avait arrêté les ministres. Sur une table couverte de feutre vert s'étalaient des feuilles de papier manuscrites ; c'étaient des ébauches de proclamations et de propositions hâtivement griffonnées, des élucubrations inutiles : l'ultime production d'un régime impuissant.

Rapidement le Palais retrouva son calme. On fit sortir les soldats et on posta des sentinelles à chaque porte pour confisquer le butin. Dans une galerie éloignée, Reed et ses compagnons se trouvèrent soudain entourés par des Gardes rouges. Ceux-ci repoussèrent leurs papiers d'un air de mépris et se mirent à les traiter de pillards et de provocateurs ; heureusement un officier intervint et les conduisit hors du Palais. Ils prirent un taxi et arrivèrent à l'Institut Smolny un peu après trois heures ; l'immeuble était rempli d'hommes fatigués, aux yeux profondément cernés. La salle de réunion était bourrée de délégués. Des soldats appartenant à des régiments du front se levaient pour exprimer leur solidarité avec le soviet ; peu après cinq heures, Nicolaï Krylenko, titubant de fatigue, grimpa à la tribune pour lire le télégramme envoyé par la douzième armée, dans lequel on annonçait qu'un Comité militaire révolutionnaire avait pris le contrôle du front Nord-Est. L'émotion fut à son comble. Les délégués se félicitaient, s'embrassaient, pleuraient et criaient. A six heures du matin, John, Louise et Williams sortirent sur les marches du Smolny, étirant leurs membres endoloris ; ils aspirèrent profondément l'air frais de la nuit qui leur éclaircit un peu les idées. Le pouvoir avait changé de camp, mais l'avenir demeurait incertain. Reed imaginait « la lueur blafarde et irréelle qui allait se lever sur les rues silencieuses, faisant pâlir les feux de guet et précédant la terrible aurore qui se lèverait sur la Russie [26] ».

Le mardi 8 novembre fut dans l'ensemble assez tranquille. Les voitures circulaient dans les rues, les magasins étaient ouverts, les citadins se levaient comme d'habitude pour se rendre à leur travail. Mais dans toutes les villes de Russie, à Moscou, à Helsinki, à Kiev, à Odessa, de l'Oural jusqu'à la lointaine Vladivostok, les combats entre les soviets et les forces du Gouvernement provisoire faisaient rage. A Petrograd, pendant qu'à l'Institut Smolny les dirigeants bolchéviques s'efforçaient d'organiser un gouvernement, la révolution était suivie d'une contre-révo-

---

26. *Ibid.*

lution, de la même façon que la nuit succède au jour. Les éléments mécontents, les cadets, les membres de l'administration, l'ancien Comité exécutif des soviets, les socialistes modérés, les représentants du Conseil de la République, s'étaient regroupés autour de la Douma et s'efforçaient d'oublier leurs vieux différends pour mettre sur pieds un Comité de sauvegarde du pays et de la révolution. Kerensky, non loin de la capitale, visitait les installations militaires, prenant contact avec certains généraux et s'efforçant de soulever les cosaques.

Quant à la révolution elle-même, les attaques contre le nouveau régime étaient si nombreuses et si diverses que Reed et ses compagnons ne purent en voir que des bribes. Ils étaient constamment sur la brèche, s'imprégnant de l'atmosphère de l'Institut Smolny, de la Douma, du quartier Viborg et du front ; ils allaient pouvoir tester la force, la volonté et l'organisation des éléments contre-révolutionnaires. Une guerre de propagande avait déjà éclaté entre les soviets et le Comité de sauvegarde. La presse de l'opposition affirmait que les Bolchéviks étaient des agents allemands et que les troupes du Comité militaire révolutionnaire avaient assassiné des gens et violé des femmes lors de la prise du Palais d'Hiver ; la Douma se faisait l'écho de ces rumeurs. A l'Institut Smolny, les dirigeants bolchéviques hirsutes, pas rasés, crasseux, travaillaient avec acharnement. En effet, les employés du gouvernement s'étaient mis en grève, les syndicats de chemin de fer refusaient de faire circuler les trains, on disait que les cosaques étaient en route vers la ville, et ce petit groupe d'hommes, sans grande expérience de l'administration, essayait de prendre en mains les rênes du gouvernement. Le responsable du commerce avouait son embarras ; il confia à John qu'il n'entendait rien aux affaires ; quant au chargé des finances, choisi parce qu'il avait autrefois travaillé dans une banque, il griffonnait des chiffres au dos d'une enveloppe. Des commissaires sortaient en hâte du bureau du Comité militaire révolutionnaire ; on les expédiait dans les régions de Russie les plus éloignées pour y apporter le soutien des Bolchéviks et combattre pour le régime de toutes les façons possibles.

La victoire des Bolchéviks dépendait de leur programme aussi bien que de leur action ; aussi s'efforcèrent-ils de réaliser rapidement les promesses qui leur avaient permis de gagner. La seconde séance du Congrès s'ouvrit à 20 heures 40. Lorsque les membres du Presidium entrèrent, John aperçut Lénine pour la première fois : « C'était un homme trapu et massif, chauve, au front proéminent ; il avait de petits yeux, le nez court, la bouche large et généreuse, le menton épais... Il était mal habillé, et portait un pantalon beaucoup trop long pour sa taille. » Ce n'était pas un homme qui faisait grosse impression sur la foule ; il parut à Reed un « curieux chef populaire... un homme qui occupait ce poste uniquement par la force de son intelligence ». Lénine se leva pour parler et captiva l'auditoire ; de longues ovations emplissaient la salle. Il fut très direct : « Nous allons maintenant construire l'Etat socialiste [27]. » A nouveau, longue ovation, puis sans gestes inutiles, sans effets, il aborda les questions sérieuses. Avant l'aube, le Congrès avait adopté à l'unanimité une motion qui réclamait la paix immédiate sans indemnité ni annexion et un décret qui abolissait la propriété des terres et les redistribuait entre les paysans. Après l'élection d'un Conseil des commissaires du peuple (c'est ainsi que les ministres allaient s'appeler), entièrement composé de Bolchéviks, et la création du nouveau Comité central des soviets qui comportait 62 Bolchéviks sur 101 membres, le Congrès fut dissous. A sept heures du matin, les délégués harassés se demandaient en regagnant leur domicile combien de temps le régime allait pouvoir durer.

La réponse vint au cours des trois jours suivants. Le Comité militaire révolutionnaire mit sur pied un organisme de défense, tandis qu'une querelle s'engageait entre le Comité de sauvegarde et les soviets à propos des promesses faites par ces derniers. Les militaires jouaient un rôle crucial, et Reed fut témoin d'une confrontation décisive entre les régiments de troupes blindées, qui eut lieu dans l'immense salle de l'Ecole impériale de cavalerie, où deux mille hommes groupés autour de leurs engins écoutèrent les orateurs qui se succédaient. Après un dernier discours de Krylenko qui s'écria : « La Grande Russie vous appartient ! Allez-vous l'abandonner ? », les hommes optèrent massivement pour les soviets [28]. John imaginait que des scènes identiques se répétaient dans les casernes, dans les tranchées, dans les usines, les villages, les locaux des syndicats et à bord des vaisseaux de guerre ; il était en train de comprendre l'essence même de la révolution : des millions d'hommes qui, à travers tout le pays, écoutaient avec avidité, essayant de saisir les buts qu'on leur proposait, puis décidant d'apporter leur soutien au nouveau régime.

27. *Ibid.*
28. *Ibid.*

Le samedi 10 novembre, alors que les soviets promulguaient les décrets et que les dirigeants éreintés soupiraient en plaisantant : « Peut-être allons-nous pouvoir dormir demain pour de bon », les troupes de cosaques sous les ordres du général Krasnov, agissant à l'instigation de Kerensky, faisaient mouvement sur Tsarskoïé Selo, qui n'était qu'à quelques heures de la capitale. Les rumeurs faisaient de ces sept cents cavaliers plusieurs milliers, et tout le monde se demandait avec angoisse si les six mille hommes de la garnison de Tsarskoïé allaient se joindre à eux. Depuis le perron de l'Institut Smolny, John pouvait voir des milliers d'hommes et de femmes portant des fusils, des piques, des baïonnettes et des rouleaux de fil de fer barbelé, qui se dirigeaient vers les faubourgs de la ville. Reed, Williams et Gumberg parlèrent tout le long du chemin dans l'automobile qui les emmenait avec Antonov-Ovsenko et Dibenko, deux des hauts commissaires de l'armée. Ce voyage était assez caractéristique de la confusion qui régnait alors. Dibenko, qui portait une toque d'astrakan un peu fatiguée, se plaignit de n'avoir rien mangé depuis vingt-quatre heures ; le chauffeur s'arrêta devant un magasin pour acheter du pain et des saucisses, mais aucun des deux commissaires n'avait un kopek ; c'est Gumberg qui dut payer la note. En sortant de la ville, leur voiture tomba en panne, et il leur fallut arraisonner un taxi qui passait. Un peu partout, dans les champs détrempés, des groupes de soldats, de Gardes rouges et d'ouvriers creusaient des tranchées à la hâte et se faisaient chauffer du thé sur des feux de bois : ils attendaient les cosaques. Ils s'arrêtèrent pour parler avec certains. Tout était prêt, disaient-ils, à l'exception d'un petit problème : ils n'avaient pas de munitions. Antonov, très sûr de lui, leur répondit qu'il y en avait une grande quantité à l'Institut Smolny. « Je vais vous donner un ordre exprès », ajouta-t-il. Il fouilla dans ses poches, puis se tourna vers ses compagnons : « Est-ce que quelqu'un aurait une feuille de papier ? », demanda-t-il. Gumberg lui offrit une page de son calepin. « Un stylo, également, camarade, lui dit le commissaire, je crois que je n'en ai pas [29]. »

---

29. *Ibid.* ; dans ses articles, Reed masqua le fait qu'il assistait à cette équipée. Dans *Dix jours...*, il attribue cette histoire à un ami. C'est Albert R. Williams, dans son livre *Journey into Revolution,* p. 140-142, qui rétablit la vérité en expliquant que Reed ne voulait pas attirer d'ennuis aux commissaires, en faisant savoir que ceux-ci autorisaient les journalistes à les accompagner.

Le dimanche matin, Petrograd ne s'éveilla pas au son des cloches, mais à celui des fusils. Soutenus par le Comité de sauvegarde, les junkers s'étaient emparés durant la nuit du central téléphonique, de l'hôtel des Armées et de différents points stratégiques. Reed fit rapidement le tour de la ville ; on entendait des coups de feu et des rafales provenant de différents quartiers, que ponctuait le grondement sourd de l'artillerie. A la tombée de la nuit, les troupes des soviets avaient écrasé le soulèvement, et le lendemain, pendant que Reed allait de la Douma à une réunion secrète du Comité de sauvegarde qui se tenait dans un appartement privé, la bataille redoutée, qui devait décider du sort de la ville, était en train de se dérouler. La cavalerie de Krasnov essaya d'avancer, mais se heurta à un mur de défenseurs résolus et dut s'enfuir devant les contre-attaques. De la même façon que les junkers n'avaient trouvé aucun soutien de la part du peuple de Petrograd, les cosaques n'avaient pu débaucher la garnison de Tsarskoïé. Par sa passivité et sa neutralité, la grande masse des citoyens et des soldats montrait à John que peu de gens étaient décidés à mourir pour le Gouvernement provisoire ; pour le peuple, seul le plan de paix établi par les Bolchéviks avait un sens.

Le mardi matin, il neigea un peu ; Reed croisa devant les marches du Smolny un soldat souriant qui lui cria : « Voilà la neige ! C'est bon pour la santé ! » Dans l'Institut, une foule de soldats et d'ouvriers boueux et crasseux se pressait dans les corridors, les bureaux, les réfectoires : c'était « le prolétariat victorieux » qui se reposait de la fatigue des combats. Partout dans le pays, on annonçait que les soviets avaient le contrôle des villes et qu'ils se mettaient au service des Bolchéviks. Tout heureux, John grimpa à bord d'une ambulance qui partait pour le front. La victoire sur la contre-révolution rendait ce jour glorieux. Les nuages se dissipaient et un soleil pâle éclaira les champs bourbeux. L'automobile croisait des hommes et des femmes à la mine réjouie qui saluaient leur passage par des cris et se hâtaient vers la ville. A Tsarskoïé, John vit ce spectacle singulier : les héros du peuple en haillons se baladaient dans les salons somptueux du Palais d'Eté de la Grande Catherine. Il poursuivit sa route dans un camion chargé de bombes ; près du front, il se trouva aux prises avec un détachement de Gardes rouges illettrés. Ignorant les « papiers » qu'il s'était fait délivrer à Petrograd, ils le collèrent au mur et pointèrent leurs fusils. Cependant, sensibles aux supplications de John, ils hésitèrent jusqu'au moment où l'on trouva quelqu'un qui savait lire. Ils l'emmenèrent alors au Quartier général, où on lui offrit à dîner et à boire ; il fut salué et congratulé en tant que représentant de la démocratie sociale américaine.

Cinq jours plus tard, la neige arriva, cette fois pour de bon ; elle tombait si dru qu'on n'y voyait pas à trois mètres. Même avant qu'elle ne tombe, faisant disparaître ses angines et ses rhumatismes des jours de pluie, John était de très bonne humeur. La ville était maintenant sûre : il pouvait faire le point sur les événements. Il avait le temps de rassembler les notes prises à la hâte, les coupures de journaux, les affiches qu'il avait eu soin de décoller des murs. Il eut le loisir de savourer ces instants précieux et de raconter ces grands moments de l'histoire. Après avoir envoyé un bref télégramme au *Call* pour annoncer l'avènement d'un Etat ouvrier, John se mit à réfléchir sur la signification de toute cette intense activité.

Les événements qui s'étaient produits au cours de ces dix journées allaient occuper la vie de Reed pendant trois ans. Il allait raconter l'histoire et l'œuvre des soviets, celles de Kerensky et du Gouvernement provisoire, la prise en main des usines par les ouvriers, l'état de l'armée, le rôle du peuple russe, celui des Bolchéviks et de leurs dirigeants, de Lénine, de Trotsky, de Lounatcharsky et de leurs compagnons, l'écheveau compliqué des relations avec les pays étrangers, les raisons de la contre-révolution et les conséquences de la révolution sur le reste du monde. En raison de la censure instituée par le gouvernement des Etats-Unis, John allait devoir attendre plus d'un an avant que toutes ses observations, ses recherches, son talent puissent donner naissance à l'œuvre unique qui devait dire l'importance, le pouvoir et la fièvre de ces journées de novembre : *Dix jours qui ébranlèrent le monde*. Bien avant qu'il ait pu résumer ainsi son expérience, en fait, dès les premiers articles qu'il avait écrits à Petrograd, la pensée de John révélait l'émotion profonde qu'avait éveillée en lui la révolution.

L'enthousiasme est évident dans tous ses textes qui concernent la Russie, car les événements avaient un sens, ils apportaient cette possibilité d'aménager le réel qu'il cherchait depuis des années. Autrefois, ses satisfactions personnelles, sa renommée d'écrivain lui avaient suffi ; aujourd'hui, une conscience accrue des problèmes sociaux changeait sa vision du monde et lui fournissait de nouveaux modèles. Certes, il avait déjà vu des syndicalistes courageux, et au Mexique des révolutionnaires, mais leur héroïsme avait été vain, ou bien leurs victoires avaient été rapidement rendues inutiles par des forces plus puissantes. La Russie, c'était une chance nouvelle, un espoir de plus vaste portée ; dans ce pays, les bouleversements sociaux étaient soutenus par des théories capables d'expliquer une grande quantité de phénomènes confus dans son esprit : les goûts changeants de la bourgeoisie, la lâcheté des journaux américains, la commercialisation de la bohème, le « plongeon » dans la guerre, l'oppression des travailleurs américains et des ouvriers du monde entier. Pendant des mois, il avait attendu le soulèvement du prolétariat, convaincu que c'était le seul moyen de redonner de l'espoir aux hommes. Il était prêt pour la révolution, et il avait prévu, bien avant les premiers événements, qu'elle se produirait en Russie ; ses plus chères espérances étaient comblées. Les travailleurs s'étaient révoltés, et bien qu'une défaite fût toujours possible, John était sûr qu'ils pouvaient gagner la partie.

Son premier long article, daté de la fin de novembre 1917, déborde de l'espoir que « le gouvernement prolétarien reste à jamais dans l'histoire comme un monument éclairant pour l'humanité [30] ». Cette image montre quelle vue juste il avait de la révolution. Depuis longtemps, il portait sur la condition humaine un regard nouveau, et il avait lié tous ses espoirs au vieux rêve de liberté pour le genre humain. En Russie, il trouvait enfin ce qu'il cherchait. Avec la révolution, un rêve impossible s'enracinait dans la réalité, une suite de palais s'entrouvraient, gardés par d'honnêtes travailleurs pour l'avenir de l'humanité. Les doutes, qui existent partout et toujours, la réalité morne et inévitable viendraient plus tard. Mais la vision de Petrograd au mois de novembre 1917 devait le marquer pour le reste de ses jours.

30. « La Russie rouge : le triomphe des bolcheviks », article de J. R., *Liberator*, mars 1918, p. 14-21.

# Christiania

Mon pays au-delà de l'océan, mon Amérique
Cuirassée d'acier, puissante, dure, étincelant
Telle un champion, dont la grande voix tonitruante
Fait vibrer les mots sacrés : « Liberté... Démo-
[cratie... »

Tout au fond de moi, je sens bouger et répondre
[quelque chose
(Mon pays, mon Amérique !)
Comme si, solitaire, elle m'appelait dans les pro-
[fondeurs de la nuit
Elle que j'ai perdue, mon premier amour
Que j'ai fini d'aimer, fini d'aimer, fini d'aimer...
Les lambeaux obscurs de la tendresse passée
Illusions d'une folie merveilleuse — trop de morts
Et une immortalité trop facile...

John REED, « America, 1918 », publié pour la
première fois dans le n° 17 des *New Masses*, le
15 octobre 1935, p. 17-20. Les citations des paragraphes suivants sont tirées de ce même texte.

Plongé dans le tourbillon de la révolution, il y eut des moments où John repensait à son pays ; le passé et l'avenir venaient troubler le présent. Après avoir assisté à la révolution russe, John jugeait important de la relier à ce qui se passait en Amérique. Certes, il pouvait lui sembler naturel de souligner la différence entre les prétentions démocratiques de son pays et la réalité de sa politique autoritaire, ou de le voir simplement comme un pays qu'on n'aime plus ; mais John était incapable de couper les ponts. Les paysages, l'atmosphère, les souvenirs de sa patrie étaient trop profondément ancrés en lui pour qu'il pût les faire disparaître : durant les trois mois qui suivirent, à Petrograd, puis en Norvège, il travailla sur un poème qui révélait son grand amour pour les Etats-Unis. Bien que ce poème reste inachevé, les trois cents vers qui le composent témoignent de son refus inconscient de se plier à la raison ou à l'idéologie.

Le titre, *America, 1918,* est une affirmation d'intentions, plus qu'il ne rend compte de ce qui y est dit. De toute évidence inspirée de Whitman, l'œuvre exprime le désir apparent de saisir la vie tout entière :

« Par mon enfance insouciante dans l'Ouest immense,
   Par le grand fleuve puissant et doux, par les moulins, les
                                                       [radeaux,

Les vaisseaux venus d'au-delà les mers, aux équipages cos-
[mopolites
Par Chinatown, où résonnent des gongs étranges,
Par le bleu ressac du Pacifique, l'embrasement des couchers
[de soleil,
Les plages lointaines, les feux de camp, la plainte des cougars
[en chasse,
Par les crêtes des montagnes, et les déserts écrasés de soleil,
La nuit où les coyotes pleurent, que coiffe la voûte étoilée,
Par l'océan des blés qui déferlent sur Chinook,
Les immenses vergers aux récoltes généreuses,
Par les orangeraies vert et or que veillent les pics enneigés,
Par les villes audacieuses surgies du désert
Orgueilleuses et hautaines dans leur jeunesse nonchalante...
Je te connais, ô Amérique ! »

Vient ensuite une série de tableaux vivement brossés : les
pêcheurs d'Astoria qui s'embarquent dans l'aube brumeuse, les
cow-boys surveillant leurs troupeaux, les prospecteurs perdus
dans les déserts alcalins, les gardes forestiers surveillant les feux,
les Indiens assis l'été devant leurs huttes, les mineurs chahutant
dans les saloons, les prostituées et les maquereaux dans les
camps de pionniers. Après une strophe consacrée à l'époque
de Harvard, l'œuvre en vient à l'essentiel. L'une des trois
seules strophes publiée du vivant de Reed donne le ton :

« Par New York la ville fière et ses gratte-ciel surpeuplés
Par le ciel d'un bleu cru, par le vent d'ouest qui souffle
Les nuages qui s'échappent des cheminées étincelantes
Et par les rues profondes qui brassent un fleuve de millions... »

La suite est une célébration, une évocation des mondes multiples, enchevêtrés et grouillants qui coexistent à New York :

« La 5° Avenue qui prend son essor, Peacock Street, Street Of
[Banners,
Spectacle toujours changeant de courtisans somptueux...
Broadway qui éclabousse la ville d'une traînée de lave en
[fusion,
Couronnés de gerbes d'étincelles, comme un feu qu'on attise,
Théâtres illuminés, restaurants éblouissants...
East Side, mondes dans un monde, chaos de nations
Asile des nomades, havre ultime, le plus laid

De tous les ports de l'odyssée occidentale...
Le vieux Greenwich Village, bastion des dilettantes,
Champ de bataille où s'affrontent les utopies adolescentes,
Bohème frimeuse, chère aux gens de la haute,
Sanctuaire des déracinés et des insatisfaits...
Exotisme de la ville noire : Amsterdam Avenue
Et sa population noire, sensuelle, facile à vivre... »

Le poète navigue au beau milieu de ce monde, puis raconte
ses joyeuses escapades :

« Dans les sombres caves roumaines, je ne suis pas mal
[accueilli...
Dans les cafés de Grand Street, repaire des philosophes
[yiddish...
Les bars irlandais, ornés de drapeaux verts...
Les ristoranti italiens, avec leurs ténors improvisés et leur
[chianti,
Les boui-bouis arméniens tendus de tapis orientaux fabriqués
[dans le New Jersey,
Les bierstuben allemands, ornés de fresques grasses...
Les cafés français, avec leur Madame bien propre à la caisse,
Les kaffeinias grecques, les gargotes où l'on mange du chop
[suey sous l'œil méprisant des serveurs...
Je les connais, les boutiques de cuivre russe sur Allen Street,
Les bouges à opium puants des Cantonais
Et les endroits où les Syriens vendent l'eau fraîche dans des
[jarres...
Les clochards du Bowery, les bars infects aux planchers sau-
[poudrés d'un sable étoilé de crachats...
Les crépuscules d'apocalypse sous les grondements furieux
Des ponts de l'East River,
Et South Street qui embaume d'épices,
Celles qu'amenaient les grands voiliers depuis longtemps dis-
[parus...

J'ai vu un jour d'été naître sous l'arche
Du Pont de Williamsburgh.
J'ai dormi dans une caisse d'encornets au marché de Fulton,
J'ai joué aux dés avec les gangsters dans le quartier
Des gazomètres...
Je sais où l'on peut embaucher un tueur pour faire la peau
[d'un indic,

Où l'on vend et où l'on achète des filles, où l'on peut se
[procurer de la coco sur la 125ᵉ rue... »

Il dresse ensuite une sorte de catalogue de tous les bruits plaintifs et discordants de la métropole, de ses odeurs douceâtres et sûres, de son activité incessante, jusqu'au moment où, dans un sursaut de désespoir à l'idée qu'il ne viendra jamais à bout de sa tâche, l'œuvre s'arrête brutalement :

« Tous les métiers, toutes les races, les caractères, les philo-
[sophies,
Toute l'histoire, toutes les possibilités, toute l'aventure,
L'Amérique... le monde !... »

Cette vivante évocation des images de son pays, alors que Reed se trouvait à l'étranger et en pleine révolution, peut paraître étrange, mais l'explication est donnée à l'intérieur même du poème. Constamment, Manhattan y est dépeinte comme un lieu aussi cher, aussi inoubliable que le visage de sa mère, aussi familier et sans cesse renouvelé que le corps de sa bien-aimée. Etre loin d'une telle « ville-mère-amante », c'était « brûler en exil » d'un désir que seul le retour dans son pays pourrait satisfaire. L'œuvre n'en dit pas plus, mais à coup sûr, au-delà des mots, certaines métaphores suggèrent que des raisons impérieuses poussaient Reed à rentrer aux Etats-Unis.

Aussitôt rassuré pour Petrograd, John s'intéressa aux combats qui opposaient à Moscou les soviets et le Gouvernement provisoire. Au milieu de novembre, le bruit courut que l'artillerie bolchévique avait détruit le Kremlin ; aussi, le 26, munis de laissez-passer délivrés par les gens du Smolny, John et Louise se joignirent-ils à une troupe de soldats qui montaient dans un train en partance pour l'ancienne capitale. Ils voulaient vérifier les rumeurs de bombardement ; mais surtout, John était convaincu que Moscou représentait la véritable Russie, telle qu'elle avait été et telle qu'elle devait être : « A Moscou, nous pourrons savoir enfin comment le peuple russe réagit à la révolution [1]. »

Ils voyagèrent toute la journée à travers un paysage d'hiver, et arrivèrent le soir à la gare de Moscou qu'ils trouvèrent complètement déserte. Pour cinquante roubles, vingt-cinq fois le

---

1. *Dix jours qui ébranlèrent le monde.*

prix normal, un traîneau attelé les emmena par les rues bombardées jusqu'au centre de la ville. A l'hôtel, les bougies avaient remplacé les ampoules électriques et partout, on refusa de les loger ; à l'hôtel National enfin, ils trouvèrent une chambre au dernier étage, donnant sur les clochers et les dômes du Kremlin tout proche, autour duquel on avait improvisé des feux de joie. Après avoir soupé sous le portrait de Tolstoï dans un restaurant végétarien qui s'appelait « Je ne mange personne », ils se dirigèrent vers la Place Rouge où les fantastiques coupoles de Saint-Basile se détachaient sur le ciel constellé. Des centaines d'hommes creusaient avec des pics et des pelles, entassant de la boue et des pierres le long des murs du Kremlin. Dans un allemand hésitant, un jeune étudiant qui avait le bras en écharpe leur expliqua qu'il s'agissait de la Tombe de la Fraternité, qui devait abriter les corps des cinq cents prolétaires tués durant les combats de Moscou : « C'est ici, dans ce lieu sacré, le plus sacré de toute la Russie que nous enterrerons nos héros. C'est là que se trouvent les tombeaux des tsars ; c'est là que notre tsar à nous — le Peuple — doit reposer [2]... »

Les événements qui s'étaient déroulés à Moscou ressemblaient à ceux de Petrograd, à la différence que les partisans du Gouvernement provisoire étaient mieux organisés et les soviets moins disciplinés ; aussi les combats avaient-ils été plus longs et plus meurtriers. Contrairement aux bruits qui avaient couru, en plein jour le Kremlin montrait peu de dommages sérieux. Reed inspecta soigneusement la vieille forteresse et fit l'état des détériorations. L'intérieur des églises avait un peu souffert, quelques façades étaient lézardées, les murs d'un monastère s'étaient écroulés et deux tours d'entrée avaient été décapitées. Ce qu'il jugeait peu important était pris beaucoup plus au sérieux par les gens que la révolution enthousiasmait moins que lui ; il chiffra le « coût » de ce bombardement : « clergé furieux, [...] artistes bourgeois révoltés, etc. Les gens pieux sont en colère et se signent en murmurant lorsqu'ils regardent dans la direction du Kremlin. Des groupes discutent avec agitation sur la Place Rouge. Cette conséquence du soulèvement représente un danger potentiel pour les Bolchéviks [3]. »

Ce danger, il l'oublia pourtant lorsqu'il vit l'émotion de la population lors des grandes funérailles organisées en l'honneur

---

2. *Ibid.*
3. « Carnet de voyage en Russie », fragments inédits tirés des blocs-notes que Reed utilisait en Russie (manuscrits J. R.).

des victimes. Par un matin glacé, les Reed rejoignirent les membres du Comité exécutif devant le quartier général des soviets sur la place Skoboliev. Suivant les bannières qui claquaient dans le vent froid, ils descendirent en procession le long de Tverskaïa, passèrent devant des magasins qui avaient baissé leur rideau, des chapelles sombres, et débouchèrent sur la place Rouge. Grimpés sur un monticule, ils purent contempler le spectacle. Des milliers de gens arrivaient sur la place, et parmi eux des groupes d'ouvriers qui portaient les cercueils. Des fanfares militaires jouaient *L'Internationale* et une marche funèbre révolutionnaire ; des drapeaux rouges, où l'on pouvait lire de terribles slogans, claquaient au vent ; des compagnies de soldats, des escadrons de cavalerie saluaient, tandis que des unités d'artilleurs aux canons drapés de noir défilaient solennellement. John et Louise avaient les pieds et les mains gelés, mais ils tinrent bon pendant de longues heures, tandis que la gigantesque place se remplissait, que le défilé se poursuivait, et que l'on déposait, l'un après l'autre, les cinq cents cercueils en terre. Au crépuscule, les arbres dénudés aux alentours du Kremlin furent décorés de bourgeons artificiels et la foule entonna des chants révolutionnaires. Aucun prêtre n'avait osé assister aux funérailles, mais Reed décrivit la cérémonie en termes religieux : « Je me rendis compte tout à coup que le peuple russe, très pieux, n'avait pas besoin de clergé pour prier que ses victimes aillent au ciel. Sur terre, il était en train de construire un royaume plus juste qu'aucun de ceux que le ciel pouvait offrir [4]. »

De retour à Petrograd, ils trouvèrent les Bolchéviks en pleine fièvre, occupés à réorganiser le pays. Les fonctionnaires étaient en grève, les bureaucrates des ministères refusaient de donner les clés des coffres-forts, les employés de banque ne voulaient pas communiquer les combinaisons, les syndicats de chemins de fer ignoraient les horaires des trains, et la ville manquait de nourriture et de combustible. John assista à la proclamation des décrets au Smolny, il vit les Gardes rouges arrêter les fonctionnaires et s'emparer des trains, les ouvriers forcer les serrures pour pénétrer dans les bureaux ; il assista au premier Tribunal révolutionnaire, où la comtesse Sofia Panina, ministre des Affaires étrangères sous Kerensky, fut condamnée à être emprisonnée jusqu'à ce qu'elle rende 93 000 roubles à son

---

4. *Dix jours...*

successeur soviétique. Le vote du Congrès des paysans fit encore davantage pencher la balance en faveur des Bolchéviks : il décida de confier sa direction au Comité exécutif des soviets. Un défilé fut organisé pour marquer l'événement. Dans la nuit noire, une longue file de paysans sortirent de leur quartier général, s'éclairant avec des torches, et se rendirent, depuis le centre de Petrograd, à l'Institut Smolny où les députés des soviets sortirent pour les accueillir chaleureusement. Reed fut témoin de cette fusion triomphale dans la grande salle blanche où se tenaient les réunions ; on tint aussitôt session et on adopta une résolution affirmant l'espoir que de cette union résulterait « la victoire du socialisme [5] ».

Pour contribuer à cette victoire, John décida de faire partie du Bureau de Propagande internationale révolutionnaire récemment créé et dirigé par Karl Radek. Ce bureau, rattaché au ministère des Affaires étrangères dont Trotsky avait la charge, était situé dans le bâtiment de l'ancien ministère, sur la place du Palais d'Hiver. L'ancien et le nouveau régime s'y côtoyaient d'une curieuse façon. De vieux portiers, vêtus de leurs uniformes bleus traditionnels, s'emparaient obséquieusement des casquettes et des vestes crasseuses des ouvriers, tandis que de jeunes bureaucrates en habit faisaient les courses pour des commissaires chaussés de bottes boueuses et portant des uniformes déchirés. Le fonctionnement de l'administration était un mystère : « Les choses se font, mais quant à savoir comment et pourquoi elles se font, cela me dépasse. Les différents services sont organisés à l'improviste et se chevauchent sans arrêt car ils ignorent parfaitement les activités des autres secteurs... En outre, le penchant des Russes pour le thé et la discussion est un gros handicap. Des centaines de gens besognent sur des milliers de documents écrits à la main, lesquels sont soigneusement rangés dans des endroits où personne ne pourra les retrouver [6]. »

Si John plaisantait sur les apparences, il prenait très au sérieux l'entreprise du Bureau de Propagande. Les Bolchéviks avaient pris le pouvoir en promettant de mettre fin aux hostilités et d'ores et déjà ils négociaient une paix séparée avec l'Allemagne. Mais les soviets, persuadés qu'on ne pouvait parvenir au socialisme dans un seul pays et que la durée du régime

5. *Ibid.*
6. J. R., « Les Affaires étrangères », *Liberator,* juin 1918, p. 28.

actuel dépendait directement de l'élargissement de la révolution, utilisaient en partie les négociations sur la paix comme une couverture pour leurs menées révolutionnaires. Le Bureau de la Propagande, sous la direction de Boris Reinstein (membre du Parti des Socialistes travaillistes de Buffalo), de Reed et de Williams, diffusait des tracts, des manifestes, des brochures et des journaux destinés aux troupes allemandes, les encourageant à renverser le kaiser et à suivre l'exemple russe dans la voie du socialisme. Ces textes abondamment illustrés, pleins de gros titres et utilisant une phraséologie simple, étaient imprimés à cinq cent mille exemplaires et distribués en cachette dans les lignes ennemies. Les Américains appelaient à la révolte avec tant de passion qu'ils finirent par prendre un peu leur rêve pour la réalité ; par la suite, John devait toujours mettre la reddition de l'Allemagne en partie sur le compte de cette propagande, le pays ayant été, selon lui, remué par la lecture de ces publications [7].

Bien qu'il ait pris son travail au Bureau très au sérieux, Reed était assez en forme pour se laisser entraîner à nouveau par son vieux rêve d'aventure, et pour nourrir des projets impossibles. Lorsqu'il apprit qu'une équipe de prospecteurs partait en Sibérie pour y trouver de l'or, il parla de se joindre à eux. Quand il sut qu'en Ukraine la plupart des fonctionnaires étaient en grève, il fit irruption dans le bureau de Williams et lui proposa aussitôt de partir pour Kharkov. Williams devait devenir commissaire de l'Education et prendre également en charge les affaires du clergé. John réclama le commissariat aux Arts et aux Loisirs ; il projetait d' « organiser de gigantesques spectacles, de couvrir la ville de drapeaux et de banderoles. Une fois, peut-être deux fois par mois, il y aurait un festival qui durerait toute la nuit avec feux d'artifice, orchestre, et spectacles en plein air auxquels tout le monde pourrait participer [8] ».

---

7. L'effet de ces tracts ne doit cependant pas être ignoré. A Brest-Litovsk, les négociateurs allemands furent sérieusement gênés par la propagande bolchévique ; un an plus tard, le major général Max Hoffmann confia à un journaliste américain : « Aussitôt après avoir vaincu ces Bolchéviks, nous fûmes conquis par eux. Notre armée victorieuse sur le front Est fut pourrie par le bolchévisme. C'était au point que nous n'osions point transférer certaines de nos divisions à l'ouest. » Cf. également l'article de J. R., « Comment la Russie soviétique conquit l'Allemagne impériale », *Liberator,* janvier 1919, p. 16-25.
8. Albert Rhys Williams à G. Hicks, lettre non datée (manuscrits Hicks).

John était au courant de la terrible situation qui régnait en Ukraine ; ce pays riche était dévasté, sa population mourait de faim ; ses projets de divertissements montrent donc bien que pour lui le chant, la danse, la fête, la liesse populaire étaient bien des éléments essentiels pour la révolution.

Reed, de bonne humeur, plein d'esprit et d'allant, admirait l'abnégation de Reinstein, mais ne pouvait s'empêcher de le plaisanter lorsque son chef insistait sur l'urgence qu'il y avait à étudier Marx. Lors d'une réunion où l'on présenta Boris comme « l'un des représentants du grand Parti travailliste socialiste américain », John ne peut s'empêcher de lui demander : « Au fait, je ne me souviens plus, combien de membres ton parti compte-t-il ? Est-ce trois et demi ou quatre [9] ? » Cette bonne disposition permit même à John de passer outre ses difficultés financières, pourtant de plus en plus grandes. Ses réserves s'étant rapidement épuisées, il avait demandé plusieurs fois par télégramme de l'argent aux *Masses* sans obtenir de réponse. Le salaire alloué par le Bureau suffisait à peine à payer son logement, aussi fut-il contraint de poster ses articles au lieu de les télégraphier, tout en regrettant amèrement qu'un journal révolutionnaire soit incapable de trouver l'argent nécessaire pour payer des télégrammes concernant la seule révolution de toute l'histoire.

En attendant, John accepta de travailler pour le colonel Raymond Robins qui dirigeait la mission américaine de la Croix rouge. Robins, originaire de l'ouest des Etats-Unis, avait fait fortune comme chercheur d'or en Alaska ; c'était un solide gaillard, énergique et décidé, mi-prédicateur, mi-réformateur social. Il avait soutenu financièrement le parti Bull Moose en 1912, puis avait défendu la candidature de Theodore Roosevelt. Il était aussi capitaliste dans l'âme qu'il pouvait être chrétien, mais refusait de se laisser aveugler par l'intérêt ou par l'idéologie. Comme pour beaucoup d'autres membres de la mission, son action avait plus à voir avec la politique qu'avec l'assistance médicale, et depuis le mois d'août il remuait ciel et terre pour pousser la Russie à continuer la guerre. Lorsque les Bolchéviks avaient pris le pouvoir, au lieu de soutenir Kerensky, il soutint Lénine et, passant par-dessus l'ambassadeur, il pressa Washington de reconnaître le nouveau régime. Sans doute, le bolchévisme était odieux, mais Robins n'en était pas

9. Cité dans A. R. WILLIAMS, *Journey into Revolution*, p. 223.

moins réaliste : « Ce qui compte, disait-il, ce n'est pas ce que nous croyons qu'ils devraient faire, mais ce qu'ils vont faire [10]. »

Ce colonel entreprenant et chaleureux, partageait avec Reed un culot et un franc-parler qui le faisaient très mal voir des gens de l'ambassade. Ils se retrouvaient souvent pour dîner ensemble et bavarder ; ils devinrent vite intimes malgré leurs comportements sensiblement différents. Robins, qui désirait avant tout maintenir de bonnes relations entre la Russie et les Etats-Unis, espérait qu'un jour le « business » américain serait intéressé à vendre ses produits au gouvernement soviétique. Pour y parvenir, il envisageait de lancer à Petrograd un quotidien américain qui ferait en même temps de la propagande contre les négociations de paix séparée. Il suggéra à John de faire une maquette pour ce journal et lui demanda d'aller prendre l'avis des dirigeants soviétiques sur l'éventualité d'une aide financière et d'investissements américains. Cette proposition mit Reed mal à l'aise. Il craignait que ce travail lui fût proposé comme une aumône et redoutait en même temps les effets qu'un tel journal aurait sur le peuple. Le pressant besoin d'argent lui fit balayer ces objections. Il se rassura comme il put, en inventant une explication commode : il ne travaillait pas vraiment ; en fait, il ne faisait que tirer un ami de l'embarras et acceptait une charge pour laquelle il serait dédommagé. Ainsi qu'il l'expliquait à Robins : « Je n'aimerais pas qu'on m'accuse d'avoir servi les intérêts des Etats-Unis ou de quelque autre pays capitaliste, car je ne l'ai pas fait, tout autant que je n'y ai pas été contraint [11]. »

La tâche était simple. Quant au journal, il s'agissait de choisir le format, la typographie, la maquette, de former une équipe, de chiffrer les dépenses et de prévoir le contenu. Reed soulagea sa conscience en confiant à Williams que, pour éviter tout malentendu, il s'était arrangé pour faire imprimer sous le titre du quotidien : « Ce journal est destiné à favoriser les intérêts du capital américain [12]. » En revanche, il fallait beau-

10. *Ibid.*, p. 204.

11. Lettre de J. R. à Raymond ROBINS, 11 juin 1918 (papiers Raymond Robins, State Historical Society of Wisconsin, Madison, Wisconsin).

12. Cité par WILLIAMS, *Journey into Revolution*, p. 224. Le rôle de Reed dans cette affaire a souvent été mal compris, particulièrement par George KENNAN, dans son ouvrage : *Russia leaves the War* (Princeton University Press, 1956, p. 407-410). Kennan émet l'hypothèse selon laquelle Reed aurait très bien pu miser sur les deux tableaux ; mais le livre d'A. R. WILLIAMS, *Journey into Revolution*, p. 225, rétablit les faits.

coup plus de temps pour se faire une opinion sur les possibilités d'investissements américains ; mais au bout de quelques semaines, John parvint à pondre un « schéma de rapport » de quatre pages. Se fondant sur les entretiens qu'il avait eus avec les membres du Comité exécutif des soviets, ce rapport mettait clairement les choses au point : quiconque envisageait de traiter avec la Russie devait bien se persuader qu'il s'agissait d'un état socialiste qui avait le contrôle de toutes ses ressources naturelles, des usines, des terres et des banques. Malgré leurs soupçons à l'égard des Etats-Unis, les Bolchéviks se montrèrent réalistes. Ils avaient un urgent besoin d'aides étrangères, aussi bien pour les produits alimentaires que pour le matériel technique, et ils envisageaient d'accepter des investissements capitalistes dans des secteurs très limités et pour une période de temps donné. Toute politique « d'aide matérielle efficace à la Russie, susciterait dans ce pays un amour pour l'Amérique qu'on ne serait pas près d'oublier ». Reed achevait son article en suggérant un genre d'aide que les fonctionnaires américains n'auraient sûrement pas appréciée : « Nous, les socialistes américains dans ce pays, nous sommes en train de jeter les bases de notre organisation, et je crois que vous, les Russes, vous pourriez aider l'Amérique si vous vouliez bien coopérer avec nous [13]. »

Durant les derniers mois de 1917, les événements se calmèrent un peu. Louise que le rôle des femmes et leur activité pendant la révolution intéressaient tout particulièrement, avait entrepris des reportages pour son propre compte, de sorte qu'ils avaient été souvent séparés. A présent, ils étaient à nouveau

---

Dans les papiers de Raymond Robins figure un projet dactylographié de 9 pages, daté du 27 septembre 1917, concernant la création d'un journal qui devait s'appeler le *Russische Tageblatt*. Bien que ce soit John qui ait lancé l'idée de ce projet, il paraît tout à fait évident qu'il ne l'a pas rédigé entièrement, pour deux raisons : d'une part, la frappe est beaucoup trop impeccable pour être celle de Reed, d'autre part, le texte en question fait un grand éloge de Gumberg, que John ne pouvait pas sentir. Dans ce projet, la « Déclaration » chargée d'annoncer les intentions du journal comporte une première phrase qui ressemble beaucoup à celle dont Williams nous dit qu'elle fut imprimée dans le n° 0 : « Ce journal est financé par des intérêts commerciaux et des businessmen américains, dans le but de promouvoir les investissements américains en Russie et de favoriser l'amitié et la compréhension entre les deux peuples. »

13. « Projet de rapport », inédit (manuscrits J. R.). Un double de ce document figure dans les papiers Raymond Robins.

réunis, mais la vie n'était pas facile. Ils avaient sans cesse froid dans leur appartement vide et sans chauffage. Le soir, pour dormir, ils s'emmitouflaient dans de gros pardessus ; quant aux repas, souvent ils ne mangeaient guère plus que des bols de soupe qu'ils faisaient chauffer sur un feu de bois improvisé sur les carreaux de la salle de bains. Ils profitèrent de ces moments de répit pour se balader en ville où ils purent apprécier les changements qui s'étaient produits. Les grands palais des aristocrates étaient maintenant habités par des ouvriers sans logis, les parcs autrefois réservés à la famille impériale étaient ouverts aux plus humbles paysans ; la forteresse Pierre et Paul ne servait plus de prison pour les révolutionnaires, mais pour les contre-révolutionnaires. Le jour de Noël, ils assistèrent à l'office dans la cathédrale Isaac ; une centaine de fidèles s'étaient rassemblés pour prier dans l'obscurité des lieux. Ils rejoignirent ensuite Bessie Beatty et Williams pour aller manger la dinde que leur offrait Robins. En guise de cadeau, John et Louise échangèrent des poèmes. Dans le sien, Louise affirmait qu'elle voyait John avec les mêmes yeux qu'au premier jour :

« Je veux que tu saches que parfois, quand je pense
    A toi
Ma gorge se serre
Et j'ai un peu peur.
Tu es l'homme le meilleur que je connaisse
Sur la terre entière
Et c'est un beau privilège que d'être ta compagne [14]. »

Petrograd, en cette fin d'année, connaissait une période d'accalmie ; on y respirait mieux. Ici et là, dans le pays, les foyers contre-révolutionnaires ne faisaient que commencer à s'organiser. L'ouverture des négociations de paix à Brest-Litovsk masquait les visées territoriales de l'Allemagne sur la Russie, et les grèves qui éclataient alors en Europe centrale faisaient espérer que plusieurs pays allaient à leur tour entreprendre une révolution. Dans les ambassades alliées, on mettait une sourdine aux projets d'action antibolchévique. Aucun pays n'avait encore reconnu le nouveau régime, mais le grand discours en quatorze points de Woodrow Wilson, qui avait eu un gros retentissement, laissait supposer que ce n'était peut-être qu'une question de temps. Certes, il y avait d'énormes problèmes de

---

14. Poème inédit, sans titre, daté de Noël (manuscrits J. R.).

nourriture et de combustibles ; les paysans s'agitaient, et les gens ne cachaient pas leur mécontentement, mais parmi ceux qui avaient participé aux journées de novembre, la confiance et l'espoir l'emportaient largement sur la crainte. John et Louise participèrent à la fête qu'on avait organisée pour le réveillon du jour de l'An au siège des socialistes-révolutionnaires de gauche ; il y eut du cochon rôti, des pâtés à la viande, des choux farcis, de la vodka et du vin. On chanta et on dansa ; la révolution était loin. Lorsque Markim, le commissaire des Postes et du Télégraphe, essaya de prononcer un discours sérieux, Kamkov, le commissaire de la Justice, improvisa un procès au cours duquel il accusa son camarade d'avoir parlé de politique et termina en le condamnant à être privé de dessert.

Cette ambiance ne fit qu'accentuer le désir qu'avait John de rentrer aux Etats-Unis. Dès la mi-novembre, il avait projeté de partir en janvier, et maintenant, chaque fois qu'il en trouvait le temps, il travaillait à son grand poème, *America, 1918*. Bien qu'il fût entièrement acquis au bolchévisme, cela ne l'empêchait pas d'être un journaliste pour qui l'histoire du siècle restait à écrire. Lorsqu'il apprit que la publication des *Masses* était interdite, et qu'il se trouvait inculpé en compagnie de quatre autres rédacteurs, sa décision de partir en fut renforcée. Ses amis bolchéviks, que ce désir « bourgeois » d'assister à son procès amusait, ne comprirent pas que le procès était autant une excuse qu'un véritable motif pour s'en aller.

Avant son départ, il lui fallait assister à deux importantes réunions, celle de l'Assemblée constituante et celle du Troisième Congrès des soviets de toutes les Russies. Pour les Bolchéviks, l'Assemblée constituante posait un problème délicat. Lorsque Kerensky était au pouvoir, ils n'avaient cessé de reprocher au Gouvernement provisoire de toujours remettre à plus tard l'élection d'une assemblée parlementaire. Maintenant qu'ils avaient le pouvoir, ils retrouvaient les mêmes arguments. Lénine, qui souhaitait abandonner ce projet, fut mis en minorité au sein du Comité exécutif, mais en fait ses camarades étaient du même avis que lui : les soviets, d'où étaient exclus les membres des classes possédantes, représentaient une forme de démocratie plus directe qu'aucun autre parlement. En permettant à l'Assemblée constituante de se réunir, les Bolchéviks faisaient preuve de cynisme. En effet, si elle ratifiait le gouvernement en place, l'Assemblée constituante allait en fait déléguer ses pouvoirs à un autre organisme ; si elle refusait d'approuver, elle serait aussitôt dissoute.

L'Assemblée constituante, promise à l'échec, se constitua cahin-caha. On votait pour des listes qui n'existaient plus, on ne faisait même pas de distinction entre les révolutionnaires de gauche et de droite, et le scrutin ne donna aux Bolchéviks que 25 % de députés. La majorité, composée de socialistes modérés, qui s'était rassemblée dans la capitale au mois de janvier se retrouva finalement dans un camp militaire gardé par ses ennemis. Les défenseurs de la bourgeoisie qui manifestèrent alors furent dispersés par les Gardes rouges, et un attentat contre Lénine servit d'excuse pour établir de sévères mesures de sécurité. Lorsque l'Assemblée se réunit, tard dans l'après-midi du 18 janvier, au Palais de Tauride, de nombreuses compagnies de Gardes patrouillaient dans le secteur. Dans l'enceinte réservée à la presse, qui se trouvait juste au-dessus de la tribune, John, Louise et les autres journalistes se virent soudain entourés de soldats soupçonneux, armés jusqu'aux dents. Un socialiste suédois de leurs amis leur déclara : « C'est un spectacle digne du Far-West. J'ai l'impression qu'ici tout le monde porte une arme. » Les Reed commencèrent aussitôt à repérer un endroit où ils pourraient se mettre à l'abri en cas de besoin.

Williams, profitant d'une brève interruption de séance, présenta Reed à Lénine. John ne put lui poser de questions, car Lénine se lança dans un grand discours sur la nécessité d'apprendre le russe, et finit par lui confier la méthode qu'il avait lui-même mise au point pour apprendre les langues étrangères. De retour dans l'enceinte de presse, les Américains virent les socialistes révolutionnaires modérés élire leur président. Lorsque l'Assemblée refusa, par un vote, de reconnaître l'autorité des soviets, les délégués bolchéviks sortirent de la salle. Après quoi, tous les discours qu'on tenait en bas furent interrompus par des huées, des cris et des sifflets, au point que John lui-même notait : « Conduite arrogante et imbécile des Bolchéviks et de la foule qui occupent la galerie [15]. » Les débats se poursuivirent jusqu'à cinq heures du matin et furent finalement interrompus lorsque les soldats armés de baïonnettes dispersèrent les députés. Quelques heures plus tard, le Comité exécutif des soviets déclara l'Assemblée constituante officiellement dissoute, en raison du fait qu'elle servait de paravent à « la réaction bourgeoise ».

De même que tous les partisans des soviets, Reed n'en fut guère affecté. L'Assemblée constituante, qu'on disait « l'orga-

15. « Carnets de voyage en Russie » (manuscrits J. R.).

nisation gouvernementale la plus démocratiquement élue », était en fait une idée dépassée [16]. La représentation proportionnelle paraissait à John hors de propos : c'était une invention bourgeoise. La démocratie industrielle, celle des soviets, beaucoup plus souple et plus représentative, était la véritable forme de gouvernement pour une ère nouvelle. John, pour mettre ses idées en pratique se procura un fusil et se joignit aux Gardes rouges qui patrouillaient devant le ministère des Affaires étrangères le jour où l'on renvoya l'Assemblée. C'était là surtout une attitude théâtrale et provocatrice, un pied de nez au corps diplomatique américain. Mais comme il ne se trouva pas de partisans de l'Assemblée constituante pour venir la défendre, ni à Petrograd, ni ailleurs, cela parut à John la preuve définitive que le peuple russe souhaitait autre chose qu'un parlement à l'européenne. Le Troisième Congrès des soviets fut une sorte de consécration, plus spectaculaire que politique. Moins de trois mois après que le Deuxième Congrès eut préparé la voie à la révolution, les ouvriers, les soldats, les paysans se réunirent pour examiner et ratifier la politique de leurs dirigeants. Lors de la cérémonie d'ouverture au Palais de Tauride, le 23 janvier, quelques sympathisants étrangers s'adressèrent aux onze cents délégués, dont beaucoup étaient vêtus de costumes régionaux. Reinstein annonça Reed en termes fleuris ; il le présenta comme un audacieux révolutionnaire qui s'en retournait dans son pays où il risquait quarante ans de prison pour s'être opposé à la guerre impérialiste. John, sachant qu'il y avait dans l'assistance des hommes dont les actes faisaient apparaître les rédacteurs des *Masses* comme un groupe de joyeux farceurs, se contenta d'un modeste discours qu'il commença par quelques mots de russe. Enthousiasmé par la victoire du prolétariat, il promit d'apporter aux ouvriers des Etats-Unis — « un pays profondément réactionnaire » — le récit fidèle des événements qui s'étaient déroulés en Russie ; il espérait, ajouta-t-il, que cette « révolution aurait un impact sur les masses américaines opprimées et exploitées ». John s'assit à côté de Williams, salué par un tonnerre d'applaudissements et commenta froidement : « Jamais chez nous, nous n'avons eu un tel accueil [17]. »

16. J. R., « L'Assemblée constituante en Russie », *Revolutionary Age*, 11 novembre 1918, p. 6-7.
17. Citation des *Izvestia* (ancienne formule), 11 janvier 1918. La traduction de ce discours figure dans Edgar SISSON, *One Hundred Red Days*, Yale University Press, Newhaven, 1931, p. 257-258, ainsi que dans les papiers de D. R. Francis.

Louise était partie trois jours avant l'ouverture du Congrès, et John qui se préparait à la suivre se heurta aux autorités américaines. Conscient de sa réputation d'enfant terrible, il demanda à Robins d'intervenir auprès de « Collet Monté » (tel était le surnom de l'ambassadeur Francis) : « Dites-lui que je ne suis pas le dangereux terroriste, l'espion allemand qu'il décrit dans les rapports officiels qu'il a envoyés à son gouvernement, gouvernement qui se trouve également être le mien [18]. » A la mi-janvier, John s'était accroché avec le consul Roger Tredwell, au sujet de la censure américaine. Ce fonctionnaire choqué par les propos de John lui avait déclaré qu'il manquait de patriotisme, et avait exprimé le regret qu'il n'y eût pas de loi pour l'empêcher de rentrer aux Etats-Unis. Après lui avoir délivré son visa, Tredwell avertit en secret le département d'Etat que John « transportait sans doute des papiers intéressants [19] ». Lorsque Washington demanda des détails supplémentaires, l'ambassade expliqua que Reed était salarié par les Bolchéviks et joignit une copie du discours qu'il avait prononcé lors du Troisième Congrès.

John, qui connaissait l'hostilité des fonctionnaires à son égard, était très inquiet pour ses bagages. Depuis des mois, il avait réuni des documents, des affiches, des journaux, des tracts, et pris une énorme quantité de notes. Comme il cherchait un moyen de les protéger, il demanda à Trotsky de lui donner le statut de courrier diplomatique. Trotsky déclara qu'il allait nommer Reed consul du gouvernement soviétique à New York. Ce genre de bonne surprise n'était pas fait pour déplaire à John, qui se mit à se vanter un peu partout de sa bonne fortune ; ses amis, plus raisonnables que lui, se montrèrent très inquiets. Arno Dosch-Fleurot, le correspondant du *World* de New York, lui expliqua qu'à son avis, s'il acceptait ce poste, il était bon pour la prison. John ne s'en montra guère troublé : « Peut-être est-ce le meilleur moyen de faire progresser la cause », disait-il ; il ajoutait, malicieusement : « Si je suis consul, je suppose que j'aurai à marier les gens... Je déteste ces cérémonies de mariage.

---

18. Lettre de J. R. à Raymond Robins, 11 janvier 1918 (papiers Raymond Robins).
19. Note manuscrite signée J. B. W. qui figure dans les archives du département d'Etat dans un dossier signalé comme « Important ». Collection de la correspondance de l'ambassade américaine en Russie, année 1918, liasse n° 800 (Archives nationales).

Alors, je me contenterai de dire : Prolétaires de tous les pays, unissez-vous [20]. »

La notification officielle, « le citoyen John Reed a été nommé consul de la République russe à New York » parvint à l'ambassade américaine le 29 janvier, sous la forme d'une circulaire signée par Gregori Chicherine, assistant-commissaire aux Affaires étrangères. L'ambassadeur Francis, hors de lui, demanda à Robins d'essayer de persuader les soviets que c'était une décision insensée. Le colonel confia à Williams : « John se voit déjà salué à son arrivée par des coups de canon... C'est bien le genre de choses qui satisfait son goût de l'aventure, mais cela ne facilitera en rien les relations entre nos deux pays [21]. » Robins se tourna ensuite vers Gumberg. Celui-ci, après s'être procuré la maquette du journal pro-américain et du « projet de rapport » effectué pour Robins, alla trouver Lénine et lui expliqua que son nouveau consul était tout à fait indigne de sa confiance. Lénine, qui connaissait bien Gumberg, demanda alors à Trotsky pour quelle raison il avait choisi un individu tel que Reed, qui un jour travaillait pour la révolution et le lendemain pour le capitalisme. En cette période critique, celle des négociations de Brest-Litovsk, la question parut secondaire et les dirigeants russes résolurent le problème en annulant purement et simplement la nomination.

L'affaire n'en resta pas là. L'ambassadeur Francis, qui se doutait bien que Reed chercherait à connaître la raison de ce brusque revirement, s'efforça de se montrer conciliant. Par une lettre officielle, il demanda aux officiers de la douane de laisser passer Reed sans examiner les documents qu'il avait en sa possession ; il expliqua par ailleurs que ces documents seraient soigneusement épluchés dès l'arrivée de Reed en Amérique [22]. John, muni de ses papiers et d'une lettre de Chicherine, quitta Petrograd au début de février. Certes, il avait manqué le consulat,

---

20. Cité par Arno DOSCH-FLEUROT, « World Man Tells of Reed in Russia » (Un correspondant du *World* en Russie a rencontré John Reed), *New York World,* 19 octobre 1920, p. 8.
21. Cité par A. R. WILLIAMS, *Journey into Revolution,* p. 220-221.
22. L'hostilité de l'ambassadeur Francis vis-à-vis de Reed se manifesta dès lors de plusieurs façons. Sur le passeport de Reed, il avait fait figurer un chiffre-code indiquant qu'il était un personnage suspect ; en outre, à la fin d'un rapport adressé à Washington le 6 février, le diplomate concluait : « Pour ce qui est du contenu de ses documents, je suis tout à fait incompétent ; mais je recommande vivement de les censurer sans pitié. »

mais il avait du moins réalisé son projet initial : mettre ses documents en sécurité. Malheureusement, tandis que le train l'emmenait tout doucement vers Stockholm, puis le bateau jusqu'à Christiania, on déployait toutes les ressources diplomatiques pour miner cette sécurité. John allait connaître le prix à payer, non seulement pour ses opinions politiques, mais pour la témérité dont il avait fait preuve et qui déplaisait tant aux gens sérieux.

A l'ambassade, tout le monde lui en voulait, mais il semble que son ennemi le plus acharné fût Edgar Sisson ; celui-ci, arrivé à la fin de novembre, en tant que délégué du Comité pour l'Information publique était chargé d'organiser la propagande américaine à Petrograd. Individu pincé et sournois, manifestant un anti-bolchévisme viscéral, Sisson était l'exact contraire de Reed. Dès leur première rencontre, les deux hommes se détestèrent cordialement. John le surnomma « La Fouine » et sa première impression fut confirmée lorsque Sisson entreprit de le chapitrer sur les usages et les bonnes manières. Lorsqu'il apprit que le 19 janvier, Reed s'était joint aux Gardes rouges, Sisson lui parla de sa « bonne famille », de ses études à Harvard et lui expliqua doctement que les Bolchéviks se servaient de lui à son insu. Il tenta d'arracher à John la promesse qu'il ne prendrait pas la parole au cours du Troisième Congrès ; Reed lui répondit d'une façon cinglante et grossière. Sisson, très offensé, se servit de la ligne directe pour toucher George Creel à la Maison Blanche et lui raconter toute l'histoire, en en rajoutant sans aucun doute.

Les plaintes, les avertissements et les faux renseignements transmis de Petrograd à Washington aboutirent à un véritable jeu de cache-cache diplomatique. Le 12 février, un rapport confidentiel émanant de l'ambassade de Londres dépeignait Reed comme un dangereux individu parti semer le trouble aux Etats-Unis et tout prêt à créer un « incident international » s'il était arrêté en route. Quatre jours plus tard, le département d'Etat fit savoir aux missions diplomatiques des pays scandinaves qu'elles devaient refuser de lui accorder un visa. Ces instructions touchèrent John en Norvège, à Christiania, le 19 février, lorsque le consul George N. Ifft lui déclara froidement qu'il ne pouvait ni poursuivre son chemin, ni revenir en arrière. Ce consul, un homme plein de zèle, fit beaucoup plus que les instructions ne lui demandaient. Lors de son passage à Christiania, Louise lui avait confié deux lettres pour John ; il prit sur lui de les envoyer à Washington au lieu de les donner à Reed. Lorsqu'il apprit que John avait réussi à confier du courrier à un passager qui s'embarquait pour l'Amérique le 22 février, il s'arrangea pour mettre la main dessus. Il joignit ce courrier à une valise diplomatique, ainsi que plusieurs notes de sa main ; il déclarait qu'il serait plus sûr d'acheminer Reed vers les Etats-Unis, « où l'on pourrait surveiller ses activités [23] », que de le laisser en Scandinavie, où il pouvait jouer les martyrs. John ne songeait guère à jouer les victimes. Puisque de toute évidence il était bloqué, il télégraphia aux *Masses* pour les mettre au courant de sa fâcheuse posture, demanda qu'on informe sa mère et sa femme, loua une chambre et se mit à écrire. Le 25 février, il reçut deux télégrammes par l'intermédiaire du consulat : le premier, qui portait la signature de Steffens et de Louise, disait : « Ne reviens pas. Attends instructions. » Le second, signé de Steffens, annonçait à Reed qu'il pourrait rendre un « service de portée historique », s'il arrivait à convaincre Lénine et Trotsky que le président Wilson était parfaitement sincère dans la politique qu'il menait vis-à-vis de la Russie. En fait, son vieil ami se montrait très inquiet du fait que les soviets, après avoir fait traîner les négociations, étaient sur le point d'accepter une paix séparée avec l'Allemagne, au grand dam des Alliés qui redoutaient que les Allemands, ayant les mains libres à l'Est, ne transfèrent leurs divisions sur le front occidental. Les conditions imposées par l'Allemagne étaient catastrophiques : elles privaient la Russie d'immenses territoires et de ressources considérables, mais les soviets en étaient arrivés à un point où tout leur semblait préférable à la guerre. John, qui trouvait cette suggestion ridicule et ignorait que le Conseil des commissaires avait déjà voté en faveur de la signature du traité de paix, fit transmettre sans beaucoup d'enthousiasme cette information à Petrograd, par le canal des sympathisants bolchéviks norvégiens.

Isolé dans le temps et dans l'espace, il resta un mois sans nouvelles de l'Amérique. Il écrivit le début de son livre sur la révolution, puis commença à faire le plan des chapitres ; New York l'obsédait. Il se mit à écrire des poèmes. Comme l'argent s'épuisait, il vendit aux journaux de Christiania des articles sur la Russie. Il était inquiet et de plus en plus furieux ; il écrivit une lettre au département d'Etat, pour protester contre son arrestation illégale : on lui déniait le droit de rentrer dans

---

23. Georges N. Ifft au secrétaire d'Etat, 20 février 1918, département d'Etat, Collection 59, liasse 360 D 1 121 R 25/9 (Archives nationales).

son propre pays ; enfin, il exigeait que « le gouvernement des États-Unis le rembourse de ses frais [24] ». Il joignit à sa lettre une facture détaillée assez cocasse, où figuraient, après le loyer, la pension et les frais de télégraphe, des comptes minutieux de blanchisseur et de teinturier.

A la fin de mars, le caricaturiste Robert Minor s'arrêta un moment à Christiania avant de poursuivre son chemin vers la Russie ; ce fut une petite interruption dans la solitude de John, d'autant que son ami lui apportait un message de Louise. Après son départ, John se sentit encore plus seul. Tous les jours, il se rendait au consulat, où l'on refusait régulièrement de lui faire savoir quand il serait autorisé à partir ; il commençait à désespérer de pouvoir jamais regagner les États-Unis. Pour vaincre sa tristesse, il travaillait d'arrache-pied, mais il avait beau écrire, il n'en pensait pas moins à son pays. Au mois d'avril, le département d'État revint sur sa décision, et un beau matin, le consul délivra son visa.

La traversée sur le « Bergensfjord » fut mauvaise, et à mi-chemin John souffrit d'une intoxication alimentaire, mais rien désormais ne pouvait altérer son espoir d'arriver. Le 18 avril, tôt dans la matinée, il vit les tours sombres de Manhattan surgir dans la brume grise de l'Hudson. Cinq ans s'étaient écoulés depuis son arrestation à Paterson, et il avait passé la moitié de ce temps à observer des guerres et des révolutions. A travers toutes les épreuves qui l'avaient conduit de Paterson à Petrograd, une seule chose était demeurée intacte : l'attrait magique qu'exerçait sur lui la ville de New York. Hélas, sa joie de revoir la ville fut de courte durée : Sisson avait câblé quatre jours plus tôt de Londres des instructions précises à l'adresse du département d'État : il fallait s'emparer des papiers de Reed, les examiner minutieusement et, si possible, les mettre de côté pour son usage personnel à lui, Sisson. Il faisait savoir que malgré ses sympathies bolchéviques, il n'y avait rien à craindre de ce journaliste car, écrivait-il, « dans cette affaire, il n'a sans doute été qu'un instrument imbécile [25] ».

Pendant que les autres passagers débarquaient, Reed fut abordé par deux officiers de la douane et un lieutenant de

24. Lettre de J. R. au chargé des Affaires norvégiennes du département d'État, 24 mars 1918, département d'État, Collection 59, liasse 360 D 1 121 R 25/13 (Archives nationales).

25. Edgar Sisson à George Creel, 24 avril 1918, département d'État, Collection 59, liasse 360 D 1 121 R 25/20 (Archives nationales).

l'armée. Ils lui confisquèrent tous ses papiers, le forcèrent à se déshabiller pour l'examiner de près, et lui imposèrent un interrogatoire qui dura des heures. Ils épluchèrent tout, depuis ses voyages précédents jusqu'à ses rapports avec le journal *Les Masses*. Sans cesse, ils en revenaient à la Russie et aux Bolchéviks : qui avait payé son voyage ? Pourquoi avait-il été nommé consul ? Entendait-il faire de la propagande révolutionnaire aux Etats-Unis ? John se contenta de répondre sèchement : « Je suis socialiste et je veux faire œuvre de socialiste dans les limites prévues par la loi. Si j'enfreins la loi, j'en assumerai les conséquences. Je suis rentré chez moi pour écrire mon livre, et actuellement, c'est la seule chose qui m'intéresse. » En fin d'après-midi, lorsque l'interrogatoire eut cessé, John signa une déclaration officielle au bas du procès-verbal. Comme il redoutait que ses papiers fussent égarés ou détruits, il insista sur leur valeur inestimable pour son travail. On lui répondit avec une impassibilité toute bureaucratique : « Ils sont entre bonnes mains ; nous devons nous assurer qu'ils ne contiennent rien de fâcheux pour la sécurité du gouvernement américain. Ils seront soumis au département d'Etat... Nous prendrons soin de vos intérêts [26]. »

Dès qu'il se retrouva sur le quai dans les bras de Louise, John oublia ce sinistre comité de réception. Ils prirent un taxi et rejoignirent au sous-sol du Breevort une foule d'amis qui les attendaient ; on mangea, on but. Au milieu de cette chaleur humaine, la tête lui tourna. Il débordait de joie et ne cessait de rire ; il retrouvait les beaux soirs d'autrefois à Greenwich Village, l'insouciance et la jeunesse de tous ses amis. Le temps d'une nuit, il oublia tous les gouvernements, les révolutions et le travail qui l'attendait. Il était en Amérique, chez lui, à New York, et il retrouvait tous les lieux qu'il avait décrits dans son poème avec tant de passion. Demain, il serait bien temps d'affronter les problèmes ; il aurait tout le temps d'apprendre qu'écrire sur l'Amérique en 1918 était une chose, mais qu'essayer d'y vivre en était une autre.

---

26. Procès-verbal de l'interrogatoire mené par l'assistant secrétaire du département du Trésor, adressé au département d'Etat, 9 mai 1918, département d'Etat, Collection 59, liasse 360 D 1 121 R 25/22 (Archives nationales).

# Amérique

*Mon cher Steff,*

Ta lettre vient tout juste de me parvenir. J'ai failli t'écrire plusieurs fois, mais je ne savais où te joindre. [...] J'ai entendu raconter certaines de tes aventures. Je suppose que tu as beaucoup souffert, plus que quiconque sans doute. J'aimerais tellement pouvoir en parler avec toi.

[...] J'ai fait plusieurs conférences sur la Russie, et demain je pars pour Chicago et Detroit où je dois prendre la parole dans des réunions. J'ai commencé une série d'articles, comme avait fait Louise, mais les journaux ont eu peur de les utiliser : certains m'ont renvoyé les articles, alors qu'ils étaient déjà à l'imprimerie ; Collier's m'a pris une histoire, l'a imprimée et me l'a finalement retournée. Oswald Villard m'a avoué que s'il publiait du John Reed, il se ferait renvoyer !

Je suis sous contrat avec Macmillan pour publier mon livre, mais le département d'Etat m'a confisqué tous mes papiers lors de mon retour, et à l'heure qu'il est, il refuse catégoriquement de me les renvoyer. [...]

C'est pour cela que je suis incapable d'écrire le moindre mot sur la plus grande Histoire de ma vie, l'une des plus importantes du monde entier. Je suis complètement bloqué. Connaîtrais-tu un moyen de récupérer mes documents ? Si je ne les ai pas très bientôt, ce sera trop tard pour mon livre. Macmillan ne le prendra pas.

J'ai été arrêté l'autre jour à Philadelphie, alors que j'essayais de m'adresser aux gens dans la rue ; je dois être jugé en septembre : je suis accusé d'incitation à l'émeute, à la révolte et à la rébellion, et d'incitation à la sédition. [...]

Je me sens écœuré et sans force. Je suppose que c'est à cause de mon rein qui ne va pas bien. Ma mère m'écrit tous les jours, en menaçant de se suicider si je continue à salir ainsi la famille. Mon frère part pour la France la semaine prochaine. [...]

Pardonne-moi ma tristesse. Je ne sais pas pourquoi

*j'ai choisi ce moment d'abattement et de cafard pour t'écrire. Ce matin, je me sentais très bien, il en sera sans doute de même demain matin...*

John Reed à L. Steffens, 9 juin 1918 (papiers Steffens).

Six semaines après son retour, John Reed était en pleine dépression. Un an plus tôt, il avait prédit ce qui arriverait si les Etats-Unis participaient à la guerre ; il avait annoncé la folie des foules, la persécution des artistes et de tous ceux qui entendaient dire la vérité. Maintenant, l'omniprésence du gouvernement, les interventions policières, la censure, les procès politiques, les accusations de trahison faisaient partie de la réalité quotidienne. Il était difficile de conserver son courage et de voir au-delà des procès, jusqu'au moment où « cela s'arrangerait »...

Dans la réponse qu'il fit à la lettre de John, Steffens, qui se trouvait à San Francisco offrait bien peu d'espoir. La tournée de conférences qu'il venait de faire s'était terminée par de violentes protestations de la part des autorités de San Diego pour qui la moindre allusion à la paix, la moindre trace de sympathie pour la Russie soviétique signifiaient la sédition. Steffens en prenait son parti : il était convaincu que cette hystérie guerrière était « normale et caractéristique » puisque les gens avaient perdu la tête. Il concluait : « John, tu as tort de t'agiter. [...] Tu as tort de vouloir dire la vérité maintenant. Il faut attendre, toi comme les autres. Je sais que ce n'est pas facile ; mais il est impossible de convaincre les gens en ce moment. Tu ne peux leur faire partager tes idées. Actuellement, les émotions seules comptent, et les gens ont peur. En outre, je pense que c'est aller contre la démocratie que de vouloir en faire trop maintenant. Ecris, mais ne publie pas [1]. »

Reed n'était pas en mesure de l'entendre : « Je ne suis pas de ton avis. Je ne vois pas en quoi mon action va à l'encontre de la démocratie. Même s'il n'y avait pas la moindre chance de réussite, si tout le monde était pour la guerre, même alors, je ne vois pas pourquoi je devrais renoncer. Il faut toujours quelqu'un pour lancer les mouvements et, au besoin mourir pour eux. Non que je tienne particulièrement à mourir, mais...

« Tu as tort également de penser que ce que je fais ne sert à rien. Il y a tellement, tellement de gens qui viennent à mes réunions : il y en a des milliers, et ils sont avec nous. Leur nombre s'accroît rapidement... Mon auditoire pleure de joie lorsqu'il apprend qu'en Russie les rêves deviennent une réalité. Et moi, j'ai vu de mes propres yeux ce qui se passait là-bas [2]... »

Le fossé entre les deux amis était dû à bien autre chose qu'à une divergence de caractère. Certes, John avait toujours eu du mal à prendre son parti des choses, mais ce qui les séparait surtout, c'est que Steffens avait observé les événements à l'intérieur du pays, alors que les convictions de Reed s'étaient trouvées renforcées par ce qu'il avait vu en Russie, et son espoir grandissait lorsqu'il constatait l'enthousiasme des radicaux qui venaient écouter avidement ses récits de la révolution. En dépit de leurs différences, John éprouvait toujours de l'amitié pour Steff, qu'il invita dans sa maison de Croton. L'amitié était plus importante que la politique, et il lui paraissait évident que bientôt, les pacifistes, les libéraux, les radicaux — tous ceux qui n'étaient pas d'accord avec le gouvernement — auraient à lutter ensemble contre la répression. Pour Steff, pour la plupart de ses amis, et pour John lui-même, la lutte serait dure.

L'Amérique avait attrapé le virus de la guerre ; elle était devenue enragée. Les raisons de cette démence étaient aussi compliquées que le résultat en apparaissait simple. Depuis toujours, on s'était interrogé sur l'identité nationale, et les courants de natalisme, d'individualisme, de capitalisme et d'anti-radicalisme ne dataient pas d'hier ; la plupart des gens n'acceptaient qu'un conformisme total et se voulaient Américains à 100 %. Dans la réalité, cet état d'esprit se traduisait par une intolérance féroce, dès qu'on manifestait le moindre désaccord

1. L. Steffens à J. R., le 17 juin 1918 (manuscrits J. R.).
2. J. R. à L. Steffens, le 29 juin 1918 (papiers Steffens).

vis-à-vis de l' « effort de guerre », que ce désaccord se manifeste par des actes ou par des mots, ou dès qu'on bronchait lorsqu'il était fait mention de la sacro-sainte cause. Les condamnations pour dissidence, touchèrent toutes les couches de la société. La loi fédérale de 1917 sur l'espionnage permettait de punir les déclarations qui allaient à l'encontre de l'effort de guerre ; elle fut encore renforcée par un nouveau décret contre la sédition, établi en 1918, qui rendait passible de vingt ans de prison, tout individu qui « insultait » le drapeau, le gouvernement ou la Constitution [3].

En vertu d'une loi datant de 1798, les étrangers qui étaient originaires des pays ennemis furent emprisonnés ou déportés ; le ministère des Postes, de son côté, interdisait l'acheminement aux publications qui contrariaient l'effort de guerre. Ces mesures officielles furent encore renforcées par des formes officieuses de contrôle. Un peu partout s'étaient créés des mouvements patriotiques qui se vantaient de compter des milliers d'adhérents ; l'un d'entre eux l' « American Protective League », devint l'auxiliaire quasi-officiel du ministère de la Justice ; ses 250 000 membres, qui portaient un badge, étaient chargés de rapporter toutes les conversations et les déclarations qu'ils jugeraient déloyales et séditieuses. A maintes reprises, cette entreprise de mouchardage gigantesque confina au terrorisme. Des groupes de patriotes zélés battaient, fouettaient, assommaient, écrasaient, brutalisaient ou lynchaient les gens qu'on soupçonnait d'être des traîtres. En 1918, dans un rapport au Congrès, le président de la magistrature déclarait fièrement : « Jamais au cours de toute son histoire, ce pays n'a été aussi bien policé [4]... »

Théoriquement, ces activités étaient destinées à lutter contre les agents étrangers qui cherchaient à saboter l'effort de guerre. Mais comme les espions ne couraient pas les rues, la haine se reporta sur tout ce qui était allemand ; on en vint à supprimer l'enseignement de l'allemand dans les écoles, on boycotta la musique allemande, et les acteurs qui portaient un nom de consonance germanique se virent interdire la scène. La choucroute (sauerkraut) fut baptisée « liberty cabbage » (« chou de la liberté ») ; mais comme la nation ne se sentait pas encore tout à fait en sécurité, certains patriotes entreprirent d'infliger aux

---

3. Près de deux mille personnes furent jugées en vertu de ces lois contre l'espionnage et la sédition.
4. Cité dans l'ouvrage de John Higham, *Strangers in the Land : Patterns of American Nativism, 1860-1925*, Atheneum, New York, 1970, p. 212.

résidents étrangers et aux Américains d'origine allemande toutes sortes d'affronts ; on les surveilla étroitement ; et bientôt cela ne suffit plus, il fallut chercher d'autres coupables. Ce ne fut pas très difficile. Les radicaux étaient depuis longtemps les têtes de turc de l'Amérique, et leur opposition à la guerre fournissait une occasion providentielle de ranimer les vieilles haines. Comme la plupart des socialistes s'étaient ralliés à la déclaration du parti qui avait pris position contre le conflit, les raids sur les sièges du Parti socialiste devinrent une sorte de passe-temps national : soldats, marins, citoyens zélés, tous s'y adonnaient. Les dirigeants du Parti étaient quant à eux condamnés pour sédition. L'I. W. W. refusa de s'associer à l'engagement solennel de ne pas faire grève qu'avaient pris toutes les autres organisations professionnelles ; aussi y eut-il des arrêts de travail dans certaines mines de cuivre, dans des scieries et dans quelques régions agricoles, ce qui ne fit que confirmer l'opinion bien enracinée selon laquelle l'I. W. W. était une organisation profondément anti-américaine. Tandis que la législation tendait à faire du syndicaliste un « criminel », en adoptant des lois contre les organisations qui prônaient la violence, des troupes et des bandes armées de bons citoyens chassaient hors des villes les syndicalistes de l'I. W. W. En septembre 1917, le gouvernement fédéral lui-même se livra à cette chasse aux sorcières ; il organisa des descentes de police dans toutes les salles de réunion de l'I. W. W., confisqua les dossiers et arrêta quelque trois cents dirigeants pour les juger.

La bohème était un peu moins affectée par cette vague d'hystérie. Ses membres qui n'étaient pas menacés directement furent touchés par deux formes de violence plus subtile : d'une part la censure, d'autre part l'état d'esprit de plus en plus belliqueux alimenté par les media. Soumis au matraquage publicitaire organisé par le Comité pour l'Information publique, lui-même soutenu par la presse, beaucoup de ceux qui s'étaient déclarés hostiles à la guerre finirent par trouver plus facile de partager cet esprit nationaliste. Les brouilles entre amis et l'animosité croissante accélérèrent certains changements. En juin 1918, par exemple, un centre aussi important que le « Liberal Club » était en train de sombrer. Trente de ses membres avaient été mobilisés, et sa situation financière, qui n'avait jamais été florissante, devint précaire. On abandonna certains locaux, on supprima les abonnements aux journaux, on débaucha, mais ce ne fut qu'un palliatif provisoire. Dans cette société de plus en plus investie par la guerre, le besoin d'une salle de réunions où l'on pût discuter librement d'art, de politique et de révolution se faisait moins sentir.

Les media, qui avaient fait vivre la bohème, la firent mourir peu à peu. La société de cette époque ne se montrait guère amusée par les fantaisies des habitants du Village, et certains magazines à grand tirage, qui autrefois avaient manifesté de l'intérêt pour certaines tendances radicales et offert des débouchés aux auteurs d'avant-garde, faisaient maintenant machine arrière. La guerre affectait également les journaux plus modestes. Certains eurent la chance de subsister. *Poetry,* journal apolitique, paraissait normalement, tandis que la *Little Review* de Margaret Anderson, après avoir inclus dans un de ses numéros une page blanche où figurait seulement le mot « guerre », poursuivait sa parution. D'autres sombrèrent, victimes de l'intolérance croissante de la bourgeoisie qui les soutenait financièrement. *Seven Arts* cessa de paraître en décembre 1917, quinze mois après avoir annoncé l'avènement de la Renaissance américaine. Les rédacteurs, qui ne voulaient pas s'en tenir à des sujets strictement culturels, avaient publié des textes de Randolph Bourne et l'article de Reed intitulé « Cette guerre impopulaire » ; l'un des financiers furieux avait coupé les subsides qui permettaient au journal de survivre.

La suppression de l'aide financière ruina certains, la répression gouvernementale coula les autres. Durant la première année du conflit, soixante-quinze publications furent interdites par le ministre des Postes. La plupart étaient des organes radicaux, mais en même temps qu'on s'attaquait au *Leader,* journal socialiste de Milwaukee, au *Call* de New York et au *Jeffersonian* de Tom Watson, on entreprit des poursuites contre certains journaux nationaux. *The Public* fut interdit de paraître pour avoir déclaré qu'il valait mieux augmenter les impôts sur le revenu que de lancer de nouveaux emprunts pour accroître le Trésor Public, tandis que *Pearson's* connaissait le même sort pour avoir parlé de l'Angleterre d'une manière qu'on jugea discourtoise. *The Nation* fut privé par les Postes de l'autorisation d'acheminement en septembre 1918, pour avoir critiqué le le syndicaliste Samuel Gompers, mais cette interdiction fut levée au bout de quatre jours, grâce à une intervention personnelle du président Wilson. Cela n'empêcha pas son directeur influent, Oswald Garrison Villard, de refuser les articles de Reed.

Malgré leurs nombreuses relations, *Les Masses* subirent le

sort des autres journaux. Après avoir retiré de la circulation le numéro d'août 1917, le ministère des Postes supprima le droit à la distribution pour le numéro de septembre en arguant du fait que le numéro d'août n'ayant pas été distribué, le magazine paraissait irrégulièrement, et par conséquent « ne pouvait être considéré comme un journal ou un périodique selon les termes de la loi ». Un juge fédéral qualifia cette interdiction — due de toute évidence à l'action du ministres des Postes — de « plaisanterie de mauvais goût », ce qui ne l'empêcha pas de la maintenir. Max Eastman que cette « plaisanterie » n'amusait guère, se rendit à Washington avec E. W. Scripps, un magnat de la presse qui soutenait le journal depuis longtemps, pour voir Burleson, le chef de l'office des Postes. Burleson avait autrefois confié à Scripps que sa chaîne de journaux avait joué un rôle considérable dans la réélection de Wilson en 1916. Il se montra très amical et bien disposé : « Mais nous aimons beaucoup Max Eastman [5] », déclara-t-il à Scripps. Le droit de distribution ne leur fut pas pour autant rendu, et après s'être acharné à faire vendre les deux numéros suivants dans les kiosques, Eastman fut contraint d'abandonner la publication des *Masses*.

L'administration continua à leur porter cette curieuse sorte d'« affection ». Elle s'en prit aux cinq rédacteurs du journal, les accusant d'avoir conspiré dans le but d'enfreindre la loi. Eastman en attendant le procès, faisait des projets pour ressusciter *Les Masses*, lorsqu'à la mi-novembre lui parvint le premier télégramme de John en provenance de Petrograd. Une fois de plus, les nouvelles que John apportait eurent un effet décisif sur sa carrière de directeur de journal. Pressentant une série d'articles de premier ordre sur la révolution bolchévique, Max comprit qu'il lui fallait absolument trouver un moyen de lancer un nouveau périodique. Il choisit sa sœur Crystal comme co-éditrice et Floyd Dell comme directeur de publication, puis il battit le rappel de tous ses anciens collaborateurs et inscrivit le nom de Reed sur la liste des rédacteurs du *Liberator,* titre de son nouveau journal. Le format était tout à fait identique à celui des *Masses,* mais deux choses distinguaient le *Liberator* de son prédécesseur : d'une part c'était une entreprise personnelle et non plus coopérative, puis les Eastman, frère et sœur, contrô-

5. Max Eastman, *Love and Revolution,* Random House, New York, 1964, p. 61-63. L'anecdote est encore mieux détaillée dans le livre de Zechariah CHAFEE Jr., *Freedom of Speech,* Harcourt and Brace, New York, 1920, p. 46-56.

laient 51 % des fonds ; d'autre part, pour assurer la survie du journal, Max décida d'éviter de braquer les autorités gouvernementales : « Nous devons écarter les sujets brûlants ; quant aux autres, il nous faudra les aborder avec une circonspection qui soit du goût du ministre des Postes [6]. »

Les autres rédacteurs, que la menace de vingt ans de prison avait refroidis, ne firent pas d'objections. On conserva l'esprit des *Masses* : pour les réunions de rédaction, on faisait circuler des invitations où l'on pouvait lire : « Venez à la conspiration de mardi soir [7] », mais aussi bien dans les dessins que dans les articles, on évitait d'attaquer la guerre. Cependant cette attitude apparemment conciliante ne réussit pas à amadouer le gouvernement. Alors que Reed était en route pour les Etats-Unis, Eastman, Dell, Art Young et leur homme d'affaires Merrill Rogers subissaient l'un des premiers grands procès intentés en vertu de la loi du 18 mai sur l'espionnage. La veille de l'arrivée de John, après l'audition des témoins qui avait duré neuf jours, après quarante-huit heures de délibérations, les jurés, à dix contre deux, déclarèrent les accusés « coupables ». La majorité des jurés manifestèrent parfaitement l'esprit de l'époque, en se plaignant auprès des journalistes de tendances « socialistes et pacifistes » des deux jurés récalcitrants [8].

Le lendemain de son arrivée, Reed comparaissait devant le tribunal fédéral, assisté par l'avocat des *Masses,* Dudley Field Malone. Il plaida non coupable et fut relâché en versant une caution de deux mille dollars. Il lui fallait s'occuper maintenant de ses papiers. John, pensant pouvoir faire jouer ses relations, se rendit à Washington. Au département d'Etat, le Bureau chargé des affaires russes lui promit une réponse rapide, mais rien ne vint. En mai et en juin, il envoya une série de lettres et de télégrammes, sans plus de résultat. Deux de ses amis au département d'Etat, le conseiller Frank L. Polk et William Bullitt, s'intéressèrent à son affaire, mais malgré leurs promesses d'activer les choses, rien ne se produisit. Les semaines passaient, et John commençait à désespérer : « Puisque je ne suis accusé d'aucun délit concernant ces documents, pourquoi ne me les rend-on pas ? Chaque jour qui passe m'éloigne des événements que j'ai vécus en Russie, et rend mon histoire moins valable. »

---

6. M. Eastman, in *Love and Revolution, op. cit.,* p. 70.
7. Cité par A. YOUNG, *Art Young, op. cit.,* p. 330-331.
8. Cité dans l'ouvrage de Morris HILLQUIT, *Loose Leaves from a Busy Life,* Macmillan, New York, 1934, p. 222-223.

Bullitt convint que ce silence était « odieux [9] » et promit de redoubler d'efforts. Mais l'été s'acheva sans aucun élément nouveau, ce qui prouvait que les papiers se trouvaient bloqués au plus haut niveau gouvernemental.

L'activité de journaliste était décourageante aussi. Louise avait bien publié une série d'articles intéressants, et les journaux publiaient des articles bien souvent fantaisistes sur la Russie, mais Reed, lui, n'arriva à placer qu'un petit article sur la révolution dans l'*Independant ;* on lui fit d'ailleurs savoir qu'on n'appréciait pas du tout ses opinions socialistes. Cherchant un moyen de s'en sortir, il projeta de lancer un journal avec Frank Harris, le directeur de *Pearson's,* dont les sentiments anglophobes avaient valu à son magazine deux interdictions d'acheminement par la poste. Il faudrait éviter toute critique sociale, mais John voyait cette publication comme « la meilleure possibilité d'expression pour les articles américains qui n'étaient pas corrompus ». Même en se limitant aux œuvres de fiction, un journal original et décidé pourrait avoir « un puissant effet sur un public très divers [10] ». Reed obtint l'aide de Dell et chercha des collaborateurs parmi ses amis, Sherwood Anderson, Randolph Bourne, James Oppenheim, Van Wyck Brooks et Carl Sandburg. La plupart donnèrent leur accord, on allait pouvoir commencer, lorsque le projet capota. A l'époque, les financiers n'avaient guère envie de se lancer dans une nouvelle aventure littéraire. Malgré son échec, cette affaire ouvrit les yeux de John. En cherchant des collaborateurs, il avait pu se rendre compte de l'influence croissante que la guerre exerçait sur ses amis. Les liens qui unissaient auparavant la révolution artistique et la révolution politique étaient en train de se rompre. Marsden Hartley en était un bon exemple ; il avait été des leurs à Provincetown en 1916 ; maintenant, il crevait de faim dans le Nouveau-Mexique, en attendant de pouvoir peindre. John lui avait écrit pour lui demander des dessins pour son journal ; la réponse de Hartley trahissait une grande amertume vis-à-vis des éditeurs, des marchands de tableaux et du public qui n'aimait que les œuvres à la mode : « J'en ai assez de cette horrible misère. [...] Je ne veux plus avoir à mendier de quoi vivre » ; le peintre se sentait totalement étranger au reste de la société. Il ressentait la guerre

9. J. R. à William F. Sands le 4 juin 1918 ; William Bullitt à J. R., le 22 juillet 1918 (ces deux lettres figurent dans les manuscrits J. R.).
10. Mémorandum inédit, non daté (manuscrits J. R.).

comme une sorte d'affront personnel qui lui avait fait « perdre l'occasion d'exposer dans les capitales européennes [11] ».

Reed, qu'on empêchait de s'exprimer par écrit, se tourna vers la tribune. Pour un radical, il n'existait pas de circuit régulier, pas d'agent publicitaire chargé d'organiser une belle tournée de conférences en province. Durant l'été 1918, il parla où et quand il put, souvent à New York, ou dans les villes proches du New Jersey, quelquefois dans la région de Boston, et à deux reprises dans le Middle-West. Partout, il délivrait un message semblable à celui qu'il répétait dans les colonnes du *Liberator*. Il essayait de contrer la propagande antibolchévique qui se déchaînait dans la grande presse, en expliquant que le gouvernement soviétique, bâti sur « la volonté commune du peuple russe », devait être reconnu par les Etats-Unis [12]. Les dirigeants russes qui avaient été contraints d'accepter le traité de Brest-Litovsk n'étaient en rien les espions allemands qu'on les accusait d'être. Au contraire, leurs doctrines visaient à renverser le Kaiser. Les Bolchéviks, expliquait John, n'étaient ni des anarchistes, ni des lanceurs de bombes, ni des terroristes ; c'étaient des prophètes, des visionnaires, et ils fondaient une société juste et démocratique. Les combattre, soutenir leurs ennemis internes, pousser à l'intervention étrangère, c'était en fait aider les éléments réactionnaires qui avaient causé la misère des ouvriers et des paysans [13].

Ces conférences n'étaient guère payées, mais John avait d'autres satisfactions. Depuis le premier numéro de mars, chaque mois, l'article de Reed avait été le point de mire du *Liberator* ; on le citait largement, on le reproduisait dans d'autres journaux radicaux. Salué dans le *Call* comme « le plus grand reporter américain », et comme le socialiste « le plus informé sur les événements russes », il était considéré par le public de gauche comme une sorte de héros, un homme qui avait participé à une révolution qu'ils espéraient tous depuis longtemps, un homme qui pouvait s'appuyer sur des faits pour déclarer que « les ouvriers n'étaient pas seulement capables de faire de grands rêves... ils

---

11. Marsden Hartley à J. R., lettre sans date (manuscrits J. R.).
12. « Reconnaître la Russie », article de J. R. paru dans le *Liberator* de juillet 1918, p. 18-20.
13. L'antibolchévisme croissant était alimenté par la politique radicale des soviets et par les bruits qu'on faisait courir, bruits selon lesquels ils n'étaient en fait que des agents de l'Allemagne qui n'avaient signé le traité de Brest-Litovsk que pour soulager les troupes du Kaiser et leur permettre ainsi de lancer des offensives contre les troupes alliées sur le front ouest.

sont en mesure de faire que leurs rêves deviennent réalité[14] ». Plusieurs autres radicaux prenaient également la parole, mais sur les programmes, les affiches, les tracts et sur le podium, Reed avait la vedette. Les salles de réunion étaient en général assez misérables, c'étaient des locaux syndicaux ou des sièges du Parti socialiste. Le public était en grande partie composé d'ouvriers et d'ouvrières pauvrement vêtus et qui posaient des questions avec un fort accent étranger. Mais pour lui, qui connaissait le Cirque Moderne et l'Institut Smolny, ce public-là représentait l'essence même de la révolution. Le mot « tovaritchi » qu'il leur lançait lorsqu'il se levait pour parler entraînait son public dans un univers où tous les rêves devenaient possibles.

Evidemment, le succès remporté auprès d'un public populaire avait son revers. Au Temple Tremont, à Boston, un groupe d'étudiants de Harvard le soumit à un interrogatoire si hargneux qu'il lui parut évident que le radicalisme étudiant était un phénomène désormais dépassé. A Philadelphie, le 31 mai, les autorités lui refusèrent le droit de prendre la parole ; Reed resta alors dans la rue, à la porte de la salle qu'on avait fermée, et se mit à parler devant un millier de personnes. La police l'arrêta, on l'accusa d'incitation à l'émeute et il fut relâché après versement d'une caution de cinq mille dollars. Quinze jours plus tard à Detroit, des officiers en uniforme fendirent l'auditoire l'air méfiant, et finirent par arrêter deux cents jeunes gens sous prétexte qu'ils n'avaient pas sur eux leur carte de conscrit. Cleveland s'avéra la pire de toutes les villes. John y fut suivi partout par deux détectives, tandis que d'autres mettaient la main sur ses bagages qu'il avait confiés à un ami ; pour finir on lui confisqua ses papiers. Après la conférence qu'il avait donnée dans la soirée, une vingtaine de membres de l' « American Protective League », d' « horribles nervis », se mirent à l'insulter et à le menacer. Reed fut sauvé par les fonctionnaires du département de la Justice qui s'interposèrent, mais il dut ensuite subir un long interrogatoire. L'un des officiers présents se vanta de l'étroite surveillance à laquelle tous les radicaux étaient soumis à Cleveland : « Nous savons absolument tout ce que chacun fait... Vous ne pouvez pas dîner dans un restaurant, aller au

---

14. « Un message de John Reed à nos lecteurs », paru dans le *New York Call*, 2 mai 1918, p. 25-26.

théâtre, ou vous coucher, sans que nous entendions le moindre des mots que vous prononcez [15]. »

John, tour à tour ragaillardi par l'enthousiasme du public et exaspéré par la haine que lui manifestaient les autorités et les « patriotes », se trouva conforté dans son entreprise lorsque, le 4 juillet, il put rencontrer Eugene V. Debs en compagnie d'Art Young. Par la fenêtre du train qui les emmenait vers « Terre Haute » où demeurait le leader socialiste, il voyait défiler de petits villages bien propres avec leurs clochers, leurs fermes, leurs rivières, des champs de blé et des collines douces où paressaient des vaches ; c'était un pays fertile et heureux, devant lequel on avait envie de s'écrier : « Voici la véritable Amérique. » Debs était natif de ce pays, un grand gaillard, qui avait fait ses classes dans le parti Greenback et dans le mouvement populiste, et pour qui depuis vingt ans le socialisme était une institution aussi américaine que le Thanksgiving. Mais les temps avaient changé, et lors d'une tournée dans l'Ohio, Debs avait été arrêté à Canton pour avoir enfreint la fameuse loi sur l'espionnage. Reed voyait en lui un personnage qui savait faire preuve à la fois de courage et d'humanité. Il était malade, mais il quitta son lit pour accueillir les deux visiteurs avec beaucoup de cordialité et de gentillesse. Le visage rayonnant, la voix vibrante d'émotion, il leur fit le récit de ses dernières aventures : ses heurts avec les milices privées et les détectives, les menaces de représailles dont il était l'objet dans les petites villes, l'hostilité mal dissimulée que lui témoignaient certains de ses anciens amis. Il comprenait la peur de certaines gens qui les poussait à trahir leurs convictions, mais lui, se sentait fort et sûr de lui : « Le socialisme est en marche. Ils ne peuvent l'arrêter, quoi qu'ils fassent... Dites bien partout aux gars qui continuent la lutte que Gene Debs est avec eux, tout le long du chemin [16]... »

Quelques jours plus tard, le procès des syndicalistes de l'I. W. W. qui se déroulait à Chicago fournit à John d'autres exemples de courage. L'I. W. W., la première organisation à laquelle il ait adhéré, était une institution véritablement américaine ; ces hommes se battaient depuis longtemps contre « une force aux pouvoirs illimités, qui ne faisait aucun quartier et qui

---

15. Lettre inédite de J. R. au *Call* de New York, 18 juillet 1918 (manuscrits Hicks).

16. « Rencontre avec Gene Debs, le 4 juillet », article de J. R., paru dans le *Liberator* de septembre 1918, p. 7-9. Repris par J. Stuart, dans son livre *The Education of John Reed*, p. 186-190.

n'observait aucune des règles des combats civilisés [17] ». Au cours de ce premier grand procès intenté par le gouvernement (il devait y en avoir bien d'autres par la suite, qui n'auraient pour but évident que de démanteler le syndicat), on jugeait 101 accusés. Ils attendaient depuis sept mois en prison et chacun d'eux avait à répondre d'une centaine de délits, allant de la sédition au sabotage, en passant par la conspiration. L'avocat du gouvernement, qui n'avait pratiquement aucune preuve tangible, appliquait une tactique maintenant habituelle : on citait un maximum d'articles extraits des publications du syndicat, et on tâchait de faire condamner les syndicalistes en raison de leurs théories révolutionnaires.

Les accusés, serrés les uns contre les autres dans la salle sombre et lambrissée du palais de justice, étaient de « rudes bûcherons, des ouvriers agricoles, des mineurs... » qui avaient eu le tort de croire que les biens de ce monde devaient appartenir à ceux qui les créaient. Le juge, Kenesaw Mountain Landis, était « un homme usé, aux cheveux blancs en broussaille, à la figure émaciée dans laquelle les yeux brillaient comme des diamants ; la bouche coupait d'un trait sa peau parcheminée ». Landis, malgré sa redoutable apparence, eut une attitude assez raisonnable ; il portait un costume de ville, et non la robe traditionnelle, et il permit qu'on disposât des crachoirs pour les prisonniers. Cela ne changeait rien au fait qu'on poursuivait 101 hommes pour avoir cru à la possibilité d'un « grand syndicat unitaire » ; leur seul crime avait été de prêcher la révolution sociale. John, qui observait les débats et qui avait en mémoire ce qu'il venait de voir en Russie, trouva que les accusés lui rappelaient le Comité exécutif des soviets et il se plut un moment à imaginer qu'il avait devant lui un tribunal de bolchéviks américains en train de condamner un juge pour activités contre-révolutionnaires.

Au milieu de juillet, John et Louise allèrent s'installer à Croton. Pendant un court moment le jardin, « havre de sérénité », avec sa douceur et son calme, leur parut une sorte de refuge ; pendant de longues heures, John s'occupait de ses plantations, désherbait, coupait les haies, taillait ses arbres fruitiers [18].

Le jardinage, malgré la détente qu'il lui procurait, ne parvint pas à calmer son agitation croissante. Il formait des vœux

---

17. « La Révolution sociale traînée devant la justice », *ibid.*, p. 20-28. Les citations du paragraphe suivant proviennent de ce même article.
18. J. R. à Steffens, le 29 juin 1918 (manuscrits Steffens).

impossibles pour que le monde fût autre qu'il n'était ; certains amis le trouvaient brillant et en forme, tout vibrant encore des événements qu'il avait vécus en Russie ; mais d'autres le jugeaient tendu, amer et sombre. Eastman, en particulier, s'inquiétait du fait que Reed parût continuellement déprimé ; il se demandait si la tristesse n'était pas la rançon de ses activités révolutionnaires. Un soir, après dîner, alors que John comme d'habitude s'indignait de l'état du monde, Max parvint à le dérider en s'exclamant : « Ce qui m'ennuie, vois-tu, c'est que tu deviens beaucoup trop sérieux [19] ! »

Eastman avait sûrement raison, mais l'attitude de Reed lui était dictée par le malaise croissant qu'il éprouvait à écrire dans le *Liberator* d'Eastman. Debs et les syndicalistes de l'I. W. W. continuaient la lutte, tandis que lui collaborait à un journal qui mettait une sourdine à toutes leurs convictions. Même si c'était nécessaire pour survivre, John trouvait cette attitude un peu lâche ; pourtant, s'il l'abandonnait, il ne trouverait aucun autre lieu où défendre la révolution. A la fin de juillet, il décida de tenter un compromis ; il essaya d'en discuter avec Max, mais son ami blessé refusa de l'écouter. En août, Reed lui écrivit une lettre qui parut dans le numéro suivant du *Liberator* : « Voilà longtemps que j'y réfléchis, et ce n'est pas sans émotion que j'ai pris cette décision, vu notre longue collaboration aux *Masses*. Je crois qu'il vaut mieux que mon nom ne figure plus en première page. Par les temps qui courent, je ne peux me résoudre à travailler pour un journal qui n'existe qu'avec l'aimable autorisation de M. Burleson. Bien sûr, cela ne veut pas dire que j'arrête complètement toute contribution. » Max publiait ensuite sa réponse, dans laquelle il exprimait « un sentiment de profond regret », et ajoutait que les membres de la rédaction pensaient qu'il était de leur devoir de « faire vivre le journal » pour la cause de la révolution [20].

Septembre fut un mois de procès et d'arrestations entrepris par le gouvernement. Au début du mois, de mauvaises nouvelles parvinrent du procès de Chicago. Deux semaines plus tôt, après une petite heure de délibérations, les jurés avaient estimé que les syndicalistes avaient commis un total de dix mille délits. On apprit que le juge Landis avait réclamé des sanctions impitoyables, cinq à dix ans de prison pour la plupart des accusés,

19. M. Eastman in *Heroes I have known*, p. 221.
20. Les deux lettres parurent dans le *Liberator* de septembre 1918, p. 34.

vingt ans pour les quinze dirigeants et des amendes qui atteignaient deux millions de dollars. Quelques jours plus tard, depuis la prison du comté de Cook, Haywood écrivait à Reed : « Le grand jeu est terminé ; nous n'avons pas pu gagner une seule partie. L'autre [le juge] avait tous les atouts, toute la donne dans ses manches ; pour ce qui est de nous, nous n'avons pas perdu grand-chose, si ce n'est une part de notre existence. [...] Tout ce qu'ils avaient contre nous, c'étaient des miettes de preuves, mais nous n'étions pas chez nous ; nous réussirons mieux lorsque nous serons mieux organisés et que nous pourrons nous appuyer sur les ouvriers [21]. »

Vers le milieu du mois, les ennuis se précisèrent ; le 13 septembre, Reed fit son premier grand discours depuis que les troupes alliées, françaises, anglaises, japonaises et américaines avaient débarqué en Sibérie et dans le nord-est de la Russie, au cours du mois d'août. Officiellement, on expliquait que cette intervention était nécessaire pour éviter que le matériel de guerre ne tombe aux mains des Allemands, pour reconstituer un front oriental et enfin pour aider une grande partie des troupes tchèques qui essayaient de quitter la Russie. Pour John, c'était beaucoup plus simple : le capitalisme essayait d'écraser le bolchévisme. A Hunt's Point Palace, devant quatre mille personnes, il dénonça avec vigueur cette intervention ; le lendemain matin, il était arrêté. On le libéra sur une caution de cinq mille dollars, et cette fois il devait comparaître en justice le 24 pour avoir tenu des propos « déloyaux, outrageants, et mensongers envers les forces militaires et navales des Etats-Unis ». Les paroles de Reed qui figuraient dans les procès-verbaux indiquaient bien la façon dont le gouvernement pouvait étendre la notion de sédition. La première citation de Reed était la suivante : « L'intervention dont je vous parle ici, il est interdit d'en parler d'une autre façon que celle autorisée par le gouvernement ; alors que partout ailleurs dans le monde... cette intervention est considérée comme une expédition de bandits [22]. » L'autre reproduisait un éditorial du *Manchester Guardian* qui blâmait l'intervention et l'attribuait au désir des banquiers français de récupérer les

---

21. William D. Haywood à J. R., le 1er septembre 1918 (manuscrits J. R.).
22. Action entreprise par l'Etat contre John Reed, Tribunal du quartier sud de New York ; dossier d'accusation figurant dans les archives du greffe, p. 15-II.

prêts que le gouvernement soviétique refusait de leur rembourser.

Reed dut affronter de nouveaux mensonges. A partir du 15 septembre, patronnés par la Commission pour l'Information publique, les journaux commencèrent à publier une série de documents fournis par Edgar Sisson qui se trouvait à Petrograd. Ces documents étaient présentés comme les copies des archives du Smolny et faisaient apparaître les dirigeants bolchéviks comme les agents du gouvernement allemand. Ce n'était pas un argument nouveau, la presse l'avait déjà largement utilisé, mais ces articles semblaient faire la preuve que sans les capitaux allemands, le régime soviétique n'aurait pas pu tenir. Comme ces documents se trouvaient à Washington depuis le printemps, John devina que leur soudaine publication n'avait pas d'autre but que de justifier l'intervention des troupes alliées en Russie ; par ailleurs, l'indignation soigneusement orchestrée des éditorialistes devant cette nouvelle perfidie soviétique lui prouva que c'était bien la comédie qu'on entendait jouer. Rapidement il fit une réponse qui parut dans le *Liberator* : John expliquait que beaucoup d'autres documents semblables à ceux-ci avaient été à vendre l'année précédente en Russie ; il soulignait les contradictions internes et externes, et affirmait que ces documents étaient des faux ; opinion qui fut plus tard confirmée par les historiens les plus scrupuleux [23].

Septembre s'acheva au Palais de justice de Fowley Square, par l'ouverture du second procès des *Masses*. On accusait les rédacteurs d'avoir conspiré en vue d'enfreindre la loi antiespionnage, de s'être opposés à la mobilisation et d'avoir voulu semer le désordre dans l'armée. Chaque prévenu, à l'exception de Rogers, le directeur financier, était inculpé pour un article particulier : Eastman, pour un éditorial où il avait exprimé son admiration pour les objecteurs de conscience, Dell pour avoir donné ceux-ci en exemple ; Young pour une caricature qui représentait une folle sarabande guerrière où le business, la presse, les politiciens et le clergé étaient les musiciens d'un orchestre que dirigeait un diable hilare. Quant à Reed, c'était pour un article inspiré de celui du *New York Tribune* sur les maladies mentales qui sévissaient dans les rangs de

---

23. George F. Kennan, dans son article intitulé « Les documents Sisson », paru dans le *Journal d'histoire moderne* de juin 1956, a montré, après une recherche minutieuse, que presque tous ces documents avaient été intégralement falsifiés.

l'armée, article auquel il avait ajouté ce titre de son cru : « Préparez une belle camisole de force pour votre fils soldat. » Le contenu de ces articles paraissait si inoffensif à John qu'il pénétra dans la salle du tribunal le cœur léger, plaisantant avec Young : « Au fait, Art, as-tu préparé ton baluchon pour la prison ? » Dehors, dans le parc de City Hall, un orchestre jouait l'hymne national, tandis qu'on vendait des bons du Quatrième Emprunt pour la Liberté. La salle d'audience ressemblait à une réunion de famille. Leurs amis du Village et les autres collaborateurs des *Masses* s'entassaient sur les bancs ; ils saluèrent l'arrivée des inculpés par de grands cris. Louise se montra rassurante, et l'amie de Floyd Dell, Edna Saint Vincent Millay, déclama le dernier en date de ses sonnets ; Louis Untermeyer arrêta Reed pour lui citer un des vers les plus exécrables qu'il venait de dénicher.

Le ton menaçant de l'huissier qui annonça l'entrée du juge Martin Manton refroidit un peu l'atmosphère ; le choix des jurés n'avait rien de rassurant. Dans leurs réponses aux questions qu'on leur posa, ceux-ci se révélèrent sans exception militaristes et antirévolutionnaires. Comme on demandait à l'un d'eux quelle était sa profession, il répondit simplement « Wall Street » ; l'un des avocats de la défense lui demanda alors ce qu'il savait du socialisme ; il répondit : « Je ne sais pas ce que c'est, mais je suis absolument contre. » John, qui prenait des notes, s'inquiétait du fait que tous ceux à qui la guerre profitait si peu que ce soit seraient contre eux. Un autre juré, un industriel, lui parut avoir une « tête d'exploiteur » de mauvais augure. Sur un troisième, il mit cette laconique étiquette : « Fils de pute [24] ». A la fin de l'après midi, ils apprirent qu'ils risquaient tous vingt ans de prison.

Les témoignages et les discussions durèrent cinq jours, mais dès le début, il fut évident que le procès ne se déroulait pas comme prévu. L'accusation de conspiration fut très difficile à établir, car tous les témoins vinrent confirmer l'irrégularité des conférences de rédaction des *Masses*. Quant au désordre qu'on les accusait d'avoir voulu semer au sein de l'armée, il était loin d'être évident. Le procureur Earl Barnes avait réussi à trouver un militaire abonné aux *Masses*, qu'il fit comparaître ; celui-ci prétendit que le journal lui avait sapé le moral, mais la défense détruisit facilement son témoignage :

---

24. Notes inédites (manuscrits J. R.).

QUESTION : Quand vous avez commencé à lire *Les Masses,* quel grade aviez-vous dans l'armée ?
RÉPONSE : J'étais lieutenant, Monsieur.
QUESTION : Quel grade avez-vous aujourd'hui ?
RÉPONSE : Je suis capitaine.

Le juge Manton, avouant qu'il ne comprenait rien à tous ces mots en « isme », permit qu'on lui expliquât toute une série de notions ; le tribunal prit alors des airs de salle de classe. Dell, qui était maintenant dans l'armée, expliqua le fondement philosophique de l'objection de conscience. Young défendit la révolution en faisant référence à ceux qui avaient lutté pour l'indépendance américaine ; par ailleurs, il affirma qu'il était impossible d'expliquer une caricature, tout comme une peinture, au-delà de ce qu'elle représentait strictement. Comme la Cour lui demandait pourquoi il avait figuré un diable dans son dessin, Art répondit : « Par patriotisme, Monsieur le Juge. Comme vous le savez sans doute, c'est le général Sherman qui a dit que la guerre c'était l'enfer ; or, il n'y a pas d'enfer sans diable, pas vrai [25] ? » Eastman saisit l'occasion de parler pour exposer la doctrine socialiste, sa philosophie et son histoire ; il commença par un éloge de la position pacifiste du parti américain et termina en défendant la révolution russe. Son exposé, très brillant, dura trois heures ; après quoi, il se fit un grand silence dans le tribunal. Reed très impressionné notait : « Eastman, jeune, belle allure ; arguments intellectuels. Il semble se faire le champion des idéaux, idéaux qui ont l'air d'être comme par miracle ceux de tous les vrais Américains [26]. »

Le 3 septembre, c'était au tour de John de comparaître. Tout ébouriffé, il parut un peu jeune et mal à son aise. Mais il faisait bonne impression, avec son regard franc et sa voix un peu haut perchée. Son aspect rassurant compensa l'imprudence de certaines de ses réponses. Comme on lui demandait d'expliquer ce qu'il avait voulu dire avec sa camisole de force, il se lança dans un récit d'une demi-heure sur ses aventures de correspondant de guerre. Les yeux fixés sur la fenêtre qui dominait le banc des jurés, John fit revivre dans le tribunal les scènes qu'il avait vécues sur le champ de bataille : Gomez Palacio,

---

25. Citation tirée d'une autobiographie inédite de Charles Recht (manuscrits Hicks). Recht était l'un des avocats de la défense.
26. « Le second procès des *Masses* », article paru dans le *Liberator,* de décembre 1918, p. 36-38.

où les cadavres s'entassaient dans les rues ; les villes de Serbie, où l'on avait brûlé en tas des centaines de paysans ligotés ; la Galicie où les cadavres mutilés des Juifs trahissaient l'ouvrage des cosaques ; les Flandres, où les soldats allemands vivaient dans la boue jusqu'à la taille, et pris de folie subite, se mettaient à hurler. De retour aux Etats-Unis, après avoir été le témoin de tant d'horreurs, il avait trouvé grotesque les ignorants qui osaient dire que la guerre était un combat noble et élégant. Son article n'était somme toute qu'une tentative pour suppléer au manque d'informations, pour « attirer l'attention du public sur le fait que la guerre ne ressemblait en rien à l'idée qu'on pouvait s'en faire ».

Ses descriptions n'impressionnèrent pas le juge Manton, qui persistait à penser que la véritable question était de savoir si oui ou non John avait tenté dans son article de s'opposer au recrutement. La question était précise, mais Reed l'esquiva. Il ne lui était jamais venu à l'idée qu'on pût influencer les gens au point qu'ils refusent de se laisser mobiliser ; il n'avait voulu que « faire connaître la vérité sur la guerre en Europe ». Manton, qui ne s'estimait pas satisfait, le poussa plus avant :

QUESTION : Etiez-vous contre la guerre ?
RÉPONSE : J'étais opposé à l'entrée de notre pays dans le conflit.
QUESTION : Etiez-vous opposé à la guerre, après que nous nous y soyons engagés ?
RÉPONSE : Oui, Monsieur le Juge...
QUESTION : Par conséquent, vous êtes opposé à ce que l'on recrute les forces nécessaires pour poursuivre cette guerre ?

Reed remua sur sa chaise ; il hésitait. Une réponse affirmative pouvait lui valoir la prison, ses avocats le lui avaient clairement laissé entendre. Il était difficile de ne pas dire la vérité, mais en même temps, à quoi cela servait-il d'aller en prison, pour une accusation aussi mineure, qui était dépassée, qui datait d'avant la révolution ? Une fois de plus, il tenta de contourner la question, mais la Cour l'interrompit : « Etiez-vous opposé à ce que nous recrutions les forces nécessaires à notre armée ? » Lentement, et très doucement, John répondit : « Non. » Le juge changea alors de tactique : « Ne pensez-vous pas que cet article, par lequel vous jetez l'effroi dans le cœur des mères et dans les familles de ceux qui partent pour le front, était une manière de lutter contre le recrutement normal de nos forces armées ? » Cette fois, c'était plus facile, John nia [27].

Le reste passa comme une lettre à la poste. John résista bien
à un certain nombre de provocations, en particulier lorsqu'on
lui demanda s'il pensait que c'était vraiment la guerre entre le
prolétariat et le capitalisme. « Pour dire la vérité, répondit
John, c'est même la seule guerre qui m'intéresse. » Le procureur,
citant le cas d'un de ses jeunes amis qui venait de se faire tuer
en France, entama alors une grande tirade pleine d'éloquence :
« Quelque part il est tombé, il est mort pour vous, il est mort
pour moi. Il est mort pour Max Eastman, il est mort pour John
Reed, pour Floyd Dell, pour Merrill Rogers... » A ce moment,
Art Young, qui ronflait bruyamment au banc des accusés,
bondit sur ses pieds et lança d'une voie théâtrale : « Et alors,
et pour moi, il n'est pas mort ? » La salle éclata de rire.
S'adressant aux jurés, le juge Manton déclara que les Américains
avaient toujours le droit de critiquer le gouvernement, pourvu
qu'ils n'essayent pas de nuire au recrutement ou de semer le
trouble au sein de l'armée. Les jurés se retirèrent et votèrent à
deux reprises, obtenant chaque fois le même résultat : sept les
déclaraient « coupables », cinq « non coupables ». Au début
de l'après-midi du 5 octobre, les accusés des *Masses* étaient
relaxés.

Certains de leurs amis considèrent ce résultat comme une
victoire de la libre expression sur la répression gouvernementale.
Reed ne voyait pas les choses de la même façon. Quelques
semaines plus tôt, Debs arrêté à Cleveland s'était vu condamné
à dix ans de prison. A Chicago, les syndicalistes de l'I. W. W.
avaient été condamnés à des peines très lourdes ; quinze jours
après la fin du procès des *Masses,* un groupe de jeunes Américains d'origine russe se vit infliger de lourdes peines pour
sédition, par le même tribunal qui avait relaxé Eastman et ses
amis. Un avocat leur expliqua la raison de ce traitement si
différent pour un délit identique : « Vous êtes américains. Vous
avez vraiment l'air américain... Un Américain ne peut pas être
condamné pour sédition par un juge newyorkais. » Leur ascen-
dance, la chance qu'ils avaient eue de tomber sur un juge
large d'esprit, le fait que leur procès se soit déroulé à New
York où le patriotisme était moins hystérique qu'ailleurs, voilà

---

27. Transcription du témoignage de J. R. au procès intenté contre lui
et le journal *Les Masses* par l'Etat, le 3 octobre 1918. Tribunal d'Etat
du quartier sud de New York (manuscrits Hicks).

quelles avaient été les véritables raisons de leur victoire. En rendant compte de ce procès dans le *Liberator,* John, après avoir rendu hommage au juge et aux jurés, réaffirmait qu'aux Etats-Unis, les délits politiques étaient sanctionnés « avec plus de sévérité que partout ailleurs [28] ». La seule chose réconfortante, c'était de penser que cette répression était un excellent moyen d'activer la révolution.

Au cours des semaines qui suivirent le procès, on parla d'un armistice imminent. John apprit qu'en Europe des négociations étaient déjà en cours et voulut fêter l'événement en compagnie de Dell et d'Edna Millay : toute la nuit, ils firent la navette sur le ferry entre New York et Staten Island. Il y avait du brouillard, l'air était humide et au loin on entendait les sirènes des navires. John, soulagé et heureux, se mit à faire le récit de ses nombreuses aventures. Comme la belle Edna le regardait avec des yeux pleins d'admiration, il devint intarissable sur ses hauts faits et ses exploits. Aussi cabotine que John, Edna le prit par le bras, et faisant siennes les paroles d'Othello à Desdémone, murmura : « Je vous aime pour les dangers que vous avez affrontés [29]. »

La réalité de l'armistice les fit revenir sur terre. Le 11 novembre les canons s'étaient tus, mais l'Europe était au bord du désastre. Les pays jadis riches se trouvaient en proie à la famine ; les empires turc et austro-hongrois étaient démantelés. L'Allemagne, la Bavière et Budapest étaient secouées par les révolutions. En Russie, l'offensive contre-révolutionnaire progressait, avec l'appui des interventions étrangères. Pour les radicaux américains, ce fut à la fois le meilleur et le pire moment. Les soulèvements qui se produisaient à l'étranger et la démobilisation américaine annonçaient d'heureux changements, de même que le vent de révolution qui traversait l'Atlantique, et pourtant la persécution continuait. Les dissidents, les socialistes, les anarchistes ou les libéraux qui défendaient le régime soviétique étaient désormais les cibles favorites.

Le jour de l'armistice, les socialistes organisèrent un défilé sur la Cinquième Avenue jusqu'au Carnegie Hall où l'on devait fêter la paix et la révolution allemande. Un peu après la 34e Rue, un groupe de soldats et de marins en uniforme fendit la foule, déchirant les drapeaux rouges et cognant sur les

---

28. « Le second procès des *Masses* », art. cit.
29. Cité par F. Dell dans son livre *Homecoming, op. cit.,* p. 328.

hommes et les femmes sans distinction. Certains journaux les félicitèrent de cette entreprise et le maire déclara que les emblèmes anarchistes tels que le drapeau rouge étaient interdits. Quinze jours plus tard, la réunion organisée à Madison Square Garden en faveur de Tom Mooney fut interrompue par des hommes en uniforme qui poursuivirent certains participants pour les rouer de coups. Le 26 novembre, le Conseil des Aldermen décréta que les drapeaux rouges et noirs étaient interdits ; pendant ce temps, le chef de la police s'arrangeait pour convaincre tous les propriétaires de salles de refuser de louer leurs locaux aux radicaux. La nuit de ce même jour, au cours d'une réunion de la « Ligue internationale des femmes » où Oswald Villard et un député républicain devaient prendre la parole, une bande de marins et de soldats brisa les cordons de police, cassa des vitres et menaça de lyncher le premier qui tiendrait des propos séditieux. Le jour suivant, le *New York Tribune* notait « la colère froide et tout à fait justifiée dont nos soldats ont fait preuve » et il attirait l'attention des lecteurs sur le fait qu'une telle réunion digne des Bolchéviks « était une provocation délibérée, un véritable appel au désordre ». Reed fut plus peiné que surpris par ces événements. Cela faisait un an que la presse jouait sur la terreur bolchévique, en grande partie imaginaire ; quant aux atrocités qu'on prêtait aux radicaux américains, les membres de l'I. W. W. par exemple, c'était pour les journaux un filon inépuisable. Cette presse ne pouvait maintenant, pensait Reed, que saluer l'avènement de la Terreur blanche en Amérique.

Pourtant John avait l'esprit ailleurs. Depuis le mois de septembre, grâce aux relations de Steffens, son affaire était passée entre les mains du colonel House, le plus proche conseiller du président Wilson et, miraculeusement, un beau jour de novembre, tous ses documents lui furent retournés. Evidemment Macmillan avait rompu son contrat, et il était à peu près certain que personne n'oserait publier « un livre aussi favorable à la Russie », mais peu importait. Depuis un an, l'œuvre n'avait cessé d'être présente, de germer dans son esprit, hantant ses rêves, l'empêchant de fermer l'œil, surgissant çà et là sous forme d'articles ou d'histoires dans les colonnes du *Liberator*. Aventurier, activiste, révolutionnaire, John était tout cela, mais il sentait avant tout le besoin d'exprimer ce torrent d'impressions, d'images et d'émotions qui avaient commencé à apparaître vingt-cinq ans plus tôt à Portland. Avec les documents qu'il possédait à nouveau, il était prêt à coucher sur le papier ce qui représentait à la fois une étape dans la révolution et l'affirmation de sa propre identité. Souvent, dans le passé, Reed avait donné le meilleur de lui-même en travaillant frénétiquement ; or, *Dix jours qui ébranlèrent le monde* fut écrit en l'espace de deux mois. Il loua en secret le dernier étage du nouveau restaurant de Paula Holliday, l'Auberge de Greenwich Village. Là, entouré de piles de journaux, de tracts, d'affiches, de livres et de notes, un dictionnaire russe à portée de la main, fumant cigarette sur cigarette, il tapa à la machine sans s'arrêter pendant des jours et des nuits. Depuis des mois, il craignait que son histoire, vieille d'un an, n'ait disparu de son esprit. Il sut alors qu'il n'en était rien. Une partie des renseignements nécessaires lui fut fournie par les articles qu'il avait déjà écrits, mais l'essentiel de son livre était totalement inédit. John oublia le présent ; les murs qui l'entouraient disparurent et il se retrouva à Petrograd, se hâtant dans les rues boueuses, ou tenant compagnie aux soldats qui plaisantaient dans la cantine du Smolny ; il se revit plaisantant avec Williams, interviewant Trotsky, ou écoutant Lénine établir ses programmes à la logique impitoyable. Il oublia les tribunaux, la police américaine, les mensonges des journaux, le harcèlement des procureurs et l'angoisse que son indécision avait fait naître. Un matin, alors qu'il sortait de son repaire en titubant pour avaler une tasse de café, il croisa Eastman au milieu de Sheridan Square. Max fut effrayé par l'allure de son ami : « Il était hâve, pas rasé, la peau grise, les yeux profondément cernés, et dans son visage qui avait vaguement la forme d'une pomme de terre, ses yeux brillaient d'un éclat un peu fou. » Il écouta John lui parler de son travail, hypnotisé par le regard de John qui traduisait « une joie incroyable, une jubilation indescriptible ». Comme tous les hommes au destin singulier, Reed était en train d'accomplir « la tâche qui lui incombait [30] ».

Eastman avait vu juste. Reed, écrivain plein de sensibilité, avait prouvé, au Mexique, que le reportage pouvait être élevé au rang d'un art ; il paraissait donc tout désigné pour décrire la révolution russe. En effet, son livre est plus vivant, plus dramatique, plus évocateur qu'aucun de ceux que purent écrire les témoins et les historiens. Si on le compare à ses œuvres précédentes, cet ouvrage sur la Russie constitue un gigantesque pas en avant. Malgré ses descriptions et ses mises en scène

---

30. M. Eastman in *Heroes I have known,* p. 223-224.

brillantes, *Le Mexique insurgé* est un peu décousu ; c'est une série d'épisodes, réunis seulement par la présence constante du narrateur plongé dans la violence de la révolution agraire. *La guerre en Europe de l'Est* ne retient l'intérêt que par l'acuité de l'observation. *Dix jours qui ébranlèrent le monde* est bien différent. S'il y a toujours un « je » qui retrace les événements, le narrateur passe à l'arrière-plan, à la façon d'une caméra qui enregistre l'histoire.

La structure de ce livre est proprement dramatique [31]. Trois chapitres résument les événements qui ont précédé, faisant office de prologue ; les deux suivants constituent le premier acte au cours duquel le peuple se soulève ; trois autres décrivent l'offensive contre-révolutionnaire ; les deux derniers constituent le dernier acte duquel le peuple sort victorieux ; deux chapitres supplémentaires en forme d'épilogue annoncent un lent dénouement et résument les événements qui ont précédé. Tout au long de l'histoire, on relève la présence d'un thème épique, la vengeance contre une ancienne injustice, le soulèvement des opprimés et des défavorisés qui veulent recouvrer le pouvoir et la liberté. Le héros, c'est la masse plus que l'individu ; les événements sont vus d'en bas et de près. C'était la grande innovation de Reed : il faisait de la foule le héros d'une ère nouvelle.

Les descriptions sont plus simples, le style moins complaisant que dans ses autres livres ; Reed concentre son attention sur des lieux et des événements précis. Petrograd avec ses salles de réunion, ses usines lugubres, l'Institut Smolny, le lent défilé des gens dans la rue, les conversations dans certains cafés, les discours grandiloquents des ministres du Gouvernement provisoire, les proclamations épinglées aux murs et les journaux pleins de nouvelles contradictoires. L'œuvre est extrêmement documentée, mais les longues citations de décrets et de discours deviennent bien autre chose qu'un simple étalage de connaissances. Reed était arrivé à sentir les courants émotionnels qui provoquaient les événements. Il avait compris que les Bolchéviks étaient éloquents parce que dans ces moments critiques ils parlaient du fond de leur cœur ; c'est pourquoi l'auteur laisse à leurs discours le soin de créer le suspens et l'intérêt. De cette façon, il parvient à rendre les changements d'humeur, les doutes,

---

31. Le premier à avoir montré la structure théâtrale de l'ouvrage fut J. H. Lawson, dans sa préface à l'édition de 1967 (International Publishers).

l'hésitation, les discussions, le trouble, la colère, la trahison, la surprise, l'ambition qui peuvent se manifester dans une grande ville plongée dans la révolution. Elargissant son point de vue, de brèves références aux décrets, articles, résolutions et actions qui concernent le reste de la Russie, donnent bien l'impression de cette marée historique qui vient battre l'Institut Smolny, le Palais Marinsky, puis balayer le Palais d'Hiver. Petrograd devient la ville-test, le combat modèle qui peut changer du tout au tout la politique d'un pays.

*Dix jours qui ébranlèrent le monde* est à la fois la quintessence et la somme de tous les sentiments de Reed sur la révolution. C'est donc un livre de parti pris. L'attitude qu'il adopte vis-à-vis de la bourgeoisie, des socialistes modérés et des intellectuels en est un exemple. Pendant des années la bourgeoisie avait amusé la bohème par son mauvais goût et sa cupidité ; mais en Russie, le bourgeois était l'ennemi, celui qui soutenait la contre-révolution, celui qui abandonnait son ancien libéralisme pour rejoindre la réaction. Les socialistes modérés, ceux qui avaient soutenu la guerre mondiale, sont jugés méprisables car dans une situation révolutionnaire, ils se sont montrés incapables d'assumer les conséquences de leurs théories.

Quant aux intellectuels, John avait toujours eu à leur égard une attitude ambiguë. Mais dans ce cas, il s'agissait de trancher ; il ne montrait que du dédain pour les rêveurs, ceux pour qui la théorie était tout, ceux qui paraissaient n'avoir ni cœur ni entrailles. Cela se traduit par une série de portraits peu flatteurs de l'intelligentsia russe antibolchévique, et par l'admiration sans bornes que John manifeste pour Lénine et Trotsky, à la fois intellectuels et activistes, qui pouvaient faire de la théorie une réalité.

Avec *Dix jours qui ébranlèrent le monde,* John Reed avait atteint le sommet de son art. Depuis toujours il se croyait poète, mais ce n'était que récemment, dans quelques textes très courts, qu'il avait eu l'audace de dévoiler des sentiments qui seuls peuvent toucher vraiment le lecteur. La révolution russe lui fournit l'occasion de le faire, mais cette fois sur une grande échelle. La totalité de la révolution ne pouvait être bien comprise que par un écrivain sensible aux courants souterrains d'émotions qui la sous-tendaient. *Dix jours qui ébranlèrent le monde,* malgré ses imprécisions dans les détails, malgré son caractère partial, exprime une vérité qui va bien au-delà des faits, puisqu'elle les crée. Davantage que de l'histoire, c'est de la poésie ; la poésie de la révolution.

# Chicago

*En réponse aux questions anxieuses de certains capitalistes, à propos de la menace d'une révolution bolchévique aux Etats-Unis dans les deux semaines à venir, nous voudrions poser nettement le problème une fois pour toutes.*

*La classe ouvrière américaine est la classe ouvrière la moins éduquée politiquement et économiquement du monde entier. Elle croit encore ce qu'elle peut lire dans la presse capitaliste. Elle croit que le système des salaires est un système de droit divin. Elle croit que Charley Schwab est un grand bonhomme, parce qu'il gagne beaucoup d'argent. Elle croit que Samuel Gompers et que l' « American Federation of Labour » la protégeront autant qu'il est en leur pouvoir. Elle croit que nous pourrons vivre mille ans avec notre système de gouvernement. Lorsque les Démocrates sont au pouvoir, elle croit aux promesses des Républicains et vice versa. Elle croit que la législation du travail est appliquée à la lettre. Elle est pleine de préjugés contre le socialisme...*

John REED, « Le bolchévisme en Amérique », *Revolutionary Age*, 18 décembre 1918.

John avait beau être fasciné par l'idée de révolution, cela ne l'empêchait pas de voir les choses d'une façon suffisamment détachée pour décrire non sans ironie l'abîme qui séparait la théorie de la réalité. Lorsqu'il était à la tribune, lorsqu'il rédigeait ses articles pour le *Liberator*, ou pendant les semaines de travail intense où il écrivit *Dix jours qui ébranlèrent le monde*, son enthousiasme pour la révolution eût pu l'égarer. Pourtant, durant cet hiver 1918-1919, il jeta sur la scène américaine un regard assez lucide pour affirmer que la révolution de la classe ouvrière aux Etats-Unis n'était pas pour demain.

C'était un point important. En effet, les dirigeants bolchéviques pensaient que le socialisme ne pourrait jamais réussir s'il était limité à la Russie, et qu'une révolution mondiale, au minimum européenne, serait leur unique chance de salut. Après novembre 1917 nombre d'actions qu'ils entreprirent se fondaient sur cette idée. La publication des accords secrets des Alliés, les appels internationaux à l'union et au soutien des prolétaires, la création d'un Bureau de propagande chargé de faire pénétrer le bolchévisme dans les troupes des pays d'Europe centrale, l'envoi d'agitateurs dans les pays voisins : toutes ces mesures avaient été prises pour étendre la révolution. La paix de Brest-Litovsk elle-même partait de ce principe : tout ce que les Russes pourraient concéder lors des négociations serait nul et non avenu lorsque les socialistes auraient pris le pouvoir en

Allemagne. Reed, qui comprenait l'importance de ce soutien international pour les Bolchéviks, espérait une révolution en Amérique. Elle aurait résolu beaucoup de vieux problèmes. D'après lui, il fallait faire progresser simultanément les fronts social, culturel et économique. La Russie lui avait démontré que seule la classe ouvrière était capable d'effectuer ce bouleversement historique. Or ce qui rendait la situation très décourageante en Amérique, c'est que la classe ouvrière y était prisonnière de l'idéologie nationale, mélange d'individualisme, de crédulité, d'ambition et de convictions réconfortantes : le fils de n'importe qui pouvait devenir président, etc. Bref, la classe ouvrière américaine, n'était pas un terrain très fertile pour y semer le ferment révolutionnaire.

Le Parti socialiste lui-même n'offrait guère plus de possibilités. Selon Reed, il était composé de bourgeois « occupés avant tout à élire les Aldermen, les représentants de l'administration ; ou bien alors ils deviennent les nègres des politiciens et se bornent à expliquer qu'il y a une différence entre le socialisme et l'amour libre ». Certes, le Parti pouvait réunir un million de voix, mais c'était uniquement parce qu'il présentait le socialisme comme une sorte de « démocratie à la Jefferson ». En clair, cela signifiait qu' « un bon tiers des voix socialistes en temps normal est fourni par des personnes issues de milieux bourgeois convaincus que Karl Marx a écrit une bonne loi anti-trusts ». Coupé de « la grande masse de la classe ouvrière », le Parti ne serait qu'un faible apport pour les mouvements progressistes tant qu'il ne serait pas lié à la force du prolétariat [1].

Dans ces conditions, on pouvait se demander quelle était l'utilité du Parti socialiste. C'est là, précisément, que l'expérience russe se révélait précieuse. Selon Lénine, le Parti socialiste devait être « l'avant-garde de la classe ouvrière ; il ne devait pas être stoppé par le manque d'éducation des masses ; au contraire, il devait les diriger ». Aux Etats-Unis, cela voulait dire qu'on devait mettre en évidence la misère des ouvriers, écouter leurs revendications et leur expliquer que leur situation était liée au fonctionnement du système capitaliste. Aux ouvriers conservateurs, le Parti devait démontrer que la démocratie

---

1. Tiré de l'article de J. R., « Le bolchévisme en Amérique », et d'un autre article, également, de J. R., intitulé « Un nouvel appel », *Revolutionary Age,* 18 décembre 1918, p. 3, et 18 janvier 1919, p. 8.

politique était un leurre, et en les faisant raisonner en termes économiques plus qu'en termes politiques, leur prouver que les députés — peu importait par qui ils étaient élus — finissaient toujours par servir les intérêts du gros « business ». Enfin le Parti socialiste devait prouver la valeur éducative de l'action politique aux révolutionnaires que la politique écœurait, comme c'était le cas pour certains membres de l'I. W. W. En prêchant « le socialisme, rien que le socialisme, le socialisme révolutionnaire et international », et en situant les problèmes des travailleurs dans leur contexte mondial, le Parti serait capable « d'éveiller la conscience des ouvriers et de leur faire désirer la révolution totale [2] ».

Cette argumentation, qui fut publiée au milieu de l'hiver 1918-1919, ne reflète pas seulement les opinions de Reed, mais aussi le progrès croissant qui se faisait jour dans les rangs socialistes. Cette analyse de la situation du Parti socialiste, pertinente mais quelque peu injuste, était une conséquence du nouvel état d'esprit qui régnait alors. Le Parti socialiste américain était le théâtre des mêmes luttes intestines qui bouleversaient tous les autres partis du monde. Après la révolution russe, chaque parti était divisé sur la meilleure façon de prendre le pouvoir, particulièrement en Europe : d'une part, il y avait la majorité des socialistes conservateurs qui avaient soutenu l'effort de guerre, de l'autre de petites factions radicales qui avaient refusé la tromperie nationaliste. Alors que les premiers étaient tout prêts à participer aux gouvernements parlementaires, les autres appelaient à la révolution.

Aux Etats-Unis, la situation n'était pas tout à fait la même. Le fossé entre la gauche et la droite n'avait cessé de se creuser dans le Parti depuis sa création en 1901 ; les opinions divergeaient sur les syndicats, sur l'usage de la violence et sur la conduite qu'un socialiste devait avoir en cas de succès électoral, comme ç'avait été le cas plusieurs fois, lorsqu'il occupait une fonction officielle. Le Parti socialiste d'avant-guerre, en dépit de ses divergences, était une organisation plutôt florissante. Il se vantait d'être représenté par des centaines de fonctionnaires et entretenait quelque trois cents publications qui touchaient plus de deux millions de personnes. Très différent en cela des partis européens, le Parti socialiste américain s'était unanimement déclaré contre la guerre. Après l'entrée en guerre des

---

2. *Ibid.*

Etats-Unis, quelques intellectuels avaient démissionné, mais la quasi-totalité de ses membres étaient demeurés fidèles à l'internationalisme, ce qui avait déclenché l'hostilité du gouvernement et de la police. Les leaders furent poursuivis en justice, les journaux supprimés, les meetings boycottés. Le Parti socialiste profita et souffrit en même temps d'être resté fidèle à ses principes. Durant les années de conflit, cinq cents sur les cinq mille sièges locaux — la plupart dans les petites villes du Middle-West et du Far-West — furent perdus, mais en même temps le nombre de ses membres augmentait parmi les ouvriers immigrés, et lors des élections locales le Parti gagnait des voix.

Ce que la répression n'avait pu réussir à faire, la révolution russe y parvint aisément. Les Bolchéviks devinrent la cause numéro un de toutes les divisions ; les discussions sur sa portée et sa signification déchirèrent le Parti socialiste américain. Les anciennes querelles et les oppositions de personnes jouèrent leur rôle, mais la question cruciale était de savoir comment instaurer le socialisme aux Etats-Unis. La Russie avait prouvé qu'un petit parti — les Bolchéviks n'étaient que 11 000 au début de 1917 — pouvait déclencher la révolution, et à une si grande distance, la multiplicité des facteurs qui avaient permis leur succès n'apparaissait pas clairement. Ce qui était clair, en revanche, c'était que les Bolchéviks n'acceptaient aucun compromis et faisaient preuve d'une farouche détermination : c'était le plus révolutionnaire de tous les partis russes. Les socialistes modérés parlaient de révolution, les Bolchéviks, eux, passaient aux actes. Aussi le parlementarisme apparaissait-il tiède, mou et suspect. Pour la plupart des extrémistes du Parti, en 1918, il importait avant tout de couper le Parti de ses dirigeants et de lui faire prendre une attitude véritablement révolutionnaire.

Le militantisme de cette nouvelle aile gauche et sa recherche d'un bolchévisme américain, éveillèrent l'intérêt de John Reed pour les affaires du Parti socialiste. Depuis longtemps, il n'avait que mépris pour ce Parti ; les militants de l'I. W. W. avaient représenté son idéal révolutionnaire, et maintenant la Russie lui fournissait un nouveau modèle. Le succès des Bolchéviks — parti politique — indiquait à Reed que le point de vue apolitique et strictement syndicaliste de l'I. W. W. était trop limité. Certes, il fallait éduquer les travailleurs, mais c'était également le devoir d'un parti bien organisé. Sans doute, le parlement socialiste devait-il être un parlement ouvrier, mais la transformation du système politique en système ouvrier ne pouvait se faire sans l'action politique, qui à la fois permettait à la classe ouvrière de s'instruire, et la protégerait durant la lutte pour la prise du pouvoir.

Reed avait une très grosse influence sur les socialistes radicaux. Dans certains locaux du Parti, dans les bureaux du quotidien en langue russe *Novy Mir* et au club socialiste James Connolly, dans la 29ᵉ Rue, il faisait salle comble, apportant avec lui l'enthousiasme révolutionnaire de Petrograd. Son engagement fut progressif. Les arrestations, les procès, les interrogatoires, le harcèlement des autorités l'avaient occupé pendant des mois ; et puis, Reed était partagé entre le désir de jouer son personnage et de travailler pour le Parti. Il se sentait vraiment proche du mouvement ouvrier, mais au fond c'était un individualiste ; capable de se dévouer sans compter pendant plusieurs semaines, mais incapable de le faire d'une façon permanente. Il ne se sentait pas à son aise dans les organisations, et ne s'intéressait guère à leurs querelles internes : ce n'était pas un homme de parti. Il préférait l'atmosphère plus libre de l'I. W. W. ou de Greenwich Village. Ce lent cheminement vers l'engagement politique montre bien qu'il comprenait le prix que le poète révolté devait payer pour devenir un organisateur.

La première étape fut relativement facile. Quelques semaines après son retour de Russie, il s'affilia à la section du Parti socialiste de New York. Ses membres, tout heureux de compter parmi eux le meilleur spécialiste de la révolution russe, lui demandèrent aussitôt de présenter sa candidature au Congrès. John refusa et suivit les affaires du Parti d'assez loin tandis que ses conférences, ses procès et son livre l'absorbaient tout l'été jusqu'à l'automne. A la mi-octobre, il eut davantage de temps libre et put assister à quelques réunions organisées pour soutenir Scott Nearing, candidat socialiste au Congrès du 14ᵉ district de New York. Au mois de novembre, il accepta de collaborer au *Revolutionary Age*. Ce journal, édité à Boston et dirigé par Louis Fraina, était le premier organe de l'aile gauche du Parti socialiste, le lieu de ralliement de tous ceux qui souhaitaient entraîner le parti vers le bolchévisme.

En janvier 1919, *Dix jours qui ébranlèrent le monde* se trouvait dans les bureaux de l'éditeur Boni and Liveright : cette maison, directement issue du Greenwich Village d'avant-guerre, n'existait alors que depuis un an. Reed, après avoir achevé son livre s'était tourné vers l'action politique. Malgré la fin de la guerre et l'ouverture de la conférence de Versailles, les troupes alliées occupaient toujours une partie du territoire russe ; leur présence là-bas ne pouvait désormais s'expliquer autrement que comme un soutien apporté à la contre-révolution. Reed fit publier la *Lettre aux travailleurs américains* de Lénine, qui avait été introduite clandestinement aux Etats-Unis. Il s'agissait moins d'un appel au secours que d'un cri de défi : « La révolution prolétarienne est invincible », disait la *Lettre,* mais elle appelait aussi aux actes. L'exemple du gouvernement allemand, composé de socialistes modérés qui avaient pris le pouvoir après l'abdication du Kaiser et n'avaient pas hésité à faire appel à l'armée pour écraser le soulèvement ouvrier dirigé par les spartakistes, leur compromission dans l'assassinat de Rosa Luxemburg et de Karl Liebknecht prouvèrent à John que les socialistes modérés étaient les alliés de la bourgeoisie. Une série de réunions tenues à New York donna naissance à une aile gauche qui publia un manifeste auquel John contribua. Lors de la convention plénière qui se tint le 15 février, il fut élu l'un des quinze membres du comité municipal, et accepta de l'aile gauche le poste de délégué international. Un nouveau journal semblait nécessaire pour faire connaître le programme du groupe, aussi John devint-il directeur d'un hebdomadaire, le *New York Communist,* qui commença à paraître au mois d'avril.

L'aile gauche fut d'autant plus stimulée que la situation révolutionnaire lui semblait proche. Reed n'était pas d'accord. Se refusant à faire des pronostics, il exprimait parfois l'espoir que d'ici quelques années — cinq peut-être — un véritable mouvement révolutionnaire existerait en Amérique. Parfois, au cours du printemps 1919, les événements firent penser qu'un soulèvement était imminent. En Europe, les grèves et l'agitation aboutissaient à des victoires sans lendemain. En Italie, en Autriche, les gouvernements étaient chancelants ; au mois de mars, la Hongrie se déclara république de soviets, puis à Berlin, il y eut un nouveau soulèvement des spartakistes. Au cours du mois suivant, la Bavière se déclara indépendante, et fut gouvernée par des soviets, tandis que sur la mer Noire, les marins français se mutinaient plutôt que d'apporter leur aide à la contre-révolution russe.

Le spectre du bolchévisme qui hantait l'Europe entière effraya les grandes puissances réunies à Versailles et traversa l'Atlantique. Certains syndicats américains, libérés de l'engagement qu'ils avaient pris de ne pas faire grève en temps de guerre, lancèrent une série de grèves ; au cours d'une seule année, il n'y en eut pas moins de 3 600 qui concernèrent plus de quatre millions d'ouvriers. Certaines furent extrêmement violentes. Un chantier naval de Seattle, dirigé par un comité de travailleurs inspiré de l'I. W. W., déclencha la première grève générale en Amérique. A Lawrence, dans le Massachusetts, 30 000 ouvriers du textile cessèrent le travail et bouclèrent toutes les manufactures de la ville. A Butte, les ouvriers des mines de cuivre, en grève, s'étaient placés sous la direction d'un conseil d'ouvriers, de soldats et de marins, tandis qu'à Portland (Oregon), un certain nombre de syndicats se réunissaient pour former un soviet dont le but était « de porter le coup de grâce à la classe capitaliste [3] ». L'espace de quelques semaines, on eut l'impression que les travailleurs, spontanément, menaient le pays au bord de la révolution.

Les super-patriotes enrageaient. La « National Civic Federation », l' « American Defence Society » et la « National Security League » — organisations qui pendant la guerre avaient toutes prôné l'américanisme à 100 % — se joignirent bientôt à des organisations patronales, telle la « National Association of Manufacturers », pour se livrer à une propagande anti-bolchévique tous azimuts. Le sous-comité judiciaire du Sénat, abandonnant sa propagande anti-allemande, fit porter tous ses efforts contre le bolchévisme. Les membres de ce comité présidé par Lee S. Overman aimaient mieux faire de grands discours que d'effectuer des recherches sur des faits indiscutables. Les sénateurs intéressés par la question russe entendirent une série de témoins qui étaient pratiquement tous hostiles au régime soviétique : des ministres, des professeurs, des ouvriers appartenant à l'Y. M. C. A., des hommes d'affaires, des réfugiés russes, des employés de banque de Petrograd, des fonctionnaires de l'ambassade y compris l'ambassadeur Francis. Les histoires les plus saugrenues et les plus invraisemblables sur l'abomination communiste étaient écoutées par les sénateurs avec le plus grand sérieux : on racontait que l'essentiel de l'Armée rouge se composait de repris de justice, que la révolution russe avait été organisée en grande partie par les Juifs de New York ; on affirmait qu'en Russie tous les employés de l'administration, ainsi que toutes les personnes diplômées, avaient été assassinés. Les dirigeants bolchéviques étaient des bêtes immondes dont le viol n'était pas la seule spécialité ; non contents de nationaliser les usines, ils avaient également nationalisé les femmes et installé un peu partout des officines où l'on pratiquait l'amour libre ;

---

3. Cité dans Theodore DRAPER, *The Roots of American Communism*, Viking Press, New York, 1957, p. 139.

quant aux journaux américains, ils gavaient le public d'histoires scabreuses sur la lubricité et le sadisme soviétiques.

Louise, John et Rhys Williams, craignant que ces bruits ne soient jamais démentis, télégraphièrent au sous-comité judiciaire, demandant la permission d'apporter leur témoignage. Ils avaient été déjà cités abondamment, comme les plus grands propagandistes probolchéviques des Etats-Unis ; aussi leur requête fut-elle exaucée. L'après-midi du 20 février, dès que Louise commença à lire son rapport, il fut évident que le comité avait décidé de montrer aux sénateurs à quoi ressemblaient les agents de Lénine. Ils mirent plus d'empressement à la discréditer qu'à l'écouter, tour à tour hostiles ou pontifiants. Louise, qui avait prévu cette attitude, ne se laissa pas faire : le duel oratoire dura cinq heures. Avant même qu'elle ne prenne la parole, on mit en doute sa croyance dans le caractère sacré du serment ; Louise indignée répliqua : « J'ai l'impression d'être jugée comme sorcière [4]. » Le climat ne devait guère s'améliorer par la suite. Tandis que les sénateurs la bombardaient de questions sur ses mariages successifs, ses convictions et ses activités politiques, essayant à tout prix de lui faire dire qu'elle était un agent bolchévique, Louise s'efforçait d'en revenir à la révolution et de réfuter toutes les histoires qui circulaient sur la violence et la cruauté bolchéviques.

Le lendemain ce fut le tour de Reed de témoigner. A l'un des journalistes présents dans la salle, il fit l'impression « d'un bel homme [...] au physique de capitaine de football, avec ses larges épaules, son visage souriant [5] ». Il avait pu observer la veille l'attitude des sénateurs vis-à-vis de Louise, aussi s'était-il tout à fait préparé à leur mentalité. La plupart des sujets choisis par les sénateurs l'avaient été, de toute évidence, de manière à le faire passer pour un menteur, un agent bolchévique, et de préférence pour les deux à la fois ; tout y passa : l'incident dans les tranchées allemandes, la violation de la promesse qu'il avait

---

4. Sénat des Etats-Unis : « Les fabricants de boissons alcoolisées et la propagande allemande et bolchévique : rapport d'audiences du sous-comité judiciaire du Sénat », 66e congrès, 1re session, Washington, Imprimerie nationale, 1919. Le témoignage de Louise Bryant figure aux pages 465-561 de ce rapport, et celui de J. R. aux pages 561-601. Toutes les citations qui ne font pas l'objet d'une note particulière dans les deux paragraphes suivants sont tirées de la même source.

5. Stanley FROST, « John Reed ou : de la révolution considérée comme un sport », *New York Tribune,* 27 mars 1919.

faite en 1917 de ne pas assister à la conférence sur la paix de Stockholm, sa nomination comme consul de la Russie soviétique, son travail au Bureau de la propagande et ses inculpations en Amérique. John répondit patiemment aux questions et refusa de se laisser enfermer dans des problèmes secondaires ; il insista pour expliquer les origines et les développements de la révolution. Il se montra si éloquent, si précis dans les faits, les citations et les chiffres qu'il avait réunis sur les soviets, sur le contrôle des usines par les ouvriers, la distribution de la nourriture, la nationalisation des terres, les lois sur la presse et la suppression de la criminalité, que durant un long moment, les sénateurs furent contraints de l'écouter.

Bientôt ceux-ci centrèrent leurs questions sur un problème unique : John prônait-il une révolution semblable en Amérique ? La réponse de John fut nette : « J'ai toujours été partisan d'une révolution aux Etats-Unis. » Abasourdi par une telle franchise, l'un des sénateurs reposa la question et Reed s'expliqua : « La révolution n'implique pas nécessairement la violence. Par révolution, j'entends un profond changement social. Je ne sais pas comment on peut y arriver. » Un sénateur lui demanda : « Monsieur Reed, ignorez-vous que l'usage du mot " révolution " dans son sens habituel implique l'idée de force armée et de conflit ? » « Effectivement, répondit John, il se trouve que tous les grands bouleversements sociaux se sont faits dans la violence. Pas un seul n'a échappé à cette règle. » Les questions qu'on lui posa ensuite tendirent à lui faire admettre qu'il était partisan de l'usage de la force, mais Reed maintint que le renversement du capitalisme pourrait se faire pacifiquement. Il insista sur le fait que le socialisme ne triompherait que lorsque « la majorité des gens y serait prête. » Là, il se montra conciliant : « Je voudrais préciser ma position : quinconque prône le renversement de la majorité par la minorité n'est qu'un bandit, car cela veut dire qu'on verse en vain du sang et qu'on assassine sans but véritable. » En cela, il s'appuyait sur ce qu'il avait observé en Russie : les Bolchéviks formaient un petit parti qui avait mis en pratique les souhaits de la majorité des ouvriers et des paysans ; la preuve en était que l'opposition ne rassemblait que la « minorité » de la petite et de la grande bourgeoisies.

Les jours suivants, ses amis Williams, Bessie Beatty et Raymond Robins vinrent compléter le tableau de la situation en Russie. Cette petite victoire sur l'information, contre tous les mensonges qui circulaient dans la presse, fut diminuée du fait que ces rapports impressionnèrent peu le comité ; celui-ci pondit un mémoire concluant que le bolchévisme représentait le plus grand danger pour l'Amérique, et qu'une législation très sévère s'imposait pour en combattre la menace. Reed eut droit à plusieurs éditoriaux venimeux, dont l'un s'intitulait « Un homme qui mérite la corde [6] » ; s'il put tout d'abord les ignorer, c'est que les choses n'allaient pas trop mal. Au mois de janvier, le gouvernement avait abandonné ses poursuites contre *Les Masses ;* le mois suivant, John fut acquitté pour son « incitation à l'émeute » de Philadelphie, et quelques semaines plus tard l'affaire de Hunt's Point Palace était enterrée. Un éditorialiste du *New York Times,* furieux de constater qu'un radical pouvait s'en tirer à si bon compte, comparait Reed aux révolutionnaires d'autrefois et laissait entendre que, lui, il allait pouvoir maintenant « partager les bénéfices [7] » avec ses amis bolchéviques. John, outré, lui répondit par une lettre cinglante que le *Times* refusa de publier : « Faire ce que vous appelez de la propagande bolchévique ne rapporte pas beaucoup d'argent... On ne gagne pas lourd lorsqu'on s'adresse à des ouvriers, ou lorsqu'on écrit dans les journaux des travailleurs, qui sont le seul public et les seuls journaux ouverts à la vérité sur la Russie soviétique... Il est bien évident que les gens qui travaillent pour un idéal, sans rien gagner ou bien peu, demeurent tout à fait incompréhensibles pour les autres, ceux qui ne travaillent jamais pour rien, ceux qu'on peut embaucher pour n'importe quoi [8]. »

Cette soudaine amertume était la conséquence directe des difficultés financières que John connaissait. Il n'était pas facile d'être révolutionnaire dans cette Amérique de 1919. Il y avait les problèmes d'argent que les convictions socialistes ne contribuaient guère à résoudre. John et Louise qui n'avaient jamais recherché le luxe s'en tiraient comme ils pouvaient : vingt-cinq ou cinquante dollars pour une conférence, de petites sommes qu'Eastman arrivait à leur fournir pour leurs articles au *Liberator,* soixante-quinze dollars de temps en temps pour une pige. Evidemment ce n'était pas très drôle de voir clore son compte en banque parce qu'il était trop souvent à découvert, ou d'être exclu du club de Harvard parce que John lui devait

---

6. « Un homme qui mérite la corde », *Times-Union,* de Jacksonville, 24 février 1919 (coupure de presse figurant dans les manuscrits J. R.).

7. *New York Times,* du 7 avril 1919.

8. Cette lettre, refusée par le *Times,* figure dans un article intitulé « Le bolchévisme russe et le bolchévisme américain » qui parut dans le *Revolutionary Age,* 12 avril 1919, p. 6.

trente-quatre dollars. Mais ce qui le peinait le plus, c'était de se rappeler l'intarissable générosité de son père ; il ne pouvait se résoudre à abandonner sa famille.

A cette époque Margaret Reed vivait avec sa mère à l'hôtel Multnomah ; dans ses lettres à John, elle se plaignait de ses maladies, de ses insomnies et de la peur qui la prenait à l'idée de devoir passer dans « une horrible maison de retraite » tout le reste de sa vie. Parfois, John parvenait à lui envoyer quelques chèques qu'elle lui retournait en alléguant que lui aussi manquait d'argent. Mécontente de devoir dépendre de John, elle manifestait son hostilité autrement : « Je ne peux pas dire que je sois folle de joie en recevant une pension due à la générosité des soviets [9]. » Ses récriminations blessaient John, le rendaient furieux et leur correspondance était une suite ininterrompue de brouilles et de réconciliations. Harry, qui venait d'être démobilisé, s'était marié et allait devenir père. Après avoir éprouvé beaucoup de difficultés à trouver un emploi — « les gens se moquent pas mal de savoir si on était dans l'armée ou non [10] » — il venait juste de commencer à travailler pour une compagnie bancaire lorsque Mrs Green tomba malade et dut être hospitalisée : Margaret put alors retrouver son appartement. John, sachant qu'on avait besoin de son aide, était hanté par la recommandation de son père, qui le suppliait de ne jamais faire de dettes. En 1917, il avait dû mettre sa montre en gage. Les cinq cents dollars d'avance de Boni and Liveright lui avaient permis de la récupérer, mais pour la deuxième fois il dut la porter chez un prêteur.

Ses soucis d'argent lui rendaient la vie difficile. Pendant des mois, ses tournées de conférences l'avaient éloigné de chez lui. Ensuite ce fut Louise qui, après avoir réuni tous ses articles dans un livre, *Six mois en Russie rouge,* alla glaner un peu d'argent en faisant des conférences. Elle partit vers le 15 mars pour plus d'un mois, allant jusqu'au nord-ouest du Pacifique et en Californie ; ce fut un voyage mouvementé, imprévu et fatigant ; un public nombreux et enthousiaste venait écouter ses récits sur la révolution russe et répondre à ses appels pour faire cesser l'intervention étrangère. Elle n'avait guère envie de revoir sa ville natale : « Rien qu'en songeant que je vais être à Portland,

---

9. Lettre de Margaret Reed à J. R. du 11 mars 1919 (manuscrits J. R.).
10. Lettre de Harry Reed à J. R., 21 avril 1919 (manuscrits J. R.).

j'en ai des frissons » ; mais en fin de compte ce périple s'avéra stimulant : les journalistes se montrèrent aimables à son égard et parlaient d'elle comme d'une célébrité ; à Portland, la salle était comble, et lors du dîner qu'ils firent ensemble, Harry et Margaret furent affectueux et fiers d'elle : « Il semble qu'à présent, je sois bien vue par la famille... C'est un peu le retour de la fille prodigue [11]. »

John lisait ses lettres à Croton ; il jardinait, se plongeait dans des ouvrages d'histoire, et travaillait sans relâche sur le texte d'un débat qu'on lui avait proposé pour trois cents dollars, sur le sujet suivant : « Le bolchévisme : promesse ou menace ? ». Il se rendait à Manhattan pour assister à des réunions de socialistes, mais aucune de ces activités n'arrivait à lui ôter son sentiment de solitude. Dans ses lettres, Louise, malgré ses réceptions et ses réunions, exprimait le même état d'âme :

« Mon cher amour... les étoiles scintillent dans le ciel froid. J'ai appris les nouvelles sur ce qui se passe en Hongrie ; quelles nouvelles magnifiques ! De ma fenêtre, je regarde les étoiles, et la brise du printemps rafraîchit mon visage brûlant. Ce réveil de la terre, tous ces sursauts qui se produisent dans le monde me semblent merveilleux. Je crois entendre les pas de cette immense armée qui se met en marche partout ; elle va me bercer et m'endormir. Je ne pense qu'à toi [12]. »

Les réponses de Reed à Louise montrent que le socialisme n'occupait pas toute la place dans sa vie. Les activités du Parti se trouvent souvent reléguées à la fin de ses lettres ; il y est d'abord question de ses projets. A plusieurs reprises, il fait part de son désir d'avoir un chien, puis donne des instructions pour l'achat des soieries chinoises à San Francisco en vue de confectionner de nouveaux rideaux.

Bien qu'engagé dans l'aile gauche du Parti, John était cependant un peu réticent ; un jour, il confia à Eastman : « Tu sais, cette lutte des classes joue un très mauvais tour à mon inspiration [13] ! » Les liens entre l'art et la révolution posaient un problème qu'il n'était pas facile de résoudre. Par une nuit froide, il rencontra Sherwood Anderson dans une rue du Village, et pendant une heure, ils discutèrent du rôle des artistes dans la révolution. Les écrivains devaient-ils être de simples observa-

---

11. Louise Bryant à J. R., 31 mars et 4 avril 1919 (manuscrits J. R.).
12. *Ibid.*, 24 mars 1919 (manuscrits J. R.).
13. Cité dans M. EASTMAN, *Heroes I have known*, p. 223.

teurs, ou bien gagnaient-ils à se lancer eux-mêmes dans la mêlée ? John pouvait parler en connaissance de cause : aucune solution n'était mauvaise, et de toutes façons, il se sentait attiré par l'action. Pourtant, une phrase de John laissa à Anderson l'impression que si Reed avait pu être certain d'être un poète, s'il avait été « vraiment sûr de son talent, il aurait abandonné l'action politique [14] ».

Ses doutes quant à ses talents littéraires n'étaient que momentanés, mais les problèmes que son engagement politique créait vis-à-vis de ses relations le préoccupaient parfois plus sérieusement. Sa nouvelle position l'éloignait de vieux amis et le faisait pénétrer dans un milieu qu'il ignorait. Il avait rompu avec Copeland pendant la guerre, à cause du patriotisme dont son ancien professeur avait fait preuve. Certains camarades d'université, Hallowell, Rogers et Hunt s'étaient peu à peu écartés de lui, et ses voisins de Croton, les Robinson, de même que certains collaborateurs des *Masses,* tels Dell et Eastman, tout en se montrant amicaux, fréquentaient de plus en plus des milieux différents. Steffens, à qui il restait le plus attaché, fut celui avec qui il eut le plus de peine à rompre. Le désir de le revoir avait peu à peu fait place à l'ennui, lorsque son aîné manifestait une indécision croissante devant des événements qui étaient pourtant clairs. Ils se rencontrèrent par hasard à New York sous un lampadaire ; au joyeux salut de Steffens, John répondit froidement, en dissimulant mal son ressentiment : « Pourquoi ne te joins-tu pas à nous ? Nous essayons de mettre en pratique ce dont autrefois tu parlais, ce sur quoi tu écrivais [15]. » La plupart de ses nouveaux camarades avaient eu une éducation différente de la sienne. Les gens des *Masses* représentaient une sorte d'élite ; c'étaient des bourgeois, nés aux Etats-Unis, ayant fait leurs études à l'université, pleins de talents et de relations, pour qui Freud importait autant que Marx, et Dostoïevski autant que Debs. Les chefs de l'aile gauche de New York étaient des gens plus limités, plus provinciaux et plus jeunes que Reed. Pour la plupart immigrés ou fils d'immigrés, beaucoup étaient juifs d'origine russe ; ils avaient vécu dans la misère et peu voyagé. Certains étaient

---

14. Lettre de Sherwood Anderson à E. H. Risley qui figure dans Howard Mumford JONES et Walter B. RIDEOUT, *The Letters of Sherwood Anderson,* Little and Brown, Boston, 1953, p. 395.

15. L. STEFFENS, « Une lettre à propos de John Reed », *New Republic,* n° LXXXVII, 20 mai 1936, p. 50. Repris dans son livre, *Lincoln Steffens speaking,* Harcourt and Brace, New York, 1938, p. 307-310.

diplômés du C. C. N. Y., d'autres autodidactes ; presque tous étaient depuis longtemps des militants socialistes ; ils aimaient les discussions théoriques sur les textes de Marx et se passionnaient pour l'organisation du Parti. La politique était vraiment leur univers ; seule une part de ce qu'était John les intéressait.

L'autre part de lui-même, l'artiste, se révéla à nouveau au mois de mars, lorsque le *Liberator* publia sa pièce satirique, « Une paix qui passe l'entendement » ; ce texte visait les négociations du traité de Versailles. La scène se passe dans une pièce où l'horloge retarde de cinquante ans ; on y voit en détail les petits marchandages des cinq grands, qui tiennent « une conférence ouverte » derrière des portes soigneusement verrouillées. Après avoir jeté dehors les Serbes et les Belges, qui protestent en disant qu'ils ont participé au combat et à qui l'on répond : « C'était la guerre ! Il s'agit maintenant de la paix ! », pour faire régner « la démocratie véritable », les cinq hommes se mettent au travail. Le président Wilson, champion de la persuasion, démontre brillamment à ses collègues éblouis que ses Quatorze Points idéaux peuvent être aisément utilisés pour façonner le monde de l'après guerre. « Il suffit de faire comme chez nous ; nous fourrons quinze cents personnes en prison pour délit d'opinion, ce qui ne m'empêche pas d'affirmer qu'aux Etats-Unis règne la libre expression... » Tandis que Lloyd George et le baron Makino s'amusent à jouer aux dés les colonies allemandes du Pacifique (« Paire de neuf !... Qu'est-ce que je gagne ?... Les îles Caroline !... »), le président rédige lui-même un rapport destiné à la presse, qui rend hommage à sa grande « victoire morale ». Au moment où il va le terminer, arrivent des nouvelles de révolution dans les pays occidentaux ; les cinq grands s'enfuient alors en toute hâte par les fenêtres, et partent pour la Russie, « le seul gouvernement stable » qui reste dans le monde [16].

A la fin de mars, les « Provincetown Players » jouèrent l'œuvre pendant une semaine, et Reed qui le 25 assista à la représentation fut content de constater la gaîté du public. La plus grande partie de ce qu'il écrivait alors était fort différent. Dans le *Liberator,* il pouvait encore se laisser aller à son inspiration : ton tragique dans l'hommage qu'il rendait à Liebknecht, dont il imaginait

---

16. J. R., « Une paix qui passe l'entendement », *Liberator,* mars 1919, p. 25-31.

la mort aux mains des soldats ; humour lorsqu'il s'agissait de donner une définition du bolchévisme destinée au département de la Justice : « Ce n'est pas l'Anarchisme, ça n'a rien à voir avec les Végétariens, ni avec l'Amour libre, et encore moins avec la *New Republic* [17]... » Mais les articles qu'il écrivait pour la presse de l'aile gauche dans le *Revolutionary Age* ou dans son propre journal, le *New York Communist*, étaient plus sobres et plus simples ; il y exposait des faits et citait abondamment Marx, dont il était en train de lire les œuvres. Dans ses analyses sur la ligne de conduite du Parti socialiste, dans les conseils donnés aux travailleurs sur la façon de se préparer à s'emparer des usines, dans ses explications de l'antiradicalisme américain, Reed contrôlait ses émotions, pesait ses mots et s'efforçait d'adopter une approche scientifique des problèmes sociaux.

John avait embrassé la cause révolutionnaire intuitivement ; il s'efforçait maintenant de la justifier rationnellement. En cherchant des éclaircissements, il ne s'en tint pas à Marx ou à ses disciples, il retourna aux racines profondes de la civilisation américaine. Dans une série d'articles qui parurent successivement dans sept numéros du *Communist,* il s'efforça de prouver « Pourquoi il fallait se débarrasser à tout prix de la Démocratie Politique » ; il s'appuyait sur les nouvelles théories historiques de Charles Beard et de James B. Mac Master pour démontrer que le gouvernement des Etats-Unis, soi-disant démocratique, « avait été en fait prévu pour protéger les riches contre les pauvres, la propriété contre les exigences vitales et contre la liberté, et la minorité qui détenait les monopoles contre la majorité de la population. » Malgré diverses réformes, ce système était resté essentiellement le même ; c'était une démocratie de façade, derrière laquelle le pouvoir réel se trouvait entre les mains des intérêts économiques, qu'aucune élection ne pouvait modifier. Retraçant l'historique des mouvements radicaux américains, il expliquait que leur continuelle impuissance venait « de l'effet désastreux de [...] l'idéologie imposée sur la conscience politique croissante ». En effet, si les travailleurs croyaient aux buts et aux valeurs proposés par le système en place, ils n'avaient aucun motif de vouloir le changer. C'était donc la tâche des radicaux

---

17. J. R., « La grande conspiration bolchévique », *Liberator,* février 1919, p. 32.

de démontrer que « la démocratie politique n'était qu'un leurre [18] ».

C'était justement parce que l'idéologie était si puissante que le mot de « démocratie » était si difficile à bannir. Certes, on avait raison d'affirmer que le socialisme représentait la meilleure forme de gouvernement parce qu'il donnait « une base scientifique au désir de liberté », mais cela ne résolvait pas la question. Reed montra que le système des soviets, au sein desquels les représentants pouvaient être à tout moment révoqués, était un système « plus démocratique » qu'aucune des constitutions occidentales. En revanche, il eut du mal à faire passer la formule que les Bolchéviks avaient rendue célèbre, celle de la « dictature du prolétariat ». Il savait qu'elle sonnait mal pour les oreilles américaines ; aussi la justifia-t-il en disant qu'elle faisait partie des « cris de jeunesse en révolte du monde socialiste ». La classe possédante, elle, avait bien les moyens d'acheter sa protection, la dictature en question était donc nécessaire pour lutter contre la bourgeoisie. Lorsque le capitalisme aurait disparu, que les biens seraient confisqués, la propriété privée supprimée, lorsque la lutte entre les classes aurait cessé — non pas seulement dans un pays, mais dans le monde entier — alors, cette dictature cesserait d'elle-même « et la démocratie suivrait, fondée sur l'égalité et la liberté individuelle ». La société ne connaîtrait plus ni l'exploitation, ni la misère, il n'y aurait plus ni guerre, ni prostitution. Grâce à l'éducation et à la culture pour tous, les artistes seraient « soutenus et honorés, [...] le produit de leur génie [...] deviendrait la propriété du monde entier [19] ».

Tandis qu'il cherchait ainsi à élucider certaines questions, *Dix jours qui ébranlèrent le monde* connaissait un succès croissant. Le livre, paru au mois de mars, fut très bien accueilli, non seulement par les journaux radicaux, mais aussi par les organes très conservateurs, tels le *Los Angeles Times*, le *Public Ledger* de Philadelphie et l'*American* de New York. Il fut salué comme une œuvre « prophétique », « éblouissante », un

---

18. « Pourquoi la démocratie politique doit disparaître », *New York Communist,* 14 juin 1919. Cette série d'articles fut publiée chaque semaine dans ce journal du 8 mai au 14 juin 1919.

19. J. R., « Aspects de la Révolution russe », *Revolutionary Age,* 12 juillet 1919, p. 8-10. La dernière citation contenue dans ce paragraphe est tirée de la conclusion que J. R. entendait donner à cet article ; elle figure dans les manuscrits J. R. Elle ne fut jamais utilisée, puisque J. R. démissionna de la rédaction du *Revolutionary Age.*

livre de référence pour les révolutions à venir, un ouvrage « qu'on ne pouvait ignorer, qu'on fût sympathisant ou ennemi » des Bolchéviks ; au cours des trois premiers mois qui suivirent sa parution, on en vendit cinq mille exemplaires. Plus agréables encore que ce succès commercial, furent pour Reed les louanges de ses amis radicaux [20]. Emma Goldman, dans son pénitencier du Missouri, lut le livre avec avidité : « J'ai l'impression d'être transportée en Russie, je suis prise totalement dans cet ouragan, [...] entraînée dans toutes ces péripéties... » Dans la prison de Leavenworth, les camarades de l'I. W. W. dévorèrent *Dix jours...* ; ils en discutaient et y faisaient référence comme aux « Minutes de la révolution ». De cette prison, Reed reçut de nombreuses lettres : tantôt on lui demandait des exemplaires de son livre, tantôt on le remerciait d'avoir écrit « d'une façon si réaliste » que les barreaux de fer tombaient, et permis au lecteur de vivre en le lisant l'aventure dont il rêvait depuis si longtemps [21].

Louise fut de retour le 15 avril. Son voyage l'avait fatiguée ; elle dut bientôt jouer à l'infirmière car John souffrait d'une grippe. Tandis qu'il restait allongé sur son lit, c'était elle qui coupait le bois, faisait la cuisine, allait faire les provisions au village et le frictionnait à l'alcool pour faire tomber la fièvre. Il appréciait les soins dont elle l'entourait, et trouvait encore

---

20. Les critiques des journaux hostiles aux Bolchéviks reconnurent d'une façon unanime que *Dix jours qui ébranlèrent le monde* était le compte rendu le plus sérieux, le plus précis qui existât sur le sujet. C'était une œuvre ouvertement partisane — Reed ne s'en cachait pas dans sa préface — et la majorité des critiques se rallia à l'avis de Harold Stearns qui avait écrit, dans le n° 46 du *Dial*, que le parti pris délibéré était une position plus intelligente, lorsqu'il s'agissait d'événements aussi controversés, qu'une soi-disant « objectivité » qui masquait en fait des idées préconçues. Stearns, très élogieux, considérait l'œuvre « non seulement comme le compte rendu d'un événement capital, mais comme un livre de référence pour les temps à venir », puisque la révolution russe, de toute évidence, ne serait pas la dernière de ce siècle. Beaucoup d'articles firent une sorte de paraphrase du livre de Reed, s'efforçant de donner un résumé précis d'événements généralement présentés d'une façon assez confuse dans la presse américaine. Dans son n° 19, la *New Republic* jugeait qu'il n'y avait pas de meilleur livre sur cette période et ajoutait que « l'ouvrage demeurerait insurpassé pour un bon moment ». La *Nation* vit dans le livre de John une « chronique détaillée et parfaitement limpide ».

21. Emma GOLDMAN, *Living my Life*, tome II, p. 684, Alfred A. Knopf, New York, 1931 ; Ben H. Fletcher à J. R., 10 mai 1919 (manuscrits J. R.).

assez de force pour lui expliquer, depuis la fenêtre, où et comment planter les jeunes arbres. Ils passèrent ensemble devant le feu quelques jours merveilleux. Le voyage de Louise lui avait rapporté un peu d'argent, et avait fait plaisir à la mère de John. Celle-ci fit de grands éloges de sa belle-fille ; elle était en train de lire *Dix jours...* et John fut bien content lorsqu'elle lui écrivit qu'elle trouvait son livre « magnifique [22] ».

Durant sa convalescence, les événements vinrent précipiter son engagement politique. Au cours des élections à l'intérieur du Parti socialiste, l'aile gauche avait remporté douze sièges sur les quinze que comportait le comité exécutif et s'était attribué quatre postes de délégués internationaux sur les cinq postes vacants ; Reed était l'un des quatre. Le 21 avril, la section de New York proposa la réunion d'une conférence nationale de l'aile gauche au mois de juin. John, qui s'efforçait de faire du prosélytisme dans le *Communist,* devint la cible de l'aile droite du Parti. Un journal rival, le *Socialist,* rappela que Reed avait soutenu Wilson en 1916, ridiculisa ses positions politiques et l'accusa de plagier les autres intellectuels socialistes ; il s'en prit ensuite aux procédés « déloyaux » des compagnons de John. Reed laissa aux autres le soin de continuer cette polémique et contre-attaqua d'une façon bien à lui. En imitant le format, la typographie et la présentation du *Socialist,* il fit sortir, avec l'aide de quelques amis, un faux numéro pastichant le ton du journal et dans lequel figuraient de grandes accusations contre John Reed. Ce numéro fut distribué par les circuits habituels et se vendit à plusieurs centaines d'exemplaires, avant que la supercherie ne fût découverte. Dans le numéro suivant, le *Socialist* qualifia cette entreprise de « triste chapitre... dans l'histoire de ce pays » ; aussi l'hostilité entre les deux tendances ne fit-elle que s'accroître [23].

Le 1er mai, dans tout le pays, les défilés de travailleurs se transformèrent en émeutes où s'affrontèrent la police, les soldats et les radicaux, ces derniers subissant le gros de l'attaque. Le local du Parti socialiste de Boston fut saccagé et on y arrêta cent seize radicaux ; à New York, des soldats et des civils firent de gros dégâts dans la « Russian People's House » et dans les bureaux du *Call.* A Cleveland, on fit appel aux blindés pour stopper une manifestation d'ouvriers ; les bureaux du Parti

---

22. Margaret Reed à J. R., 20 mai 1919 (manuscrits J. R.).
23. Le pastiche du *Socialist* était daté du 17 mai 1919 ; le numéro suivant du « véritable » *Socialist* parut le 4 juin 1919.

socialiste furent brûlés ; il y eut un mort et cent six arrestations. La presse quotidienne feignit d'ignorer que c'étaient les patriotes qui avaient déclenché cette vague de violence, et affirma que ces désordres n'étaient rien d'autre qu'une « répétition générale » avant la révolution. Pourtant la violence, le harcèlement, les attaques étaient moins graves que les dissenssions à l'intérieur du parti. Le comité exécutif national du Parti socialiste, effrayé par la menace que constituaient les jeunes gauchistes, se réunit le 24 mai, décida d'annuler les élections du printemps et entreprit de se débarrasser de tous ses membres affiliés à l'aile gauche. En voulant s'amputer de ses « membres gangrénés », le Parti abandonna des fédérations entières : celles du Michigan, du Massachusetts et de l'Ohio ; puis il poursuivit son action dans les sections municipales. Le résultat fut catastrophique. En janvier 1919, le Parti avait compté 110 000 adhérents ; après l'opération de nettoyage du comité exécutif, il restait environ 40 000 affiliés au Parti socialiste.

Lorsque la conférence nationale de l'aile gauche du Parti se réunit le 20 juin à Manhattan, la colère de ses membres tourna court, tant était grande l'hostilité du public envers les radicaux. En effet, au début du mois, toute une série de mystérieuses explosions s'étaient produites au domicile de juristes, de hauts fonctionnaires de la police, de juges et d'industriels, dans une dizaine de villes ; on avait aussitôt crié haro sur les anarchistes. Le jour même de la conférence, les enquêteurs qui travaillaient pour le compte du « comité de l'état de New York chargé des activités séditieuses », tout récemment créé, firent irruption dans les bureaux de l'aile gauche, dans ceux de l'I. W. W. et de la « Socialist Rand School », confisquant les archives et les listes d'adresses. A l'étranger, le soviet bavarois avait été écrasé par la force, tandis qu'en Hongrie, le gouvernement révolutionnaire résistait tant bien que mal aux attaques de la Garde blanche. En un tel moment, il aurait fallu que la gauche soit unie, mais les différentes tendances du Parti socialiste gaspillaient l'essentiel de leur énergie à se quereller entre elles.

A la conférence de l'aile gauche, les participants furent très nombreux ; il y eut quatre-vingt-quatorze représentants de vingt états, ce qui représentait environ 70 000 adhérents ; malgré cette assistance nombreuse, la réunion fut morcelée en de multiples tendances. La moitié environ de ceux que le Parti socialiste avait « excommuniés » appartenaient à des fédérations de langue étrangère — Russes, Hongrois, Polonais, Lettons. C'étaient des ouvriers immigrants qui ne comprenaient pratiquement pas l'anglais. En mars, le premier Congrès de la nouvelle Internationale communiste s'était tenu à Moscou et avait engagé l'aile gauche à entreprendre « une lutte sans merci » contre l'aile droite, qui avait soutenu la guerre. A l'époque, le Parti socialiste américain ne correspondait pas exactement à cette description, mais cela n'empêcha pas les fédérations de langues étrangères de mettre cette tactique à exécution. Le bolchévisme était un mouvement extrémiste qui refusait les compromis ; aussi les fédérations vinrent-elles à la conférence, décidées à créer immédiatement une organisation communiste.

Cette réunion, qui représentait pour Reed la première expérience des luttes internes existant au sein des mouvements radicaux, fut instructive. Il n'hésita pas à fausser légèrement la vérité historique et à accuser injustement la droite du Parti socialiste d'avoir acquiescé seulement du bout des lèvres à la déclaration pacifiste de Saint-Louis. Pour justifier l'organisation de l'aile gauche, il prit l'exemple du Parti bolchévique qui s'était séparé du Parti social-démocrate en 1902, et il exigea l'adhésion totale au principe de « dictature du prolétariat [24] ». Cependant, lorsque les fédérations de langues étrangères, dirigées par les éléments russes, proposèrent l'organisation d'un Parti communiste, John vota pour la majorité dont l'objectif était toujours « de s'emparer du Parti socialiste pour en faire un parti révolutionnaire ». Un tiers des délégués présents les accusa d'opportunisme, et les mécontents quittèrent la convention. Etant donné que les différences de programmes entre ce qui était maintenant la majorité et la minorité de l'aile gauche, étaient négligeables, leur querelle peut paraître difficile à comprendre. Le groupe de Reed envisageait d'assister à la convention du Parti socialiste le 30 août à Chicago, d'y exiger la validation des élections du printemps dernier et de reprendre le contrôle du Parti. L'autre groupe n'était pas d'accord pour attendre encore dix semaines. Mais en fait, derrière ce léger désaccord, se profilait une menace dont personne ne parlait : le nationalisme. Les étrangers, et les Russes particulièrement, qui méprisaient les travailleurs américains, se sentaient très proches des Bolchéviks et poussaient les autres à suivre leur exemple, disant qu'il était plus important pour un parti révolutionnaire d'être petit, discipliné et politiquement sincère que de gagner des adhérents. En revanche, la majorité espérait qu'en restant dans le Parti,

---

24. « Article sur l'Aile gauche », inédit, été 1919 (manuscrits J. R.).

elle arriverait à gagner certains indécis appartenant à des sections symphatisantes, particulièrement celles de l'Ouest. John faisait partie de ceux qui refusaient de voir le Parti coupé de sa base potentielle, les ouvriers américains, ceux qui avaient auparavant adhéré à l'I. W. W.

Après le départ des fédérations étrangères, la conférence se poursuivit pendant quatre jours ; on approuva un long manifeste qui posait en principe que le capitalisme était moribond ; on élut un conseil directeur composé de neuf personnes, réunissant le *Communist* et le *Revolutionary Age,* chargé de mettre au point une tactique pour investir la convention de Chicago. Reed fut désigné pour faire partie d'un comité de travail, et contribua à l'élaboration d'un rapport qui appelait à la formation d'un syndicalisme révolutionnaire, prônant l'organisation de comités d'ateliers et de conseils d'ouvriers à l'exemple de ceux qui avaient pris le contrôle de l'industrie russe en 1917. Pour préparer les ouvriers à une telle action, on proposa de créer un nouveau périodique, le *Voice of Labour,* dont John fut nommé directeur. Le contenu de ce journal fut âprement discuté ; John insista sur la nécessité d'en faire un organe intéressant aussi bien qu'utile. C'était possible, si l'on attirait l'attention des lecteurs sur la situation actuelle des ouvriers américains, si l'on analysait les circonstances historiques qui avaient amené le Parti socialiste a prendre les positions actuelles.

Au moment où la fraction dissidente de l'aile gauche proposa d'organiser une convention au mois de septembre à Chicago pour y créer un parti communiste, Reed était en vacances. Louise avait réussi à l'entraîner à Truro en arguant du fait qu'il n'était pas bien et qu'il n'arriverait pas à prendre des vacances, s'il restait à New York : « Ici, à Truro, John ne peut même pas entendre les bruits de la bataille [25]. » Au Cap Cod, il faisait bon ; il était agréable de retrouver le soleil et les souvenirs. John et Louise, à l'écart de la foule qui se pressait à Provincetown, se reposèrent dans les dunes ; conscients de ce que représentait pour chacun l'absence de l'autre, ils faisaient des projets d'avenir communs et parlaient des romans que chacun envisageait d'écrire. Ces rêves étaient bien fragiles. Un soir, Susan Glaspell et Jig Cook vinrent leur rendre visite ; ils trouvèrent que Reed, pour un révolutionnaire, se montrait très calme. « J'aimerais tant pouvoir rester ici », leur confia-t-il. Comme ses amis lui demandaient

---

25. Louise Bryant à l'auteur de *Soviet Russia,* 19 juillet 1919.

pourquoi il ne le faisait pas, son visage s'assombrit, et il répondit simplement : « Trop de gens comptent sur moi [26]. »

Pendant ce temps, le conseil national de l'aile gauche avait entamé des négociations avec la fraction dissidente composée des fédérations étrangères, et se joignit soudain à elles le 28 juillet, pour participer à la convention communiste. John, très surpris de ce revirement, revint en hâte à Manhattan et se joignit à Benjamin Gitlow et à Jim Larkin pour reprendre l'affaire à la base. Cela impliquait des conversations quotidiennes, des discussions et des confrontations houleuses avec les compagnons d'hier ; lors d'un débat particulièrement vif devant la porte du local du Bronx, Jay Lovestone coupa court à la discussion et traita John de « faux prolétaire qui se pavanait dans son somptueux domaine de Westchester [27] », John, écœuré de voir que les gens votaient contre sa proposition, ignora la main que lui tendait Lovestone en signe de réconciliation, lui dit d'aller au diable et partit.

Il cessa de collaborer au *Revolutionary Age,* qui soutenait le conseil national de l'aile gauche, et passa un mois d'août torride au club Conolly où son groupe avait élu domicile. Il se plongea dans l'étude du socialisme et se mit à apprécier les conversations où l'on discutait presque exclusivement de la théorie marxiste, mais il consacra toute son énergie à préparer la sortie du premier numéro du *Voice of Labour.* La classe ouvrière, par comparaison avec les aspects déplaisants des querelles de partis, était quelque chose de propre. L'un de ses proches collaborateurs, Eadmonn Mac Alpine, remarqua qu'à l'opposé de la plupart des radicaux, Reed « ne condescendait pas à se joindre à la classe ouvrière, [...] il était avec elle, il en faisait partie [28] ». Après tout, c'était pour elle et par elle que se ferait la révolution et sa vision du Parti communiste était celle d'un parti qui englobait le prolétariat : « C'est un mouvement actif et vivant qu'il nous faut, dont les membres soient capables de faire des adeptes dans tout le pays et de travailler là où on a besoin d'eux. Nous avons besoin d'un mouvement discipliné qui ne soit pas dominé par des politiciens [29]. » A la fin du mois, les dirigeants radicaux américains se rencontrèrent à Chicago

---

26. Cité dans S. GLASPELL, *The Road to the Temple,* p. 302.
27. Cité dans Benjamin JITLOW, *The Whole of their Lives,* Charles Scribner's Sons, New York, 1948, p. 27.
28. Lettre d'Eadmonn Mac Alpine à G. Hicks, 26 décembre 1934 (manuscrits Hicks).
29. Cité dans B. JITLOW, *The Whole of their Lives,* p. 24.

pour l'épreuve de vérité. L'atmosphère était tendue, mais certains débats tournèrent parfois à la farce. Tôt le matin du 30 août, Reed conduisit quelque quatre-vingts délégués au second étage de l'auditorium des Machinists' Hall, où devait s'ouvrir la convention du Parti socialiste. Julius Gerber, qui était chargé de l'organisation, leur ordonna d'évacuer la salle ; comme John refusait de bouger, il essaya de le pousser dehors de force. Ils en vinrent aux mains, et Reed eut vite raison de son adversaire, plus petit que lui, qu'il tint à bout de bras, tandis que l'autre battait l'air en hurlant. L'incident fut clos lorsque la police de Chicago, qu'on avait prévenue, vint faire sortir tous les représentants irréguliers. Ceux-ci se réunirent alors dans une salle de l'étage du dessous et décidèrent de tenir leur propre convention.

Quatre-vingt-deux délégués, qui représentaient vingt et un états, réunis dans la salle de billard du premier étage, ouvrirent la séance en chantant joyeusement *L'Internationale,* puis en acclamant le nom de Debs, l'I. W. W. et tous ceux qui étaient en prison à cause de la guerre. La faction dissidente avait perdu presque toute raison d'exister puisque la scission au sein de l'aile gauche s'était produite sur la question de savoir s'il fallait ou non essayer d'investir la convention du Parti socialiste. Mais il n'était pas facile de passer l'éponge après deux mois d'accusations féroces lancées contre le groupe de Reed dans les journaux de langue étrangère, et après le coup de poignard dans le dos du conseil national de l'aile gauche, qui s'était soudain rallié à la convention communiste ; Reed fut de ceux qui argumentèrent d'une façon très véhémente contre l'unité immédiate. On vota contre la proposition d'une convention commune. Pour trouver un compromis, on forma un comité chargé d'établir des relations avec le Parti communiste.

Il était un peu tard pour se comprendre. Les négociations entre les deux factions n'aboutirent pas ; en effet, Reed, Benjamin Gitlow, Alfred Wagenknecht et leurs homologues du Parti communiste, Louis Fraina et Charles Ruthenberg, n'étaient pas décidés à faire des concessions importantes. On s'en aperçut très vite ; aussi le groupe de Reed se rendit-il au siège de l'I. W. W. et se proclama-t-il lui-même « Parti travailliste communiste » ; il entreprit aussitôt de mettre au point sa propre organisation. John, nommé président du comité chargé d'établir un programme, fut le principal auteur d'un rapport qui donna lieu à un débat agité. L'un de ses adversaires fut Louis B. Boudin dont le livre, *Le Système théorique de Karl Marx,* paru en 1917, avait acquis une réputation mondiale parmi les socialistes. Il reprocha à John d'avoir employé l'expression « conquête du pouvoir politique » et se moqua de lui lorsque Reed voulut la défendre en citant Marx à l'appui. John, qui craignait de perdre la face, quitta la pièce, furieux, et revint avec un exemplaire du *Manifeste communiste* d'où il tira l'expression qu'il avait employée. « C'est une bien mauvaise traduction », balbutia le polyglotte Boudin ; finalement on vota contre sa proposition, Boudin sortit de la salle et quitta le Parti communiste travailliste [30].

Ce départ ne signifiait pourtant pas que John en avait fini avec les opposants ; l'hostilité qu'on manifestait à son égard était surtout due au concept de dictature du prolétariat, impliquant qu'on entraînait la classe ouvrière à la conquête du pouvoir. Le rapport faisait l'éloge de l'I. W. W., modèle de syndicat ouvrier, et n'autorisait l'action politique que dans des limites précises : les candidats du Parti communiste travailliste, ou leurs représentants normalement élus, devaient passer le plus clair de leur temps à expliquer que la démocratie politique était un leurre. Plus important fut le serment de fidélité inconditionnelle à la Troisième Internationale. Les représentants qui n'arrivaient pas à s'entendre, essayèrent de combattre la ligne dure du rapport ; celui-ci fut cependant accepté par quarante-six voix contre vingt-deux. Malgré cette opposition qui n'était pas négligeable, John télégraphia à Louise : « Convention magnifique. Tout se déroule parfaitement [31]. »

Parfois la politique ennuyait John ; un après-midi, il quitta la salle pour aller se promener dans un parc avec Sherwood Anderson ; ils discutèrent tous deux de la poésie contemporaine. Lors de la séance finale, John fut élu au poste important de délégué international [32]. Il revint en hâte à New York, où il confiait à qui voulait l'entendre : « Ça y est ! nous avons enfin un véritable parti ouvrier américain [33] !... » Dans son for intérieur, il lui était difficile de faire preuve d'autant d'enthousiasme. Le Parti communiste ayant adopté des positions pratiquement analogues, il existait désormais deux factions rivales qui avaient à

30. Cité par DRAPER, *The Roots of American Communism,* p. 180.
31. J. R. à Louise Bryant, 2 septembre 1919 (manuscrits J. R.).
32. C'était un poste clé, car le délégué international devait s'occuper des négociations avec la Nouvelle Internationale communiste à laquelle tous les partis communistes voulaient appartenir. Alfred Wagenknecht fut nommé second délégué international et secrétaire exécutif du Parti communiste travailliste.
33. Cité par FLYNN, *I speak my own Piece,* p. 271.

peu près le même programme. Cela signifiait pour John des discussions interminables, des réunions avec les membres des sections locales du Parti socialiste, pour essayer de convaincre les indécis que la version communiste du Parti communiste travailliste était la plus proche de celle des Bolchéviks. Malgré sa réputation croissante, ce combat décourageait John. Populaire auprès des ouvriers américains et sachant trouver les mots pour leur parler, il était dans un mouvement dont les membres, pour la plupart d'origine étrangère, parlaient mal l'anglais. Au bout de quelques semaines, il devint évident que leur rival, le Parti communiste, était très fortement enraciné dans les anciennes fédérations socialistes de langue étrangère et que le Parti communiste travailliste resterait minoritaire. Le groupe de Reed obtint davantage de soutien dans les vieux bastions du socialisme, les états de Washington, du Missouri, de l'Oregon et du Kansas ; il comptait plus d'Américains de vieille souche aux postes de direction. Mais à la fin de septembre, il n'y eut pas de quoi se réjouir, lorsqu'on observa la réaction des travailleurs envers l'une et l'autre de ces deux organisations communistes : sur 70 000 adhérents, lors des préconventions de l'aile gauche, seuls 35 000 s'affilièrent à l'un ou à l'autre des deux partis, dont environ un tiers au Parti communiste travailliste. Reed, faisant le point après six mois d'intense activité, pouvait s'enorgueillir d'avoir joué un rôle important dans la naissance du bolchévisme américain. Comme il s'efforçait de comprendre pourquoi ces efforts avaient donné lieu à la formation de deux partis, il séparait soigneusement les ouvriers de langue étrangère — nécessaires dans un mouvement révolutionnaire — de leurs dirigeants, à qui il reprochait leur autoritarisme et leur volonté de séparer leurs compatriotes de leurs camarades américains. Ces dirigeants, en voulant créer un parti selon les principes russes, « n'avaient fait aucun effort pour essayer de l'adapter à la psychologie de la classe ouvrière américaine ». En ignorant les mœurs du pays, ils faisaient preuve d'un chauvinisme à courte vue ; en effet, aux Etats-Unis, un groupe dans lequel « personne [...] ne peut parler clairement, ni être compris par les ouvriers du pays » ne pourrait jamais organiser la révolution. En fin de compte la véritable raison de l'existence de ces deux organisations, c'étaient les « ambitions » de certains qui espéraient rester dans l'histoire comme les fondateurs d'un nouveau parti communiste [34].

34. Extrait de J. R., « Le communisme en Amérique », *Workers' Dreadnought,* 4 octobre 1919, p. 3.

John était capable de déceler l'ambition chez les autres. Lui-même ne mettait pas la sienne dans la politique ; il lui était donc facile de mépriser cette façon de vouloir se faire un nom à tout prix. Sa réputation était suffisamment assurée par l'accueil qu'on avait fait à *Dix jours qui ébranlèrent le monde ;* c'est sans doute la raison pour laquelle il pouvait considérer la politique avec moins d'amour-propre que la plupart des gens. Certes, il était capable de se mettre en colère, et de s'obstiner lorsque d'autres radicaux soutenaient une politique révolutionnaire qu'il ne partageait pas. Mais dans ses moments de lucidité, John ne se souciait guère de sa façon d'agir dans l'arène politique. A cette époque, il aspirait à une vie tranquille près des siens. Il espérait avoir bientôt plus de temps à consacrer à l'amour, à la poésie et à la nature. Il lui fallait songer à organiser son existence ; pourtant, des six mois qui venaient de s'écouler, il tirait une bonne leçon : aussi nécessaire que fût la politique, elle ne pouvait le combler tout à fait.

# Russie

J'étais accroché à une échelle de ferraille dans un conduit d'aération qui se perdait dans les entrailles du navire. Il faisait noir et étouffant comme dans un four. Juste au-dessus de ma tête se trouvait une écoutille de cuivre qui menait sur le pont. L'air chaud qui montait, au contact de l'objet — dehors le froid était terrible — faisait « transpirer » le métal : d'énormes gouttes d'eau trouble me tombaient sur le visage et dégoulinaient dans mon dos.

Sur cette écoutille de cuivre, des pas allaient et venaient ; je pouvais entendre des hommes qui parlaient et toussaient. Sous mes pieds, au bas de la cage d'escalier, des lumières vacillaient : c'était la police finlandaise et les officiers de la douane qui fouillaient le bateau.

Le navire était à quai depuis quatre heures du matin. A huit heures un sifflement déchira le silence. Je descendis et à la lueur d'une allumette, je dénichai mes vêtements dans un coin. Derrière une petite porte métallique, une voix ne cessait de murmurer nerveusement : « Vite ! pour l'amour de Dieu, vite ! » J'entendis un bruit de pas qui descendait. Je m'aplatis dans un recoin. On passa sans me voir.

Une main prit la mienne, et nous nous élançâmes dans l'obscurité du bateau ; après avoir grimpé une échelle et longé une coursive, nous nous sommes retrouvés sur le pont illuminé par la lumière crue des lampes à arc. Le froid mordant me fit chanceler comme si j'avais reçu un coup. C'était l'hiver, ici. Il y avait de la neige sur les toits, de la neige et de la glace sur le sol. Nous avons longé un quai. Deux énormes grues à vapeur étaient déjà en train de fouiller la cale avant. Les dockers calaient de grandes caisses puis les soulevaient, soufflant ensemble avec de grands cris. Que pouvait-il y avoir dans ces caisses ? Des tanks en pièces détachées qu'on allait envoyer sur Petrograd avec l'armée finlandaise, comme on me l'avait dit ? Sans doute. Nous étions en Finlande blanche, pays de la révolution matée, pays de la Terreur bourgeoise.

Des hommes en uniforme se tenaient sur le pont, coiffés de casquettes à galons dorés, accompagnés par une demi-douzaine de policiers en manteaux gris qui portaient des revolvers attachés à la ceinture. Quelques passants vêtus comme des ouvriers se trouvaient derrière eux. Je savais que deux hommes m'attendaient : dès que j'aurais quitté le bateau, ils se mettraient en marche et je devrais les suivre. Mon guide me conduisit vers la passerelle ; en haut de celle-ci, il y avait deux officiers qui appartenaient au navire, tandis qu'au pied, un policier attendait. Nous battîmes en retraite vers l'escalier des cabines qui conduisait au château avant. Nous courûmes jusqu'à la pontée, où l'on était en train de câbler le palan des grues gigantesques, dans un vacarme effroyable. Là, on avait installé une autre passerelle destinée aux marchandises, au pied de laquelle se trouvait un groupe de douaniers.

« Vas-y ! Maintenant ! » me souffla l'homme qui était à mes côtés, et ce disant il me donna une formidable poussée dans le dos. Je trébuchai en avant et me frayai un chemin au milieu des douaniers en prenant l'air affairé de celui qui sait où il va, puis sans regarder personne, je m'engageai sur le quai. Juste en face de moi, un policier me dévisagea d'un air intrigué et soupçonneux, mais avant qu'il ait eu le temps de comprendre, j'étais loin. Deux hommes se détachèrent du groupe de flâneurs, et, longeant un entrepôt, s'enfoncèrent dans une rue sombre. Je les suivis.

En levant la tête, j'aperçus le ciel brillant d'étoiles ; les rues et les toits, couverts de glace, étincelaient. Au loin, sur une hauteur, un énorme bâtiment était brillamment éclairé ; c'était la prison, remplie de prisonniers politiques. Les rues près du bassin étaient noires, mais au fur et à mesure que nous nous rapprochions du centre de la petite ville, il y avait des lampadaires. Çà et là, on voyait un café, une usine éclairée où fonctionnait la machine de nuit. A l'endroit où les voies de chemin de fer coupaient la rue, un groupe de sentinelles armées de baïonnettes faisaient les cent pas. Je vis une caserne ; des soldats remplissaient une pièce bien éclairée où se trouvait *tout leur équipement, les casques de tranchée et les masques à gaz. La police était partout, montée ou à pied, armée de revolvers qui ne passaient pas inaperçus...*

John REED, histoire inachevée et inédite, datée du 3 novembre 1919 (manuscrits J. R.).

Dans cette histoire, John Reed apparaît tout à fait comme le personnage de roman d'aventure dont il rêvait depuis son enfance. Souvent dans le passé, il avait évité de distinguer les faits, la fiction, l'art, la vie, l'histoire, la poésie ; distinctions grâce auxquelles la plupart des gens se font, une bonne fois pour toutes, une idée de ce qu'est la réalité. S'il racontait ses aventures à la première personne, le narrateur de Reed apparaissait toujours séparé des événements qui ébranlent le monde par un écran significatif. Il était souvent en danger, suivi par des agents secrets, exposé à la violence, mais il embrassait des causes qui n'étaient pas tout à fait les siennes. Quelles que fussent la sympathie, l'attirance que les grèves, les luttes, les soulèvements ou les révolutions lui inspiraient, c'étaient des actions entreprises par des groupes précis auxquels il n'appartenait pas. Les choses étaient maintenant différentes.

Son engagement total au sein de l'aile gauche des socialistes, puis dans le Parti communiste travailliste faisait partie d'une réalité nouvelle dans laquelle la fiction littéraire avait moins de place. Ce débarquement clandestin dans le port d'Abo, qu'il avait commencé à écrire en Finlande dans la maison où il se cachait, ne fut jamais achevé. L'histoire, assez semblable à celles qu'il avait pu écrire auparavant, possédait cependant un élément nouveau. L'homme traqué était devenu le communiste ; à partir de septembre 1919, John ne se lança plus dans des aventures afin de séduire les éditeurs, les journaux ou les lecteurs éventuels ; c'était désormais pour un parti politique, et pour une cause qu'il avait faite sienne. Le danger était partout, et pour la plupart des gouvernements, le communisme était l'ennemi à abattre.

Ce changement ne se fit pas sans regret. La période où il débordait d'énergie était loin ; Reed voulait faire son devoir, mais il entendait en même temps conserver une vie privée, se consacrer à Louise, écrire de la poésie et un second ouvrage sur la révolution, qui devait s'intituler *De Kornilov à Brest-Litovsk*. Dès la fin de septembre 1919, il devint évident que ses projets ne pourraient se réaliser tout de suite. En effet, pour les communistes américains, les conventions avaient soulevé plus de problèmes qu'elles n'en avaient résolu. La survie du Parti communiste et du Parti communiste travailliste paraissait devoir dépendre de leur reconnaissance par l'Internationale communiste. Certains que le Komintern ne reconnaîtrait qu'un seul des deux partis, chacun d'eux dépêcha un représentant à Moscou. Pour le Parti communiste travailliste, le choix de l'homme s'imposait : John était de tous les radicaux américains, celui qui connaissait le mieux les Bolchéviks ; il ne pouvait pas refuser une telle responsabilité.

Cette décision souleva de grands problèmes. Louise, qui n'avait jamais consacré autant de temps à la révolution que son mari, se montra furieuse à l'idée de cette nouvelle séparation. Son mécontentement s'accrut encore des tiraillements survenus dans leurs relations, du fait de leurs désirs et de leurs ambitions respectifs. Depuis qu'elle avait quitté la Russie au début de 1918, ils avaient souvent été séparés, et leur fidélité mutuelle avait été mise à rude épreuve. Lors de son retour aux Etats-Unis, Louise avait essayé de revoir Eugene O'Neill, mais il avait refusé de reprendre leurs relations. Sachant qu'elle était elle-même incapable d'être fidèle, elle reporta toutes ses craintes sur John. Ses soupçons se trouvèrent confirmés en 1919, lorsqu'en revenant à Croton, elle trouva John dans le jardin avec une femme en train de s'ébattre joyeusement, tous deux dans le plus simple appareil. Folle de rage, elle se précipita chez Sally Robinson ; ils se réconcilièrent assez vite, mais le souvenir ne demeura pas moins. Elle l'accusait de lui préférer d'autres femmes et ses chères théories. Reed, tenaillé de doutes, souffrit en silence, mais tint bon cependant. C'est vrai, il n'était pas toujours fidèle mais elle ne l'était pas plus que lui ; et puis, la mission qu'il allait accomplir n'avait pas grand-chose à voir avec les femmes. Malgré son désir de rester un peu tranquille, John se rendait bien compte que dans la vie, il y avait certaines choses qu'on ne pouvait pas éliminer, ni feindre d'ignorer. Il lui jura solennellement qu'il l'aimait et que c'était leur dernière séparation. Il tâcherait d'activer son voyage, et, sitôt qu'il aurait présenté son rapport à Moscou, il reviendrait sans plus tarder ; dans trois mois au plus, il serait de retour, après quoi, ils vivraient ensemble quoi qu'il advienne.

Au fur et à mesure que son départ approchait, Louise devenait anxieuse. Le voyage était dangereux : pour aller en Russie, il fallait traverser des pays déchirés par la guerre civile, et la confiance que John arborait la rassurait bien peu. Vêtu d'un bleu de travail, muni de faux papiers au nom de Jim Gormley, marin, John ce matin-là ressemblait presque à un étranger, alors qu'il s'apprêtait à s'embarquer sur un cargo scandinave. Devant les quelques amis qui l'avaient accompagné, il s'efforçait de se montrer gai et optimiste et lançait des blagues sur les hasards de l'existence. Ce voyage, sa onzième traversée, ressemblait fort au premier. Comme lorsqu'il avait voyagé sur le cargo à bestiaux, il ne pouvait payer la traversée. Il existait cependant quelques différences : John avait un rein en moins et, en plus, un certain nombre d'années difficiles qui pesaient lourd. Il embrassa Louise, feignant de ne pas voir la tristesse de ses yeux, chargea son sac sur l'épaule et s'engagea sur la passerelle.

La traversée fut longue ; son travail de soutier était suffisamment fatigant pour qu'il n'ait pas le temps de se soucier de ce qui l'attendait, ni de ceux qu'il avait laissés derrière lui. Il débarqua clandestinement à Bergen. A Christiania, des socialistes de gauche le prirent en charge ; pendant la semaine qu'il dut y passer, on lui annonça de mauvaises nouvelles de Russie. Les choses n'allaient pas bien pour l'Armée rouge. Les armées blanches du général N. N. Yudenitch, parties de la Baltique, marchaient sur Petrograd, tandis que les forces du général A. I. Denikine, remontant du sud, avançaient rapidement et n'étaient plus qu'à 400 kilomètres de Moscou. Reed, apprenant que la Terreur blanche régnait à travers toute l'Europe de l'Est et envahissait peu à peu la Scandinavie, écrivit à Louise une longue lettre qu'il confia à un messager. Le ton en était résigné ; il mêlait jugements personnels et opinions générales, nouvelles politiques et aveux de solitude répétés. Il reconnaissait que cela n'avait rien d'un voyage d'agrément : « Il s'agit plutôt d'un boulot pas très drôle » ; il trouvait tout de même le moyen de montrer quelque satisfaction : « Ici, je suis connu ; on me considère comme quelqu'un d'important... le *Voice of Labour* est très admiré... jamais je ne me suis senti en meilleure forme... dis à ma mère que je vais bien. J'espère être de retour avant Noël. » Pour marquer combien Louise lui manquait et exprimer ses espoirs futurs, il ajoutait : « Jamais plus, nous ne devrons nous séparer [1]. »

Les déplacements de John étaient organisés par un réseau clandestin de sympathisants bolchéviques. Le soir du 22 octobre, on le conduisit à la frontière suédoise, et après être resté quelques jours à Stockholm, il s'embarqua clandestinement sur un navire qui traversait la Baltique. Au port d'Abo, il y eut un cafouillage. Il s'aperçut que les hommes qu'il avait suivis n'étaient pas des complices, et durant plusieurs heures, il fut obligé d'errer sans papiers ; il ne connaissait pas un traître mot de finlandais et dut éviter la police de cette ville étrange. Il parvint enfin à trouver les gens qu'il cherchait et dès lors fut pris en charge ; après un voyage de douze heures à travers le blizzard, dans un véhicule non chauffé, il arriva transi jusqu'à la moelle, dans la maison d'un ami socialiste près d'Helsinki. Il y apprit de bonnes et de mauvaises nouvelles. Pour les armées de Yudenitch, battues devant Petrograd, c'était la débandade ; d'autre part l'Armée rouge prenait l'offensive contre les troupes de Denikine. En revanche, les interventions de la police finnoise avaient détruit le réseau bolchévique de l'endroit, rendant tout mouvement impossible. John put se cacher sans trop de mal, mais son impatience se manifeste dans une lettre datée du 9 novembre : « J'ai peur... je suis furieux de ce retard ; je pense à toi sans arrêt ; je voudrais tellement que tu sois à mes côtés... c'est horrible de ne pouvoir ni avancer, ni reculer... Je vais bien ; le moral n'est pas mauvais et j'espère toujours être avec toi avant Noël. Si tout avait bien marché, à l'heure actuelle je serais à pied d'œuvre, déjà presque prêt à repartir... Je ne fais rien d'autre que penser à toi. Les autres m'importent peu [2]. »

Au bout de deux semaines qui lui parurent longues, Reed put finalement repartir, traversant en traîneau, puis à pied le paysage subarctique. Quelque part au milieu des champs gelés et des forêts de bouleaux, on passait de Finlande en Russie.

---

1. J. R. à Louise Bryant, 21 octobre 1919 (manuscrits J. R.).
2. *Ibid.*, 10 novembre 1919 (manuscrits J. R.).

Il fut accueilli par une petite troupe de soldats qui portaient l'étoile rouge familière cousue sur leur uniforme ; il fut impressionné par l'allure de la nouvelle armée. Ces troupes, cantonnées dans des positions de camouflage, paraissaient très bien équipées. Il retrouva avec plaisir l'agitation un peu désordonnée qui régnait dans les stations de chemin de fer, les trains bondés, les bâtiments décrépis, les forêts et les isbas perdues dans la nature. La ville de Petrograd, plus belle que jamais, n'était plus la capitale. Durant le printemps 1918, les dirigeants soviétiques avaient installé le gouvernement à Moscou où John se rendit sans plus attendre.

Le Comité exécutif de l'Internationale communiste y reçut son rapport sur la situation en Amérique et sa demande de reconnaissance du Parti communiste travailliste, et promit d'étudier la question. John, qui vit bien qu'on ne prendrait pas de décision immédiate, ne put rentrer tout de suite. Mais il était content de se retrouver au centre de la révolution, curieux d'observer la façon dont les gens vivaient « dans cette nouvelle civilisation » ; c'est pourquoi, refusant l'appartement spécial qu'on lui attribuait et la ration de vivres qu'on offrait aux hôtes de marque, il prit une chambre dans une petite maison en bois, chez un ouvrier du textile. Son modeste logement était bas de plafond, percé de petites fenêtres, pourvu d'une lampe au kérosène et d'un petit poêle en fer. Là, il serait bien placé pour se rendre compte des progrès que le régime avait accomplis.

Depuis que Reed était parti, deux ans auparavant, la Russie avait connu de grands changements ; cependant elle restait le pays contradictoire où cohabitaient les extrêmes : l'ordre et le chaos, la gentillesse et la brutalité, l'héroïsme et la lâcheté, l'oppression et la liberté. Certaines des différences importantes qu'il remarqua étaient dues à la contre-révolution, à l'invasion étrangère et au blocus qui avaient transformé ce changement de régime sans effusion de sang en une guerre civile violente et sanguinaire. Les armées blanches, parties du Caucase, d'Ukraine, de la Baltique et de Sibérie, avaient menacé d'encercler la partie centrale du pays. Les forces expéditionnaires étrangères avaient débarqué en Crimée, à Arkangelsk et à Vladivostok pour tenter d'apporter leur soutien à la contre-révolution. Le nationalisme croissant dont avaient fait preuve certains groupes ethniques avait encore accru la division au sein de l'ancien empire. Les Bolchéviks avaient souffert également de la défection des socialistes-révolutionnaires, leurs alliés, et de l'opposition d'une partie de la paysannerie. Utilisant les vieilles méthodes, les dirigeants avaient mobilisé une gigantesque armée, l'Armée rouge, pour défendre le territoire russe, et créé une police secrète, la Tcheka, chargée de supprimer les ennemis intérieurs. A la fin de 1919, le socialisme était en route, mais sa survie était étroitement liée à ces deux instruments du pouvoir de l'Etat.

Partout on pouvait voir les résultats de la continuelle agitation intérieure. Aussi mauvaises qu'aient été les conditions de vie avant la révolution, en cet hiver 1919-1920 elles étaient bien pires encore ; à la misère s'ajoutaient la famine et les épidémies [3]. A Moscou, le froid était particulièrement terrible, les rations alimentaires insuffisantes, et certains jours on ne trouvait pas de pain noir. Les bassins miniers du Don et les régions pétrolières du Caucase étant aux mains des Blancs, on manquait de bois et de combustible, la souffrance était générale. « Certaines maisons n'avaient pas été chauffées de tout l'hiver. Les gens gelaient et mouraient chez eux. Le courant électrique fonctionnait par intermittence ; pendant plusieurs semaines les rues de Moscou n'ont pas été éclairées et les autos, toutes en même temps, cessèrent de rouler [4]. » Maigre consolation, la misère était la même pour tout le monde. Au Kremlin, Reed vit un haut fonctionnaire, G. Chicherine, le ministre des Affaires étrangères, travailler dans un bureau glacial, emmitouflé dans un énorme manteau, coiffé d'un bonnet de fourrure, les mains raides de froid.

Malgré cette situation, peu de dirigeants perdaient espoir. Au milieu de décembre, la menace des Blancs faiblit, car l'Armée rouge gagnait du terrain sur tous les fronts ; les Bolchéviks espéraient la fin des combats. Cet espoir lui fut confirmé, lorsque le 15 décembre, John put avoir un entretien avec Léon Trotsky. Vêtu d'un splendide uniforme militaire, le commissaire à la Guerre et fondateur de l'Armée rouge paraissait plus fort qu'avant, mais John reconnut bien ses manières calmes et sa voix froide. Trotsky laissa rapidement de côté la situation militaire et s'étendit sur les grands projets qu'il avait pour la paix. Son but était de transformer l'armée en une grande force de travail obligatoire qui accélérerait la reconstruction à travers le pays tout entier. Comme John lui demandait si les hommes

---

3. On estime à quatre millions le nombre des victimes de la famine, des combats et des épidémies pour 1919, et à cinq millions pour 1920.

4. J. R., « La Russie soviétique d'aujourd'hui », première partie, *Liberator*, décembre 1920, p. 9-12.

allaient le faire de leur plein gré, Trotsky insista sur l'importance de la discipline et du dévouement : « Nous nous efforcerons de rendre l'existence particulièrement attrayante pour les travaux et les endroits les plus déplaisants [5]. »

Reed admirait Trotsky, mais préférait la compagnie de Lénine. Lorsqu'il lui eut remis son rapport sur l'Amérique et offert un exemplaire de *Dix jours qui ébranlèrent le monde,* John fut plusieurs fois invité à venir le soir bavarder avec lui. Le commissaire en chef, détendu, montra beaucoup de sympathie et d'intérêt pour ce que John lui racontait. Dans son appartement du Kremlin, d'une simplicité toute spartiate, Lénine aimait approcher sa chaise de celle de John, jusqu'à ce que leurs genoux se touchent. Il donnait l'impression d'être passionné par les récits de John ; il lui demanda de lui retracer les derniers événements survenus en Amérique, voulut connaître ses réactions en retrouvant la Russie, et l'avertit paternellement de prendre soin de sa santé. Ravi d'apprendre qu'il avait pris le temps de lire son livre, John fut extrêmement flatté lorsque Lénine accepta d'écrire une préface pour les éditions futures, préface dans laquelle Lénine écrivit, entre autres : « Je recommande ce livre sans réserves aux travailleurs du monde entier. Voici un livre que j'aimerais voir tiré à des millions d'exemplaires et traduit dans toutes les langues. Il expose de la façon la plus vivante et la plus vraie tous les événements essentiels pour comprendre ce qu'est réellement la Révolution du Prolétariat. »

Reed, que les questions artistiques intéressaient, alla voir le poète Lounatcharsky, chargé du développement de la culture ; celui-ci lui expliqua les programmes de ses nouvelles écoles et lui fit part de la lutte qu'il devait mener pour conserver des trésors artistiques que certains dirigeants révolutionnaires voulaient vendre. John fut très impressionné par les peintures et les affiches d'avant-garde ; il se rendit dans les lieux où se réunissait la bohème de Moscou, rencontra l'explosif Maïakovski et bavarda avec un groupe de futuristes révolutionnaires, tout surpris de trouver un Américain que l'art intéressait. Très différent de ceux-là était P. O. Pasternak, un peintre plus âgé, qui lui parut sympathique, malgré ses opinions conservatrices : « Il ne participe pas à la politique. C'est un homme d'autrefois, refermé sur lui-même : un véritable artiste. » John alla visiter

---

5. J. R., « Carnets de voyage en Russie ». Comme pour ceux de 1917, certains fragments de ses carnets de 1919-1920 se trouvent dans les manuscrits J. R.

un centre de Prolet Cult, installé dans l'ancienne demeure d'un gros financier ; il vit là des artistes qui étudiaient diverses méthodes d'expression et, le soir, donnaient des cours pour les travailleurs. Leur but était de briser la séparation artificielle qui existait entre l'art et le peuple. Reed à qui cette idée plaisait (il avait assez l'habitude de ces institutions, celles de Greenwich Village y ressemblaient), refusa de porter un quelconque jugement de valeur : « Sculptures, tableaux, gravures sont très intéressants. C'est l'expression de ce qu'ils sont. Des prolétaires [6]. »

Moscou n'était pas toute la Russie, et bientôt il quitta la capitale pour aller visiter des usines, des fermes collectives, des villages et des petites communautés de paysans ; il se rendit même jusqu'à la Volga qui était prise par le gel. Les transports étaient problématiques. Les trains avaient de gros retards, et bien souvent ils ne roulaient pas du tout. Il lui arriva de rester deux jours dans la salle d'attente d'une station de chemin de fer dont les fenêtres étaient cassées et le plancher recouvert d'une épaisse couche de glace, tandis qu'on empilait comme des sardines sur le quai les cadavres des soldats morts ; des hommes que le typhus faisait grelotter et délirer s'entassaient sur les bancs et sur les tables. Finalement il put monter à bord d'un convoi militaire vide, où il partagea un wagon à bestiaux avec quelques paysans et quelques soldats. Pour se tenir chaud, ils firent un feu à même le plancher ; malgré la fumée, la chaleur leur fit du bien jusqu'au moment où le plancher complètement brûlé s'écroula. Les voyages qu'il effectua en traîneau, tiré par des chevaux que lui prêtaient les paysans, étaient beaucoup plus agréables. Bien protégé par des fourrures, il put apprécier la beauté de ces plaines, la masse sombre de la forêt qui tranchait sur la neige étincelante, les rivières gelées où serpentaient des pistes, dans lesquelles on creusait des trous pour la pêche. La nuit, ces balades devenaient mystérieuses et féeriques. Au loin on distinguait les lumières vacillantes d'un village, l'air embaumait des feux de bois et, à cause de la guerre et de la révolution, il n'était pas rare qu'on aperçût des cavaliers mystérieux galopant sur les steppes gelées.

Mais ce qui comptait avant tout, c'étaient les gens, et comme tant de fois par le passé, chez ces gens simples, John se sentait chez lui. Partout il était bien accueilli, on lui offrait de partager les maigres ressources avec la formule rituelle « puisse cela

---

6. *Ibid.*

vous donner la santé ». Malgré la misère, la maladie et les combats qui s'éternisaient, on faisait preuve de courage, d'endurance et d'espoir. Les gens s'exprimaient ouvertement ; lorsqu'on discutait avec eux, ils se plaignaient, ils maudissaient le gouvernement ou bien chantaient ses louanges. John se rendit dans des usines textiles où les ouvriers sous-alimentés s'évanouissaient sur leurs métiers ; il vit des villages où les paysans n'avaient que des graines à manger, des dispensaires tout neufs où les médecins n'avaient ni médicaments, ni matériel ; une jeune fille se plaignit à lui de ce qu'elle n'avait pas de trousseau de mariage ; un vieux paysan vouait les Bolchéviks au diable parce qu'ils avaient réquisitionné son cheval. Dans certains villages le typhus et l'influenza avaient fait des ravages, et les enfants étaient atteints de pellagre. Certaines églises servaient d'école. Dans un village, il apprit qu'on avait emprisonné tous les prêtres ; dans un autre, il vit un pope paré de ses splendides ornements conduire la procession d'un enterrement à travers le rude paysage d'hiver.

Partout les erreurs du gouvernement se mêlaient à des réussites indéniables. Les gens parlaient volontiers de la terrible Tcheka et des vengeances personnelles qu'on perpétrait au nom de la justice. Les techniciens issus de la bourgeoisie étaient mécontents et s'inquiétaient de l'inefficacité et du manque de discipline que manifestaient les classes populaires, tandis que les paysans s'indignaient des réquisitions et du recrutement. Certaines mesures s'avéraient désastreuses. Pour éviter les bénéfices, on avait centralisé la distribution de la nourriture et l'on interdisait aux citadins de se fournir directement chez les paysans. Mais la machine administrative n'arrivait pas à alimenter certaines régions, et pour ne pas mourir de faim, les ouvriers des usines étaient obligés de se rendre la nuit, clandestinement, à la campagne pour se procurer des vivres. A Serpoukov, un centre industriel, Reed s'adressa aux ouvriers lors d'une réunion des délégués du comité d'ateliers. Epuisés par leur longue journée de travail, les hommes mal vêtus s'assemblèrent dans une salle qui était autrefois un club d'aristocrates, mal éclairée par une lampe au kérosène qui fumait. Comme d'habitude, John commença par leur transmettre le salut des travailleurs américains, ce qui les anima et les fit répondre avec un enthousiasme comparable à celui qui se déchaînait au Smolny durant les grandes journées de novembre. Des discours passionnés, on passa aux résolutions farouches, puis on chanta *L'Internationale* avec ferveur ; Reed était de plus en plus convaincu que parmi les éléments les plus conscients l'esprit révolutionnaire n'avait pas faibli.

Tous ces déplacements à travers le pays, ces réunions avec les dirigeants bolchéviques, les longs entretiens qu'il eut avec des communistes étrangers et une passion malheureuse pour une jeune fille russe ne laissèrent pas à John beaucoup de temps pour écrire. Il acheva deux articles qu'on lui avait commandés pour l'organe officiel du Komintern ; l'un sur la situation révolutionnaire en Amérique, l'autre sur l'I. W. W. Il était beaucoup trop occupé par l'expérience qu'il faisait du socialisme pour se livrer à une analyse en profondeur, aussi se contenta-t-il de faire des commentaires assez succincts. Il ne mentionna pas la constitution soviétique de 1918, pas plus qu'il ne fit de réflexions sur le fonctionnement du gouvernement. Il lui fut facile de justifier le fait que le pouvoir venait d'en haut, du Conseil des Commissaires, plutôt que des soviets, qui théoriquement devaient le détenir. En cette époque contre-révolutionnaire, la dictature du prolétariat était une nécessité. Ce n'est que plus tard que pourrait fonctionner une démocratie ouvrière.

En revanche, l'opposition manifestée par les paysans contre la conscription, les réquisitions de vivres et les tentatives de collectivisation était plus sérieuse. La révolution, essentiellement l'œuvre des ouvriers, n'avait été acceptée par la paysannerie qu'à cause du principe de la redistribution des terres. John considérait que la mentalité paysanne était petite-bourgeoise ; un paysan c'était un homme qui voulait sa ferme et sa liberté de marché. Eloignés des grands courants qui parcouraient les villes, souvent illettrés, les paysans ne comprenaient ni le communisme, ni les buts ultimes de la révolution. Certes, l'éducation politique changerait leur point de vue, mais pour l'heure, on ne faisait pas grand chose dans ce sens : « Il faut que le paysan se batte pour que la révolution et son bonheur futur ne soient pas perdus. » John, qui remarqua que, malgré leur mécontentement, les paysans ne refusaient pas le recrutement, espérait que le service militaire, qui comportait une grande part d'instruction et de propagande, aiderait à changer l'état d'esprit et que chaque paysan reviendrait chez lui transformé « en révolutionnaire et en propagandiste [7] ».

A l'inverse de la plupart des visiteurs étrangers, Reed ne

7. J. R., « La Russie soviétique d'aujourd'hui », deuxième partie, *Liberator,* janvier 1921, p. 14-17.

se souciait guère du climat de terreur que faisait régner la Tcheka. Non qu'il appréciât les déchaînements sanguinaires, mais il comprenait les motifs et le rôle de cette organisation. L'importance de la Tcheka s'était accrue en réponse aux complots véritables qui se tramaient contre le gouvernement ; il y avait eu plusieurs tentatives d'assassinat contre Lénine et des débuts d'insurrection dirigés par les socialistes révolutionnaires. Une fois mise en marche, cette police secrète agissait comme toutes les organisations similaires dans des époques troublées ; elle faisait du zèle et découvrait des complots imaginaires, traquant et jugeant sommairement un grand nombre de gens au nom de la justice révolutionnaire. Le Conseil des Commissaires tenta de limiter ses pouvoirs, mais tous les révolutionnaires russes, les anarchistes aussi bien que les Bolchéviks, étaient théoriquement partisans de la terreur. Selon John, il ne s'agissait pas de théorie mais bien de réalité. Il décrivait la Tcheka comme « un vaste réseau constitué pour moitié d'organisations policières et pour l'autre de groupes de vengeurs révolutionnaires qui s'étendait sur toute la Russie » ; il se déclarait convaincu qu'elle n'agissait que contre des traîtres « manifestes » et uniquement d'après des témoignages sérieux ; il ne doutait pas qu'elle ferait bientôt place à des tribunaux réguliers, pour peu que la contre-révolution disparaisse. Notant : « en sept mois, on a fusillé six mille hommes », John commentait simplement : « C'est la guerre [8]. »

La terreur qui régnait aux Etats-Unis préoccupait davantage Reed que son homologue russe. Après son départ, l'antiradicalisme avait fait de nouveaux progrès. Multipliées par la désorganisation sociale qui résultait de la démobilisation, les grèves s'étendaient et avec elles les déclarations radicales et les attentats à la bombe ; la folie atteignit son comble à la fin de 1919 et au début de 1920. Reed ne put connaître les événements en détail par les journaux moscovites, mais les grandes lignes lui suffirent. Les perquisitions effectuées dans douze villes différentes sur l'initiative du juge A. Mitchell Palmer, ainsi que d'autres qui eurent lieu en même temps conduisirent à l'arrestation de près d'un millier de radicaux. D'après la loi de 1918 relative aux étrangers, les procès étaient inutiles pour les suspects étrangers, et à la fin de décembre, 249 d'entre eux furent placés sous bonne garde à bord d'un vieux transport de troupes, le

---

8. « Carnets de voyage en Russie » (manuscrits J. R.).

« S. S. Buford », pour être déportés en Finlande. Deux semaines plus tard, les sbires de Palmer entreprirent une série d'actions encore plus vastes et arrêtèrent plus de quatre mille suspects dans trente-trois villes ; parmi ceux-ci, beaucoup n'avaient rien à voir avec la politique. A New York, les camarades de Reed, ceux de l'aile gauche, furent condamnés et le 21 janvier John fut accusé du crime d'anarchie, ce qui pouvait lui valoir un maximum de cinq ans de prison, ainsi qu'à trente-sept dirigeants du Parti communiste. Au début de février, John qu'un procès et, selon toute vraisemblance, la prison attendaient, se prépara à quitter la Russie. Sa mission était accomplie : le Komintern avait fait savoir que lors d'une convention les deux partis américains dissidents devaient fusionner. Etant donné la situation actuelle, une telle union paraissait problématique, mais il s'estimait satisfait. Il était sans nouvelles directes de l'Amérique depuis des mois, et devinait que ses craintes pour Louise étaient sans doute moins grandes que celles qu'elle devait éprouver à son égard. Pour aider la révolution, il emportait avec lui cent deux diamants qui représentaient une valeur de plus de quatorze mille dollars, ainsi que quinze cents dollars en devises diverses. C'était presque une fortune ; elle représentait la contribution du Komintern à l'établissement du communisme aux Etats-Unis.

La première partie de son voyage s'acheva à l'hôtel Astoria, à Petrograd. John avait appris qu'Emma Goldman, qui venait d'arriver par le « S. S. Buford » s'y trouvait : il fit irruption dans sa chambre, « tel un soudain rayon de lumière ». Tout en buvant une tasse de café brûlant, en réalité un brouet d'haricots qui avaient franchi l'Atlantique, ils fêtèrent leurs retrouvailles. Emma lui annonça que Louise allait bien, puis l'informa sur la répression qui sévissait aux Etats-Unis, tandis que John lui déclarait qu'ici, dans son pays natal, la révolution devenait réalité. Anarchiste, et naturellement méfiante à l'égard du pouvoir de l'Etat, elle l'interrogea sur le rôle de la Tcheka ; elle ne fut pas très convaincue par la défense qu'en fit John, qui ajouta : « La réalité de la révolution te dépasse un peu, parce que tu ne t'en es jamais préoccupée que d'une manière théorique [9]. »

John, qui se préparait au pire, quitta Petrograd à la fin de février ; il portait une grosse moustache sombre et avait peigné

9. Emma GOLDMAN, *Living my Life*, p. 739-740, et *My Disillusionment in Russia*, Doubleday and Page, New York, 1923, p. 15-16.

en arrière ses cheveux, collés avec de la graisse. Vêtu d'un long manteau, coiffé d'un bonnet de fourrure, il n'emportait ni valise, ni vêtements de rechange, mais un peu partout, il avait dissimulé sur lui les diamants et les coupures ; serré sous son bras, il avait un paquet contenant des notes, des photos autographes de plusieurs leaders bolchéviques, la préface de Lénine à son livre, quelques textes communistes (certains manuscrits, d'autres sur films) et plus de cinquante lettres de déportés du « Buford ». Il s'appelait toujours Jim Gormley, mais avait plusieurs autres faux papiers, dont un passeport au nom de Samuel Arnold ; enfin, il disposait d'une lettre du comité de l'Information publique, disant qu'il en était le représentant autorisé, ainsi qu'une lettre de l'ambassadeur américain à Paris qui demandait aux fonctionnaires diplomatiques de faciliter les déplacements de Samuel Arnold et de ses bagages à travers toutes les frontières.

Malgré toutes ces précautions, ses deux tentatives pour rentrer chez lui échouèrent. La première route qu'il avait choisie traversait la Latvie, où les combats entre Rouges et Blancs lui interdirent d'atteindre la côte. Après être revenu à Petrograd, Reed partit plus au nord, traversa la Finlande au milieu d'une tempête de neige et retrouva la maison d'Helsinki dans laquelle il s'était caché au mois de novembre. Le 13 mars, à Abo, on le fit passer sur un cargo et on le cacha dans la salle des machines. Juste au moment où le bateau allait appareiller, lors d'une visite de routine, deux douaniers trouvèrent un chapeau et un paquet dans un coin de la soute à charbon ; aussitôt ils prévinrent la police et John sans opposer de résistance sortit de son réduit, désespéré, le visage barbouillé de charbon.

Sans relâche, la police l'interrogea ; Reed maintint tout d'abord qu'il était bien Jim Gormley, mais comme les diamants, l'argent, les faux documents, les photos et la littérature révolutionnaire rendaient son histoire invraisemblable, il finit par donner son nom véritable, mais refusa de rien dire sur ce qu'il savait du réseau clandestin des communistes finlandais. La nouvelle de son arrestation parvint aux journaux américains vers le milieu de mars ; pourtant, lors de son procès aucun journaliste ne fut présent ; quant aux diplomates américains du pays, ils avaient refusé d'y assister. Après une séance à huis clos qui se tint dans le tribunal municipal d'Abo, John fut accusé de contrebande de diamants et de devises. On souleva des chefs d'accusation plus sérieux, on parla de trahison. Une lettre de la police d'Helsinki en date du 19 mars, affirmait qu' « il avait participé dans le pays à la subversion communiste, [et qu'] il était en contact avec l'ennemi — la Russie soviétique — pour déclencher le soulèvement [10] ». Le ministre de l'Intérieur finlandais avertit les autorités d'Abo qu'on devait le garder en prison quel que fût le verdict.

Reed, qui ne s'inquiétait pas trop des accusations de contrebande, redoutait fort celle de trahison. Afin d'attirer l'attention sur son cas, il s'arrangea pour faire savoir à la presse que John Reed avait été exécuté en Finlande. La nouvelle parut aux Etats-Unis le 9 avril, obligeant le département d'Etat à intervenir. Le 15 avril, Washington annonça officiellement qu'il était vivant. Louise, tour à tour folle d'inquiétude et rassurée, bombardait les autorités américaines d'appels à l'aide et pressait tous leurs amis influents d'intercéder. Beaucoup, qui ne partageaient plus les opinions de Reed, firent ce qu'ils pouvaient ; ce fut le cas de Carl Hovey, de Jane Adams et de Fred Howe. Tous essayèrent de faire pression sur le gouvernement, tandis qu'une de leurs relations s'efforçait d'intéresser à cette affaire l'avocat Bernard Baruch. Reed ignorait toutes ces démarches ; il fut condamné à trois cents dollars d'amende et on lui confisqua ses bijoux. Trois jours plus tard, pour la première fois, on lui permit de communiquer avec les Etats-Unis. Il télégraphia à Louise et lui envoya une lettre. La réponse lui parvint bientôt. Il se sentit moins seul et moins inquiet, mais ses problèmes étaient loin d'être résolus. Grâce à Aino Malmberg, une Finlandaise qui se dévouait aux radicaux, il apprit toutes sortes de nouvelles contradictoires et inquiétantes. On allait l'emmener bientôt dans un camp de déportés ; ou bien des négociations étaient en cours entre la Finlande et les Etats-Unis pour obtenir sa libération, ou encore, on le gardait en prison à la demande expresse des autorités américaines. Tous ces bruits paraissaient plausibles, car John savait qu'il était impossible « de prévoir ce qu'un gouvernement bourgeois est capable de faire [11] ».

Quelles que fussent les manœuvres en coulisse, et malgré quelques lettres de Louise, la vie en prison était lugubre. On

10. Cité dans la copie des minutes du « Procès du tribunal municipal d'Abo, seconde partie ». Copie jointe à la circulaire n° 22, du 2 juillet 1920, envoyée par le chargé d'affaires américain à Helsingfors au secrétaire d'Etat à Washington, département d'Etat, dossier n° 59, liasse 360 D 1 121 R 25/58 (Archives nationales).

11. J. R. à Louise Bryant, 13 mai 1920 (manuscrits J. R.).

lui permettait de se promener tous les jours dans la cour et il fut autorisé à consulter un dentiste pour des soins urgents ; A. Malmberg lui apportait de la lecture. Mais rien ne pouvait modifier sa situation ; Reed en tant que prisonnier politique était tenu dans l'isolement le plus complet et occupait une cellule minuscule ; il devait porter le même vêtement jour et nuit et vivre de maigres rations de pain et de poisson salé. Pour essayer de rester en forme, il cessa de fumer et s'efforça de faire régulièrement de l'exercice. Mais au fur et à mesure que les mois s'écoulaient, ce régime forcé l'affaiblit et le rendit malade.

En même temps que sa santé, son moral baissait ; il en arrivait à croire qu'il pourrait bien rester en prison jusqu'à la fin de ses jours. Ne voulant pas inquiéter Louise, il affirmait dans ses lettres que « les choses n'allaient pas trop mal ». Mais ce qu'il ajoutait montrait bien qu'il n'était pas très gai : « Je pense tellement à toi que j'en suis obsédé ; mon imagination me joue des tours et parfois je deviens presque fou [12]. » A mesure que les semaines passaient, il devenait de plus en plus tourmenté et abandonnait sa résolution de ne pas se plaindre. Dans une lettre commencée le 30 mai, il annonçait que le gouvernement finlandais avait décidé de le libérer, mais que pourtant, il était toujours enfermé, passant le plus clair de son temps à s'inquiéter pour elle, elle qui lui manquait tant. Deux jours plus tard, la lueur d'espoir avait disparu : « Toujours rien. J'ai l'impression que je ne m'en sortirai jamais. Le pire, c'est qu'il faut continuer d'espérer jour après jour. Mon esprit s'obscurcit peu à peu. » Dans une lettre datée du 2 juin, il s'écrie : « C'est trop affreux d'attendre ainsi, jour après jour, et surtout après trois mois. Je n'ai rien à lire, rien à faire. Je dors environ cinq heures ; le reste du temps — dix-neuf heures par jour — je demeure éveillé dans ma cage. J'en suis à ma treizième semaine. »

Un moyen de lutter contre la dépression lui fut refusé, car en dehors de quelques bouts de papier, on ne lui donnait pas de quoi écrire. Peu à peu il dériva dans un univers imaginaire, flottant dans un passé plus réel que les murs gris qui l'entouraient. L'isolement le fit réfléchir, l'amena à considérer, au-delà de la révolution, le sens de sa propre expérience. Parmi tous ses souvenirs d'enfance, ceux de sa famille et de ses amis, le visage de son père surtout lui apparaissait. La montre en or

---

12. *Ibid.*, 3 mai 1920.

qui se trouvait maintenant chez un prêteur à gages de New York, l'obsédait. La panique s'emparait de lui ; il fallait absolument la récupérer, et dans chacune de ses lettres, il suppliait Louise d'aller la chercher. Lorsqu'en fin de compte il put se débrouiller pour dissimuler quelques feuilles de papier, il se mit à prendre des notes en vue d'un roman autobiographique. Mais la fatigue, son esprit déclinant ne lui permirent pas d'aller bien loin. Puis, un beau matin, alors qu'il avait perdu tout espoir, on vint le libérer.

Maigre et décharné, les vêtements en loques, Reed sortit en trébuchant dans le soleil de juin. Après avoir espéré pendant des mois pouvoir retourner en Amérique, il savait maintenant que le voyage était impossible. Louise l'avait averti du climat politique épouvantable qui régnait là-bas ; ce n'était pas suffisant pour l'arrêter, mais il devint bientôt clair que le gouvernement des Etats-Unis n'avait aucune envie de l'accueillir. Au mois de mai, il s'était adressé à Alexander Magruder, le chargé d'affaires de l'ambassade, pour obtenir un passeport qui lui avait été refusé. C'était aussi bien, car ces trois mois d'emprisonnement lui avaient ôté les forces nécessaires pour affronter un nouveau procès et une nouvelle incarcération.

Le gouvernement d'Estonie ayant approuvé son passage en Russie, John prit le paquebot pour Helsinki. De Reval, le 7 juin, il télégraphia à Louise : « Pour le moment, je rejoins l'état-major. Viens si tu peux » ; puis il prit un train qui l'amena à Petrograd, où il s'affala sur un lit à l'hôtel International. C'est là qu'Emma Goldman le trouva, seul, malade, amaigri, le corps couvert de gale et décoloré par le scorbut. Elle prit soin de lui et fut frappée par la détermination qu'il montrait. Le bolchévisme commençait à la décevoir, et elle désapprouvait la ligne politique du parti, mais elle ne put s'empêcher d'admirer « cet esprit sincère et généreux [13] ».

Reed n'avait pas perdu toutes ses forces ; au bout de quelques jours, il put quitter sa chambre et profiter du beau temps qui donnait à Petrograd un air de vacances. Il y avait foule dans les parcs ; des milliers de gens se promenaient sur la perspective Nevski qu'on venait de repaver et de rebaptiser « perspective du 25 octobre ». De petits bateaux de plaisance transportaient les promeneurs sur la Neva, longeant la forteresse Pierre et Paul et s'arrêtant devant le Smolny ; plus loin, dans les îles qui se

---

13. Emma GOLDMAN, *My Further Disillusionment in Russia*, Doubleday, Page, New York, 1924, p. 24.

trouvent à l'embouchure de la rivière, les ouvriers en vacances se reposaient dans les jardins et les villas qui avaient appartenu à l'aristocratie. A trente kilomètres de là, Tsarskoïé Selo, où Reed s'était rendu une nuit pour surveiller l'avance de Kerensky, avait été rebaptisée Dietskoï Selo (Village des Enfants). Dix mille enfants heureux, bien nourris y passaient leurs vacances. Ceci laissait bien présager de l'avenir : « Ce pays est le pays des enfants... Dans chaque ville, dans chaque village, ils ont leurs propres réfectoires, où la nourriture est meilleure, plus abondante que pour les adultes, et pour eux, elle est gratuite ; leur habillement est pris en charge par les municipalités. [...] Les théâtres d'Etat, immenses et splendides, sont remplis d'enfants de l'orchestre au balcon [14]. »

Au mois de juin, Reed se rendit à Moscou, où il trouva la même ambiance détendue et heureuse. Pour la première fois depuis des années, la capitale ressemblait aux grandes villes l'été ; les fleurs s'épanouissaient dans les jardins publics, les théâtres de plein air fonctionnaient jour et nuit, et les gens en bras de chemise se reposaient à l'ombre des arbres, où l'on vendait des tasses de thé et de café. Des provinciaux venus admirer les monuments se promenaient dans le Kremlin dont les murs, les tours et les églises avaient été complètement restaurés. L'Armée rouge soutenait l'assaut des forces polonaises en Ukraine, mais il semblait bien que ce fût l'ultime sursaut. En même temps, le blocus se relâchait, et les pays voisins commençaient à s'habituer à la réalité de l'Etat soviétique. John fit un article pour le *Liberator* ; il y décrivait la beauté et la joie qui régnaient à Moscou et à Petrograd, mais faisait quelques réserves : « Cela ne veut pas dire qu'en Russie soviétique, tout aille bien, que le peuple n'ait pas faim, qu'il n'y ait ni misère, ni maladie, ni désespoir... » Cependant, si l'on n'avait pas totalement surmonté les difficultés, on était au bout du tunnel, et le socialisme s'avérait durable : « Malgré tout ce qui s'est passé, la révolution vit ; elle brûle d'une flamme tranquille qui vient lécher les fondements inflammables de la société capitaliste européenne [15]. »

John, pris entre son désir de rentrer et sa certitude que de graves ennuis l'attendaient là-bas, souffrait de l'absence de Louise. A trois reprises, durant le mois de juin, des messagers partis de Russie lui firent parvenir des lettres. Chacune d'elles

---

14. « La Russie soviétique d'aujourd'hui », 1<sup>re</sup> partie.
15. « La Russie soviétique d'aujourd'hui », 2<sup>e</sup> partie.

promettait qu'ils allaient bientôt se retrouver, sans précision de date ni de lieu. Au premier message John avait joint cent dollars, il lui conseillait de ne pas partir tout de suite : « Fais-moi confiance, essaie de tenir jusqu'à ce que je te prévienne. Tout se passera bien... si tu savais comme j'ai hâte de te revoir... » La semaine suivante, il lui promettait : « L'hiver prochain, nous ne serons plus séparés... je ne peux t'en dire plus pour l'instant, sinon que je t'aime et pense à toi sans cesse. » Son troisième message, qui tenait sur une feuille de bloc, indiquait que peut-être il envisageait de rentrer : « Si tu ne t'es pas occupée de quitter l'Amérique, n'en fais rien : tu sauras bientôt pourquoi... Patiente encore un peu, ma chérie, nous serons bientôt réunis sains et saufs [16]. » Avant de prendre une décision définitive, Reed voulait attendre le Second Congrès de l'Internationale communiste, prévu pour la mi-juillet. Cette Troisième Internationale communiste était la réponse des Bolchéviks à la seconde, qui avait perdu de sa crédibilité lorsque les Partis socialistes s'étaient déclarés partisans de la guerre. Lors du Premier Congrès, en mars 1919, la Russie étant isolée du reste du monde par la guerre civile et l'intervention étrangère, il y avait eu peu de monde ; la plupart des cinquante et un délégués étrangers présents étaient des émigrés peu au courant de ce qui se passait dans leurs pays d'origine. Ce fut plus une réunion de propagande qu'une tentative sérieuse pour créer une organisation de partis révolutionnaires. Ç'avait été l'occasion pour les dirigeants russes, en particulier pour Gregory Zinoviev à la tête du Comité exécutif, de critiquer les socialistes modérés et d'annoncer que la révolution mondiale était imminente. Ce Congrès n'avait concerné que les mouvements radicaux, creusant des failles analogues à celles qui s'étaient produites au sein du parti socialiste américain, et qui avaient fait naître des groupes dissidents, comme le Parti communiste et le Parti communiste travailliste. Les points importants, l'adoption d'une constitution, les conditions d'adhésion, et la stratégie à adopter dans le monde avaient été laissés de côté. Cela signifiait que ce second Congrès serait en fait le premier où des leaders révolutionnaires du monde entier pourraient faire des plans sérieux pour la révolution.

Reed, qui participait à l'organisation du Congrès, avait pris une chambre au Dielovoï Dvor, un hôtel situé près du Kremlin

---

16. J. R. à Louise Bryant, 16, 23 et 29 juin 1920 (manuscrits J. R.).

et réservé pour les délégués. Ceux-ci, des gens hardis, rudes et décidés, lui apparurent comme « de véritables prolétaires... des travailleurs qui luttent, se mettent en grève, et au besoin grimpent sur les barricades ». Les voyages qu'ils avaient dû faire pour arriver à Moscou constituaient les histoires les plus passionnantes qu'il ait jamais entendues. Comme John, ils étaient passés en fraude, sans passeport, se cachant sur des bateaux, traversant des déserts et des montagnes, évitant la police et l'armée, se faisant arrêter et voyant certains de leurs camarades se faire prendre et fusiller. Leurs origines variées reflétaient l'opposition générale au capitalisme : il y avait des spartakistes allemands, des syndicalistes espagnols, les dirigeants des soviets hongrois, des Anglais, des camionneurs hollandais, des Hindous, des Coréens, des Chinois, des insurgés iraniens, des Sinn Feinners irlandais et des socialistes argentins. Tous n'étaient pas acquis au communisme, tous n'acceptaient pas la dictature du prolétariat ni la nécessité d'avoir un parti politique, mais ils fraternisaient dans la révolution : « C'étaient les meilleurs combattants de la classe ouvrière, [...] des camarades prêts à mourir pour abattre le capitalisme [17]. »

Reed, fier de se trouver parmi eux, jouait le rôle de comité d'accueil ; il s'occupait des nouveaux venus et leur faisait visiter Moscou. Sachant que plusieurs délégués se montraient très sceptiques vis-à-vis du bolchévisme, John s'efforça de les convaincre. Il se débrouillait fort bien. O. W. Penney, un anarchiste américain originaire du Middle-West, fut tellement fasciné par son regard « lumineux et sympathique » qu'il ne réagit même pas lorsque Reed qualifia ses convictions les plus chères de « stupidités ineptes [18] ». Très vite, les arguments de John parvinrent à le convaincre. Si les conversions individuelles étaient importantes, les bouleversements institutionnels l'étaient encore plus pour l'avenir. Reed, qui se rappelait sa scolarité ennuyeuse, son inadaptation à la vie moderne, fut heureux de se joindre aux discussions de certains délégués européens qui se préoccupaient d'éducation. Peu avant l'ouverture du Congrès, ils lancèrent l'idée d'une conférence séparée destinée à élaborer un système d'éducation nouveau qui associerait les connaissances

17. J. R., « Le Congrès mondial de l'Internationale communiste », *Communist*, n° X ; un exemplaire dactylographié de cet article, aujourd'hui difficile à trouver, figure dans les manuscrits Hicks.
18. Tiré de « John Reed, l'un des nôtres », texte manuscrit d'O. W. Penney, envoyé avec une lettre à G. Hicks, 23 octobre 1935.

théoriques et le travail manuel dans des écoles expérimentales pour les jeunes et les travailleurs.

Pour des raisons historiques, la séance préliminaire du Congrès se tint à Petrograd. Les 169 délégués, représentant trente-neuf pays différents, furent transportés par trains spéciaux et accueillis sur les marches du Palais d'Hiver par les acclamations de 70 000 personnes. Ensuite un défilé que John trouva impressionnant fut organisé à leur intention : « L'énorme foule coule comme un océan à travers les rues larges, manifestant un enthousiasme et une sympathie inouïs pour les délégués ; elle a défilé depuis le Palais de Tauride jusqu'au champ des martyrs de la révolution, tandis que de chaque côté une longue file de travailleurs se tenaient par la main, formant une vivante chaîne [19]. » Le soir, sur le perron de l'ancienne Bourse qui domine la rivière, plus de cinq mille comédiens en costumes firent revivre l'histoire de la révolution, depuis la Commune de Paris jusqu'à Petrograd en 1917, tandis que des croiseurs de la flotte soviétique, couverts de drapeaux, saluaient l'événement par des coups de canon. Après la séance qui se tint au Palais Tauride, les délégués rentrèrent à Moscou où eurent lieu d'autres démonstrations. La plus importante d'entre elles se passa sur la Place Rouge ; trois cent mille personnes défilèrent, tandis que des avions et des dirigeables survolaient le Kremlin.

Reed, que cette émotion collective avait enthousiasmé, fut ramené sur terre par les travaux du Congrès. Lorsque s'ouvrit la première séance régulière, dans la grande salle du Trône du Palais impérial du Kremlin, un sérieux combat politique se préparait. Il y avait là un nombre impressionnant de gens célèbres, « des révolutionnaires que les travailleurs du monde entier admiraient ». Pourtant, la plupart de ces hommes allaient bientôt le décevoir. John pensait que dans ce Congrès, tous devaient être sur un pied d'égalité ; certes, il respectait les Russes : ils avaient réussi une révolution, mais il ne les considérait pas pour autant comme infaillibles. Au cours des semaines qui allaient suivre, les Bolchéviks allaient faire preuve dans les débats d'une autorité croissante, et certains étrangers qui en savaient plus qu'eux sur des sujets précis allaient devoir capituler à cause de la réputation des Russes, plutôt qu'à cause de leurs arguments. Cette conduite ébranla la confiance

---

19. « Le Congrès mondial de l'Internationale communiste ». Les citations du paragraphe suivant sont tirées de ce même texte.

de John en certains de ses camarades révolutionnaires et en la supériorité soviétique.

Le tableau que fit Lénine de la situation dans le monde, fut à l'origine du problème essentiel. Au début de 1920, la vague révolutionnaire faiblissait ; le ferment spontané qui avait déclenché des grèves dans toute l'Europe et donné naissance aux brefs régimes de Bavière et de Hongrie, avait disparu, laissant le capitalisme et le parlementarisme intacts. Les dirigeants bolchéviques qui avaient cru que la révolution ne pouvait être qu'internationale, commencèrent à appliquer l'idée du socialisme à un seul pays. Etant donné que les théories marxistes ne fournissaient pas de ligne de conduite, Lénine avait écrit *Le Gauchisme, maladie infantile du communisme,* œuvre qui déterminait pratiquement la politique du Congrès. Le modèle pour la Troisième Internationale était le Parti bolchévique, dans lequel le pouvoir absolu demeurait au sommet, à savoir au Comité exécutif de Moscou. Chose plus importante, on abandonnait l'idée de révolution imminente. Lénine critiquait implicitement la politique déterminée lors du Premier Congrès. Il dénonçait les deux principales erreurs de l'extrême gauche : d'une part, son refus de participer aux parlements bourgeois, d'autre part son refus de travailler à l'intérieur de syndicats réactionnaires. Comme tout un chacun, les communistes allaient devoir apprendre l'usage des « compromis » et des « manœuvres ».

John, qui avait lu l'œuvre de Lénine avant l'ouverture de la séance, restait indécis. En fait, il n'avait pas d'objections au fait que le Komintern fût « l'état-major de la révolution mondiale » et fixât la politique des partis du monde entier ; il acceptait même la notion de collaboration parlementaire. Mais pour ce qui était des syndicats, c'était différent. Il dénonçait et méprisait l' « American Federation of Labour » depuis des années et n'avait aucune intention d'y remettre les pieds, même pour l'orienter vers le communisme [20]. Reed, convaincu que Lénine ne pouvait comprendre la nature profondément

---

20. Comme beaucoup de radicaux, Reed s'était depuis très longtemps montré extrêmement critique à l'égard de l'A. F. L. Il n'aimait pas l'élitisme dont cette organisation faisait preuve ; sa réprobation s'accrut au fil des ans, lorsque la direction de l'A. F. L., représentée par son président permanent Samuel Gompers, refusa de se solidariser avec les syndicats radicaux. Pendant la guerre, cette antipathie se mua en véritable haine, lorsque Gompers se mit à coopérer ouvertement avec le gouvernement, invitant les syndicats à ne pas faire usage du droit de grève. Après 1917, Gompers se mit à vitupérer le bolchévisme avec autant

réactionnaire du syndicat de S. Gompers, espérait se faire l'avocat de l'idée mal comprise du syndicalisme ouvrier, tel que l'avait illustré l'I. W. W. ; sur ce terrain il allait devoir affronter les Bolchéviks. Peut-être John pressentait-il un problème plus grave : déjà, à l'intérieur du Komintern, il était impossible de contrer les Russes. Malgré leur intention de discuter et d'écouter les critiques, les dirigeants soviétiques étaient bien décidés à déterminer la politique du monde révolutionnaire tout entier ; pour ce faire, ils étaient prêts à user de leur puissance et de leur prestige. La querelle débuta de bonne heure et dura pendant tout le Congrès.

Avant la première séance de travail, John s'était assuré du soutien des autres Américains ; il avait avec lui les deux délégués du P. C. A., ses deux compagnons du P. C. T. A., mais aussi certains syndicalistes anglais, des adhérents de l'I. W. W. et d'autres syndicalistes européens. Dès que les travaux commencèrent, le 23, il fit deux requêtes au nom de ses vingt-neuf camarades : la première, que la question des syndicats soit considérée en premier lieu, la seconde qu'on fasse de l'anglais une des langues officielles. Ces deux motions furent rapidement rejetées, et Zinoviev se lança dans son rapport d'ouverture sur le rôle des partis communistes dans la révolution prolétarienne. Afin de prévenir tout incident, le chef du Komintern sortit un peu de son sujet pour répondre aux objections de Reed et de ses camarades, déclarant sèchement que personne ne pouvait « dénier le rôle des syndicats dans le processus révolutionnaire [21] ».

Reed, que cette mise en garde n'arrêta pas, continua à s'agiter. On avait créé cinq commissions chargées de travailler sur les sujets importants ; il faisait partie de deux d'entre elles : celle des minorités nationales et de la question coloniale, et celle concernant les activités syndicales. Dans la première com-

d'ardeur que n'importe quel financier, puis il se débarrassa des petits groupes radicaux qui se trouvaient encore à l'intérieur de son organisation. Dans ses articles pour *Les Masses,* Reed avait souvent fait de Gompers sa cible favorite et, avant son départ pour la Russie en 1919, il avait écrit un article, pour le *Liberator,* sur la convention annuelle de l'A. F. L. qu'il avait intitulé « La convention des momies » ; il y disait entre autres qu' « il y avait fort peu de différences entre ce rassemblement et la réunion de l'Association nationale des constructeurs automobiles, qui se tenait en même temps dans la salle voisine » (cf. *Liberator,* août 1919, p. 12-20).

21. « Le Second Congrès de l'Internationale communiste : rapport établi d'après les journaux officiels de la Russie soviétique », Washington, Imprimerie nationale, 1920, p. 34.

mission, on centra la discussion sur la façon dont les communistes devaient soutenir les mouvements d'indépendance d'inspiration bourgeoise. Ce problème l'intéressait si peu qu'il lui arriva de ne pas assister à certaines séances de travail. Il fut jugé expert sur le problème des Noirs américains et fit de son mieux sur ce sujet qui ne lui était guère familier ; il trouva même le moyen d'y glisser son opinion sur les syndicats. En s'adressant à l'assemblée le 26 juillet, il cita une quantité de chiffres démontrant l'exploitation que l'Amérique faisait de ses minorités ; en passant, il souligna que de nombreux syndicats ne faisaient qu'exacerber le problème racial en refusant d'admettre les noirs.

Le combat principal eut lieu lors des réunions des différentes commissions sur les syndicats ; elles étaient présidées par K. Radek, dont la prompte répartie ne parvint pas à réduire John au silence. Il expliqua que les Européens ne pouvaient pas comprendre de quelle façon les syndicats américains empêchaient leurs membres de se livrer à des activités révolutionnaires ; il affirma que la seule solution était de les détruire et d'organiser à leur place de véritables syndicats ouvriers. Les Russes restèrent sur leurs positions, et peu à peu les délégués étrangers se rallièrent à eux. John commença à désespérer. Chaque soir, après les réunions, il essayait de travailler les délégués, discutant avec eux, leur expliquant son point de vue, et leur demandant de ne pas céder sur un point aussi fondamental. Il fit tant et si bien que Radek l'accusa de saboter le travail du groupe. Reed alors adressa un appel à Lénine : « Je proteste contre le camarade Radek qui prétend que nous avons essayé de saboter le travail de la commission... Faute d'arguments, le camarade Radek utilise ce genre d'insinuations car, ne connaissant pas grand-chose aux problèmes syndicaux, il n'a pas d'opinions sur la question. Voilà la véritable explication. » En relisant son texte pour en améliorer l'expression, John ajouta une phrase où il faisait mention de la « curieuse tactique » de Radek, et barra celle où il affirmait que Radek ne connaissait pas grand-chose au syndicalisme [22]. Puis, se rendant compte que c'était Lénine lui-même qui était à l'origine de cette politique syndicale, il mit sa lettre de côté, san l'envoyer.

La commission vota contre Reed par cinquante-sept voix contre huit. Pourtant il refusait toujours d'abandonner. Lors

---

22. Note sans date et sans signature, figurant dans les manuscrits J. R.

de la discussion générale, le soir du 3 août, la question fut tranchée par une résolution déclarant que la question syndicale avait été beaucoup trop discutée en comité. Le lendemain soir, John, accompagné de quatre délégués parmi lesquels Louis Fraina du P. C. A., souleva à nouveau la question à propos du débat sur la constitution du Komintern, en introduisant une série d'amendements. Zinoviev, de la tribune, protesta contre cette insubordination et entama un violent réquisitoire. Le 5 août, ce fut le tour de Radek de lire le rapport officiel, qui comportait un supplément particulier où il était dit que « le prolétariat révolutionnaire considérait que la position des camarades américains était absolument erronée ». Malgré les grands appels à l'unité, une fois de plus, Reed fit opposition, Zinoviev, impatienté et fort mécontent, lui fit comprendre que son attitude pouvait causer l'échec de l'Internationale et du mouvement communiste. Mais John refusa de faire machine arrière. Lors du vote final, on ignora sa position, mais il eut tout de même une consolation : le rapport de Radek était l'un des rares à ne pas avoir été adopté à l'unanimité.

Malgré sa déception, Reed avait l'esprit assez large pour considérer ce Congrès comme un succès, car beaucoup de délégués hésitants avaient rejoint les rangs communistes. Le Komintern avait adopté les vingt et une conditions d'admission qui excluaient effectivement les radicaux « opportunistes », ceux du P. S. américain par exemple, et avait créé un « corps discipliné et centralisé de révolutionnaires » vers qui « les millions de travailleurs du monde entier allaient pouvoir se tourner pour trouver des directives [23] ». En outre, le Congrès avait confirmé sa première décision, en ordonnant aux deux fractions dissidentes de se rejoindre pour ne former qu'un seul P. C. américain, uni par un seul programme ; il donnait à John le droit de se faire entendre en le nommant représentant américain du Comité exécutif de l'Internationale communiste. Reed, heureux de l'honneur qu'on lui faisait, était d'excellente humeur pour la séance de clôture qui se déroulait à l'Opéra de Moscou où les délégués internationaux, les communistes russes et le public saluèrent par des ovations les discours de Trotsky, de Radek et de Zinoviev, entonnèrent ensemble *L'Internationale* et applaudirent le final improvisé de la délégation italienne qui chanta des chants révolutionnaires. Tandis que le public

---

23. J. R., « Congrès mondial de l'Internationale communiste ».

sortait par les côtés, John réalisa un projet qui lui tenait à cœur depuis longtemps : avec l'aide de quelques camarades, ils s'emparèrent de Lénine et le hissèrent sur leurs épaules. Lénine, qui n'était pas un fan de football américain, protesta ; et, comme il voyait que cela ne changeait rien, il se mit à ruer violemment jusqu'à ce que ses porteurs, riant et satisfaits, consentent à le reposer sur le sol.

Lorsque le Comité exécutif se réunit pour voter les admissions au sein du Komintern, Reed revint une nouvelle fois à la charge sur la question des syndicats. A nouveau battu, il envoya aux Etats-Unis un article destiné à la presse communiste, dans lequel il battait en retraite : il avait été maladroit de vouloir lutter contre la politique originale du Komintern et détruire l'A. F. L. ; il annonçait qu'au prochain congrès « ces thèses devaient être révisées ». Après ces deux semaines de combat politique, les luttes continuelles qui l'opposaient au Comité exécutif de l'Internationale communiste l'épuisèrent. De plus en plus, il critiquait ses dirigeants, Radek qui usait de sarcasmes pour écarter les questions gênantes et Zinoviev, bureaucrate besogneux, qui avait un penchant pour l'intrigue et l'autorité. Tous deux avaient étouffé l'opposition lors du Congrès par des manœuvres, des flatteries ou des menaces. Reed espérait pouvoir maintenant s'exprimer ; il espérait qu'on prendrait des décisions justes et il fut découragé en constatant qu'au Comité exécutif, on usait des mêmes méthodes. Tantôt Zinoviev refusait avec mépris de répondre aux questions, tantôt, péremptoirement, il obligeait les gens à se taire. John, que cette attitude révoltait et qui sentait que son étoile déclinait, se mit un jour dans une grande colère et finit par démissionner. Zinoviev choisit la pire insulte qu'il put trouver et traita John de « petit-bourgeois [24] ». Reed revint sur sa démission, mais la blessure reçue n'en était pas guérie pour autant.

Il cherchait à comprendre pourquoi de telles gens avaient envahi ces organisations, d'une façon aussi catastrophique. Le parti bolchévique donnait à Zinoviev un pouvoir dont il faisait maintenant mauvais usage. John, qui croyait toujours à l'organisation, fut tenté d'accuser l'homme. Bien qu'il fît toujours confiance à la révolution, certains doutes commençaient à l'assaillir. Il fit part de ses inquiétudes à Angelica Balabanova qui avait précédé Radek au poste de secrétaire du Komintern, et qui s'était souvent accrochée avec Zinoviev. Partageant leurs

24. Lewis Corey à G. Hicks, 30 décembre 1935 (manuscrits Hicks).

désillusions, ils tâchèrent de se réconforter l'un l'autre. Certes, aucun d'eux n'avait imaginé que la révolution se ferait sans bavures mais ils se sentaient un peu frustrés par l'attitude arrogante et autoritaire de Zinoviev.

Vers le 15 août, une lettre lui annonça que Louise était en route. Cette nouvelle accrut son inquiétude : comment rentrer aux Etats-Unis sans donner l'impression qu'il fuyait ses échecs et sans perdre la voix qu'il avait au Komintern ? Il voulut l'avertir de rester en dehors du pays, mais sachant que le message pourrait ne pas lui parvenir, il se prépara à aller l'accueillir à Petrograd. Les jours suivants, il reçut d'autres lettres, dont une de Stockholm le 25 août, dans laquelle Louise disait qu'elle arrivait via Mourmansk ; mais il sut qu'à son arrivée, il serait parti à Bakou, pour assister au Congrès des peuples de l'Orient.

La Conférence de Bakou, issue directement du Second Congrès, était née de l'idée que le colonialisme représentait le point faible du capitalisme. Les communistes, après avoir constaté que la guerre avait ouvert les yeux du Moyen-Orient et de l'Extrême-Orient, espéraient prendre la direction des luttes qui se préparaient pour l'indépendance. John approuvait l'idée de ce Congrès, mais ne tenait pas à y participer. Il était fatigué ; il espérait que Louise parviendrait à le réconforter ; il essaya de se décommander, mais Zinoviev lui déclara qu'il était indispensable que les membres du Comité exécutif de l'Internationale communiste, originaires des pays impérialistes y assistent. Reed alors demanda la permission d'attendre quelques jours pour pouvoir faire le voyage avec Louise ; on lui refusa également cela. La guerre civile se prolongeait dans le Caucase et ils devaient se rendre à Bakou dans un train blindé spécial. Il ne put que lui laisser une lettre pleine de regrets et de recommandations : « Je suis horriblement déçu de ne pas pouvoir t'accueillir... Télégraphie-moi dès que tu seras en Russie ; je me dépêcherai de revenir... J'ai l'impression que cela fait des années... j'ai hâte de te revoir plus que je ne peux te le dire [25]. »

La curiosité inlassable de Reed transforma ce voyage pénible en une nouvelle aventure. Après avoir traversé les immenses plaines de la Volga, ils abordèrent le Sud poussiéreux et ce fut Bakou, la vieille ville tartare sur le rivage de la mer Caspienne, qui annonçait déjà l'Orient. Près de deux mille Orientaux, des Turcs et des Perses, des Arabes nomades, des Arméniens, des Russes orientaux venus de villes aux noms

---

25. J. R. à Louise Bryant, 26 août 1920 (manuscrits J. R.).

magiques, Samarcande, Tachkent et Boukhara, une variété d'Hindous et de Chinois, se baladaient dans les bazars ; on parlait une douzaine de langues différentes en buvant du thé, chacun observait les rites de sa religion, et tous se rassemblaient dans de vastes salles tendues de tissus somptueux et de drapeaux multicolores. John, vêtu d'une chemise rayée sans col, et d'un pantalon large, côtoyait des camarades coiffés de fez, de bonnets, portant des robes ou des tuniques, armés de sabres et de pistolets glissés dans des ceintures aux teintes chatoyantes. Cherchant à savoir comment ces gens vivaient, il essayait de se faire comprendre par signes ou utilisait une demi-douzaine de langues rudimentaires ; il s'émerveillait que la révolution ait pu avoir un aussi grand retentissement et rêva à nouveau d'enfourcher un cheval et de suivre ses nouveaux amis dans les montagnes sur les traces d'Attila, de Tamerlan et de Gengis Khan.

De même qu'à Moscou le Congrès le fit revenir sur terre. Organisé par Zinoviev, aidé de Radek et de Bela Kun (chef du bref régime soviétique hongrois), ce n'était pas un congrès marxiste, mais plutôt anti-impérialiste. Les chefs du Komintern jouèrent sur les sentiments et voulurent susciter une grande haine contre les occidentaux. Zinoviev entendait faire déclarer aux huit cent millions d'Asiatiques « une véritable guerre sainte », et ressusciter « l'esprit belliqueux qui autrefois avait animé les peuples de l'Est lorsqu'ils marchaient sur l'Europe, sous la direction de leurs grands conquérants ». Toute l'assistance lui répondit par une gigantesque ovation, se leva, brandissant des fusils et des sabres et appelant à la vengeance contre les Infidèles. Malgré son efficacité assez théâtrale, le moment semblait mal choisi. La guerre sainte n'avait pas grand-chose à voir avec la révolution du prolétariat ; masquer la différence qui les séparait, c'était aveugler les masses. Lorsque vint le tour de John de parler, il fut moins éloquent mais beaucoup plus précis. Après avoir passé en revue les injustices de l'Amérique vis-à-vis des Philippins, des Cubains, des Mexicains et des travailleurs, il conclut : « Il n'y a qu'un chemin vers la liberté. Joignez-vous aux paysans et aux ouvriers russes qui ont vaincu le capitalisme ; aidez l'Armée rouge à battre les impérialistes étrangers ! Suivez l'étoile rouge de l'Internationale communiste [26] ! »

26. Discours manuscrit, figurant dans les manuscrits J. R. Le texte intégral de l'intervention de John Reed au Premier Congrès des peuples

Après dix jours de réunions, le voyage de retour lui parut interminable, d'autant plus que Louise lui avait télégraphié de Moscou. Les compagnons de Reed buvaient, riaient et s'amusaient, mais ses différends avec la direction du Komintern empêchèrent John de partager cette bonne humeur. La démagogie et les demi-vérités dont on s'était servi au nom de la révolution, les appels hystériques à la guerre sainte lui avaient déplu. Une fois de plus, John tenta de réfléchir aux conséquences de sa réaction et se trouva alors devant un abîme de questions sans réponses [27].

Leur train fut attaqué par un groupe de bandits à cheval qu'un escadron de l'Armée rouge dispersa. Lorsque la cavalerie se lança à leur poursuite, John grimpa dans un wagon où l'on avait installé une mitrailleuse ; comme on traversait des collines, cela lui rappela le Mexique et la Tropa.

Le matin du 15 septembre, il courut retrouver Louise dans sa chambre au Dielovoï Dvor. John se sentait rasséréné ; enfin, ils étaient réunis. Il lui lut un poème qu'il avait griffonné dans sa prison finlandaise :

> « Je rumine et je rêve
> Jour et nuit, le jour après la nuit
> Et pourtant une amère pensée m'obsède :
> Nous nous sommes perdus l'un l'autre
> Toi et moi [28]... »

---

de l'Orient figure, pour la traduction française, en annexe au *Mexique Insurgé*, Maspero, Paris, 1975, p. 319-324. (N.d.T.)

27. La déception que John ressentit est un des éternels points de controverse. Theodore Draper, dans son livre *The Roots of american communism*, Viking Press, 1957 (*Les Origines du communisme américain*), p. 282-293, a parfaitement analysé cette question. Il arrive à la conclusion que Reed ne renonça jamais au communisme. Je partage tout à fait le point de vue de Draper, lorsqu'il dit que « Reed était sans doute aussi déçu qu'il est possible de l'être », mais qu' « il décida cependant de rester dans le mouvement ». C'étaient les événements mondiaux qui avaient conduit Reed vers le bolchévisme, mais c'était également ses aspirations et ses idéaux ; le mouvement bolchévique donnait un sens à son existence et il n'y aurait pas renoncé facilement. Pourtant, il est difficile de penser que dans les années qui suivirent, Reed eût défendu Staline contre Trotsky qu'il admirait, ou qu'il serait resté d'une façon permanente à l'intérieur de cette secte étroite et sclérosée que le P.C.A. allait devenir ; mais par ailleurs, il aurait fallu beaucoup d'autres désaccords avec des gens comme Zinoviev pour lui faire complètement changer d'idée.

28. Cité dans l'article de Louise Bryant intitulé « Les derniers jours de John Reed », *Liberator*, février 1921, p. 11-12.

Il lui confia toutes ses pensées les plus secrètes, ses réflexions sur les événements et sur lui-même. Il lui avoua son aventure avec la jeune fille russe, jura que cela ne se reproduirait plus, puis sans perdre de temps lui fit part de ses doutes à propos des décisions du Komintern. Une chose avant tout était nécessaire pour refaire leur vie : il fallait quitter la Russie et rentrer. Malgré l'enthousiasme de John, Louise fut frappée par son changement ; il paraissait « plus vieux, plus triste, il était devenu bizarrement doux et esthétique *(sic)* [29] ». Habillé de vieux vêtements, le teint pâle, le visage décharné comme celui d'un vieil homme, il semblait partager la souffrance qui était celle du peuple russe. Aussi Louise évita-t-elle de se confesser à lui. Se sentant abandonnée lorsqu'il était parti en Russie, l'année précédente, elle s'était consolée comme elle avait pu. L'histoire a de curieux hasards : durant le printemps et l'été, elle avait vécu à Woodstock avec Andrew Dasburg, le peintre qui était devenu l'amant de Mabel Dodge lorsque John était parti au Mexique. Emue par les lettres de Reed, elle avait obtenu un contrat avec les journaux de la presse Hearst et quitté l'Amérique au début d'août. Sur le bateau, elle écrivit à Andrew qu'il y avait deux raisons à ce voyage : ses succès journalistiques serviraient sa carrière : jamais plus elle ne serait « abandonnée et malade », comme elle l'avait été l'hiver précédent. Enfin, et c'était le plus important, elle devait empêcher Reed de rentrer en Amérique : « Si J. rentre, il ira en prison ; ce sera épouvantable. De le savoir enfermé — et plus dépendant que jamais — nous achèvera, tu le sais bien. Nous serions anéantis tous les trois [30]. »

Louise, qui n'avait jamais aimé raconter ses aventures, comprit que le moment était mal choisi. Les souffrances que John avait endurées, les conséquences de son emprisonnement, la douleur et le chagrin qui se lisaient encore dans ses yeux, le lui rendirent plus cher que jamais. Lors de leurs retrouvailles à Petrograd, il lui avait avoué des défaillances et des craintes que Louise n'avait jamais soupçonnées. Sa fragilité, sa faiblesse,

---

29. *Ibid.*
30. Louise Bryant à Andrew Dasburg, le 5 août 1920. (Archives Andrew Dasburg, George Arents Research Library, Université de Syracuse.)

sa gentillesse la rendirent protectrice et craintive. Elle lui confia que le retour aux Etats-Unis n'était peut-être pas une très bonne idée ; mieux valait attendre qu'il soit en meilleure santé, sinon, à coup sûr, la prison le tuerait. Avec un regard étrangement doux, John lui répondit : « Ma chérie, tu sais que pour toi je ferais n'importe quoi, mais ne me demande pas d'être un lâche [31]. »

Les jours suivants, John présenta Louise à ses amis, Balabanova, Enver Pacha, Bela Kun, et aux dirigeants bolchéviques Trotsky et Kamenev ; il lui obtint une interview avec Lénine, la première qu'il ait accordée depuis six mois à un journaliste américain. Ensemble, ils se promenaient dans Moscou, assistaient à des ballets, se rendaient à l'Opéra ; ils visitèrent les musées, les galeries de peinture, se promenèrent sur les quais et dans les parcs, parlant inlassablement de leurs projets d'avenir. John avoua qu'il était prêt à laisser à d'autres les tâches les plus actives ; il ne se réservait que celle de réunir les communistes américains. Avant tout, il brûlait du désir d'écrire, de finir l'histoire de la révolution en écrivant un second volume ; ensuite il se lancerait dans son roman, celui qui couvait en lui depuis si longtemps.

Ils projetèrent de passer de longues vacances en famille à Portland. Une lettre récente de Margaret prouva à John que non seulement sa mère le comprenait, mais qu'elle le soutenait totalement. Elle lui écrivait : « Ce que tu dis de ton égoïsme me met très mal à l'aise, mon chéri. Tu n'as pas le droit de croire cela. Tu fais ce que tu crois être juste — c'est la seule chose que chacun puisse faire en ce monde — et si on ne le fait pas, on a tort. Mis à part le souci que je me fais pour toi, j'approuve entièrement ce que tu fais, du moment que tu penses que c'est bien [32]. » John songea que si Margaret avait pu évoluer à ce point, C. J. aurait approuvé son œuvre de tout son cœur. Il fut d'autant plus déçu de savoir que Louise n'avait pu récupérer la montre en or. Il écrivit aussitôt à un ami de New York en lui demandant de bien vouloir s'en occuper. Puis, à force de penser à son père et à sa famille, il en vint à manifester un désir qui n'était pas récent. Comme s'il avait eu besoin d'un rempart contre l'oubli, d'un lien avec la vie plus

31. Louise Bryant, « Les derniers jours de J. R. ».
32. Margaret Reed à J. R., 16 juin 1920 (manuscrits J. R.).

fort que l'écriture, il parla sérieusement d'avoir un enfant. A sa grande joie, Louise acquiesça. Dix jours après son retour de Bakou, John commença à se sentir mal. Il eut des migraines violentes, suivies de vertiges, et dut se mettre au lit avec une forte fièvre. Un médecin diagnostiqua l'influenza mais cinq jours plus tard, comme son état empirait régulièrement, on dut le transporter à l'hôpital Marinski. Après de nouveaux examens, on diagnostiqua le typhus, cette terrible fièvre dont il avait si souvent observé les ravages pendant la guerre ; on appela d'autres médecins qui l'examinèrent mais il n'y avait pas grand-chose à faire. Tandis que leurs amis faisaient le tour de la ville pour tâcher de trouver des médicaments, Louise allait à l'hôpital et restait assise à côté de lui. En raison du blocus, il y avait fort peu de médicaments et on ne put rien trouver. Il devint vite évident que, de même que dans ses combats précédents, il ne lui restait plus guère que son courage pour lutter contre la maladie. Mais le poids des années difficiles, son opération, les mois d'emprisonnement et les batailles du Komintern avaient épuisé ses ressources.

Bientôt il lui fut difficile d'avaler et, peu à peu, il perdit du poids. La douleur était constante, atteignant un paroxysme lors de brusques accès de fièvre ; il serrait désespérément la main de Louise et tentait de sourire. Parfois, il sombrait dans un monde brumeux plein d'hallucinations ; mais il avait des périodes de lucidité ; alors, il s'inquiétait des progrès de l'Armée rouge. Les amis venaient lui rendre visite et le tenaient au courant des dernières nouvelles politiques. Il lut le rapport sténographié du Congrès et s'aperçut que ses discours avaient été déformés par la traduction ; aussi demanda-t-il à Louis Fraina de bien vouloir les corriger avant leur publication. Il lui paraissait important que sa position dans le monde communiste fût claire.

Comme il sombrait à nouveau dans le délire, des fragments de poèmes et d'histoires traversaient son esprit. Il les confiait à Louise et lui parlait des dangereuses aventures qu'ils allaient devoir affronter ensemble ; l'eau qu'on lui donnait à boire était, disait-il, pleine de petites chansons. Parfois, il était assez conscient pour se rappeler certains souvenirs : « Sais-tu comment c'est lorsqu'on va à Venise ? On demande aux gens : est-ce bien Venise ? uniquement pour avoir le plaisir d'entendre leur réponse. » Dix jours après son admission à l'hôpital, il eut une attaque. Le côté droit était complètement paralysé, et il ne pouvait plus parler. Tandis que Louise priait un Dieu auquel ni l'un ni l'autre ne croyait et que les infirmières allaient brûler des cierges dans la chapelle voisine, John, en silence, semblait se battre avec le sort. Coupé des mots, ces mots qui avaient décidé de sa vie, et qui l'avaient amené à cette existence qu'il avait rêvée étant jeune, il était désormais perdu dans les régions inaccessibles de l'esprit. Comme le petit Will de sa première histoire, il avait méprisé la fleur pour le rocher, le rocher de la gloire, de la beauté et de la victoire. Pourtant, il avait goûté à la fleur ; sa vie avait été aussi remplie et palpitante qu'un roman d'aventures ou un beau rêve. Quitter l'existence n'en était pas pour autant plus facile, mais peut-être cette idée lui apporta-t-elle une ultime satisfaction, lorsqu'à l'aube du 17 octobre, son cœur cessa de battre.

L'éternel vainqueur

> Le dernier descendant de cette vieille dynastie
> [...] s'appelait l' « Eternel Vainqueur » ; jamais
> au cours d'une bataille, il ne fut vaincu...
>
> *Le Grand Livre de Sarpedon.*

Lorsqu'enfin ils connurent le secret, la bataille était à coup sûr perdue ; ils s'emparèrent du vieux roi et galopèrent vers l'Ouest.

Il faisait nuit. Faible et grondante, la rumeur du combat montait de la plaine. Le camp vaste, et cependant bien dissimulé, brillait de l'éclat joyeux de la flamme sur l'acier. De grands chœurs graves se mêlaient aux rires des guerriers. Il y avait là des danseuses, des courtisans, des esclaves ; tribut payé par les peuples conquis ; il y avait aussi des montagnes de pierres précieuses et de ceintures ouvragées qu'on avait pillées dans les grandes cités.

Sa Majesté... l'Invincible, l'Eternel Vainqueur se tenait tout raide sous sa tente cramoisie, vêtu d'un habit d'argent si lourd qu'il n'aurait pu bouger, même s'il n'avait pas été paralysé depuis de nombreuses années. Il ne pouvait plus parler ; ses yeux seuls vivaient. Son corps de vieillard était froid et brisé.

Le capitaine s'avança au milieu de ce luxe, et sans jeter un regard au roi, le souleva, le hissa sur son épaule et sortit. Les Dix, tous vêtus de cuirasses noires, attendaient, retenant leurs chevaux noirs par la bride, ainsi que le cheval du capitaine et celui du roi. Ils soulevèrent son corps raide et inanimé et lui étendirent les jambes en travers de la selle. Ils montèrent ensemble à cheval et se lancèrent au galop dans l'allée des tentes ; comme la lumière les frappait, ils abaissèrent leurs visières, sur lesquelles était écrit en lettres d'or le mot mystérieux. Les hommes criaient et se cachaient le visage sur le passage des Dix Cavaliers. Leur arrivée avait été signalée et ils passaient dans un silence glacé ; les murmures s'éteignaient, puis reprenaient dès qu'ils étaient passés. Sans encombre, ils parvinrent jusqu'à la plaine et s'élancèrent vers l'ouest au grand galop.

*Au-dessus d'eux brillait le bouclier étincelant de la nuit, tout incrusté d'étoiles. Le vent, que l'immense plaine n'arrêtait pas, leur apportait l'odeur de sueur et de sang de la bataille, qui paraissait s'éloigner vers le nord, avec un bruit de branchages dans la tempête. Une sinistre lueur embrasa le ciel. Les Dix levèrent leur visière et humèrent la senteur du massacre. Ils suivaient la course de la nouvelle lune. Derrière eux, la rumeur du camp s'éteignit, et la bataille disparut, happée par l'horizon... Le temps passait et ils se hâtaient ; le plat pays fuyait sous les lourds sabots de leurs chevaux, devant l'immense horizon immobile et les torrents d'étoiles que le ciel déversait...*

John REED, *L'Eternel Vainqueur*, fragment inédit (manuscrits J. R.).

Sa dernière histoire ressemblait à la première. C'était un conte où l'imaginaire, la victoire et la défaite, la vie et la mort se mêlaient en un récit mythique. Commencé dans la prison de Finlande, ce récit semble être l'étrange pressentiment de sa propre fin. Tout comme les royaumes d'autrefois ou comme ceux des légendes, la Russie soviétique savait honorer ses héros. Son corps fut transporté de l'hôpital Marinski jusqu'au Temple du Travail sur les épaules d'un groupe d'ouvriers russes. Durant toute une semaine, sa dépouille fut exposée sur un catafalque dans une pièce sombre, ornée de fleurs de métal et d'affiches révolutionnaires ; près de lui, des soldats de l'Armée rouge montaient la garde et les visiteurs défilaient pour lui rendre hommage. Le samedi 23 octobre — le lendemain du jour où il aurait fêté son trente-troisième anniversaire — un défilé solennel, précédé d'un orchestre militaire jouant une marche funèbre, parcourut les rues de Moscou jusqu'à la Place Rouge et fit halte devant le talus d'herbe qui borde les rues du Kremlin. C'était un morne après-midi d'automne, le ciel était gris et des averses tombaient de temps en temps. Au-dessus de la tombe ouverte, le vent faisait claquer un drapeau rouge, sur lequel était inscrit en lettres d'or : « Les chefs meurent, mais la cause vit. » Les discours des personnalités qui l'avaient connu, Nicolas Boukharine, Alexandra Kollontaï et Boris Reinstein reprirent tous cette même idée et lorsque les voix se turent, après qu'on eut mis les drapeaux rouges en berne, les fusils claquèrent et le cercueil fut porté en terre. Reed reposait près de la tombe de la Fraternité, là où trois ans auparavant, il avait vu enterrer cinq cents Russes, au pied de la citadelle de briques construite par les despotes moscovites, à côté des rois et des martyrs de la révolution.

C'était là un dénouement qui ne lui aurait pas déplu, le but vers lequel toute sa vie semblait avoir tendu, la fin qui convenait à un auteur dont l'œuvre ultime prouvait qu'il n'avait jamais tout à fait renoncé aux rêves héroïques de l'enfance. Reed faisait partie de ces hommes peu nombreux dont les aspirations, l'énergie et le talent sont assez forts pour leur permettre de réaliser leurs rêves d'adolescents dans la vie adulte. En ce début du XX° siècle, le développement industriel ne semblait pas particulièrement favoriser l'aventure, mais il avait toujours su où la trouver ; certes, il lui était arrivé de déclarer que la réalité surpassait l'imagination poétique, mais il s'agissait d'une réalité particulière, bien différente de celle que la plupart des gens admettent. Reed, sans se tromper, avait su choisir les activités où l'individu pouvait s'épanouir : la marche solitaire en Europe, l'expérience artistique, la vie de bohème hors de toute convention, la fonction de correspondant à l'étranger, l'engagement politique et révolutionnaire.

De tous temps, certains hommes ont éprouvé le besoin de rompre avec le quotidien, mais l'aspect et le sens d'une telle quête sont déterminés par l'histoire. Dans le cas de Reed, la société en pleine croissance dont les liens sociaux se relâchaient lui fournit tout d'abord des occasions de réussir, puis les mouvements syndicaux, la guerre, la révolution et la répression commencèrent à dessiner les contours de la réalité. Tel était le sujet des notes qu'il avait écrites en prison, en vue de son roman autobiographique : l'histoire d'un jeune journaliste qui devient célèbre dans le New York d'avant guerre et qui peu à peu se trouve en butte au boycott officiel et à l'ostracisme, à cause de son opposition farouche à l'entrée en guerre de l'Amérique. Tout comme le roi paralysé, dont le nom, malgré sa défaite imminente, restera dans la légende, destiné à inspirer la crainte à toutes les générations ultérieures, le journaliste devait rester célèbre en vertu des liens qu'il avait eus avec les événements historiques, parce qu'il avait su s'identifier avec ces héros caractéristiques du monde moderne : « Les vrais révolutionnaires... ceux qui sont capables d'aller jusqu'au bout [1]. »

1. J. R., « Les Marées humaines », notes inédites (manuscrits J. R.).

Pour John Reed, malade, en proie au délire dans la cellule de sa prison, l'écriture était un moyen de donner un sens à la fois au présent douloureux et à toute sa vie passée. Peut-être existait-il chez lui un désir de gloire posthume, mais ce qu'il voulait avant tout, c'était comprendre la place qu'il occupait dans l'histoire. Son dernier texte s'appelait *L'Eternel Vainqueur*, et le roman qu'il projetait d'écrire, *Les Marées humaines* ; ces deux titres sont significatifs. En dépit de son incarcération et de sa tristesse, il pouvait toujours se voir en vainqueur et considérer que sa vie elle aussi obéissait à ce flux héroïque. Très tôt, même si ce n'était pas évident, les jours insouciants de Greenwich Village étaient inextricablement reliés aux grands bouleversements qui devaient suivre. Les mêmes forces qui avaient bâti cette société où l'on pouvait trouver gloire et fortune avaient fait de l'Amérique un pays instable et violent. La façon dont cette nation avait réagi au conflit détruisit toutes les valeurs dans lesquelles Reed puisait un soutien. Ce que la société avait apporté, elle pouvait brusquement le reprendre. John n'arrivait pas à saisir tout à fait la raison de ces événements. Le marxisme fournissait une explication possible, mais en fin de compte, la théorie ne le satisfaisait pas : la société l'intéressait moins que l'individu. En lui était resté vivant l'enfant que les exploits des grands hommes émerveillaient. Etre un homme, c'était agir en accord avec un code intérieur, savoir s'engager à fond et pouvoir assumer les conséquences de cet engagement : voilà pourquoi jusque dans la défaite, il pouvait se dire un « éternel vainqueur ».

Ces idées l'avaient conduit en prison, mais elles l'avaient aussi mené plus loin, au cours des derniers mois de 1920, alors que la faiblesse, la maladie et les tractations politiques lui laissaient peu de temps pour la réflexion personnelle. Paradoxalement, ce n'est pas la lutte révolutionnaire qui poussa Reed à faire ce dernier séjour en Russie. Ce voyage avait été le résultat des rivalités qui opposaient des hommes ambitieux, désireux de jouer leur rôle dans l'histoire et trop occupés de petites divergences de doctrines pour être capables d'unir les Bolchéviks américains sous un seul drapeau. Mourir du typhus, ce n'était pas mourir d'un coup d'épée, ni sous les balles des contre-révolutionnaires ; cela prouvait que la banalité, aussi bien que l'héroïsme, pouvait paver la route vers la tombe.

Dans le système de valeurs que Reed avait adopté, la mort, le dernier tribut, le prix logique qu'il fallait payer pour une vie épique, pouvait assez facilement être acceptée. En revanche, il admettait moins bien d'autres tributs qu'il avait dû payer sa vie durant. Sa soif d'aventures l'avait obligé à abandonner les choses qu'il aimait : l'envie de s'exprimer et les doux appels de l'amour. Il ne s'était pas accordé beaucoup de temps pour écrire les poèmes et les romans qui lui semblaient pourtant essentiels ; souvent, il avait dû laisser les abstractions théoriques étouffer ses aspirations les plus chères. C'est pourquoi il était triste de savoir que certaines de ses œuvres resteraient inachevées ; de même, il sentait que certaines blessures du cœur avaient été vaines. Sans doute il dut reconnaître obscurément qu'il s'infligeait lui-même ces tourments, il dut se résigner à accepter ce manque comme un aspect normal de sa vie et s'efforcer d'ignorer les souffrances qu'il causait aux êtres chers. En fait, il y avait en Reed une sorte d'égoïsme, fondé sur la certitude qu'il était plus important de bouleverser le monde que de se préoccuper des autres ou de soi-même.

Après sa mort, sa légende survécut. L'enfant chéri de Greenwich Village, le playboy de la révolution, avait donné sa vie pour une cause, et auprès de ses amis et admirateurs, ce sacrifice parut plus important que la cause elle-même. Peu d'amis le suivirent au sein du mouvement communiste, mais il n'y a là rien de surprenant, car bien peu avaient totalement partagé ses points de vue de son vivant. Souvent, on l'avait jugé irresponsable, illuminé, naïf, suicidaire ou puéril ; mais tous s'accordaient sur son courage. Peut-être tous ces qualificatifs signifient-ils la même chose. En effet ce furent certaines de ces qualités qu'on lui attribuait qui lui permirent de déborder les normes, de vivre ce que d'autres ne font qu'imaginer, de donner corps aux désirs et aux besoins de ses contemporains. C'est pourquoi il devint une sorte de figure héroïque, une créature légendaire.

La signification d'une légende nous est donnée par ceux qui la racontent, non par ceux qui la vivent. Reed le héros était la création d'une génération d'artistes, d'intellectuels et de radicaux, de tous ces gens qui arrivaient à l'âge adulte dans ces années d'espoir, juste avant la première guerre mondiale ; ils avaient essayé par leurs théories et leur mode de vie de renverser les valeurs du XIX⁰ siècle ; Reed apparaissait tout naturellement comme l'une des figures de ce mouvement. Persuadés d'assister à la « naissance » de la révolution, ses amis avaient proclamé avec beaucoup d'optimisme qu'elle était en route, cette révolution artistique, sociale et politique qui devait délivrer la société des griffes du passé, annonçant un nouvel âge de prospérité. Ils étaient convaincus que leurs jugements artistiques, leurs prises de positions pouvaient refaire la société ; mais leur optimisme fut battu en brèche par la guerre et la révolution, par le déferlement de ces forces obscures qui depuis toujours ont hanté le monde. La vie qui s'annonçait comme une grande aventure devint une impossible gageure. Certains hésitèrent, battirent en retraite, renièrent leurs convictions pour éviter des situations trop critiques. Malgré ses doutes, ses hésitations, ses désirs de fuite, Reed avait fait face ; en fin de compte, il avait refusé les compromis. En même temps que l'image du joyeux casse-cou, de l'aventurier, du séducteur et du poète, grandissait également celle de l'homme engagé dont la mort avait fait un révolutionnaire. Pourtant cette étiquette réduisit considérablement sa popularité : l'Amérique sait vouer un culte goulu à certains de ses artistes, ceux qui ont vécu une existence passionnée et engagée, mais — en dehors de l'hommage rendu à la génération de 1776 — elle n'a jamais admiré ses révolutionnaires ; elle ne leur a même jamais pardonné.

Révolutionnaire, John l'était à coup sûr ; mais dans ce terme il faudrait inclure plus que des notions économiques ou politiques, et dépasser même les idées qui avaient cours en Russie soviétique. La réalité telle quelle ne le satisfit jamais, il fallait qu'il voie, qu'il sente, qu'il apprenne par lui-même. Cette attitude pouvait le rendre agressif, un peu trop sûr de son droit et parfois buté ; mais elle était aussi une source d'énergie et de clairvoyance que les vérités toutes faites ne pouvaient entraver. La vie de Reed apparaît un peu comme une succession d'épreuves destinées à tester les limites de ses possibilités, à remettre en cause ses opinions sur l'art, la politique et la société : ce chemin, assez naturellement, le conduisit vers la révolution. La société nouvelle que rêvaient ses camarades de l'I. W. W. et les villistas, il l'avait vu réaliser par les Bolchéviks. Elle annonçait un monde où la vie humaine serait une sorte de rôle à jouer sur un immense théâtre. Adoptant tour à tour le discours et les rêves de chacun, il avait vécu les journées révolutionnaires comme la réalité d'un nouvel ordre social à venir. La technocratie et la bureaucratie le faisaient parfois douter de ces régimes qui avaient réussi à percer — comme ç'avait été le cas au Mexique et en Russie — mais il ne s'en souciait pas trop. En revanche — sa position de départ, l'expression de ses désirs et de ses mobiles les plus profonds l'indiquent — il n'aurait eu que mépris pour tous les systèmes sclérosés.

En lui le désir révolutionnaire était enraciné depuis des

origines qu'il n'avait jamais vraiment élucidées. Il était convaincu que la société — n'importe quel ordre social — devait éviter d'enfermer les gens dans des idéologies rigides, ou dans des systèmes de valeurs jamais remis en cause. A cet égard l'amour de la poésie et l'amour de la révolution ont beaucoup de points communs. La poésie voit et fait voir le monde d'une façon nouvelle, elle énonce une vérité que les autres peuvent partager. Quant à la révolution, c'est une tentative pour faire aboutir les rêves, pour passer aux actes afin d'instaurer de nouveaux rapports sociaux. Poésie et révolution n'existeraient pas sans cette idée que la vie peut être plus belle, plus pleine de sens, différente de l'existence routinière que connaissent la majorité des gens.

Le besoin d'éprouver sans cesse, d'interroger et de découvrir fit sortir John du domaine des idées pour le conduire sur les lieux de conflit ; ce désir, après l'avoir amené à critiquer la culture américaine, en fit un ennemi du capitalisme. Son expérience des Etats-Unis, la réalité de la guerre à l'étranger, l'avaient fait évoluer : ce qui au début lui avait paru une civilisation un peu tiède lui apparut en réalité un ordre social férocement inique ; il en vint à s'y opposer ouvertement, aussi violemment qu'il détestait la pudibonderie dans l'art ou dans les mœurs ; il aurait combattu avec autant de résolution n'importe quel système brimant la libre expression. Ce désir de vivre d'une façon intense et passionnée ne se réduisait pas à sa personne, il rêvait de l'étendre à toute l'humanité. C'était une vision simpliste, un peu grandiose et sans doute irréalisable ; mais ces mondes où le petit Will partait de chez lui pour devenir un héros et où un jeune garçon chétif nommé John Reed devenait un personnage international, n'étaient-ils pas des mondes où l'impossible pouvait devenir vrai ? Loin du Pacifique, loin de Portland, il y avait des endroits où les hommes luttaient contre la tyrannie des vieilles idées, des vieux systèmes, de l'ordre établi, et qui se révoltaient contre un destin impitoyable. Ces luttes n'ont jamais de fin, mais elles ont un sens pour ceux qui veulent chercher : les poètes, les visionnaires, les révoltés. John Reed était l'un d'eux, l'un de ces hommes qui savent voir au-delà de l'apparence, qui agissent parce qu'ils rêvent de ce qui pourrait être, jusqu'à faire de leur corps le fragile bouclier de leurs idées.

# Table

CET OUVRAGE A ÉTÉ COMPOSÉ PAR L'IMPRIMERIE
CORBIÈRE ET JUGAIN À ALENÇON (ORNE)
ET ACHEVÉ D'IMPRIMER PAR L'IMPRIMERIE HÉRISSEY À ÉVREUX (EURE).
D.L. 2e TRIM. 1982. No 6164 (29559).

Ouvrages de John Reed
parus en France

Le Mexique insurgé
*Paris, Maspero, 1975*

Les dix jours qui ébranlèrent le monde
*Paris, Éditions sociales, 1975*
*et « 10 × 18 »*

# Collection Points

## SÉRIE ACTUELS

# Collection Points

# Collection Points

## SÉRIE ROMAN

# Collection Points

**SÉRIE POINT-VIRGULE**